HEINZ G. KONSALIK
Privatklinik

HEINZ G. KONSALIK

Privatklinik

Roman

Heinz G. Konsalik: Privatklinik
Lizenzausgabe für die
Naumann & Göbel Verlagsgesellschaft mbH
Emil-Hoffmann-Straße 1
D-50996 Köln

ISBN 978-3-625-21095-5
www.naumann-goebel.de

1

Wie jeden Freitag, so standen sie auch jetzt vor dem eisernen Fabriktor und warteten. Sie hatten ihren festen Platz, drei Meter links von der gläsernen Pförtnerloge, schräg vor dem zur Seite gerollten Eisengitter. Von dort konnten sie die Fabrikstraße übersehen und die vielen hundert Menschen, die beim Schichtwechsel aus dem Tor drängten.

Sie standen da wie immer, Hand in Hand, als müßten sie sich gegenseitig festhalten oder durch den Druck ihrer Hände Mut zusprechen. Jeden Freitag, wenn der große Zeiger der elektrischen Uhr über der Pförtnerloge auf fünf rückte, stockte ihnen das Herz, und ihre kindlichen Gesichter wurden hart und viel älter als ihre schmächtigen Körper.

Der Pförtner putzte sich die Nase und sah auf seine Kontrolluhr neben dem Schlüsselbrett. Neben ihm saß ein Mann der Werkswache und rauchte eine Pfeife. »Nette Kinder«, sagte er »Holen ihren Vater von der Schicht ab. Ist heute selten, Karl.«

Der Pförtner räusperte sich und blickte durch sein großes Glasfenster die Fabrikstraße hinunter. Gleich dröhnte die Hupe auf dem Hauptgelände. Dann öffneten sich wie von Zauberhand die Tore und Türen, und die Menschen quollen heraus, als koche ein Kessel über. Unter ihnen würde auch Peter Kaul sein, Elektriker in Halle vier. Ein stiller, unauffälliger grauer Mann, ein Massenmensch, an dem alles alltäglich war … sein Gesicht, seine Kleidung, sein Gang, seine Sprache, sein Geist, seine Arbeit, ein winziges Rädchen im Weltgetriebe, das niemand beachtete als seine nächste, mit ihm in Berührung kommende Umgebung.

»Du kennst sie nicht?« fragte der Pförtner und steckte sein Taschentuch ein. Der Werkswachmann schüttelte den Kopf.

»Wen?«

»Die Kinder.«

»Nee. War bis vorgestern doch am Tor fünf. Wieso? Ist was Besonderes mit denen?«

»Sie gehören dem Peter Kaul. Kennste nicht, ich weiß. Wirst ihn aber gleich kennenlernen. Und wennste ihn gesehen hast, wirst du verstehen, warum ich ihnen ab und zu fünfzig Pfennig gebe. Dann laufen sie nebenan zum Metzger und holen sich ein Stück Blutwurst. Junge, und wenn ich sehe, wie sie die essen … wie 'n Feiertag ist das! Ich könnte heulen!«

Der Wachmann starrte durch die Scheibe auf die beiden Kinder, drei Meter seitlich vom großen eisernen Tor. Sie sahen auf die große Uhr. Der Zeiger rückte vor … noch fünf Minuten, dann hupte es. Dann kam der Vater, und dann begann es wieder, wie jeden Freitag. Sie drückten sich bei dem gemeinsamen Gedanken die Hände und lächelten sich an. Mut, Petra, dachte Heinz. Ich bin ja auch da. Mut, Heinz, dachte Petra, Mutti verläßt sich ganz auf uns.

»Wieso?« fragte der Wachmann. »Als Elektriker verdient der doch klotzig! Wo gibt's denn das noch? Hunger! Ist doch Blödsinn, Karl …«

»Paß auf, dann verstehst es!«

Über dem Hauptgebäude brummte die Hupe auf. Siebzehn Uhr. Schichtwechsel. Aus Halle eins, die am nächsten zum Tor lag, drängten die Arbeiter. Die stille Fabrikstraße war in wenigen Sekunden ein wallender, rauschender, zum Tor sich wälzender Strom von Köpfen und Leibern. Petra und Heinz rückten enger zusammen. Schmal und blaß, mit großen suchenden Augen in den merkwürdig alten Gesichtern, standen sie abseits des Menschenflusses und blickten die Fabrikstraße hinab.

»Ob er wieder …?« fragte Petra leise.

»Sicherlich.« Heinz nickte schwach.

Der Pförtner stieß den Wachmann in die Seite und nickte mit dem Kopf zu den hinausdrängenden Arbeitern. »Aufpassen! Da ist er. Da – der mit dem grauen Anzug! Ja, der mit der Aktentasche unterm Arm. 'nen roten Schlips hat er um. Siehste ihn?«

Der Wachmann beugte sich zum Fenster vor. Im Strom der anderen bemerkte er einen Mann, der hocherhobenen Hauptes, mit etwas stierem Blick, die Aktentasche schwenkend, eilig zum Tor strebte. Der Pförtner seufzte und schob die Mütze in den Nacken.

»Ganz schön voll ist er wieder«, sagte er böse. Der Wachmann drehte sich verwundert um.

»Wieso? Der geht doch kerzengerade!«

»Wenn der wie 'ne Eins geht, ist er granatendicke! Guck dir den Blick an! So ist er immer … fast jeden Tag besoffen, aber am Freitag, wenn's Löhnung gibt, dann haut er die Pfannen vom Dach!«

»Und die Kinder …« Der Wachmann begriff. Er starrte zu den beiden kleinen Gestalten, die eng beieinander in der Brandung der Leiber standen.

»Die Frau will es so.« Der Pförtner hob die Schultern. »Was will das arme Ding anders tun? Sie hofft, daß die Kinder den Alten wenigstens etwas bremsen können. Aber es ist immer dasselbe ... über zwei Drittel der Löhnung versäuft er am Freitag.«

Der Wachmann ballte die Fäuste und sah Peter Kaul nach, der fast das eiserne Tor erreicht hatte. »Man sollte 'raus und ihm eine schmieren!« sagte er laut. »So lange, bis er einsieht, welch ein Schwein er ist!«

»Quatsch. Wer saufen muß, der säuft! Entlassen tun sie ihn nicht, erstens wegen der Frau und den Kindern und zweitens, weil er ein guter Elektriker ist. Das ist es ja ... saufen kann er wie ein Loch, aber auch arbeiten wie 'n Panjepferd! Achtung!«

Peter Kaul hatte das Tor passiert. Er sah seine beiden Kinder neben der Pförtnerloge stehen, und sein Gesicht verzog sich zu einem bösen Lächeln.

»Aha!« brüllte er. »Meine Leibwache! Das Begleitkommando! Die ›weißen Mäuse‹ der Frau Kaul! Was wollt ihr hier?«

Heinz und Petra hielten sich noch fester an der Hand. Ihre zwölf- und zehnjährigen Herzen schlugen wild und ängstlich. Heinz, der jüngere, versuchte zurückzulächeln.

»Guten Tag, Papi!« rief er.

»Scheiße!« Peter Kaul drückte die Aktentasche unter den Arm und senkte den Kopf. Dann griff er in die Hintertasche seiner Hose, zog eine flache Flasche, einen sogenannten »Flachmann«, heraus, setzte sie an den Mund und trank sie aus. Sie war noch viertel voll gewesen. Mit großen Augen sahen die Kinder zu, wie der wasserhelle Schnaps zwischen den Lippen des Vaters verschwand, wie der Adamsapfel zitterte und zuckte, wie der Mund schmatzte, nachdem die Flasche leergetrunken war, und wie die Hand hochfuhr und die Flasche weit weg zwischen Eisengerümpel schleuderte.

»Papi«, sagte Petra leise. »Papi, komm ...«

»Ich geh' jetzt 'raus und hau' ihm eine 'runter!« schrie der Wachmann und sprang auf. Der Pförtner hielt ihn am Rock fest und zog ihn zurück.

»Laß den Quatsch! Nachher kriegen es die Kinder dreifach wieder. Misch dich da nicht 'rein! Das ist deren Sache! Ich sehe mir das jetzt schon über 'n Jahr an ... Der Kaul ist gar nicht so. Er ist oft ein netter Kerl. Aber dann plötzlich kommt's über ihn, und er muß einfach saufen. Das habe ich dreimal erlebt. Er saß hier, wo du jetzt sitzt, und wir unterhielten uns über'n Krieg. Den hat er als Flakhelfer mitgemacht, als sechzehnjähriger Schlips. Wenn ich von Rußland erzählte, war er immer ganz Ohr. Und dann, plötzlich, als wenn der Blitz einschlägt, springt er auf und sagt: ›Mensch, ich muß einen Schnaps haben! Bis morgen!‹ Und weg ist er. Der Kaul ist krank ... da freß ich 'nen Besen!«

Sie sahen durch das Fenster auf die beiden Kinder und ihren Vater. Peter Kaul stand jetzt vor ihnen, leicht schwankend, mit stierem Blick, die Aktentasche gegen die Brust gedrückt. Um sie herum fluteten die anderen Arbeiter zu den Omnibussen, zu ihren Wagen, den Fahrradschuppen, den Straßenbahnhaltestellen.

»Komm, Papi«, sagte Petra noch einmal. »Mutti wartet.«

»Ich komme, wann ich will!« schrie Peter Kaul. »Und jetzt gerade! Jetzt gerade! Verstanden? Jeden Freitag dasselbe Theater! Ich brauche keinen Abschleppdienst! Ich bin kein Wrack! Verdammt noch mal!«

»Gundi ist krank, Papi ...«

»Quatsch! Bißchen Husten.«

»Der Doktor meint, es könnte Lungenentzündung werden.«

Peter Kauls Gesicht verzog sich wieder zu einem bösen Lächeln. Er beugte sich zu den Kindern vor, sein Alkoholatem umwehte sie.

»Das sind alles faule Tricks eurer Mutter«, sagte er eindringlich. »Alles Tricks! Ich soll nach Hause kommen ... im Dauerlauf, was? Und dann die Lohntüte aufn Tisch legen und abrechnen. Peter Kaul hat sich erlaubt, von seinem sauer verdienten Geld einen Flachmann Korn zu kaufen und zu trinken. Wer kann ihm verzeihen? Bitte, bitte, tut es, verzeiht dem armen Sünder! Er hat mit Überstunden in der Woche zweiundfünfzig Stunden geschuftet ... gönnt dem armen Wicht ein Schnäpschen! So soll's sein, so will das eure Mutter! Ein Hundeleben ist das! Wenn ihr mal groß seid, werdet ihr euren Vater verstehen!« Er griff in die Rocktasche, wühlte darin herum und zog die Hand dann heraus. Zwischen den Fingern hob er eine Mark empor und zeigte sie den Kindern.

»Hier, für jeden fünfzig Pfennig! Los, kauft euch Eis dafür oder Schokolade! Aber haut ab ...«

Petra schüttelte den Kopf. »Mutti sagt, wir sollen –«

»Abhauen!« brüllte Peter Kaul und steckte die Mark wieder ein. Er preßte die Tasche unter den Arm und hob die andere Hand. Die beiden Kinder duckten sich, sie krochen aneinander, sie bildeten einen Igel mit ihrem zum Schutz hochgestreckten Armen.

»Schluß!« schrie der Wachmann. Ehe der Pförtner ein zweites Mal zugreifen konnte, hatte er die Tür aufgerissen und war auf die Straße gestürzt.

Peter Kaul sah die Gestalt aus der Pförtnerloge rennen und ließ die Hand schlaff an den Körper zurückfallen. Leicht in den Knien schwankend sah er den Wachmann an und hob die Augenbrauen.

»Nana, Kumpel«, sagte er, bevor der Wachmann ihn ansprechen konnte. »Man wird doch wohl noch Vaterpflichten erfüllen dürfen!«

»Geh nach Hause, versoffener Hund!« Der Wachmann baute sich vor Peter Kaul auf. Er war einen Kopf größer und fast doppelt so breit.

Peter Kaul gähnte und winkte dann seinen Kindern zu.

»So behandelt man euren Papi«, sagte er fast weinerlich. Mit vor Verblüffung offenem Mund sah der Wachmann, wie dicke Tränen in die Augen Peter Kauls traten. »Er hat ein schweres Leben, euer Papi. Alle treten ihn, alle schimpfen mit ihm, alle sind gegen ihn, auch die Mutti … kommt …« Er umfaßte seine Kinder, links den zehnjährigen Heinz, rechts die zwölfjährige Petra, aber es war weniger ein Ansichdrücken der Kinder als vielmehr die Suche nach einer doppelseitigen Stütze, die ihn geradehalten sollte. »Euer Papi muß weinen … Seht euch das an! Alle Menschen sind schlecht zu ihm, alle … Wir gehen nach Hause …«

Auf die Kinder gestützt, machte er die ersten Schritte. Dann straffte sich seine Gestalt wieder, er ließ die Kinder los, sein Körper hatte wieder die Steifheit einer hölzernen Puppe, sein Gang etwas Automatenhaftes, Aufgezogenes. So gingen sie über die Straße, über den breiten Vorplatz der Fabrik, hinüber zu der Straßenbahnhaltestelle, wo wie ein Bienenschwarm eine Traube Menschen rund um den gelblackierten Eisenpfahl des Haltestellenschildes hing.

»Versoffener Idiot!« sagte der Wachmann laut. Dann wandte er sich ab und ging zum Pförtnerhaus zurück. Er sah, wie Peter Kaul und die Kinder in die Linie 17 einstiegen und abfuhren.

»Am Montag ist er wieder der beste Mensch«, sagte der Pförtner und stopfte sich eine Pfeife. »Ich versteh' ja nichts davon, aber irgendwie muß da etwas anderes im Hintergrund sein. Früher war er nicht so … Seit zwei Jahren erst säuft er. Und es wird immer schlimmer. Da steckt was hinter – ich freß 'n Besen!«

»Guten Appetit!« Der Wachmann machte eine Eintragung in sein Wachbuch. 17.20 Uhr. Erster Kontrollgang. »Daß sich um so einen Fall keiner kümmert …«

Um sieben Uhr abends kamen sie nach Hause.

Peter Kaul war mit der Straßenbahn bis zum Bahnhof gefahren. Dort stieg er aus und steuerte in seiner hölzernen Gangart dem Postamt zu.

»Draußen bleiben!« herrschte er die Kinder an. »Ich komme gleich wieder! Was ist das hier?«

»Die Post, Papi«, antwortete Heinz zuerst.

»Gut behalten! In der Post gibt's keinen Schnaps! Als Spione eurer Mutter müßt ihr alles gut behalten!«

Es dauerte noch fast zehn Minuten, bis Peter Kaul aus der Post wieder herauskam. Sein Gesicht war bleich geworden, sein Blick stierte die Kinder an, und als seine Hände über ihre Köpfe fuhren, um ihnen die Andeutung eines Streicheins zu geben, zitterten sie heftig.

»Ihr seid eine arme Brut«, sagte er langsam. Seine Zunge war schwer und lag unbeweglich im Gaumen wie ein gequollener Kloß. »Ihr habt einen anderen Vater verdient. Ein Mist ist dieses Leben, ein Mist!«

Von der Post gingen sie zu Fuß nach Hause. Das war ein Fehler und gefährlich. Es zeigte sich schon an der nächsten Ecke, wo eine Wirtschaft war. Peter Kaul strebte auf das breite Schild der Brauerei zu und zog seine Kinder an der Hand mit. »Ihr versteht das nicht«, brummte er, als Petra zu weinen begann und sich sträubte, die Wirtschaft zu betreten. »Erklären kann ich es euch auch nicht! Aber wenn ihr größer seid, werdet ihr's begreifen! Euer Papi *muß* trinken!«

»Mutti sagt …« Heinz stemmte sich auch dagegen, durch die Tür in die Wirtschaft gezogen zu werden.

»Mutti!« Peter Kaul blieb stehen und wischte sich mit beiden Händen über die Augen. »Das ist alles furchtbar … Mutti, ihr, Gundi, das Leben … man kann es nur ertragen, wenn man trinkt. Kommt!«

»Nein, Papi. Wir sollen doch nach Hause kommen!« Petra umklammerte seine Hand. »Bitte, Papi …«

Der Kopf Peter Kauls pendelte hin und her, als säße er auf einer Spirale. Er roch den Bierdunst aus der Wirtschaft, er schmeckte die Schärfe des Schnapses schon auf der Zunge, er spürte den alles

Leid so leicht machenden Nebel in seinen Gehirnwindungen, ein wundervolles Gefühl der Erlösung, das ihn durchrann, das ihn innerlich frei machte, unendlich glücklich und zufrieden. Er träumte dann mit der kindlichen Seligkeit des Entzückens … eine Wiese mit einem Haus darauf, Berge leuchteten silbern in der Sonne, ein Adler schwebte über ihm, er lag im blühenden Gras und küßte ein Mädchen, das so jung und so hübsch aussah, wie es Susanne vor dreizehn Jahren gewesen war. Er fühlte sich stark und voll freiheitlichem Drang, er hätte jauchzen können, die Welt war so herrlich, so sonnig, so glücklich … bis dann die Schleier wiederkamen, alles einhüllten, alles wegnahmen, bis die Sonne erlosch, das Glück, die Freiheit, die Stärke … bis er aufwachte und sich wiederfand in seinem zerwühlten Bett oder auf dem Sofa in der Küche, statt nach Blumen roch es nach Weißkohl, und statt der zwanzigjährigen Susanne stand eine verhärmte, zweiunddreißigjährige Frau am Herd, in einer sauberen Kittelschürze, die Haare zurückgekämmt, mit den wenigen Mitteln der eigenen Geschicklichkeit »zurechtgemacht«, krampfhaft bemüht, ihm, den Kindern, den Nachbarn und auch sich selbst nicht den Anblick der Verbitterung zu bieten, und doch fahlhäutig und gezeichnet durch die Runen des Elends, die in die Mundwinkel zwischen Nase und Kinn eingegraben waren. Die Lippen, die er im Traum geküßt hatte und die unter ihm sehnsüchtig aufgeblüht waren, verzogen sich jetzt und sagten: »Na, ausgeschlafen? Kann man jetzt wieder vernünftig mit dir reden? Vierzig Mark hast du an diesem Tag allein versoffen!«

Dann sehnte er sich nach Alkohol, nach dem Traum, nach dem Vergessen, nach Freiheit und Liebe, Sonne und innerer Wärme. Das alles gab ihm der Schnaps, die wasserhelle, in der Gurgel brennende Flüssigkeit, die seine Magenwände verbrannte und sein Hirn verzauberte. O Seligkeit der Trunkenheit!

»Soll euer Vater wieder weinen?« sagte er und legte seine Hände schwer auf die Schultern seiner Kinder. »Wollt ihr das? Könnt ihr das mit ansehen? Seid ihr schon so roh, ihr Kinder?« Sein Kopf sackte nach vorn, das Kinn schlug an den Kragen und den Schlipsknoten aus roter Kunstseide. »Nur ein Gläschen … ihr könnt es Mutti ruhig sagen! Alles, alles könnt ihr sagen, ihr Spione!«

Der Heimweg wurde mühsam und lang. In neun Wirtschaften kehrten sie ein, bis Petra und Heinz endlich die Häuserkolonie sahen. Block an Block, fünfstöckig, uniformiert, kasernenartig,

Wohnmaschinen, grauweiß verputzt, Kinderscharen vor den Türen und auf dem Gehsteig spielend, vor einem Konsumgeschäft eine Gruppe von fünf Frauen im Gespräch, vier von ihnen schwanger, die eine zum neuntenmal. Was sollte man dagegen tun? Es war ein Lebensrhythmus, aus dem man nicht mehr herauskam: Arbeit, Essen, ein paar Flaschen Bier, Fernsehen und das Bett. Ein ewiger Kreislauf, der jährlich im Kreißsaal endete und wieder begann.

Im dritten Haus, Block vier, wohnte die Familie Kaul. Im ersten Stockwerk, zwei Zimmer, Küche. Ein Schlafzimmer für die Eltern, eins für die beiden Mädchen Petra und Gundula, eine Wohnküche, in der nach dem Fernsehprogramm Heinz schlief, auf einer alten Chaise, deren Federn sich durch die Afrikpolster drückten. Bis zum Ende des Fernsehens schlief er mit Petra in einem Bett. Oft weinten sie gemeinsam, bis sie einschliefen ... aber das sah und hörte niemand. Nebenan lief die Tagesschau, das war wichtiger. Ab und zu hörten sie den Vater ein Bild kommentieren: »So ein blöder Hund!« sagte er etwa, oder: »Wenn ich Minister wäre, alle in den Hintern treten würd' ich die da!« oder: »Nun sieh dir das an, Susanne! So was haben wir gewählt!« Wenn er so sprach, war er meistens guter Laune, und es gab keinen Krach vor dem endgültigen Schlafen.

Susanne wartete in der Küche auf die Rückkehr ihrer Familie, Gundula, das jüngste Kind, ein Jahr alt und merkwürdig schlaff in den Beinen und mit verträumten Augen, schlief schon in einem alten Kinderwagen aus Wachstuch. Das Geld für einen neuen Kinderwagen hatte Peter Kaul vor einem halben Jahr auf dem Weg zum Geschäft vertrunken.

Ihr halbes Leben verbrachte sie damit, eine Fassade vor ihrem Elend aufzubauen. Sie nähte sich und den Kindern die Kleider selbst, sie achtete auf peinliche Sauberkeit, und wenn sie aus dem Haus ging, schritt sie daher wie eine zufriedene, durch ihren Mann gutgestellte Frau, sprach nur mit großem Lob von ihrem Peter und richtete die Kinder ab, zu sagen: »Unser Papi ist der beste auf der Welt!« Es kostete Mühe, dieses Gebäude der frommen Lügen, des Selbstbetruges und des Ringens um die Achtung der Umwelt aufrechtzuerhalten. Jeder in der Wohnkolonie kannte Peter Kaul, die Nachbarn hörten ihn jeden Freitag singen oder toben ... aber Susanne überdeckte das alles durch ihr Wesen und durch ihre Kraft, das Intime ihres Lebens vor der Außenwelt abschirmen zu können. Oft glaubte sie, daß es nicht mehr möglich sei, etwa, wenn Peter Kaul einen Stuhl zerschlug oder wenn er einem der Ratenkassierer drohte, ihn durch das Fenster auf die Straße zu werfen. Dann sprach sie auf den Bedrohten ein und bat der Kinder wegen um Milde, dann sagte sie beim Einkaufen: »Mein Mann ist krank. Es ist eine unbekannte Krankheit. Sie kommt und geht, wie die Malaria.« Und man ließ ihr die Illusion, daß es geglaubt wurde. Man bedauerte sie ehrlich und war nicht schadenfroh wie etwa bei der Familie Schimbrowski, wo der Alte auch soff, seine Frau verprügelte und jeder es der Erna Schimbrowski gönnte, denn sie war eine Schlampe, ließ die Kinder im Dreck spielen und rauchte selbst am Tag dreißig Zigaretten. Der Kaufmann hatte es verraten. Nein, Susanne Kaul wurde bedauert und bemitleidet, aber man zeigte es ihr nicht, weil man wußte, daß Mitleid für sie das Schlimmste war. Man glaubte ihren Erzählungen vom kranken Mann und sah in ihr eine tapfere Frau, die sich dem Zusammenbruch entgegenstemmte und noch die Kraft besaß, der Umwelt das Bild einer glücklichen Ehe vorzuspielen.

Zuerst kam Heinz in die Küche. Er ging vor, er war ein Junge, er wollte mutig sein und seine Schwester Petra schützen. Peter Kaul stand unterdessen in der Toilette. Man hörte das Plätschern bis in die Küche. Über Susannes Gesicht lief ein Zucken. So weit ist er schon wieder, dachte sie. Es gibt gewisse äußere Anzeichen über seinen Grad der Trunkenheit. Wenn er singt, ist es harmlos; wird er still, kann man mit ihm sprechen; wird er weinerlich, muß er ins Bett; tobt er herum und brüllt, muß man selber still sein und abwarten, bis er vom Schreien müde wird und von selbst ins Bett geht. Die letzte Stufe ist, wenn er enthemmt ist, wenn er alle Scham verliert vor den Kindern, den Nachbarn, der Frau, wenn er, wie jetzt in der Toilette steht, die Tür offenläßt und das Geräusch seiner Notdurft durch die Wohnung hallt.

»Ich konnte ihn nicht festhalten, Mutti«, sagte Heinz leise. »Erst waren wir auf der Post, dann … was sollen wir denn tun, Mutti?«

Susanne Kaul nickte und klopfte Heinz auf die Wange. Nun kam auch Petra in die Küche, sie weinte und drückte sich gegen die Wand.

»Setzt euch an den Tisch, Kinder«, sagte Susanne heiser. »Petra, hol die Bratkartoffeln vom Herd, ich komme gleich.« Sie ging aus der Küche und zog die Tür hinter sich zu. Heinz und Petra sahen sich verständnisvoll an.

»Ob er wieder schreit?« fragte Petra leise.

»Nein. Heute ist er zu müde.«

»Wetten?«

»Um was?«

»Um zehn Murmeln!«

»Abgemacht.« Heinz schlich an die Küchentür. »Ich sage, er brüllt nicht. Er geht ja schon ins Schlafzimmer ...«

Peter Kaul sah seine Frau in dem engen Flur stehen, als er von der Toilette kam. Er knöpfte seine Hose zu, grinste Susanne an und ging an ihr vorbei ins Schlafzimmer. Dort zog er den Rock aus und warf ihn über das Bett.

»Lohntüte ist drin. Hol sie dir ...«

»Wieviel hast du wieder versoffen?«

»So viel, um glücklich zu sein!« Er setzte sich auf die Bettkante, zog die Schuhe aus, schleuderte sie donnernd gegen den Kleiderschrank und rief dabei: »Bumdabum! Die Musik kommt!«

In der Küche hielt Heinz die Hand auf. »Zehn Murmeln ... er brüllt nicht, er singt!«

»Aber er wirft die Schuhe herum! Nur fünf Murmeln!«

»Einverstanden.«

Die Kinder gingen zum Tisch zurück. Petra holte die Pfanne mit Bratkartoffeln vom Herd, löffelte sich und Heinz den Teller voll und trug die Pfanne wieder zurück.

»Was dazu?« fragte Heinz.

»Rote Beete.«

»Lecker!«

Sie aßen stumm, ab und zu lauschten sie zur Tür. Sie hörten Stimmen aus dem Schlafzimmer, aber keinen Krach. Es war ein friedlicher Freitag, ja, es war fast ein schöner Tag. Der Papi tobte nicht, morgen war Samstag, da lag er sowieso im Bett. Genaugenommen hatte der Sonntag bereits begonnen, festlich sogar, mit Bratkartoffeln und roten Beeten.

Im Schlafzimmer lag Peter Kaul auf dem Bett, die zerknüllte Anzugjacke unter sich, die Arme hinter dem Kopf verschränkt, und empfand große Sehnsucht nach Schlaf und Träumen. Der Alkohol lag beseligend dumpf auf seinem Gehirn, er spürte kaum noch Erdenschwere in den Gliedern, und was Susanne zu ihm sagte, hörte er wohl, aber er begriff es nur zur Hälfte.

»Ich halte das nicht mehr aus!« sagte Susanne. »Ich kann nicht mehr, ich bin am Ende! Wovon soll ich die Miete bezahlen, die

Raten für das Fernsehgerät, das Radio, den Eisschrank und die Waschmaschine? Jede Woche stehen sie vor der Tür und halten die Hand auf, und jede Woche muß ich sagen: am nächsten Freitag. Kaufen, Verträge abschließen, stolz alles herumzeigen – das haben wir und das und das –, aber wenn dann die Raten kommen, ist kein Pfennig da, und sie holen uns die Sachen wieder aus der Wohnung!« Sie schwieg und starrte auf ihren Mann. Peter Kaul lag auf dem Rücken, mit geschlossenen Augen und halb offenem Mund. »Hörst du mir überhaupt zu?« schrie sie. Kaul zuckte etwas zusammen.

»Aber ja.«

»Ich kann nicht mehr, Peter! Eines Tages hänge ich mich auf!«

Er öffnete die Augen, sein stierer, glasiger, im Alkohol schwimmender Blick suchte sie.

»Erst bin ich dran, Susi«, sagte er mit schwerer Zunge.

»Warum tust du das denn, Peter?« Sie setzte sich neben ihn und weinte plötzlich. Er tastete nach ihr, seine Hand legte sich auf ihren Oberschenkel. »Was hast du denn davon, wenn du trinkst? Sei doch vernünftig … du ruinierst uns doch alle. Denk doch an die Kinder, wenn ich dir schon unwichtig geworden bin. Welch ein Schauspiel bietest du ihnen denn? Wie sollen sie zu ihrem Vater aufsehen können? Peter …«

»Die Kinder!« In seinen Augen blitzte es auf. »Spione sind es! Spione ihrer Mutter! Pfui Deibel!«

»Ich habe gedacht, wenn du die Kinder siehst, läßt du das Trinken sein.«

»Gedacht! Haha! Sie hat gedacht! Ich saufe, wann *ich* will!« Peter Kaul dehnte sich. Ruhe, dachte er. O komm doch, süße Ruhe! Komm, du Traum von blühenden Wiesen und schneebedeckten Bergen …

»Bedeuten wir dir denn nichts mehr?« Ihre Stimme war ganz klein und weinerlich. Sie beugte sich über das bleiche, etwas aufgedunsene Gesicht, überwand ihren Ekel vor dem Schnapsatem und legte ihr Gesicht auf seine Brust. »Peter, wir waren doch so glücklich … es war doch alles so schön … bis vor zwei Jahren … Soll denn alles zusammenbrechen?«

»Ruhe …« Peter Kaul dehnte sich wohlig. Wärme durchrann ihn. Die Sonne scheint schon, dachte er glücklich. Gleich weht der Wind über die blühenden Gräser, ich höre die Kuhglocken. O Susanne, du wirst nie begreifen, wie herrlich es ist, betrunken zu sein, so herrlich betrunken wie ich …

Susanne erhob sich vom Bett. Er schlief, sein Atem ging rasselnd, seine Brust zuckte dabei, aber sein Mund lächelte und war kindlich wie der Mund Petras, wenn sie schlief.

In der Küche saßen die Kinder noch am Tisch und tranken ein Glas Milch. »Wo gehst du hin, Mutti?« riefen sie, als sie Susanne im Mantel hereinkommen sahen. »Was macht Papi?«

»Der Papi schläft.« Susanne atmete schwer. »Zieht euch schon aus und geht ins Bett. Ich komme gleich wieder. Ich mache nur schnell noch einen Besuch. In einer Stunde bin ich wieder da. Schlaft schön.«

Sie gab Petra und Heinz einen Kuß und verließ dann schnell die Wohnung.

Es ist die letzte Rettung, dachte sie. Und es ist mein letzter Weg. Wenn er umsonst ist, bleibt nur noch das Chaos. Wenn Gott nicht helfen kann – wie soll es da der Mensch?

Sie lief durch die abendlichen stillen Straßen, bis sie den schlanken Kirchturm der St.-Christophorus-Kirche sah. Da wurden ihre Schritte langsamer, aber auch bestimmter und fester. Vor dem Pfarrhaus blieb sie stehen, schlug den Mantelkragen hoch, als regne es, und schellte.

Sie mußte dreimal schellen, bis sie hinter der Tür Schritte hörte.

Hans Merckel, der Pfarrer von St. Christophorus, war etwas ungehalten, als ihm seine Haushälterin so späten Besuch meldete. Er war dabei, seine Sonntagspredigt auszuarbeiten, und es war ein ungeschriebenes Gesetz im Pfarrhaus, daß bei dieser Arbeit keinerlei Störungen den Gedankenfluß Hans Merckels unterbrechen durften. Ja, er schloß sich zu dieser geistigen Arbeit sogar in seiner Bibliothek ein und brauchte eine ganze Zeit, bis er öffnete. Meistens war er dann wie weltentrückt, ganz aufgegangen in dem Text, den seine Predigt erklären sollte.

Auch an diesem Freitagabend hatte sich Pfarrer Merckel eingeschlossen, um ein besonders schönes Bibelwort in eine Predigt zu kleiden. »Sehet, ich bin bei euch alle Tage bis an der Welt Ende.« Das war ein guter Spruch, aus ihm ließ sich eine Predigt machen, die alle Lebensbezirke berührte.

»Ja?« rief er durch die Tür, als das Klopfen der Haushälterin nicht aufhörte. »Was ist denn?«

Er erfuhr von dem Besuch, der sich nicht abweisen ließ, der weinte und sagte, es ginge um das Leben einer ganzen Familie.

16

»Einen Augenblick«, sagte Pfarrer Merckel. Man hörte ihn hin und her räumen, sich räuspern, eine Tür abschließen. Dann öffnete er das Arbeitszimmer und sah in die Diele. Er war ein stattlicher, breiter Mann Anfang der Sechzig, mit schlohweißem Haar und einem roten Gesicht, was ihm, zusammen mit der tiefen Stimme, den Anblick eines Patriarchen verlieh. Wenn er auf der Kanzel stand, vor dem Altar oder bei der Fronleichnamsprozession das Allerheiligste durch die Straßen trug, im goldenen Gewand unter einem roten Himmel, war es unmöglich, von der Ausstrahlung seiner Persönlichkeit nicht gepackt zu werden. Man beugte die Knie, man lauschte seinen Worten und empfand, daß hier wirklich ein Recke Gottes um die Seelen kämpfte.

»Bitte«, sagte Pfarrer Merckel und trat zur Seite. Susanne Kaul betrat die Bibliothek. Das erste, was ihr auffiel, war der ihr bekannte, für sie unverkennbare leichte Geruch von Alkohol, der im Zimmer schwebte. Sie wandte sich verwundert zu Pfarrer Merckel um und sah in gütige, ruhige, glänzende Greisenaugen.

»Ich bitte um Verzeihung, wenn ich noch so spät ...« begann sie. Pfarrer Merckel schüttelte den Kopf, faßte Susanne am Arm und führte sie zu einem Sessel.

»Gott ist immer zu sprechen«, sagte er. »Ich bin sein Diener.«

Susanne setzte sich zaghaft. Sie sah sich verstohlen um. Wände voller Bücher, dunkle, gebeizte, alte Möbel, ein mächtiger Schreibtisch, dahinter an der Wand ein Holzkruzifix, in der Ecke auf einem Podest eine alte Madonna mit Jesuskind, Sessel, zwei Rauchtische, ein zerschlissener, aber echter Orientteppich, vor einem Ewigen Licht ein geschnitzter eichener Gebetsstuhl, wie man ihn in alten Klöstern noch findet.

»Ich komme wegen Peter. Mein Mann, Herr Pfarrer. Peter Kaul. Elektriker bei den Marsellus-Werken in Essen.«

»Ja.« Pfarrer Merckel faltete die Hände. Sie trägt noch keine Trauer, dachte er. Ist er tot, und sie hat es gerade erfahren, oder ist er schwer verletzt? Er wartete, was sie weitersagte, und fragte nicht.

»Mein Mann ist ein Säufer, Herr Pfarrer«, sagte Susanne leise. Pfarrer Merckel faltete die Hände auseinander.

»Ein was?«

»Er trinkt. Er vertrinkt jeden Freitag über die Hälfte des Lohnes, wir haben Schulden über Schulden, die Kinder haben nichts anzuziehen, die Miete müssen wir uns abhungern, manchmal tobt er, manchmal ist er wie ein Kind, er kann Stühle gegen die

Wand schlagen und gleich darauf wie ein junger Hund heulen ...
er ... er ist verrückt, Herr Pfarrer. Der Schnaps hat ihn verrückt
gemacht.« Sie hob beide Hände, als wolle sie beten. »Bitte, bitte
helfen Sie mir ... Sie sind meine letzte Rettung. Auf seinen Pfarrer *muß* er hören. Helfen Sie ...«

Sie weinte wieder. Alle Stärke war mit den gesagten Worten
verbraucht. Nun lag sie halb im Sessel, die Hände vor dem Gesicht, zitternd und schluchzend. Pfarrer Merckel ging wortlos hin
und her, um den Schreibtisch herum, am Sessel vorbei, an der
burgundischen Madonna, am Betgestühl. Dann blieb er vor Susanne Kaul stehen, beugte sich vor, nahm ihre Hände und
drückte sie langsam von ihrem Gesicht herunter.

»Erzählen Sie mir alles«, sagte er mit seiner gütigen, tiefen Patriarchenstimme. »Wenn ich Ihnen helfen kann, will ich es tun.«

Sie sah ihn aus flatternden Augen an, ihr Mund verzog sich
wie zu einem stummen, gepreßten Schrei. Er riecht nach Alkohol,
dachte sie und spürte, wie es in ihr eiskalt wurde, als stürbe sie
partienweise ab. Nicht Schnaps ist das ... es ist Wein, ich kenne
das zu genau. Schnaps riecht nach Fusel, Wein riecht säuerlich.

»Ich will alles sagen, Herr Pfarrer«, stammelte sie. »Können
Sie ihm helfen?«

»Gott hat für alle eine Medizin.« Pfarrer Merckel ließ die
Hände Susannes los und setzte sich ihr gegenüber. »Erleichtern
Sie sich, Frau Kaul, reden Sie sich alles von der Seele ... das ist im
Augenblick für Sie die beste Medizin.«

Am Samstagvormittag hatte Peter Kaul alles vergessen. Er saß im
Bett, hatte einen trockenen Hals, eine brennende Kehle, das Gefühl unerträglicher Übelkeit im Magen und versuchte alle zehn
Minuten, sich zu erbrechen. Es blieb aber nur ein keuchendes,
qualvolles Würgen, dem ein paar Tropfen Magensäure und Gallensaft folgten.

Susanne saß in der Küche und rechnete, was sie mit dem Geld
anfangen sollte, das in der Lohntüte übriggeblieben war. Die
Kinder waren in der Schule, Gundula, das jüngste, lag im Kinderwagen und spielte mit buntlackierten Holzklötzen. Um elf Uhr
kamen die ersten Ratenkassierer. Es hatte sich hier in der Arbei-
terkolonie so eingebürgert, daß die Abzahlungsraten wöchentlich, wie die Entlöhnung war, bezahlt wurden. Da fast alle Fami-
lien in den großen grauen Häuserblocks auf Raten kauften, hatten die großen Lieferfirmen eigene Kassierer eingestellt, die jeden

Samstagmorgen von Tür zu Tür gingen. Das war sicherer, als auf die Überweisungen per Postscheck zu warten.

Peter Kaul schlurfte aus dem Schlafzimmer in die Küche und holte sich ein Glas Wasser. Gierig trank er es und schüttelte sich vor der Lauheit des Getränkes. »Laß doch das dämliche Rechnen!« sagte er und zog die Schlafanzughose hoch. »Vom Rechnen wird's auch nicht besser. Gut, es fehlen wieder siebenundvierzig Mark ... ich hole sie nächste Woche wieder. Ich mache zwei Nachtschichten mit! Zufrieden, Susi?«

»Gleich kommt der Kassierer von der Waschmaschine. Zwei Raten sind schon fällig. Wenn ich die dritte nicht bezahle, holen sie die Maschine wieder ab. Zahl' ich sie aber, gibt's diese ganze Woche kein Fleisch! Nur Kartoffeln und Gemüse durcheinander.« Sie legte den Bleistift auf die Lohntüte. »Irgendwo muß ich ja dein Saufgeld herausholen!«

Peter Kaul schwieg und schlurfte ins Schlafzimmer zurück. Sie hat recht, dachte er, als er sich wieder ins Bett legte. Sie hat ja so recht. Ich werde nachher und morgen, den ganzen Sonntag, schwarzarbeiten. Auf einem Neubau suchen sie einen Elektriker, ganz in der Nähe, ich weiß es. Und ich werde jetzt jeden Samstag und Sonntag schwarzarbeiten. Sie sollen alle sehen, daß ich für meine Familie sorgen kann. Verdammt noch mal – sie hat ja so recht, die Susanne.

Wehmut überkam ihn wieder. Er hätte weinen können, aber er biß sich auf die Lippen und zwang sich, so gut es ging, Haltung zu bewahren. Sie wissen ja alle nicht, warum ich saufe, dachte er. Sie sehen alle in mir nur das Luder, das seinen Lohn an der Theke läßt und seine Familie ruiniert. Ich kann es ihnen doch nicht sagen, was los ist ... ich kann doch nicht hingehen und sagen: Ich bin nicht der Peter Kaul, den ihr kennt! Ich bin nicht der ehrbare Elektriker von den Marsellus-Werken, und ich bin auch nicht das Schwein von Säufer, das sich von seinen armen kleinen Kindern abschleppen lassen muß. Ich bin ... nein, ich kann es nicht sagen! Ich kann nur saufen, wenn ich daran denke. Nur saufen! Vergessen will ich! Ruhe will ich! Ruhe! Ruhe! Und auch Susanne darf es nicht wissen. Sie liebt mich, ich weiß es, trotz allem liebt sie mich noch. Das, was sie nicht weiß, wird ihre Liebe töten!

Jetzt weinte er wirklich, alles Auf-die-Lippe-Beißen nützte nichts mehr. Er lag in den Kissen, starrte an die getünchte, fleckige Decke (dem Obermieter Wagner war vor einem halben Jahr ein Eimer umgekippt), zerwühlte mit seinen Händen die Bett-decke und heulte leise vor sich hin.

An der Wohnungstür klingelte es. Elf Uhr. Der Kassierer für die Waschmaschine. Peter Kaul ergriff die Steppdecke und zog sie über seinen Kopf. Er verkroch sich vor der Wirklichkeit.

Um die gleiche Zeit saß Pfarrer Hans Merckel im Ordinations-zimmer dem Psychiater und Hirnchirurgen Dr. Konrad Lingen gegenüber.

Mit Dr. Lingen hatte Pfarrer Merckel eine Kapazität ersten Ranges aufgesucht. In der Klinik vor den Toren Essens, im Ruhr-tal zwischen lichten Wäldern gelegen, operierte er Fälle, die inter-nationale Sensationen darstellten. Komplizierte Hirntumoren waren sein Fachgebiet, aber auch Nervennähte und so gefähr-liche Operationen wie Leukotomien und Defrontalisationen wurden in der Klinik ausgeführt und hatten den Ruhm Dr. Lin-gens in Fachkreisen begründet. Von den Gerichten des Ruhrge-bietes wurde er oft als Gutachter angefordert. Immer waren seine Gutachten prägnant, klar, sicher und richtig. Mit sechsundvier-zig Jahren stand Dr. Konrad Lingen auf der Höhe seiner Arztkar-riere und wartete nur noch auf die Professur an der geplanten neuen Ruhruniversität.

»Was Sie da erzählen, Herr Pfarrer, ist ja ein Alltagsgesche-hen«, sagte Dr. Lingen etwas distinguiert. Er hatte sich über eine Stunde lang das Schicksal der Familie Kaul angehört und fragte sich nun, was das alles sollte.

Pfarrer Merckel sah zu dem großen, schlanken, eleganten Mann auf, dessen größtes Kapital sein feinnerviges Fingerspit-zengefühl war. Es war, als habe er dort eine Sendeanlage, die die feinsten Reaktionen bei einer Operation registrierte und umsetzte in eine Gegenaktion. Man sagte Dr. Lingen nach, daß er an einem Nerv im Gehirn fühlen konnte, wann er dachte. Das war natürlich eine Sage, aber man traute es ihm zu.

»Ich möchte helfen, Doktor«, sagte Pfarrer Merckel. »Ich werde mir Peter Kaul selbst vornehmen. Ein Gespräch unter Männern hilft immer. Sie aber sollen der Frau helfen … und dem Kind, der kleinen Gundula. Ich vermute da Schreckliches.«

Dr. Lingen sah kurz auf die Notizen, die er sich bei der Erzäh-lung des Pfarrers gemacht hatte.

»Das Kind ist in Volltrunkenheit gezeugt worden?«

»Ja. Er hat seine Frau regelrecht vergewaltigt. Sie wollte nicht. In seiner Trunkenheit hat er sich wie ein Tier benommen.« Pfarrer Merckel strich sich über die silbernen Haare. »Dann kam das Kind … und nun ist Gundula ein Jahr alt, kann noch nicht sitzen, von Laufen gar nicht zu reden, es lallt nur, spielt noch mit Klötzchen und reagiert schwach auf äußere Wahrnehmungen. Nur wenn es Essen riecht, kräht es. Ich bitte Sie, sehen Sie sich das Kind an, Doktor. Ich bezahle es.«

»Über den letzten Satz müßte ich beleidigt sein, Herr Pfarrer. Ich setze voraus, daß ein Diener Gottes nicht für etwas Sinnloses bittet. Kann das Kind zu mir hinaus in die Klinik kommen?«

»Ich werde es selbst hinbringen, Doktor.« Pfarrer Merckel erhob sich. »Wie soll ich Ihnen danken?«

»Gar nicht.« Dr. Lingen winkte ab, als Pfarrer Merckel noch etwas sagen wollte. »Lassen Sie mich so eigennützig sein, zu denken, daß vielleicht ich Sie eines Tages brauche, Herr Pfarrer. Dann können wir aufrechnen.«

»So etwas kann schneller kommen, als man denkt.«

»Beschwören wir nichts herauf!« Dr. Lingen lachte und klappte seinen Terminkalender zu. »Sagen wir: Montag schon? Um zehn Uhr? Um elf habe ich einen Tumor, der bestimmt vier Stunden dauert. Vorher kann ich nicht, da muß ich ein Gutachten beim Landgericht abgeben. Also um zehn am Montag?«

»Abgemacht. Und wenn … wenn meine Ahnungen stimmen?«

Dr. Lingen hob die Schultern. »Ich sagte es schon – für uns ist das ein Alltagsschicksal. Ich könnte Ihnen da ganz andere Fälle vorführen.«

Pfarrer Merckel verließ die Wohnung Dr. Lingens mit gemischten Gefühlen. Hier kann Hilfe zur Zerstörung werden, dachte er. Aber – bei Gott – wie kann man helfen ohne Wahrheit?

Am Sonntag arbeitete Peter Kaul wirklich auf dem Neubau und verdiente dreißig Mark. Der Bauherr bettelte ihn an, doch jeden Tag nach der Arbeit auf ein oder zwei Stunden zu kommen, und bot ihm mehr, als Peter Kaul verlangt hätte. Er sagte zu, kassierte seine dreißig Mark und widerstand tapfer der Versuchung, als Abschluß des Tages im »Hammerstübchen« ein paar Gläschen zu sich zu nehmen. Verdient hätte ich es, dachte er, als er mit abgewandtem Gesicht an der Wirtschaft vorbeiging. Jeden Tag zwei Stunden nach der Schicht zusätzlich, und das über ein paar Wochen hin … Susanne sollte mir wirklich einen erlauben.

Ab Montag ging alles wieder seinen gewohnten Lauf. Um Viertel nach sechs morgens fuhr er hinein nach Essen, um sieben

Uhr abends (mit einer Überstunde) kam er wieder heim, müde, abgearbeitet, hungrig und durstig. Er trank sein Bier, Susanne trug das Essen auf, man sprach wie immer, erholte sich beim Fernsehen. Und wartete auf den Freitag, diesen verteufelten Freitag, der jede Woche Arbeit abschloß und die Hölle aufriß.

Von dem Besuch der Klinik Dr. Lingens hatte Susanne noch nichts erzählt. Dr. Lingen und auch der Pfarrer hatten ihr geraten, vorerst darüber zu schweigen. Warum, das wußte sie nicht, aber wenn es zwei so hohe Herren sagten, mußte es einen Grund haben.

Die Untersuchung in der Klinik im Ruhrtal war gründlich. Dr. Lingen und ein Oberarzt nahmen die kleine Gundula in Empfang und rollten sie in dem alten, abgeschabten Kinderwagen über einen langen Gang weg. Eine Tür schloß sich lautlos hinter ihnen. Susanne umkrallte die Lehne ihres Sessels.

»Was tun sie mit ihr?« fragte sie leise. »Warum kann ich nicht dabei sein? Sie tun ihr doch nicht weh?«

»Keine Angst.« Pfarrer Merckel legte beruhigend seine Hand auf ihren zuckenden Arm. »Doktor Lingen ist ein international berühmter Mann. Gundula ist in den besten Händen. Wir können hier warten.«

Sie saßen in einer Ausbuchtung des Ganges vor einem großen Fenster, das hinabsah auf die Ruhr. Korbsessel standen um kleine Tische, Blumen zierten die Fensterbank. Ein zwangloser Warteraum, nicht abgeschlossen, sondern mitten im Klinikbetrieb liegend.

Im Untersuchungszimmer wurde Gundula auf eine lederne Chaise gelegt, auf der eine Gummiunterlage ausgebreitet war. Dr. Lingen betrachtete das kleine Wesen und registrierte die Reaktionen des Kindes auf die neue, ungewohnte Umwelt. Gundula zeigte keinerlei Angst oder Scheu ... sie spielte mit einem Taschentuch, das ihr der Oberarzt in die Fingerchen gegeben hatte, und sie gab auch keinen Laut von sich, als man sie auf die krummen Beinchen stellte und sie kraftlos immer wieder einknickte. Die großen blauen Augen blickten freundlich, aber ausdruckslos umher, der kleine Mund verzog sich zu einem Lächeln, völlig unmotiviert, als man sie hinsetzte und sie wie eine Puppe auf den Rücken fiel.

»Eigentlich brauchen wir gar nicht weiterzumachen«, sagte Dr. Lingen. »Doch dem Pfarrer zuliebe, Kollege, gehen wir die ganze Skala durch.«

Nach knapp einer Stunde rollte eine Schwester den Kinderwagen wieder den Gang entlang zum Warteplatz. Susanne sprang auf und rannte ihm entgegen. »Gundi!« rief sie. »Mein Liebling! Hat es weh getan? Mein Süßes.« Sie beugte sich über das Kind. Gundula spielte wieder mit den farbigen Klötzchen. Sie schien sehr zufrieden zu sein. »Was sagt der Herr Doktor?« fragte Susanne und umklammerte den kunststoffüberzogenen Griff.

»Ich weiß nicht.« Die Schwester lächelte höflich. »Ich sollte das Kind nur zu Ihnen bringen.«

»Danke, Schwester«, sagte Susanne Kaul glücklich.

Mein Liebling lacht, dachte sie. Sie haben ihm nichts getan. Gundi ist so zufrieden und glücklich. Sie hat bestimmt nicht eine Minute geweint.

An diesem Tag erfuhr Susanne von Dr. Lingen nur, daß sie vorerst nichts von der Untersuchung erzählen sollte. Pfarrer Merckel erfuhr dagegen mehr. Wie immer war die Diagnose Dr. Lingens kurz und klar:

»Ein typisches Säuferkind«, sagte er. »Geistig verkümmert, körperlich zurückgeblieben durch eine Störung des innersekretorischen Haushaltes. Dieses Kind wird nie erwachsen werden, es bleibt immer auf der Stufe eines Kleinkindes.«

»Also verblödet?« fragte Pfarrer Merckel leise.

»Wenn Sie es so kraß ausdrücken – ja! Es wird zwar einmal laufen lernen, es wird auch seine Umwelt in beschränktem Maße aufnehmen, aber es wird immer bildungsunfähig bleiben.« Dr. Lingen hob die Schultern. »Leider kein Einzelfall, Herr Pfarrer. Davon laufen Tausende herum. Alles Säuferkinder.«

Pfarrer Merckel nickte schwer. »Ich danke Ihnen, Doktor«, sagte er stockend. »Jetzt wissen wir es genau ... aber wie, wie soll ich das der unglücklichen Mutter weitersagen?«

»Vorerst nicht.« Dr. Lingen sah auf die Uhr. In fünfzehn Minuten sollte die Tumoroperation beginnen. »Bleiben Sie bei Ihrem Plan: Sprechen Sie zuerst mit dem Vater, diesem Peter Kaul. Und schonen Sie ihn nicht ... kneten Sie ihn durch wie Brötchenteig. Ich möchte Ihnen wünschen, daß Sie Erfolg haben.«

Es war der Freitagabend, den Pfarrer Merckel für eine Aussprache mit Peter Kaul ausgewählt hatte. Er hatte bewußt den Freitag genommen, er wollte ihn an dem Tag sprechen, an dem das Rätselhafte seines Wesens aufbrach mit der Pünktlichkeit einer elektronischen Einstellung.

Peter Kaul hatte sich erst geweigert, als er die Einladung erhielt. »Was soll das?« hatte er geschrien. »Was soll ein Pfaffe dabei? Aber so ist es richtig ... hinter meinem Rücken herumlaufen und alle Welt gegen mich aufhetzen! Himmel, was habe ich für eine Frau! Alle verraten mich! Alle!«

Am Freitag, bei Schichtwechsel, standen zum erstenmal seit Wochen Petra und Heinz nicht neben der Pförtnerloge und warteten auf Vater und Lohntüte. Das war so ungewöhnlich, daß Peter Kaul sich verwirrt umblickte, unschlüssig stehenblieb und wartete. Sie haben bestimmt die Straßenbahn verpaßt, dachte er. Anders ist es nicht möglich. Warum sollten sie gerade an diesem Freitag nicht kommen?

Er ging unruhig vor dem eisernen Fabriktor auf und ab, rauchte nervös zwei Zigaretten, wartete zwei Straßenbahnen ab und fand keine Erklärung für das Wegbleiben der Kinder. Susanne wird doch keine Dummheiten gemacht haben, dachte er. Sie wird doch nicht mit den Kindern ...

Er warf die Zigarette weg und spürte ein erstickendes Würgen im Hals. Ich habe doch nichts getrunken, wollte er schreien. Seht doch, seit zwei Jahren habe ich an diesem Freitag zum erstenmal keinen Tropfen getrunken! Das heißt – zwei Flaschen Bier und zwei Korn, aber was ist das denn? Ich bin nüchtern, ganz nüchtern, obwohl es mir in der Kehle juckt und ich Sehnsucht habe nach Ruhe und Vergessen. Und gerade dann, dann sind sie nicht da. Ich hätte ihnen Plätzchen gekauft, Eis, Schokolade, ich hätte ihnen die volle Lohntüte gezeigt: Seht, alles ist da! Das ganze Geld! Sagt es der Mutti!

Er sah zur Pförtnerloge. Der Wachmann und der Pförtner blickten ihn an, abwartend, neugierig. Ich bin nicht besoffen!, wollte er schreien, aber er bezwang sich und wandte sich wieder ab. Fünfzig Mark habe ich schwarz verdient, dachte er. Sie müssen in dieser Woche reichen. Er muß damit zufrieden sein. Mehr kann ich nicht. Von diesen fünfzig Mark weiß Susanne nichts, sie stehen auf keiner Abrechnung, ich habe dafür geschuftet. O Gott, wenn man doch saufen könnte, um das alles zu vergessen, diesen ewigen Druck wegzuspülen und wieder auf der sonnigen Wiese zu liegen ...

Der Freitagrückweg vollzog sich wie immer. Straßenbahn bis zum Bahnhof, Postamt, zu Fuß nach Hause. Aber diesmal ging er an den Wirtschaften vorbei, er zwang sich mit unverständlicher Kraft, wegzusehen, denn allein schon der Anblick der Wirtshausschilder zauberte in seine Nase den Duft von Alkohol. Um das Pfarrhaus von St. Christophorus ging er dreimal herum, umkreiste die Kirche und redete sich gut zu. Geh hinein, sage dem Pfarrer, es sei sinnlos, über Dinge zu reden, die er nie verstehen wird, sei höflich, behalte deine Beherrschung, und dann geh nach Hause und lege Susanne die volle Lohntüte auf den Tisch. Hauch ihr ins Gesicht und sage lächelnd: »Na, keinen Tropfen, riechst du's?« Und dann laß dich verwöhnen, denn an diesem Freitag kommst du nach Hause wie ein siegreicher König!

Pfarrer Merckel erwartete Peter Kaul schon. Die Haushälterin ließ ihn sofort in die Bibliothek, sie war in Hut und Mantel, denn heute war ihr vom Herrn Pfarrer ein Kinobesuch gestattet worden. Sie hatte frei.

»Guten Abend, Herr Pfarrer«, sagte Peter Kaul und blieb an der Tür stehen. Seine Nasenflügel blähten sich, ein Zittern lief über seine Oberlippe. Es roch nach Alkohol in der pfarramtlichen Bibliothek. Es roch nach Whisky. Peter Kaul schob die Unterlippe vor. Er mochte keinen Whisky, er schwor auf die kleinen Klaren. Sie sahen wie Wasser aus und waren Zauberer der Seligkeit.

»Kommen Sie 'rein, Herr Kaul«, sagte Pfarrer Merckel und winkte. »Und machen Sie die Tür zu. Wir sind jetzt ganz unter uns und können uns kennenlernen.«

»Ich bin nur gekommen, Herr Pfarrer, um Ihnen –«

»Ich weiß.« Die wuchtige Gestalt des Pfarrers duldete keinen weiteren Widerspruch. Peter Kaul kam näher und starrte auf den Tisch, um den die Sessel gruppiert waren. Gläser standen da und drei Flaschen. Whisky, Korn und Doppelwacholder. Ein Brennen stieg in seinem Gaumen hoch, sein Magen zuckte, eine unendliche Sehnsucht nach Flüssigkeit trocknete seine Mundhöhle aus. Er schluckte krampfhaft und setzte sich mit zitternden Knien.

Sie sahen sich an wie zwei Gegner in einem Boxring, stumm, etwas nach vorn gebeugt, der Pfarrer stehend, wuchtig wie Moses am Felsen der Zehn Gebote, Kaul im Sessel hockend, die Hände zwischen die Knie geklemmt, innerlich bebend und sprungbereit wie ein Raubtier.

Er ist ein Satan, dachte Peter Kaul. Er ist kein Priester, nein, er ist der Teufel. Er weiß, daß ich saufe, und er stellt vor mich auf den Tisch Schnaps und leere Gläser. Er weiß doch, wie ein leeres Glas auf mich wirkt, und gerade am Freitag! Und dieser Geruch, dieser in die Knochen ziehende Geruch nach Sprit. Er *ist* ein Satan.

»Da sind wir nun, mein lieber Kaul«, sagte Pfarrer Merckel mit seiner tiefen Patriarchenstimme. »Ein seltenes Zusammentreffen, nicht wahr? In der Kirche sehe ich Sie selten.«

»Nie!« brummte Peter Kaul und wandte den Kopf weg. Die Kornflasche flimmerte im Lampenlicht, der Wacholder daneben schien zu singen. Es war eine Halluzination, die ihn bis ins Innerste ergriff.

»Nie. Richtig!« Pfarrer Merckel lächelte breit. »Wie ehrlich wir doch sind! Warum eigentlich nicht?«

»Was?«

»Sonntags nicht in der Kirche?«

»Von Montag bis Freitag schufte ich wie ein Karrengaul. Am Samstag gehe ich auch arbeiten, schwarz, wissen Sie, um den Lebensstandard des Wirtschaftswunders zu erreichen. Und am Sonntag schlafe ich mich aus … das ist mein gutes Recht. Oder nicht? Soviel ich weiß, hat Gott so etwas gesagt wie: Am Sabbat sollst du ruhen …«

»So ähnlich! Ist schon lange her, seit Sie das letztemal in der Bibel gelesen haben?»

»Ja.«

»In der Bibel stehen schöne Sprüche, mein Lieber. Wenn man sich nach ihnen richtet, wird das irdische Leben zum Paradies. Leider wird's dann auch langweilig.«

Peter Kaul starrte zu Pfarrer Merckel hinauf. Was soll das, hieß der Blick. Spricht so ein Seelsorger? Warum redest du mit mir wie mit einem gefährlichen Irren? Bin ich schon so weit?

Kaul atmete tief auf und wollte sich erheben. Aber die Hand des Pfarrers drückte ihn in den Sessel zurück. Es war ein Griff, gegen den sich Peter Kaul wie ein knochenloser Fleischabfall vorkam. Diese Kraft, dachte er und starrte auf die singende Wacholderflasche. Verdammt, man sollte zugreifen und sie an den Hals setzen. Dann wäre man auch so stark! Man kann Welten aus den Angeln heben, wenn man gesoffen hat.

Pfarrer Merckel schien die Gedanken seines Gastes zu kennen. Er umkreiste den Tisch ein paarmal in stummer Versunkenheit, blieb dann stehen und hüstelte. Seine Kehle war trocken, es ließ sich nicht leugnen. Noch weniger ließ sich leugnen, daß er bisher standhaft gewesen war, daß er einen heroischen Kampf gefochten hatte, den Gott anerkennen mußte. Wenn er jetzt schwach wurde, so war auch dies nur ein Opfer, die zerrüttete Seele seines Gastes bloßzulegen. Der Zweck heiligt die Mittel, sagte einmal ein gottloser Diplomat. Im Grund genommen war er ein kluger Mann. Man kann nicht alles mit Gottes Wort allein tun … man muß einem Menschen, will man ihn kennenlernen, menschlich kommen.

Als Pfarrer Merckel soweit war, seufzte er leise, bat noch einmal innerlich um Vergebung, beschimpfte sich, daß er mit rhetorischen Winkelzügen seine offensichtliche Schuld überdecken wolle und beugte sich zu Peter Kaul vor.

»Einen Korn, mein Lieber?« fragte er und griff nach der Flasche.

»Nein, danke.« Die Stimme Kauls war heiser und wie mit Schimmel belegt. »Ich trinke nicht.«

»Warum lügen Sie schon beim ersten vollständigen Satz Ihren Seelsorger an, Peter?« Pfarrer Merckel schüttete das schlanke Glas bis oben hin voll und goß sich selbst auch ein Glas ein. »Prost!«

»Prost …« Peter Kaul ergriff das Glas, seine Hände zitterten, der Alkohol schwappte über und lief über seinen Handrücken. Da trank er das Glas schnell aus, er kippte es, wie der Fachmann sagt, und er leckte den Alkohol vom Handrücken ab, als er das Glas wieder auf den Tisch zurückgestellt hatte.

»Das tut gut, was?« sagte Pfarrer Merckel und setzte sich Kaul gegenüber. »Noch einen?«

»Danke, Herr Pfarrer.«

»Lüge! Ihr Adamsapfel zuckt vor Gier! Ich kenne das doch, mein Lieber! Warum genieren Sie sich? Heute ist doch Freitag …«

Das Gesicht Peter Kauls verfiel deutlich. Es wurde bleich, knöchern, wie durchleuchtet. Die Augen erstarrten, der Blick wurde wäßrig-trüb. Er griff zum Glas, das Pfarrer Merckel wieder gefüllt hatte, und kippte den Alkohol mit weit offenem Mund in sich hinein.

»Was … was wollen Sie von mir, Herr Pfarrer?« fragte er heiser.

»Ihre Beichte, Peter Kaul. Wir sind ganz unter uns, niemand hört uns, nur Gott … und Gott können Sie alles anvertrauen – er schweigt!«

»Ich habe nichts zu beichten.«

»Was ist mit Freitag?«

Peter Kaul starrte den Pfarrer an und griff zur Flasche. Ohne zu fragen, goß er sich selbst ein und trank in einem gierigen Zug. Dreimal wiederholte sich das, und Pfarrer Merckel ließ es geschehen.

»Nichts ist mit Freitag!« sagte Kaul laut. Seine Zunge vibrierte bereits. In seinem Hirn drehte sich wohltätig der Nebel. Wie wenig braucht man doch, um glücklich zu werden, dachte er. Fünf Korn nur, und die Welt wird leicht wie ein Daunenbett. »Freitag gibt es Löhnung, weiter nichts.«

»Warum saufen Sie?«

»Weil's schmeckt.«

»Dann prost!«

Er goß wieder ein. Peter Kaul starrte seinen Pfarrer an. Er säuft ja auch, dachte er entgeistert. Kreuzdonnerwetter, er hält ja mit. Der Alte faßt die Flaschen an, als streichele er sie. Gott verdammt noch mal, der Pfarrer säuft ...

Sie sprachen nicht mehr, sie tranken. Die Flasche Korn leerte sich, man ging über zum Doppelwacholder ... Als die Flaschenmitte erreicht war, stieß man mit den Gläsern an und lachte über Bemerkungen wie »Das geht bis in 'n kleinen Zeh« oder »Das beste Konservierungsmittel ist der Schnaps«. Kurz bevor der Boden der zweiten Flasche erreicht war, stellte Pfarrer Merckel einen Plattenspieler an. »Eine Polka!« schrie er. »Junge, Peter! Das war'n noch Zeiten, als man Polka tanzen konnte!« Und dann tanzte er, stampfend, sich drehend wie ein plumper Bär, warf die Arme empor, zerzauste sich die silbernen Haare, schlenkerte mit den Beinen und hüpfte quer durch das Zimmer. Peter Kaul schlug mit beiden Fäusten den Takt dazu auf die Tischplatte und grölte. Welch ein schöner Tag, dachte er. Wie herrlich! Fröhlichkeit! Leichtsinn! Hurra!

Plötzlich, als habe ihn ein Axthieb gefällt, sank er nach vorn und schlug mit der Stirn auf die Tischplatte. Er heulte wie ein junger Hund und umkrallte das Tischbein unter sich.

»So ein Schwein!« wimmerte er. »So ein gemeines Schwein! Alles, alles hat er mir genommen ...«

Pfarrer Merckel stellte sofort den Plattenspieler ab und schwankte zu Peter Kaul. Er ließ sich in den Sessel fallen, strich sich die verwilderten silbernen Haare aus der Stirn und tupfte sich den Schweiß mit beiden Händen vom hochroten Gesicht.

»Er ist wirklich ein Lump!« sagte er laut.

Peter Kaul hob den Kopf und starrte den Pfarrer aus leeren Augen an.

»Seit zwei Jahren geht es so ... jeden Freitag muß ich von meinem Lohn zwanzig Prozent zahlen! Zwanzig Prozent! Und wenn ich's nicht tue, will er mich bei der Werksleitung anzeigen! Dann bin ich fertig, vollkommen fertig. Ich habe es doch verschwiegen … keiner weiß was davon. Nur er … nur er …«

Pfarrer Merckel nickte »Ein sauberer Bursche!« Er drückte Kaul in den Sessel zurück. Der Kopf fiel nach hinten auf die hohe Lehne, die Augen stierten gegen die dunkle, getäfelte Decke. »Warum hast du das denn nie gesagt?« fragte Merckel.

Kaul schluckte. Seine Augen, rotgerändert und wäßrig, blickten jetzt wieder auf den Pfarrer. In der Leere des Blickes sammelte sich plötzlich Angst und Grauen.

»Ich … ich habe einen Menschen getötet«, sagte er leise.

Pfarrer Merckel hatte vieles erwartet, aber das nicht. Er gestand sich, daß er seine Beine weich werden fühlte, und ließ sich in den Sessel fallen. »Wieso?« fragte er. »Du hast einen Menschen umgebracht? Das sieht dir doch nicht ähnlich!«

Peter Kaul schüttelte wild den Kopf. »Ich wollte es doch nicht! Glauben Sie mir, ich war nur leichtsinnig!« Er wischte sich über die Augen. Aus dem Nebel des Alkohols wallte die Szene herauf.

Vor drei Jahren. Auf der Zeche »Amalia«. Unter Tage war ein neuer Stollen fertig geworden. Er war eingefahren, um die elektrischen Leitungen für die Kohlenhobel zu legen. Zehn Tage war er schon unter Tage, hatte die Gummikabel gezogen, hatte die Verteilerkästen gesetzt, hatte verdrahtet. Dann schloß er das Kabel an die Hauptleitung an, durch die Strippen floß »Saft«, wie man in der Fachsprache sagt, ja, und dann war Mittag. Er ging zum Essen und ließ zwei Kabelenden unisoliert. Nur eine halbe Stunde, dann ging's ja weiter. Aber ein Schild hängte er an den Kasten. Achtung! Strom!

Zehn Minuten später gab es den Kurzschluß. Die Sicherungen knallten heraus, und neben dem Kasten, unter den freien unisolierten Enden, lag der Hauer Johann Milbach. Er war sofort tot. Warum er die Enden berührt hatte, ob es ein Zufall war, es war nie mehr zu klären. Jemand behauptete, das Schild wäre heruntergefallen und Milbach wollte es wieder hinhängen. Auf jeden Fall war er tot. Vater von fünf Kindern. Peter Kaul wurde der Fahrlässigkeit angeklagt, aber dann ließ man die Anklage fallen. Er hatte ein Warnschild aufgehängt … mehr war nicht nötig.

Für Peter Kaul selbst aber war der Fall Milbach nicht beendet. Beim Begräbnis stand er abseits und heulte in sich hinein, als er die Witwe Frida mit ihren fünf Kindern am Grab stehen sah, eine Familie, die er zerrissen hatte. Auch wenn sie alle im Betrieb sagten, er sei unschuldig … in ihm wuchs ein Schuldkomplex, der stärker war als seine Gegenwehr. Er zerbrach unter dem Vorwurf: Du bist ein Mörder! Du hast Milbach getötet! Du hast die Kabelenden nicht isoliert! Du hast fünf Kindern den Vater genommen! Du bist ein Mörder!

Am Tag des Begräbnisses von Johann Milbach begann Peter Kaul, sich zum erstenmal richtig zu besaufen. Aber dann sagte er sich wieder: Warum faßte er auch die Leitung an? Ich bin nicht schuldig.

So ging es ein Jahr lang hin und her. Mal soff er, weil er sich als Mörder fühlte, mal überwies er anonym, unter falschem Namen, der Witwe Frida Milbach Geld, um zu sich selbst zu sagen: Er war mein Kamerad. Ich tue ein gutes Werk.

Und dann kam Hubert Bollanz.

Bollanz, der damals auf der gleichen Sohle unter Tage Schlepper war. Er hatte gesehen, wie Milbach starb, er hatte sich gemerkt, daß die Kabelenden nicht isoliert waren. Und er bekam auch heraus, wo Peter Kaul nach seinem Weggang von der Zeche »Amalia« arbeitete.

Der erste Brief war kurz. »Lieber Kumpel Peter«, stand darin, »wenn man einen Menschen getötet hat und keiner weiß was davon, nicht die Frau, nicht die Kinder, nicht der neue Chef, dann ist das etwas wert, nicht wahr? Es ist dir doch klar, daß du damals nur einen wüsten Bammel gehabt hast, daß du in Wirklichkeit schuld bist und daß der liebe gute Milbach noch lebte und fünf Kinder ihren lieben Papa hätten, wenn du nicht zu faul gewesen wärst, noch vor dem Mittag die Enden zu isolieren! Was glaubst du, was passiert, wenn das der Personalchef der Marsellus-Werke erfährt! Aber nichts für ungut ... alles hat seinen Preis, und du willst ja ruhig und ehrbar weiterleben ...«

Nach diesem Brief war Peter Kaul zwei Tage lang arbeitsunfähig. Er soff nur noch und fand bestätigt, was er immer gesagt und immer wieder bekämpft hatte: Ich bin ein Mörder!

Und dann zahlte er. Nach zähen Verhandlungen mit Hubert Bollanz zahlte er zwanzig Prozent des Wochenlohnes. Und Bollanz schwieg. Aber diese zwanzig Prozent waren nicht das schlimmste. Dreißig Prozent vertrank er jeden Freitag, denn jeder Freitag erinnerte ihn automatisch daran: Du hast einen Menschen auf dem Gewissen! Fünf Kinder hast du zu Waisen gemacht! Ein Gedanke, an dem er systematisch jeden Freitag zerbrach, weil er keine innere Kraft zur Gegenwehr mehr hatte.

»So ist das, Herr Pfarrer!« stammelte Kaul nach der gestotterten Erzählung. »Es zerreißt mich einfach. Und seitdem geht es so, jeden Freitag muß ich zur Post und auf Huberts Konto einzahlen. Zwanzig Prozent. Seit zwei Jahren. Und dann kam es über mich … verstehst du das? Ich muß saufen, ich kann nicht mehr anders … die Angst, es könnte herauskommen … und dann zu Hause, die Frau, die Kinder, die Abzahlungen, die Schulden, ich arbeite und arbeite, und ich komme nicht weiter, im Gegenteil, es wird immer schlimmer. Da muß ich doch saufen! Verdammt, sag, daß ich saufen muß!« Er sprang auf, schwankte und fiel dann wieder in den Sessel zurück.

»Zeig diesen Hubert an!« sagte Pfarrer Merckel laut.

»Dann brummt er, jawohl! Aber ich bin meine Stellung los! Und alle werden mich scheel ansehen! Alle! Auch Susanne. Es weiß doch keiner … es darf doch keiner wissen … ich habe doch immer gelogen …«

Er fiel wieder nach vorn auf die Tischplatte und weinte laut.

Pfarrer Merckel ließ ihn liegen und räumte die Flaschen und die Gläser weg. Wie kann ich ihm helfen, dachte er. Man kann alles, was ihn belastet, aus dem Weg räumen … die Lüge, die Angst, die Sorgen, diesen Hubert … bleiben wird der Alkohol! Sein Körper ist zu sehr vergiftet, um auch dieses Letzte von sich zu stoßen. Er wird immer weitertrinken, er kann einfach nicht anders … wie ich. O Gott, verzeih mir … Wie ich. Du kennst mich. Ich bin ein heimlicher Sünder und doch dein treuester Diener …

Pfarrer Merckel schwankte durch das Zimmer, öffnete die Fenster, um zu lüften, dehnte sich in der kühlen Nachtluft und fühlte, wie es um seine Stirn klarer wurde. Er faßte Peter Kaul unter, schleifte ihn ans Fenster und schüttelte ihn.

»Nach Hause!« stammelte Kaul. »Ich will nach Hause! Ich will –«

Die Dunkelheit war gnädig genug, die beiden schwankenden Gestalten zu bedecken. Pfarrer Merckel brachte Peter Kaul bis an die Wohnungstür, er schellte für ihn und schob ihn an der entsetzten und dann versteinerten Susanne vorbei in den Flur.

»Wir reden morgen darüber«, sagte er. »Bringen Sie ihn ins Bett … er ist ein armer Mensch, der Mitleid verdient.«

Susanne schloß die Tür hinter Pfarrer Merckel und sah dann ihren Mann an. Haß und Ekel stiegen in ihr hoch. Sie stieß die Schlafzimmertür auf und gab Peter einen Stoß gegen die Rippen. Grunzend schwankte er zum Bett und fiel mit dem Gesicht zuerst in die Kissen. »Susi …« rief er dabei.

In Susanne war eine schreckliche Kälte. Sie hatte keine Tränen mehr, keine Anklagen, keine Worte. In ihr war Entschlossenheit, die auf nichts mehr reagierte.

»Ich gehe!« sagte sie zu der sich auf dem Bett krümmenden Gestalt.

»Noch diese Nacht gehe ich. Mit den Kindern. Wohin? Das geht dich nichts an. Ich kann arbeiten, ich kann für mich selbst sorgen, ich will nicht im Sumpf verkommen! Hörst du mich? Ich gehe! Für immer! Und wenn ich alle Erinnerungen an dich auslöschen könnte, eins wird immer bleiben, was mich an dich Satan erinnert: Gundi! Ich weiß jetzt, was sie hat. Man will es mir nur nicht sagen. Ich habe sie mir heute genau betrachtet … blöd ist sie! Meine süße Gundi ist blöde! Weil du es im Suff gemacht hast, vergewaltigt hast du mich, du Lump! Das war das Letzte!« Sie ging aus dem Schlafzimmer, nebenan zu den Kindern, um sie zu wecken.

Peter Kaul richtete sich auf. Am Kopfteil des Bettes zog er sich hoch und wankte in die Küche. Die kühle Nachtluft hatte sein Hirn klarer gemacht, wenn auch die Alkoholschwere noch in seinen Gliedern lag. Er hatte alles verstanden, was Susanne gesagt hatte, und es war etwas in ihm explodiert, wofür er keine Erklärung wußte. Schluß, daß wußte er, Schluß muß ich machen! Einfach Schluß. Dann ist Ruhe in der Welt der Kauls.

Er schleppte sich zu dem alten, schäbigen Kinderwagen, beugte sich über das schlafende Köpfchen und starrte Gundi an. Sie hatte die Fäustchen geballt und schlief mit offenem Mund.

Blöd, dachte er. Sie ist blöd. Und es ist meine Schuld, ganz allein meine Schuld. Das ist etwas, von dem mich keiner freisprechen kann … kein Pfarrer, kein Gericht, auch Gott nicht. Ich habe ein Leben um das Leben betrogen.

Er sah Gundi noch einmal an, streichelte unbeholfen über das deckende Kissen und schwankte dann aus der Küche. Susanne sah aus dem Kinderzimmer. Er hörte Petra und Heinz leise weinen.

»Leg dich hin«, sagte sie laut. »Schlaf dich aus!«

»Nein!« Er sah Susanne aus großen Augen an. »Nein! Es wird anders werden … alles wird anders werden …« Er beugte sich plötzlich vor, so schnell und unverhofft, daß Susanne nicht mehr ausweichen konnte. Mit beiden Händen stieß er sie ins Kinderzimmer, warf die Tür zu und schloß sie von außen ab.

»Ich gehe!« schrie er und warf die Arme empor. »Sucht mich nicht! Ich will Schluß machen! Ich will euch erlösen … erlösen …«

»Peter!« schrie Susanne und rüttelte an der Tür. »Peter, mach auf!«

Peter Kaul hörte es nicht mehr. Er war schon auf der Treppe und rutschte sie fast hinunter. Auf der Straße sah er noch einmal zurück zu dem grauweißen Häuserblock, zu den Fenstern seiner Wohnung. Das Kinderzimmerfenster wurde jetzt aufgerissen ... der Kopf Susannes erschien, daneben die Köpfe von Heinz und Petra.

»Papi!« riefen sie grell.

Da lief er ... lief, als hetzten sie ihn ... Zur Ruhr, dachte er. Irgendwo in den Büschen an der Ruhr wird Friede sein. Ich bin ja nicht mehr wert, zu leben ...

2

Wie lange er rannte, wußte er nicht. Wer mit dem Leben bereits abgeschlossen hat, zählt nicht Minuten. Er wußte auch nicht, wohin er rannte. Wie ein blindgeschossenes Wild hetzte er ziellos durch die Straßen, kam über Wiesen, lief am Rand eines Fußballplatzes vorbei, schlug sich durch Buschwerk und hohes, nasses Gras, sprang über weichen Boden und riß sich beim Laufen das Hemd vor der Brust auf, zog seine Jacke aus, warf sie weg, und während er lief und lief und vor sich hin heulte wie ein getretener Hund, spürte er eine ungeheure Erleichterung in seinen Gliedern, in seinem Hirn, in seiner Seele.

Sterben, dachte er immer wieder. O seliges Sterben! Ruhe haben! Vor Hubert Bollanz, vor dem Pfarrer, vor Susanne, vor den Kindern, vor der Witwe Milbach und ihren fünf Kindern, vor dem Gewissen, das immer wieder schreit: Du hast Johann Milbach getötet! Und Ruhe vor dem Schnaps, vor dem in der Kehle brennenden Wasser, das sich im Magen sammelt, die Magenwände kratzt, das nach vier Gläschen schon zum Kotzen reizt und das doch so wichtig ist, so gottgesegnet, denn es schenkt Vergessen, Wegschweben in eine Welt, in der alles schön und leicht und unkompliziert ist. Eine Welt, in der alle Weiber wie Engel aussehen und die Schlote der Fabriken wie riesige duftende Blütenbäume ...

Plötzlich stand er an der Ruhr, im hohen Gras, umgeben von Weiden- und Rotdornbüschen. Das schmutzige Wasser gluckerte zwischen einigen großen Steinen sprudelte ein Strudel. Ein toter Fisch wiegte sich am seichten Ufer. Sein silberglänzender Schuppenbauch tanzte, nach oben gedreht, zwischen Algen und Tang.

Peter Kaul starrte in das Wasser.

Hier ist die Welt also zu Ende, das dachte er nun doch. Hier wird der Peter Kaul sich ersäufen, wie man kleine Katzen ersäuft, nur auf den Sack kann er verzichten, in den man die kleinen Viecher im allgemeinen steckt. Peter Kaul, erst 35 Jahre alt, seit dreizehn Jahren verheiratet mit Susanne, geborene Kullenbach, Vater Eisendreher bei Krupp, mit 40 Jahren Invalide, weil er mit der rechten Hand in die Drehbank langte, der Idiot! Dann gestorben an Lungenentzündung, weil er unbedingt bei Regenwetter Dahlien setzen wollte, in seinem Schrebergarten, draußen vor den Toren Essens.

Und die Mutter Kullenbach? Hatte Krebs. Brustkrebs. Erst die eine Brust weg, dann die andere. Und dann bestrahlt. Aber völlig sinnlos, denn da waren die Metastasen schon in der Lunge, im Brustkorb und im Gehirn. Junge, war das ein Theater! Die letzten Wochen tobte sie nur herum und mußte ans Bett gefesselt werden. Und statt zu beten: »Lieber Gott, mach sie gesund«, haben wir alle gebetet: »Lieber Gott, mach ein Ende!«

Und dann die Kinder. Petra, das kluge Mädchen, und Heinz, der Bengel, der Elektrolokführer werden will. Und Gundi, das Engelsköpfchen, das blöd sein soll, für immer blöd, weil er, der Peter Kaul, dieses Riesenschwein von einem Mensch, es im Suff gezeugt hat, gegen den Willen Susannes. Vergewaltigt hatte er sie, seine eigene Frau hatte er unter sich gezwungen, hatte ihr den Mund zugehalten, hatte sich in den Handballen beißen lassen, hatte sie gewürgt, bis sie wehrlos war. Und nun war es blöd, das Engelchen Gundi mit den wunderschönen blonden Ringellöckchen.

Wie sinnlos das alles! Wie völlig sinnlos dieses ganze Leben! Wohin man sieht: nur nackte Sinnlosigkeit!

Peter Kaul nickte wie eine aufgezogene Puppe, deren Mechanismus zum Nicken zwingt. Er setzte sich in das Ufergras, zog seine Schuhe aus, seine Socken, stellte die Schuhe nebeneinander, so wie man sie vor Hotelzimmer stellt, damit der Boy sie zum Putzen abholt; er zog seine Hose aus, faltete sie auf Kniff und legte sie neben die Schuhe, er entledigte sich mit einem Ruck der Unterhose, streifte das Unterhemd zusammen mit dem Oberhemd über den Kopf und beugte sich dann nackt zum Wasser vor. Was er tat, war ebenso sinnlos wie seine Ansicht vom Leben … In dieser letzten Minute seines Daseins bemächtigte sich seiner ein verrückter Korrektheitskomplex. Er vollführte Handlungen, an die er früher nie gedacht hatte.

Nackt wurde ich geboren, dachte er sogar, und für ihn war dieser Gedanke etwas ganz Natürliches, das zu dieser Situation gehörte. Nackt will ich sterben. Ich will nichts mitnehmen als das, was ich bekommen habe – meinen Körper! Ich will im Tod befreit sein von allem, was ich in diesem widerlichen Leben mit mir herumtrug … Socken, Schuhe, Unterhose, Unterhemd, Oberhemd, Hose … eigentlich hätte ich vorher baden sollen, um auch den irdischen Dreck hierzulassen.

Von irgendwoher, gar nicht weit, hörte er Stimmen. Sie suchen mich, dachte Peter Kaul und ballte die Fäuste. Susanne hat die

Polizei alarmiert. Funkstreifenwagen, Feuerwehr, Krankenwagen. Es ist zum Kotzen! Nicht einmal sterben kann man mit der Konzentration, die dazu nötig ist! Nicht einmal dann lassen sie einen in Ruhe, wenn man nackt ist und das ungewollte Leben zurückgeben will. Was beweist mehr die Grausamkeit des Lebens als diese Minute, in der man noch nicht einmal glücklich sterben darf …

Peter Kaul machte den ersten Schritt ins Wasser der Ruhr. Er spürte nicht, wie kalt es war. Er sah nur den silberglänzenden Leib des toten Fisches und umging ihn, als könne er die Ruhe des Todes stören.

Wie schön du aussiehst, Fisch, dachte er. So schön noch im Verwesen. Wir Menschen sehen nicht so schön aus. Eine Wasserleiche ist etwas Widerliches, glaube es mir. Sie quillt auf wie ein Hefekloß, sie wird matschig und glitschig, und sie stinkt erbärmlich. Aber was kümmert das dich und mich, nicht wahr? Wir sehen's und riechen's nicht mehr. Wir haben Ruhe, endlich Ruhe, du, silberner Fisch, und ich, der nackte Mensch. Du brauchst keine Angst mehr zu haben vor dem jagenden Hecht, ich brauche keine Angst mehr zu haben vor den jagenden Menschen. Wie schön das ist, lieber Fisch. Wie herrlich, herrlich, herrlich …

Plötzlich überkam ihn die Verzweiflung. Er weinte, stand bis zu den Knien im kalten Wasser, starrte über den Fluß, über die Strudel, über die buschbewachsenen Ufer, hinter denen Kartoffeläcker leicht den Hang hinaufstiegen, Kohlfelder und ein Roggenacker. Darüber begann ein lichter Laubwald. Und darüber war der Himmel, ein merkwürdig heller Himmel, in dem der runde Mond schwamm wie ein beleuchteter Fußball.

Vollmond. Peter Kaul schluckte. Stärker als seine Trauer, in wenigen Minuten neben dem silbernen Fisch zu liegen, wurde in ihm der Durst. Er hob den Kopf, schnupperte in die Nachtluft und stellte ergriffen fest, daß selbst der Wind nach Alkohol roch. Aber es war nur sein eigener Atem, den er roch. Desungeachtet breitete er die Arme weit aus und starrte in den runden Mond. Noch einmal trinken, dachte er. O verflucht, man hätte noch einmal trinken sollen, ehe man sich davonmacht aus diesem Mist!

Am Ufer fand man jetzt seine weggeworfene Jacke. Ein Hund bellte kurz und knurrte dann, ein Suchhund an einer langen Lederleine.

»Kaul!« riefen drei Stimmen zugleich. »Peter Kaul! Machen Sie keine Dummheiten! Kommen Sie her! Wir finden Sie doch!«

Peter Kaul duckte sich. Wie er ihn haßte, diesen deutschen Beamtenton. Wir finden Sie doch! Das klang wie: Dein Kopf ist unser! Oder: Wir reißen dir den Hintern auf bis zum Kragenknopf!

Warum hast du das getan, Susanne, weinte er innerlich. Warum hast du die Polizei geholt, mit Suchhunden auch noch? Warum läßt du mich nicht sterben? Jubeln solltet ihr doch, die Wohnung mit Girlanden schmücken, eure Sonntagskleider anziehen, um den Tisch tanzen und singen: Endlich ist er weg! Er ist weg, juchhei, weg, juchhei! Aber nein … die Hunde hetzt ihr auf mich, als sei ich ein Mörder, ein Sexualverbrecher, ein Kinderschänder.

Gott, mein Gott, wie hasse ich sie alle, alle …

Noch einmal sah er in den Mond, über den Wald, drehte sich um zu dem toten Fisch und nickte ihm, dem Gefährten, zu. »Bis gleich, Fisch!« sagte er sogar leise. »Gleich haben wir es überstanden.«

Dann sprang er vorwärts, in den Mondschein hinein und in die Tiefe des Flusses.

»Halt!« schrie jemand am Ufer. »Peter Kaul, bleiben Sie stehen!«

Er hörte hinter sich das Wasser platschen, er vernahm ein lautes Hecheln, das Knirschen von Stiefeln auf dem nassen Kies. Da rannte er weiter, mit offenem Mund, die Augen gegen den Mond gewendet … das Wasser stieg zur Hüfte, zum Leib, zur Brust, zum Hals … da erhielt er einen Schlag auf den Kopf und wurde zurückgerissen.

»Ihr Lumpen!« brüllte er und schlug um sich. »Ihr Saukerle! Ihr Hurenböcke! Laßt mich, laßt mich doch …«

Es war einfach für die beiden Polizeibeamten, den tobenden, nackten Mann zu überwältigen. Sie zogen ihn aus dem tiefen Wasser ins seichte, und als Peter Kaul noch immer um sich schlug, gaben sie ihm einen Boxhieb unter das Kinn. Er sackte zusammen, wurde aus dem Fluß geschleift und am Ufer von einem anderen Beamten in eine Decke gehüllt. Dann trugen sie ihn zu einem Sanitätswagen, der oben auf dem Uferweg wartete, schnallten ihn auf einer Trage mit Riemen fest und schoben ihn in das Auto.

»Zur Klapsmühle!« sagte einer der nassen Polizeibeamten und schüttelte sich. »Solche Rindviecher sollte man sich ruhig ersäufen lassen. Nun krieg' ich wieder 'nen Schnupfen!«

Peter Kaul erwachte nicht so schnell, wie man gedacht hatte. Es war, als sei sein Gehirn froh, nicht denken zu müssen. Ohnmächtig wurde er in der Landesheilanstalt ausgeladen und in das Aufnahmezimmer getragen. Dort sah ihn der wachhabende Arzt an, ein junger Stationsarzt, der sich ärgerte, heute Nachtdienst zu haben, denn er hatte sich etwas Besseres vorgenommen, als erregten Geisteskranken Beruhigungsinjektionen zu verabreichen. Er wollte mit Lydia ins Kino und dann auf seine Bude gehen. Aber der Oberarzt hatte ihm dieses Abenteuer versalzen. Ist es ein Wunder, wenn man dann mürrisch wird?

»Selbstmörder?« fragte der junge Arzt. »Und Alkoholiker? Zu Zimmer siebzig. Ab!«

Der Sanitäter zögerte. »Der Mann ist unterkühlt, Herr Doktor«, sagte er. »Er hat 'ne ganze Zeitlang nackt in der Ruhr gestanden.«

»Wenn schon! Schnaps wärmt, und im eigenen Mief wird er schon auftauen! Ab in Zimmer siebzig!«

So kam Peter Kaul in das Zimmer, in dem bereits elf Säufer in den Betten lagen. Ausgehöhlte, vom Alkohol zerfressene, stumpfsinnig oder tierisch gewordene Deliriumkranke. Die Türen der Hölle waren hinter ihm zugeschlagen.

Aber noch wußte er es nicht.

Er lag auf seinem Bett, nackt, von einer braungrauen Anstaltsdecke notdürftig gewärmt, und glitt von der Ohnmacht hinüber in einen tiefen Schlaf.

Zwei seiner Zimmergenossen saßen in ihren Betten und starrten den nackten neuen Mann an.

»Wetten, der hat im Stadtpark gestanden und hat die kleinen Mädchen erschreckt!« sagte der eine und lachte meckernd und schrill. Der andere schob die Unterlippe vor wie eine Schaufel. Dann leckte er sich über den Mund.

»Den möcht ich jerne streicheln«, sagte er leise.

»Leg dich hin, olle Sau!«

Der andere grunzte und warf sich auf den Rücken. »Wat verstehste schon davon! In Berlin, Junge, da hatten wir 'nen Klub, da kamste nur rein, wennste dir die Hose auszogst ...«

»Halt's Maul und schlaf!«

Im Flur der Aufnahme stand Susanne Kaul und weinte. Der junge Arzt war ungeduldig und dementsprechend barsch.

»Kommen Sie morgen wieder!« sagte er. »Jetzt schläft er erst mal und ist in Sicherheit! Was wollen Sie denn jetzt von ihm?«

»Ich ... ich will ihn mitnehmen ...«

Der Arzt sah Susanne Kaul verblüfft an, als habe sie laut gerülpst.

»Mitnehmen?« wiederholte er. »Aber wieso denn?«

»Er ist doch mein Mann ...«

»Na und?«

»Er gehört doch nach Hause!«

»Er gehört hierher, liebe Frau! Er ist von der Polizei eingewiesen und bleibt hier, bis man über ihn befunden hat. Schließlich wollte er sich entleiben!«

Susanne Kaul schwankte und lehnte sich gegen die getünchte Flurwand. Bis man befunden hat ... kreiste es durch ihren Kopf. Sich selbst entleiben ... Mein Gott, er ist doch Peter, mein Mann! Der Vater seiner und meiner Kinder. Was soll er denn hier, in einer Irrenanstalt? Er war doch nur verzweifelt, nichts als verzweifelt ... Er ist doch kein Verrückter ...

»Kann ich ihn nicht mitnehmen?« fragte sie noch einmal mit aller Kläglichkeit. Der junge Arzt rückte an seinem Schlips. Immer diese Auftritte mit den Verwandten, dachte er. Sie sollen doch froh sein, daß wir ihnen die Verantwortung abnehmen!

»Auf gar keinen Fall!« sagte er laut und grob. »Und nun gehen Sie. Besuchszeit morgen von fünfzehn bis siebzehn Uhr! Wenn es der Krankheitszustand zuläßt! Gute Nacht!«

Er wandte sich ab und verschwand in seinem Wachzimmer.

Susanne Kaul stand allein in dem hell erleuchteten Flur und tupfte sich die Tränen von den Augen.

Ich hätte es nicht sagen dürfen, dachte sie. Das mit der Gundi, das hatte noch Zeit. Aber ich war so verzweifelt, und ich haßte ihn in diesem Augenblick wie nichts auf der Welt. Ich wollte ihn treffen, ich wollte ihn innerlich zerreißen ... Und nun ist er hier ... irgendwo in dem Riesenbau in einem Zimmer ohne Klinken und mit vergitterten Fenstern. Verzeih, Peter, verzeih.

Morgen bist du wieder bei uns. Bei Petra, Heinz, Gundi und bei mir. Und wir wollen uns zusammensetzen und gemeinsam überlegen, wie das Leben weitergehen soll. Besser und schöner. Peter ... wir lieben uns doch ...

Es war eine wunderschöne Illusion, aber sie war stark genug, daß sie Susanne Kaul nach Hause führte und sie verhältnismäßig ruhig schlafen ließ.

Der Tag begann morgens um halb sieben.

Zuerst kam der Pfleger ins Zimmer, schrie: »Aufstehen!« und verteilte Fieberthermometer an die, die sie nicht an die Wand warfen oder das Quecksilber auffraßen, um so eine leichte Vergiftung zu bekommen.

Auch Peter Kaul wurde hochgeschreckt, warf die Beine aus dem Bett und sah sich verständnislos um. Er sah um sich herum elf Jammergestalten, drei standen vor den Betten und urinierten in ihre Nachttöpfe, er sah einen wehenden weißen Kittel, der schon wieder das Zimmer verließ, und hörte nebenan wieder die laute Stimme: »Aufstehen!« Dann erst merkte er, daß er nackt war. Er riß die Decke an sich und bedeckte sich damit. Aus dem Nebenbett lachte es meckernd.

»Na, na«, sagte sein Nachbar. »Det, wat du vasteckst, hab'n wir alle! Oder biste 'ne Jungfrau?«

Peter Kaul stand von seinem Bett auf und wickelte sich in die Decke. Auf bloßen Füßen tappte er zur Tür, trat hinaus in den Gang und prallte dort auf den Krankenpfleger, der aus dem Nebenzimmer kam. Er war ein großer, kräftiger Mensch mit einem eckigen Boxerkinn, tiefliegenden Augen und dichten Brauen.

»Ich habe eine Frage«, begann Peter Kaul höflich. Er preßte die Decke um seinen nackten Körper und fror von den Fußsohlen aufwärts, denn der Linoleumboden war noch nachtkalt.

»Schnauze! Ins Zimmer!« brüllte der Pfleger.

»Wo bin ich hier?« fragte Kaul unbeirrt.

»Bei Tante Selma! Schwirr ab!«

»Hier muß ein Irrtum vorliegen.«

Der Pfleger musterte die Gestalt in der Decke. Aha, der Neue, dachte er. Gestern nacht eingeliefert von der Polizei. Bericht liegt auf Station. Selbstmörder in Volltrunkenheit. Springt nackt durch die Gegend. Ein sauberer Bursche.

»Hör mal zu, mein Süßer!« Der Pfleger ergriff Peter Kaul an der Decke und zog ihn wie einen nassen Hund zu sich heran. »Du bist hier bei mir. Ich heiße Fritz. Wer mich gut kennt, nennt mich ›Judo-Fritze‹. Merkst du was? Wer hier die Schnauze aufreißt oder aufsässig wird, segelt durch die Lüfte!«

»Es muß trotzdem ein Irrtum sein!« Peter Kauls Herz begann wild zu schlagen. »Gestern –«

»Was ist mit gestern? Da haste als nackter Mann 'ne Bachnymphe spielen wollen, und weil das ein bißchen plemplem ist, biste hier!«

»Ich wollte mir das Leben nehmen!« schrie Peter Kaul. »Ich wollte nicht mehr! Ich hatte es satt auf dieser Welt!«

Judo-Fritze nickte weise. »Dann singe Gott ein Loblied, daß du bei mir bist. Hier wirste schon lernen, das Leben zu lieben. Name?«

40

»Peter Kaul.«

»Also Peter ... Kopf hoch!« Judo-Fritze winkte. »Mitkommen! Ich gebe dir ein paar Anstaltsklamotten. Deine Kleider hat die Polizei beschlagnahmt. Und nackt rumlaufen, nee, das geht nicht. Wir haben auch Schwestern hier, mein Junge, und 'nen Stall voll Warmer. Los, glotz nicht! Mitkommen!«

Peter Kaul schwieg. Es wird sich alles aufklären, dachte er. Ein Arzt wird mich untersuchen, Susanne wird sich um mich kümmern, vielleicht auch der Pfarrer. Das ist bestimmt ein Irrtum. Sie haben mich aus dem Wasser gezogen, das stimmt. Und sie haben mich zusammengeschlagen. Aber gestern war die Welt ein faules Ei, das man wegwirft. Heute ist alles ganz anders. Und Durst habe ich. Durst ...

Er ging dem Pfleger nach in das Kleidermagazin, bekam ein graues Unterhemd, eine gestopfte Unterhose, einen gestreiften bläulichen Pyjama mit einem Monogramm. LHA. Landesheilanstalt.

»Siehst aus wie 'n Graf!« sagte Judo-Fritze, als Peter Kaul widerwillig die Sachen übergestreift hatte. »Und nun sag dem guten Onkel mal, warum du ins Wasser wolltest.«

»Ich möchte einen Arzt sprechen.«

»Sofort. Der Herr Professor kommt geflogen. Husch, husch!« Judo-Fritze faßte Kaul am oberen Knopf des Pyjamas. »Nun hör mal zu, mein nackter Knabe: Der wichtigste Mann hier bin ich. Der Professor sieht euch wöchentlich nur einmal, der Oberarzt zweimal, der Stationsarzt täglich eine Minute. Aber ich bin immer hier! Frech sein lohnt sich also nicht.«

»Ich bin nicht krank«, stotterte Peter Kaul. Plötzlich begriff er, wo er war. Die ganze Grausamkeit seines Schicksals fiel über ihn her und zwickte ihn wie mit tausend glühenden Zangen. Eine wahnsinnige Angst kroch in ihm hoch. Er erinnerte sich an Berichte in den Zeitungen: Zehn Jahre als Gesunder unter Irren. Ein Mensch wurde lebendig begraben. Die Schlangengrube ... »Bitte, benachrichtigen Sie meine Frau. Susanne Kaul, Essen –«

»Deine Frau weiß Bescheid.«

Es war ein fürchterlicher Schlag. Peter Kaul taumelte gegen die Wand. »Sie weiß ... weiß ... daß ich hier bin?« Er hatte weite Augen. Unmöglich, dachte er. Susanne weiß es nicht. Glaub es nicht, was er sagt. Das gibt es einfach nicht, daß Susanne so etwas duldet.

»Natürlich.« Judo-Fritze setzte seine Unterschrift unter das Ausgabebuch der Kleiderkammer. »Aber nimm's nicht zu tragisch. Was sollte sie denn anders tun? Hier werden wir jetzt einen Menschen aus dir machen, und wenn alles gutgeht, biste in einem halben Jahr wieder bei Muttern im Bett.«

»Ein halbes Jahr«, sagte Peter Kaul leise.

»Als Säugling haste neun Monate gebraucht. Bei uns geht das kürzer!«

»Aber warum denn? Warum?« brüllte Kaul auf.

Judo-Fritze betrachtete ihn kritisch. Dann hob er seine große, tellergroße Hand und legte sie Kaul auf den Kopf. Es war, als drücke eine Presse ihm den Schädel mitsamt dem Hals in die Schultern.

»Sei still, kleiner Nackedei!« Der Pfleger grinste breit. »Komm mit und benimm dich.«

Während des Frühstücks, es gab Malzkaffee, zwei Marmeladenbrote (Erdbeermarmelade, die etwas muffig schmeckte) und für jeden zwei Pillen mit einem grünlichen Zuckerüberzug (»Ich wette, da ist Soda drin, damit wir nicht die Matratzen aufschlitzen«, sagte Kauls Nachbar und strich sich über den Hosenschlitz); während in Stube siebzig die elf Deliriumkranken schmatzten und ungeniert ihre Morgenwinde streichen ließen, saß Peter Kaul am Fenster und sah durch die Gitter hinaus auf einen gepflegten Garten. Er konnte nichts essen. Das Marmeladenbrot klebte ihm am Gaumen fest, der Kaffee hatte in seiner Nase den Geruch von Jauche. Er verteilte seine Ration an seine beiden Nachbarn, die über sie herfielen wie Wölfe über blutiges Fleisch.

»Ich bin Jule«, sagte der Berliner. »Mein Oller war 'n Zuhälter, meine Mutter 'ne Strichmieze. Mit vierzehn hatte ich schon 'n Verhältnis mit 'ner Schneiderin. Die war fünfzig! Von der hab' ick det Saufen jelernt. Und dann ging's rund. Wanderschaft, dreiundzwanzigmal Knast, det is 'n Rekord! Und imma wegen derselben Sache. Unzucht nennen die Fatzken am Jericht so wat! Ick nenn' det Lebenslust. Und nu bin ick hier. Aba nur bis zum Frühjahr! Die sind ja alle doof hier. Die jloben, ick sehe wirklich Kleopatra mit 'n Cäsar im Bett. Halluzinationen nennen die det! Kinder, sind die doof!«

Er lachte, rieb sich wieder an der Hose, aß Kauls Erdbeermarmeladenbrot und trank seinen Malzkaffee. Dann rülpste er, legte sich aufs Bett und starrte mit einem ausdruckslosen Gesicht an die Decke.

Um elf Uhr holte Judo-Fritze unverhofft Peter Kaul ab.

»Zum Professor! Sag mal, wer bist du?«

»Peter Kaul, Elektriker.« Kauls Herz begann wieder wild zu klopfen. Nun wird sich alles aufklären lassen, war seine Meinung. Nun würde sich zeigen, daß ein plötzlicher Kurzschluß kein Anlaß ist, einen gesunden Menschen in eine Irrenanstalt zu sperren. Protestieren würde er. Jawohl, protestieren. Und einen Anwalt verlangen! Und Susanne! Und den Pfarrer Merckel! Man ist doch nicht verrückt, wenn man sich das Leben nehmen will! Es ist doch die natürlichste Sache, etwas wegzugeben, was man nicht mehr will ...

Judo-Fritze knöpfte Kaul den oberen Knopf des Pyjamas zu und strich ihm die Haare aus der Stirn wie einem erhitzten Jungen, der einem plötzlichen Besuch vorgestellt werden soll.

»Benimm dich anständig, Peter«, sagte er milde. »Wenn du schön ja und nein sagst auf alle Fragen, ist der Professor auch lieb zu dir. Und nun komm!«

Prof. Brosius entstammte einem alten ostpreußischen Geschlecht und hatte eigentlich Offizier der Ulanen werden wollen. Aber das gelang ihm nicht. Erstens war er in jugendlichen Jahren zu zart dazu, und zweitens fehlte seinem Namen ein »von«. Daß die Brosius' Millionäre waren und ein Onkel Kommerzienrat, gab nicht den Ausschlag. Da er nicht zu den feudalen Ulanen konnte und zu der popeligen Infanterie nicht wollte, wurde er Mediziner und Psychiater und hatte später die Genugtuung, einige der »von«-Offiziere seines Ulanenregiments zu behandeln, meistens mit psychischen Schäden infolge einer verschleppten Gonorrhoe. Was er nicht abgelegt hatte, waren der Stolz und der Ton des preußischen Offiziers. »Ein Irrenhaus ist wie eine Kaserne!« war ein beliebter giftiger Kommentar Prof. Brosius'. »Hier kommt es auf die Menschenführung an!«

An diesem Morgen hatte er Sodbrennen von einem Sektabend bei dem Fabrikanten Knollang. Der älteste Sohn des Fabrikanten befand sich seit zwei Monaten in der Anstalt, Privatstation natürlich, und wurde beobachtet. Er hatte in des Vaters Schokoladenfabrik eine Minderjährige verführt und sollte nun bescheinigt bekommen, daß er infolge alkoholischer Exzesse an einer Minderung seines Gehirnzentrums litt, was ihm die Urteilsfähigkeit über gewisse Handlungen unmöglich machte. Ein schwieriger Fall.

In Fachkreisen galt Prof. Brosius als Kapazität auf dem Gebiet der Alkoholentwöhnung und Behandlung des Delirium tremens. Das mochte daher kommen, daß er selbst gern einen trank. »Alkohol in Maßen ist Medizin!« sagte er immer. »Alkohol regt an, gibt geistigen Elan, seelische Freude. Ein Glas Sekt, ein paar Whisky, ein guter temperierter Cognac, ein eiskalter Wodka, eine Flasche edlen Wein … es sind Gottesgeschenke. Nur das Zuviel ist gefährlich! Es ist wie mit der Liebe, meine Herren – der anderen Gottesgabe. Auch hier kann man auf den Hund kommen und mit weichem Rückenmark herumschwanken! Auf die Dosierung kommt es an!«

Nach solchen Vorträgen war ihm kräftiger Applaus sicher, man trampelte, ließ die Pultdeckel klappern und nannte ihn einen Pfundsburschen! Im Privatleben war Prof. Brosius ein liebevoller Gatte, ein strenger, aber herzensguter Vater und ein gefürchteter Schwiegervater. Seine beiden Schwiegersöhne, der eine Mediziner, aber Gynäkologe, der andere Architekt, wälzten sich noch jetzt, nach über zehnjähriger Ehe, mit dem Alptraum im Bett, noch einmal den Test durchzustehen, den sie damals mit dem Mut eines Gladiators durchgestanden hatten.

Nachdem Prof. Brosius zwei Tabletten Magnesium gegen das Sodbrennen genommen und hinter der vorgehaltenen Hand ein paarmal kräftig aufgestoßen hatte, ließ er Peter Kaul eintreten. Interessiert musterte er den neuen Patienten und dachte daran, was ihm vor zehn Minuten noch Pfarrer Merckel gesagt hatte. Das war auch der Anlaß, daß er sich selbst um diese nächtliche Einlieferung kümmerte und nicht bloß den Bericht seines Oberarztes durchlas und abzeichnete. Bei dem ständigen Wechsel der Belegungen war es unmöglich, sich um jeden einzelnen zu kümmern. Nur die schweren Fälle hatte sich Brosius reserviert, die Schaupatienten, mit denen er seinen Ruhm als Wissenschaftler demonstrieren konnte. In dieser Beziehung war der sonst honorige Mann eitel wie jeder andere Ordinarius. Wer einen Lehrstuhl besetzt hält, muß dafür sorgen, im Gespräch zu bleiben.

»Bitte, nehmen Sie Platz, Herr Kaul«, sagte Prof. Brosius und wies auf einen Stuhl vor seinem Schreibtisch.

Kaul setzte sich. Welche Begrüßung, empfand er wohltuend. Herr Kaul, sagte er. Sogar freundlich war seine Stimme, väterlich fast. Eine Stimme, zu der man Vertrauen haben konnte.

Peter Kaul atmete auf. Der innere Druck, die Scheu des kleinen Mannes vor dem Titel Professor und vor der Würde und Höhe dieses Namens wich. Er setzte sich, klemmte die flachen, aneinandergelegten Hände zwischen die Knie und sah Brosius vertrauensvoll an.

Prof. Brosius musterte Kaul durch seine stark geschliffenen Brillengläser. Leptosomer Typ, stellte er nüchtern fest. Unsicher, gehemmt, seelisch verkrampft. Allein die Haltung seiner Hände ist typisch. Eingeklemmt zwischen den Knien. Die ganze Unsicherheit einer getretenen Kreatur kommt da zum Ausdruck. Dieser Mann weiß, was mit ihm los ist. Das erleichtert die Unterhaltung wesentlich.

»Es ist mir ein Bedürfnis, mich mit Ihnen zu unterhalten, Herr Kaul«, begann Brosius sein psychiatrisches Examen. »Zunächst eine Frage: Haben Sie einen Wunsch?«

»Ja. Ich möchte hier heraus, Herr Professor!«

Brosius nickte.

»Das werden Sie auch, Herr Kaul.«

»Danke, Herr Professor«, sagte Kaul glücklich.

»Bitte, bitte. Was war eigentlich gestern?«

»Gestern …«

»Ja.«

»Da wollte ich nicht mehr, Herr Professor.«

»Und das kam ganz plötzlich?«

»Ja.« Peter Kaul stierte auf den Teppich. Wie war das eigentlich? Susanne hatte mich angesehen, als wäre es das letztemal. Ich gehe für immer weg, hatte sie gesagt. Ich halte es mit dir nicht mehr aus. Und Gundi ist blöd, sie wird immer blöd bleiben. »Ich wollte die Welt von mir erlösen, Herr Professor.«

»Kommen Sie sich so wichtig in dieser Welt vor?«

Kaul zögerte mit der Antwort. Bin ich wichtig, dachte er wieder. Das habe ich mir nie überlegt. Für Susanne bin ich vielleicht wichtig, denn ich bin ihr Mann. Und für die Kinder bin ich wichtig, denn ich bin ihr Vater. Aber sonst? Für einen anderen? Macht es denen etwas aus, wenn ich nicht mehr da bin? Ändert sich etwas, wenn ich in der Ruhr ersoffen wäre? Wären die Ratenkassierer weggeblieben aus Mitleid? Hätte man die Kredite gestrichen, weil Susanne nun eine arme Witwe ist? Nein, o nein! Sie hätten alles wieder herausgeholt aus der Wohnung. Wie die Leichenfledderer wären sie über die Hinterbliebenen Kauls hergefallen. Sie hätten die Kinderbetten unter den schlafenden Kindern weggezerrt, sie hätten Susanne den Mantel vom Körper gezogen.

»Es ist alles so schrecklich, Herr Professor«, sagte Peter Kaul leise. Seine Stimme schwankte. Prof. Brosius machte sich einige Notizen auf dem Block, der vor ihm lag.

Neigt zu weinerlichen Ausbrüchen, schrieb er.

»Was ist schrecklich, Herr Kaul?«

»Das Leben.«

»In Ihrer Sicht?«

»Überhaupt.«

»Warum trinken Sie?«

»Zuerst aus Verzweiflung, dann aus Angst. Jetzt muß ich trinken. Es ist alles so wundervoll, wenn man getrunken hat. Sie sind vielleicht der einzige Mensch, der mich versteht ...«

»Bestimmt ...«

»... man kann eine Hexe schön finden ...«

»Ich kenne das.«

»... man sieht gegen die Zimmerdecke und fühlt sich wie auf einer Wiese. Das harte Bett ist weich wie eine Welle, die einen fortträgt. Es ist nicht kalt, und es ist nicht warm. Es ist alles so vollkommen ...«

Prof. Brosius nickte wieder. Halluzinose, 1. Stadium, notierte er auf seinem Block. »Seit wann haben Sie das?« fragte er milde. Peter Kaul sah erstaunt zu ihm empor.

»Was habe ich?«

»Dieses Glücksgefühl nach dem Trinken.«

»Schon immer. Schon beim erstenmal.«

»Und jetzt?«

»Ich verstehe Sie nicht, Herr Professor.«

»Wie fühlen Sie sich jetzt?«

»Elend.«

»Brechreiz?«

»Ja. Und Durst.«

»Nach Alkohol ...«

»Nein. Nach Wasser. Nach schönem, klarem Wasser. Eiskalt könnte es ein.«

Prof. Brosius legte seinen Kugelschreiber auf den Block. Jetzt simuliert er, dachte er. Jetzt gibt er eine kleine Privatvorstellung. Natürlich hat er Durst nach Alkohol! Für einen Alkoholiker ist Wasser ein Gesöff des Teufels. Schon der Gedanke an Wasser erzeugt bei ihm ein Würgen. Er lächelte und beugte sich zu Peter Kaul vor, der langsam von seinem Stuhl aufstand.

»Soll ich Ihnen eine Flasche Sprudelwasser kommen lassen?«

»O bitte, Herr Professor.«

»Sie wird Ihnen gleich gebracht.« Er erhob sich ebenfalls und funkelte Kaul durch die dicken Brillengläser an. »Es hat mich gefreut, Sie kennenzulernen, Herr Kaul.«

»Und ich kann jetzt nach Hause gehen?«

»Um fünfzehn Uhr wird Ihre Frau kommen«, wich Professor Brosius aus. Über Kauls Gesicht zog ein helles Leuchten. Susanne, liebe, gute Susanne.

»Danke, Herr Professor.« Seine Stimme schwankte wieder, diesmal vor Glück und unterdrückter Freude. »Ich wußte, daß Sie mich verstehen.«

»Dazu bin ich ja da und Sie hier.«

»Und wo kann ich solange warten?«

»Wieso warten?«

»Bis ich abgeholt werde.«

»Ach so. In Ihrem Zimmer.«

»In dieser widerlichen Gesellschaft?«

Prof. Brosius zog das Kinn etwas an. »Herr Kaul«, sagte er, und seine Stimme nahm eine belehrende Tonart an, »es sind arme Menschen. Einer von ihnen ist sogar ein Akademiker. Sie werden sich schon bald eingewöhnen.«

Peter Kaul hob die Schultern. Dann nickte er. Man soll den Professor nicht verärgern, dachte er. Er war so nett zu mir. »Bis drei Uhr geht's bestimmt ...«

»Na also!«

Prof. Brosius wartete, bis Kaul gegangen war. Dann verließ er sein Zimmer durch eine andere Tür und kam in eine Art Salon. Dort wartete Pfarrer Merckel und trank in langsamen, vorsichtigen Schlucken ein Glas Rotwein.

»Was sagen Sie von meinem Schützling?« fragte Pfarrer Merckel und verfolgte die Bewegungen des Professors, der sich mit einem leisen Seufzer ihm gegenübersetzte. Das Seufzen gefiel Merckel gar nicht. Er ahnte Komplikationen.

»Ein netter, ruhiger, höflicher Mann, bestimmt.« Prof. Brosius griff in die Zigarrenschatulle und schnitt eine Zigarre mit einem Keilschnitt an. »Aber, wie wir ahnten, bereits durch den Alkohol voller Psychosen und im Beginn einer Halluzinose.«

»Das ist ja schrecklich«, rief Pfarrer Merckel in ehrlichem Entsetzen. »Er ist ein fleißiger Arbeiter, Herr Professor. Ich habe mich überall erkundigt: Er kann wie ein Panjepferd schuften und wird nicht müde.«

»Und dann überkommt es ihn.«

»Ja. Aus Angst und einem Schuldgefühl, das er gar nicht zu haben braucht. Er hat sich da etwas eingeredet. Hat er mit Ihnen nicht darüber gesprochen?«

»Nein.« Brosius steckte seine Zigarre an. »Dann erzählen Sie es mir, Herr Pfarrer.«

Pfarrer Merckel sah auf seine Hände. Sie zitterten. Jetzt zwei oder drei Steinhäger und ich bin wieder ganz ruhig. Man braucht ja nicht mehr viel, die Nerven sind für jeden Tropfen dankbar.

»Mein Beichtgeheimnis …« sagte er leise.

»Quatsch! Wenn wir Kaul damit heilen können.«

»Trotzdem. Er muß es Ihnen schon selbst sagen.«

»Also muß er hierbleiben. Das ist auch das, was ich Ihnen nach dieser ersten Begegnung sagen wollte: Es wird ihm gut tun, einige Zeit hierzubleiben. Vielleicht taut er dann auf, und neben der Entziehung des Alkohols dringen wir auch tiefer in seine Seele und können diesen Schock lösen. Um drei Uhr kommt seine Frau?«

»Ja. Mit den Kindern.«

»Sie weiß, daß er hierbleiben muß?«

»Sie ahnt es. Aber ich werde es ihr nachher sagen.« Pfarrer Merckel stand auf. Seine Sehnsucht nach einem scharfen Schnaps wurde übermächtig. O Gott, was ist aus deinem Diener geworden, dachte er. Wenn sie alle wüßten, wie ich bin. Wenn es Brosius wüßte … »Sie will auch Anzüge und Wäsche mitbringen.«

»Das reden Sie der guten Frau bitte aus. Mir sind meine Patienten sicherer in der Anstaltskleidung. Sie verstehen, Herr Pfarrer. Im ›Lazarettsportanzug‹, wie wir früher den Pyjama nannten, geht niemand heimlich spazieren.«

Pfarrer Merckel verabschiedete sich schnell und verließ die Anstalt. In der nächsten Kneipe kehrte er ein, stellte sich an die Theke, bestellte einen Doppelkorn und trank ihn genüßlich, mit kleinen, schnellen Schlucken. Wie das befreit, empfand er beseligt. Wie das entspannt! Wie das den ganzen Menschen durchrinnt gleich einer feurigen Kraft. Bis in die kleinsten Blutgefäße dringt es.

Unterdessen war Peter Kaul wieder von Judo-Fritze in Empfang genommen worden. Im Flügel III, auf dem Flur vor Zimmer siebzig, empfing sie ein wüstes Geschrei. Zwei Pfleger zerrten den Berliner aus dem Zimmer. Sein Kopf war ein einziger Blutfleck, und während sie ihn an den Schultern über den Flur schleiften, zog sich eine Blutspur hinter ihm her über das Linoleum.

»So eine Sauerei!« brüllte Judo-Fritze. Er ließ Peter Kaul stehen und stürmte in Zimmer siebzig. Ein Wutgeheul aus zehn

Kehlen empfing ihn. Die Einrichtung war zum Teil zerschlagen, die Betten lagen umgeworfen in der Ecke, zwei Schemel hatte man auseinandergerissen und die Beine als Schlagwaffe benutzt. Nun lagen sie, blutbeschmiert, mitten im Zimmer.

»So eine Sau!« schrie jemand. »Totschlagen sollte man den! Den Willi hat er angepackt, und nicht mal 'ne Kippe wollte er dafür geben! So ein Sauhund!«

Dann klatschte es ein paarmal. Peter Kaul konnte nicht sehen, was in Zimmer siebzig geschah, aber nach dem Poltern machte er sich ein Bild davon, wie einige schmächtige Körper aus Judo-Fritzes Händen durch die Luft wirbelten und irgendwo im Zimmer niederklatschten. Dann war es plötzlich still im Zimmer. Der riesige Pfleger kam wieder auf den Flur und winkte Kaul zu.

»Komm 'rein, Peter …«

Kaul blieb an der Flurwand stehen. »Da hinein? Nein!« sagte er laut. »Ich wünsche, in ein anderes Zimmer verlegt zu werden!«

Judo-Fritze spreizte seine Hand. »Mach keinen Quatsch, Peter! Komm! Oder willste fliegen lernen?«

»Ich möchte den Herrn Professor noch einmal sprechen!«

»Morgen. Heute ist's vorbei!«

»Ich gehöre nicht hierher!« schrie Peter Kaul. »Ich werde um drei Uhr entlassen! Ich habe mit diesen versoffenen Schweinen nichts zu tun!«

»Das hättest du nicht sagen sollen, Peter.« Es klang fast traurig. Dann griff Judo-Fritze zu, faßte Kaul am Kragen des Pyjamas, hob ihn hoch wie eine junge Katze und trug ihn ins Zimmer. Dort ließ er ihn fallen, und Peter Kaul kugelte über den Boden vor sein Bett. Die Zimmergenossen lachten laut. Einer, ein kleiner, spindeldürrer Mann mit roten Augen wie ein Angorakaninchen, trat auf ihn zu und verbeugte sich.

»Doktor Faßbender. Ich bin Jurist. Wenn Ihnen eine unwürdige Behandlung zuteil wurde – ich stehe Ihnen gern zur Verfügung. Wenn ich nur ein Stück Papier hätte, würde ich einen flammenden Schriftsatz anfertigen! Aber selbst auf dem Lokus ist kein Papier. Das müssen andere jeden Morgen klauen und fressen …«

Peter Kaul antwortete nicht. Mit zitterndem Mund kroch er auf sein Bett, legte sich hin und zog die Decke über seinen Kopf. Um drei Uhr kommt Susanne, tröstete er sich, als er spürte, wie es in seiner Kehle zu würgen begann und die Tränen in seine Augen quollen. Sie wird mich hier herausholen! Und ich schwöre es ... bei Gott und allen Heiligen und allen Engeln und beim Augenlicht meiner Kinder – ich schwöre es: Ich werde nie, nie wieder trinken!

Sie hatte eingekauft, soviel Kredit sie bei den einzelnen Geschäften bekam. Überall hatte Susanne Kaul erzählt, daß ihr Mann Peter krank geworden sei, daß er in einem Krankenhaus sei und daß sie von dem Krankengeld und der Lohnausgleichszahlung des Betriebes alle Schulden bezahlen wolle.

Entgegen landläufigen Ansichten, daß der Wohlstand die Herzen verhärtet, fand Susanne überall Mitgefühl und Hilfsbereitschaft. Jetzt sah sie auch, daß die Welt des Scheins, die sie um ihre Familie aufgebaut hatte, von den anderen längst durchschaut worden war, daß man wußte, welch ein Trinker Peter Kaul war und wie es zwischen den Wohnungswänden der Kauls in Wahrheit aussah. Susanne kränkte dies nicht mehr. Jetzt kämpfte sie um Peter ... gegen die Behörden, gegen die Ärzte, gegen die Nachbarschaft, gegen sich selbst. Daß er bereit gewesen war, sich das Leben zu nehmen, daß ihn das Schicksal Gundis dermaßen erschüttern konnte, hatte sie ihm vorher niemals geglaubt. Ihre Liebe und ihre Ehe waren zur Gewohnheit geworden, nachdem die schöne, aber kurze Zeit der Leidenschaft verraucht war. Sie erfüllte klaglos und mit der erwarteten Bereitschaft ihre eheliche Pflicht, sie ertrug seinen keuchenden Alkoholatem und seinen weinerlichen Zusammenbruch, wenn er sich plötzlich auf die Seite warf und stotterte: »Ich kann nicht mehr ... hol mir was zu trinken!« Und sie stand auf, tappte in die Küche, holte eine Flasche Bier und befriedigte ihn damit mehr als mit ihrem Körper. Dann wieder, ganz unverhofft, war er wieder wie früher. Voll Zärtlichkeit, voll Jugendkraft, voll Hingabe und bereit, alles zu versprechen, ein glücklicher Junge, der in ihren Armen ausruhte, den Kopf zwischen ihre Brüste gelegt hatte und müde einschlief, als habe er sein erstes Erlebnis hinter sich gebracht. In diesen Stunden verzieh sie ihm alles. Er ist wirklich ein Kind, mein größtes Kind, dachte sie. Er braucht mich, ich bin sein einziger Lebenshalt.

Bis er wieder tobte und ihr Herz sich erneut verhärtete.

Nun hatte sie eingekauft, auf Pump, aber man gab es ihr gern. Eine Art Schicksalsgemeinschaft war in der Wohnkolonie entstanden. Die Frauen rückten zusammen. Saufen taten sie alle, ihre Männer. Der eine mehr, der andere weniger. Dann rückten sie die Möbel gerade oder wurden kindisch oder geil wie die Springböcke. O Himmel, man hatte schon Themen genug! Daß es gerade Susanne Kaul war, deren Mann an der Spitze marschierte, war traurig, aber noch immer besser als der eigene Mann. Und so half man, so gut es ging, in dem dumpfen Bewußtsein, daß der gleiche Fall auch einmal in der eigenen Familie eintreten könnte.

Um fünfzehn Uhr, pünktlich mit dem Schlag der nahen Kirchenglocke, stand Susanne Kaul vor dem Portal der Heilanstalt. Sie hatte Petra und Heinz an der Hand, Gundi war bei einer Nachbarin geblieben. Sie machte ja keine Mühe. Sie lag in ihrem Bettchen, spielte mit den bunten Holzklötzchen und mummelte vor sich hin.

Wie Pfarrer Merckel es ihr gesagt hatte, kam sie nur mit eßbaren Geschenken. Den Koffer mit den Kleidern Peters hatte sie schon gepackt, aber zu Hause gelassen, als sie erfuhr, daß ihr Mann noch ein paar Tage zur Beobachtung bleiben müsse. Es war Pfarrer Merckel schwergefallen, diese Lüge fließend auszusprechen, aber er betrachtete sie als eine fromme Lüge, die Gott ihm verzeihen würde. Auch eine Lüge kann ein gutes Werk sein.

Für die Besucher hatte man in der Heilanstalt ein besonderes Besuchszimmer mit verschiedenen Tischen und Sitzgruppen eingerichtet. Es war nicht zumutbar, daß die Verwandten in die Krankenzimmer kamen, wo zeitweilig Vernünftige zusammen mit delirierenden Patienten lagen. Einmal war es sogar vorgekommen, daß eine Abordnung von Alkoholgegnern mit einem Nackttanz der Belegschaft von Zimmer vierzehn empfangen wurde. Seitdem wurden die Insassen sorgfältig ausgewählt, die Besuche empfangen durften. Man führte sie in das Besuchszimmer, und unter den Augen von drei kräftigen Pflegern fanden die familiären Begegnungen statt. Sie waren meist kurz, denn die wenigsten hatten sich noch viel zu sagen. Man sah sich an, begrüßte sich, übergab das Paket, wechselte ein paar Floskeln, wünschte weiterhin gute Besserung und ging. Wer einmal hier, in der Abteilung der Alkoholiker, gelandet war, hatte einen Schritt von der Welt weg in das Inferno bereits getan. Man sprach miteinander wie durch eine gläserne Wand, und die meisten kämpften ihr Bedürfnis nieder, diese Glaswand einfach anzuspucken und zu gehen.

Auch Susanne Kaul wartete an einem kleinen, viereckigen Tisch, der unter einem Fenster stand. Petra und Heinz standen

neben ihr, ihre kleinen Hände noch immer in den kalten, bebenden Händen der Mutter vergraben. Mit großen Augen sahen sie
sich um, hinüber zu den anderen Tischen, wo sie sich schon ge-
genübersaßen, ausgemergelte Gestalten, mit Totenschädeln,
mit knochigen Fingern, Greise, in deren Augen nur noch das Alter flackerte, Mumien, vom Alkohol konserviert und doch ausgelaugt.

»Ist Papi auch so krank wie die da?« fragte Petra leise. Susanne Kaul zuckte zusammen.

»Pst!« sagte sie. »Sei still, Liebling.«

Die Tür öffnete sich. Zuerst erschien die wuchtige Gestalt von
Judo-Fritze, dann folgte, in dem gestreiften Pyjama erbärmlich
aussehend, Peter Kaul.

»Papi!« riefen Petra und Heinz und rissen sich von den Händen Susannes los.

Die Tränen kamen ihr in die Augen. Sie sah durch einen
Schleier, der sich verdichtete und über ihre Wangen wegfloß, sein
Gesicht ... dieses immer noch geliebte, fragende, von Freude und
Zweifel durchzogene Gesicht, seine Augen, die aufleuchteten,
sein Mund, der etwas Unhörbares sagte, als er die Kinder an sich
preßte und über ihre Haarschöpfe streichelte.

»Peter«, stammelte sie. »O Peter ...«

Sie sahen sich an, und es tat ihm leid, daß sie so weinte. Eine
natürliche Scheu vor dem Blick des Pflegers überwand er ...
er beugte sich vor und gab seiner Frau einen schnellen Kuß.
Nach Salz schmeckt er, dachte er. Ihr ganzer Mund ist voll
Tränen.

»Gib mir den Koffer mit den Sachen, Susi«, sagte er heiser. Es
war ihm, als müsse er jeden Augenblick auseinanderplatzen.
»Wo hast du den Koffer ...«

»Ich habe dir frisches Obst gebracht, Peter. Apfelsinen, Weintrauben, Pampelmusen ... Und Wurst habe ich da und einen ganzen Rosinenplatz, den du doch so gern ißt. Und –«

»Die Kleider, Susi!«

Er starrte sie an, sein Blick wanderte über den Tisch, erkannte
das Netz, die Einkaufstasche, die Tüten und Paketchen mit den
Aufschriften der ihm bekannten Lebensmittelgeschäfte. Er sah
sechs lange, noch etwas grüne Bananen, den dicken Zipfel einer
Fleischwurst, der aus einem aufgegangenen Paket hervorquoll,
und er sah, daß neben dem Tisch kein Koffer stand, nichts, gar
nichts.

»Wo sind die Sachen, Susanne?« fragte er laut. Von den anderen Tischen drehten sich einige zu ihm um. Judo-Fritze schob sich langsam näher.

Peter Kaul wartete keine Antwort ab, er brauchte sie nicht mehr. Das Weinen Susannes sagte ihm alles, die Pakete auf dem Tisch sprachen stumm zu ihm. Da drückte er die Kinder von sich weg und warf den Kopf in den Nacken.

»Man hat mich betrogen!« brüllte er. »Ihr wollt mich hier lassen! Ihr wollt mich hier begraben! In der Klapsmühle! Ihr wollt mich loswerden! Ihr wollt mich umbringen! Ihr wollt mich langsam, ganz langsam umbringen!«

»Papi!« rief Heinz entsetzt. »Papi, sei doch still!«

»Ich bin nicht mehr euer Papi!« Peter Kaul stürzte vor, ehe der Pfleger zugreifen konnte. Er schleuderte das Obst und die Wurst, den Rosinenplatz und die Weintrauben vom Tisch, fegte sie auf die Erde, warf sie an die Wand. Dann trat er um sich, als er den Griff des Pflegers spürte, rammte ihm den Kopf gegen die Brust und schrie und schrie.

Petra und Heinz waren an die Wand geflüchtet und heulten laut. Susanne war stehengeblieben, mit leeren Augen, halb offenem Mund und vorgestreckten flehenden Armen.

»Ich will nicht!« brüllte Kaul. »Ich bin gesund! Ich will nie wieder trinken! Nie wieder! Ich schwöre es! Ich will hinaus! Habt doch Erbarmen! Habt doch Mitleid! Ich will ja ein anderer Mensch werden! Ich will ja … ich will ja –«

Judo-Fritze nahm ihn wie einen bellenden Hund zwischen beide Hände und trug den Schreienden hinaus. In einem Nebenzimmer hielten ihn zwei andere Pfleger fest, während Fritz ihm eine Injektion Megaphen gab. Nach einigen kurzen Zuckungen wurde Peter Kaul ruhiger … er stierte die weißen Kittel um sich an, sein verzerrter Mund entspannte sich, seine Augen sanken zurück.

»Habt doch Mitleid …« stammelte er. »Ich werde nie, nie wieder trinken …« Kurz darauf schlief er ein und wurde auf einer Rolltrage in sein Zimmer gefahren.

Susanne Kaul verließ nach einigen tröstenden Worten des Stationsarztes die Anstalt. Wie sonst Peter Kaul, wenn er getrunken hatte, so ging nun auch sie mit geradem Rücken und hölzernen, staksigen Beinen. Petra und Heinz weinten noch immer. Sie verstanden den Papi nicht. So schöne Weintrauben hatten sie ihm mitgebracht, dicke Pampelmusen, eine lange Fleischwurst. Und er hatte alles an die Wand geworfen und geschrien, so laut geschrien, wie er es früher nie getan hatte, wenn er betrunken war. Und einen so schönen Schlafanzug hatte er an, gestreift, mit einem Schild auf der Brust. LHA. Es sah aus wie ein Orden, den die großen Männer immer bei Feierlichkeiten trugen. Im Fernsehen hatten sie es gesehen. Warum schrie er dann so?

Wenn ich die Kinder nicht hätte, ich wüßte, was ich täte, dachte Susanne Kaul, als sie in der Straßenbahn saßen und in die Stadt hineinfuhren. Nur der Kinder wegen lebe ich weiter. Sie starrte aus dem Fenster und sah doch nichts als nur vorbeigleitende Schatten, mal hell, mal dunkler. Da schloß sie die Augen und lehnte sich zurück.

Nun wird man ihn bestimmt in der Anstalt behalten, das ist sicher. Nun wird er so behandelt werden wie sie alle – wie irre Säufer. Nun ist das Tor hinter ihm zugefallen.

Und warum? Warum? O Gott – warum?

Die Hand Petras stieß sie leise an.

»Wir müssen aussteigen, Mutti.«

»Ja, mein Liebling.«

Dann gingen sie weiter, der Wohnkolonie zu, eine junge Frau mit den Schritten eines hölzernen Soldaten, an jeder Seite ein Kind, und in ihren Augen lag ein Erleben, das sie noch nicht voll begriff.

Wie er es schaffte, blieb eine Zeitlang ein Rätsel. Man fand jedenfalls sein Bett leer, als die Nachtkontrolle ins Zimmer siebzig sah.

In der Nacht brach Peter Kaul aus der Heilanstalt aus.

Es war gegen drei Uhr morgens.

Um diese Zeit lief Peter Kaul in seinem Anstaltsschlafanzug quer durch Essen, durch stille Straßen, immer im Schatten der Häuserwände.

Er lief nicht ziellos. Der Gedanke an den Endpunkt seiner Flucht verlieh ihm alle Energie.

Er wollte nach Hause.

Drei Stunden lief Peter Kaul durch Essen. Ab und zu begegnete er einem späten Heimkehrer, einmal einem Straßenfeger, der mit dem Rad zum Dienst fuhr, zweimal Bäckergehilfen, den frühesten Arbeitern in einem geordneten Gemeinwesen. Dann drückte er sich jedesmal in den Schatten einer Haustür oder auch nur an die Häuserwand, aber er wurde trotzdem bemerkt und doch übersehen.

Ein Mann in einem gestreiften Schlafanzug, was ist das schon? In einer Großstadt laufen wunderlichere Geschöpfe herum. Man sah kurz zu ihm hin und fuhr oder ging weiter.

Peter Kaul atmete jedesmal auf und lief weiter. Er wußte nicht, was er tun würde, wenn man ihn ansprechen würde, wenn man versuchte, ihn festzuhalten. Um sich schlagen, ja, das würde er, sich wehren, lautlos, verbissen, mit der ganzen Kraft, die ihm noch geblieben war, und er war kein Schwächling, er hatte auf dem Bau gearbeitet, unter Tage, auf Montage an hohen Masten und Häusern. Er besaß Muskeln, die noch nicht vom Alkohol aufgeweicht waren, aber er hatte sie bisher nie gebraucht, um für sich zu kämpfen, um sie gegen einen anderen Menschen zu spannen. Vielleicht würde ich sogar einen totschlagen, wenn er mich jetzt festhalten würde, dachte er und lief weiter, immer die belebten, beleuchteten Viertel der Stadt umgehend und auf Seitenstraßen und großen Bögen und Umwegen die Richtung zur Wohnkolonie suchend. Bei Gott, ich könnte einen umbringen! Ich lasse mich nicht wieder einfangen. Ich gehe nicht mehr zurück in die Landesheilanstalt! Und das erste, was ich tun werde, wenn ich wieder zu Hause bin, ist, diesen Schlafanzug zu zerreißen, diesen widerlichen halbleinenen Sack, mit dem Monogramm LHA auf der Brust. Diese Uniform der Ausgestoßenen, Vergessenen, Höllensöhne! Diese lebende Reklame: Kommt zu uns, und ihr werdet verstehen, was es heißt: Laßt alle Hoffnung fahren …

Je näher er dem Wohnviertel kam, um so schneller, um so trabender wurde sein Schritt. Jetzt schlich er nicht mehr an den Hauswänden entlang … er lief mitten auf dem Bürgersteig, die Arme angewinkelt, den Kopf in den Nacken geworfen, die Augen gegen den fahlen Nachthimmel gerichtet, der schon von der bleichen Ahnung des Morgens überdämmert wurde. Wie ein trainierender Langstreckenläufer sah er aus, und seine Beine warfen die

Meter in der gleichen rhythmischen Gleichförmigkeit hinter sich, wie es ein guter Läufer vollbringt. Von weitem sah er das einzige, vier Stockwerke hohe Haus der Wohnkolonie gegen den Himmel stehen. Sie nannten es das »Hochhaus«, und in ihm war unten der große Laden des Konsums, eine Annahme für Reinigung und Benzinbad, ein Textilgeschäft, vor dem die Kinder standen und die Büstenhalter auf den naturgetreuen Puppenbusen bewunderten, und dann kamen einige Büroräume darüber, ein Arzt, eine Hebamme, die hier in der Kolonie eine Lebensaufgabe übernommen hatte, eine Großhandlung für Süßwaren und Wirtebedarf und dann vier Etagen Wohnungen.

Zu Hause, hämmerte es in ihm. Zu Hause! Noch ein paar hundert Meter, noch zweimal um einen Block, dann vorbei an der Kirche, am Pfarrhaus ...

Sein Laufschritt kam aus dem Rhythmus.

Der Pfarrer, dachte er und blieb plötzlich stehen, lehnte sich an eine Hauswand. Verdammt noch mal – warum hatte sich der Pfarrer nicht um ihn gekümmert? Er hatte doch mitgesoffen, verflucht und zugenäht, er war es doch, der ihm den Alkohol eingepumpt hatte, und als dann Susanne mit dem blöden Kind anfing, als sie sagte, daß Gundula, dieses Engelchen, ein lebensuntüchtiges Säuferkind sei, da war er weggelaufen, um diesem Mistleben ein Ende zu machen. Und dann die Ruhr, der tote Fisch mit dem silbernen Leib, das kalte Wasser, die Polizei, die Anstalt, Judo-Fritze, der Bettnachbar aus Berlin, dieses warme Schwein, die Hölle ... Und wer hatte sie aufgerissen, diese Hölle? Der Pfarrer!

Peter Kaul atmete heftig und wischte sich mit dem Handrücken den Schweiß vom Gesicht. Hinein, dachte er. Junge, geh hinein und schrei ihn an: Ist das Gottes Wille? mußt du schreien. Herr Pfarrer Merckel, Sie versoffener Hund, ist das Nächstenliebe? Warum haben Sie mich nicht herausgeholt aus der Anstalt? Warum haben Sie geschwiegen? Warum haben Sie nicht zu Professor Brosius gesagt: Herr Professor, ich habe mit ihm gesoffen, bis er nicht mehr stehen konnte. Ich wußte, daß er ein Alkoholiker ist, und trotzdem habe ich ihm ... eine Flasche, zwei Flaschen ... Und dann habe ich getanzt, eine Polka, links herum und rechts herum und hoch das Bein und juchhuh ... ich, der Pfarrer Merckel, der sonntags von der Kanzel zu den Gläubigen sagt: »Wir alle sind Kinder Gottes, und Gottes Auge ruht väterlich auf euch! Er vergißt euch nie ...« Und sie falten die Händchen, die lieben Gläubigen, und beten: Vater unser ...

Peter Kaul riß sich den oberen Knopf des Schlafanzuges auf. Obgleich er fror, war es ihm, als ersticke er. Er hat mich vergessen, Pfarrer Merckel, der Vater hat seinen wimmernden Sohn Peter Kaul vergessen. Er hat ihn nicht getröstet ... er hat ihn in die Hölle schaffen lassen, in die Arme von Judo-Fritze, in die geilen Finger des Berliners, in den Teufelskreis der Medizin, die alles, was ein einmal Eingelieferter sagt oder tut, vom Psychiatrischen her bewertet.

So stand er eine Weile, an die Hauswand gepreßt, starrte hinüber zur Kirche und zum Pfarrhaus und wußte nicht, ob er den Pfarrer aus dem Bett schellen sollte oder ob es wichtiger sei, Susanne, die Kinder, seine Wohnung zu sehen und abzuwarten, was am kommenden Tag geschehen würde.

Schließlich lief er weiter ... Arme angewinkelt, mit trommelnden Beinen, man hörte es meterweit, denn die Kolonie hatte eine neue Straße bekommen, eine gute Asphaltdecke, zwischen den Häusern kleine Grünstreifen mit Lebensbäumen und Rotdornbüschen.

Noch zweihundert Meter ... noch hundert ... das Haus ...

Er blieb stehen und sah hinauf zu den Fenstern seiner Wohnung.

Natürlich schläft sie, dachte er. Es muß jetzt vier Uhr morgens sein. Aber andererseits: Warum schläft sie? Kann eine Frau, die ihren Mann liebt, selig schlafen, wenn er in eine Irrenanstalt gebracht worden ist? Muß sie nicht herumlaufen, nächtelang, sich gegen die Brust schlagen, die Welt anklagen, immer und immer wieder schreien: Er ist nicht krank! Er ist kein Irrer! Holt ihn heraus! Holt ihn heraus ...

Aber sie schläft. Susanne schläft. Die Fenster sind dunkel. In der Küche, im Zimmer, im Schlafzimmer. Überall. Nur bei Wollenwebers ist Licht. Aber das ist natürlich. Die älteste Wollenweber, die Lisa, 23 Jahre und üppig wie eine Parkstatue, macht wieder einen Nebenverdienst im Bett. Jeder hier weiß das. Und keiner kümmert sich drum. Warum auch? Muß doch jeder allein wissen, ob er eine Hure sein will!

Die Haustür war unverschlossen. Das war ein Glück, denn meistens schloß sie die Parterremieterin, die Frau Plotzke, schon um 20 Uhr ab, laut Hausordnung, daß bei Einbruch der Dunkelheit das Haus geschützt sein müsse. Es hatte schon viel Krach deswegen gegeben, denn die Kinder spielten auch um 20 Uhr noch auf der Straße, standen dann vor der geschlossenen Tür und brüllten die Hauswand hinauf: Mutti! Mutti!

Peter Kaul schlich die Treppen hinauf und stand vor der Wohnungstür. Wieder zögerte er. Auf einmal hatte er Angst. Was soll ich überhaupt hier, dachte er. Eigentlich gehöre ich gar nicht mehr hierher. Ich bin in die Ruhr gegangen, ich habe mir das Leben nehmen wollen, und Susanne hat mir keine Kleidung in die Anstalt gebracht, sondern Obst und Wurst und Kuchen. Was beweist, daß ich abgeschrieben bin! Daß ich zu Judo-Fritze gehöre, zu dem warmen Berliner, zu dem deliriumkranken Rechtsanwalt Dr. Faßbender, der im Schlafsaal einen Vortrag hielt: Darf die deutsche Justiz einen Exhibitionisten bestrafen, da es sich doch um die Entfaltung der Persönlichkeit handelt? Dahin gehöre ich ... in den Augen von Professor Brosius, in den Augen von Pfarrer Merckel, in den Augen von Susanne ... der ganzen Umwelt ...

Sein Zeigefinger legte sich auf die Klingel. Er schrak zusammen und drückte sich an das Türfutter, als die Schelle im Inneren der Wohnung schrill aufkreischte. Sie hängt im Flur, dachte er. Über der Küchentür. Ein viereckiger Kasten, weiß gestrichen wie die Wand.

Im Flur ging das Licht an. Er hörte, wie Heinz aus dem Bett kam und sagte: »Mutti, mach nicht auf ... bitte ... mach nicht auf. Ich habe Angst ...«

Da drückte er noch einmal auf die Klingel. Schrirrrr ... ein greller Ton, der bis ins Knochenmark geht, wenn er um diese Zeit erklingt.

Nun kam auch Petra in den Flur. Peter Kaul legte das Ohr gegen die Tür. Er sah sie stehen, alle drei, eng zusammen, im Flur, einen Meter von der Tür entfernt, sie anstarrend und bis in die Fußspitzen bebend. Er hörte, wie Petra sagt: »Ich laufe ans Fenster, Mutti, und ruf um Hilfe! Soll ich?« Und er hörte, wie Susanne, seine Frau, seine große Liebe, und seine einzige, bei Gott, leise sagte: »Nein. Bleib, Petra. Vielleicht ist es jemand, der von Papi Nachricht bringt.« Es war eine Lüge, eine Beruhigung der ängstlichen Kinder, und dabei hatte sie mehr Angst als Heinz und Petra. Ihre Stimme war kläglich. O Susanne, Susanne, dachte Peter Kaul und küßte die Tür. Mach auf ... mach doch auf ... Ich komme aus der Hölle ... aber ich bin kein Teufel, nein, nein ... ich bin euer Vater ... und ich will nichts, als nur bei euch sein ... bei meiner Familie ...

Schritte. Zur Tür. Peter Kaul wich zurück. Er wich zurück bis zum Treppengeländer, riß die Arme nach hinten und hielt sich dort fest. Die Treppenhausbeleuchtung war längst erloschen ... drei Minuten sollte sie brennen, laut Mietvertrag, aber der Hausmeister, der die Wohnblocks betreute, hatte den Automaten auf zwei Minuten heruntergestellt. »Auch Pfennige sind Gemeingut in einer Genossenschaft!« sagte er immer. »Man kann die Treppen hinaufschleichen oder sie in forschem Schritt nehmen. Bei uns wird nicht geschlichen ...« Also zwei Minuten Licht. Es stellte sich heraus, daß es reichte.

»Wer ist da?« Peter Kaul hörte die Stimme Susannes. Sie mußte die Lippen an die Klinke gelegt haben, vielleicht sah sie durchs Schlüsselloch. Aber draußen war es dunkel. Zwei Minuten Licht! Und es neu anknipsen wollte er nicht. Er kam aus der Dunkelheit ... Er hörte, wie Heinz laut sagte: »Mach ruhig auf, Mutti! Petra geht zum Fenster. Wenn einer was will, rufe ich nur ›Los!‹, und Petra brüllt auf die Straße.«

Meine Kinder! Peter Kaul spürte, wie Tränen in seine Augen traten. Mein kleiner Heinz. Er will tapfer sein. Er wird einmal ein guter Junge werden, Gott gebe es. Er wird an seinem Vater lernen, wie man nicht werden soll.

Die Tür sprang auf. Ein kurzes Schlüsselklirren, ein leises Knirschen ... und dann fiel der Lichtschein aus dem Wohnungsflur auf die Treppe und auf den Mann am Geländer, auf die Gestalt in dem gestreiften Anstaltsschlafanzug mit dem Monogramm LHA auf der Brust.

Sie sahen sich groß an ... Susanne und Peter Kaul ... sie erkannten sich und begriffen doch nicht, daß sie es waren. Das erste Erkennen ging noch nicht in das Bewußtsein, aber dann dachte das Gehirn:

Er ist da!

Und: Ich bin zu Hause.

Und: Er ist einfach weggelaufen! O mein Gott, mein Gott ...

Und: Wie schön du aussiehst, Susanne. Nie habe ich dich so schön gesehen. Deine großen Augen, deine langen Haare, dein schlanker Körper in dem alten Bademantel, die schmalen Fesseln deiner Füße. Du bist schön, Susanne, meine Frau ...

»Pa-Papi«, stotterte Heinz, der neben ihr stand. »Wirklich Papi ...« Und Petra kam aus dem Schlafzimmer, weil sie nachschauen wollte, warum sie nicht um Hilfe zu schreien brauchte, und auch sie sah den Mann im gestreiften Schlafanzug fassungslos an und sagte mit kindlichem Unverständnis:

»Mami ... ist er es denn wirklich ...?«

Susanne schob die Kinder von sich weg und trat an die Flurwand zurück. Die Tür war offen, das Licht fiel hell in das Treppenhaus, der Eingang zur Wohnung war weit und hell und freundlich.

»Komm 'rein, Peter ...« sagte sie leise.

Und er tappte in seine Wohnung, nahm links und rechts ein Kind unter den Arm und war so glücklich, so zufrieden, so wunschlos wie noch nie.

Ich werde nie, nie mehr trinken, schwor er sich.

Am frühen Morgen schon erschienen sie, um ihn abzuholen.

Peter Kaul sah sie, wie sie aus den beiden Wagen ausstiegen, die unten vor dem Haus hielten. Einer war ein normaler Personenwagen, und aus ihm kletterten der Oberarzt, ein Polizist, noch ein Polizist und Pfarrer Merckel. Der andere Wagen war dumpf grün gestrichen, sah aus wie ein Kombi, nur war das Rückfenster vergittert, und auch zum Fahrersitz hin war eine Wand aus Gitterstäben und Drahtgeflecht. Judo-Fritze wälzte sich aus der Fahrerkabine und reckte seinen gewaltigen Körper. Es war, als könne man das Knacken seiner Knochen, Muskeln und Sehnenbänder bis hinauf zum Fenster hören. Ein zweiter Mann, in einem weißen Kittel, gesellte sich zu Judo-Fritze, rauchte eine Zigarette an, sah hinüber zu den vier Herren am Personenwagen und dann hinauf zum Haus.

Peter Kaul trat von der Gardine weg. Sein Gesicht war weiß und teigig.

»Da sind sie!« sagte er heiser. Er umklammerte die Schultern Susannes und grub seine Fingernägel durch ihren Bademantel. Sie umfaßte seinen Kopf mit beiden Händen, küßte ihn und lehnte dann das Gesicht weinend gegen seine Brust.

»Ich ... ich habe es geahnt. Sie haben das Gesetz hinter sich, Peter ... das Recht ...«

Unten, an der Haustür, wurde der Klingelknopf gedrückt. Die Tür war von einem der Mieter, der zur Frühschicht gegangen war, verschlossen worden. Beim Klang der Schelle zuckten sie beide zusammen und umfaßten sich noch enger.

»Nicht aufmachen, Susi ...« sagte Kaul leise.

»Aber sie wissen doch, daß du hier bist ...«

»Woher sollen sie das wissen?« Er drückte Susanne fest an sich, als die Schelle erneut klirrte. Diesmal länger, fordernder, amtlich. »Ich kann überall hingelaufen sein ... wieder zur Ruhr zum Beispiel.«

»Dann hätten sie dich schon gefunden. Sie werden sich gedacht haben, daß es nur einen Weg für dich gibt.«

»Nicht aufmachen!« stammelte Peter Kaul. »Bitte, bitte, nicht aufmachen ...«

Die Haustür wurde aufgeschlossen. Frau Plotzke tat es mit Freuden. Abwechslung im Haus war willkommen. Man konnte sich nicht immer über das Hurenleben der Wollenweber aufhalten. Es wurde langsam langweilig.

Schritte auf der Treppe. Viele, energische Schritte. Aus der Küche kamen Petra und Heinz. Sie hatten ihren Kakao getrunken, jeden Morgen eine große Tasse, bevor sie in die Schule gingen. Heinz nahm ein Butterbrot mit, Petra einen Apfel. Sie standen im Flur und sahen ängstlich auf ihren Vater, der die Mutter umfangen, sein Gesicht auf ihre Haare gelegt hatte und weinte. Richtig weinte, mit zuckenden Lippen, bebenden Schultern und dicken Tränen, die aus den merkwürdig starren Augen flossen.

Stimmen im Treppenhaus, vor der Tür. Füßescharren. Ein Finger, der auf die Klingel drückte, eine Faust, die gegen die Tür donnerte. Ohne zu sehen, wer es war, lag damit alles klar: Der Oberarzt klingelte, wie es sich gehörte ... einer der Polizisten klopfte mit der Faust. Das muß so sein, denn eine amtliche Handlung hat auch ihre bestimmten akustischen Begleiterscheinungen, vor allem in Deutschland. Pfarrer Merckel stand abseits ... Peter Kaul konnte es im Geist genau sehen. Er stand am Geländer, hatte die Hände gefaltet und vertraute auf Gott und seine unsagbare Güte.

»Was ... was wollen die denn, Papi?« fragte Heinz.

»Aufmachen!« rief vor der Tür eine barsche Stimme. Beamtenton! Geübt als Feldwebel auf dem Kasernenhof. Für einen guten Feldwebel bleibt der männliche Mensch immer ein Rekrut, ob mit oder ohne Uniform. Es genügt, wenn er selbst wieder eine Uniform trägt. Und wenn es die eines Nachtwächters ist.

Peter Kaul schwieg. Auch die Kinder schwiegen. Sie umklammerten ihren Vater von zwei Seiten. Eine Menschentraube, so standen sie im Flur, vier ineinander verkrampfte Körper, die den Willen hatten, sich nicht auseinanderreißen zu lassen.

Wieder die Beamtenfaust. Donnernd. Hört her, hier spricht der Staat! Die Staatsgewalt! Wer will noch widersprechen? Wer wagt es, aufzumucken, wenn ein Uniformträger an die Tür klopft? Aber der Peter Kaul, der tut es. Der rührt sich nicht, der öffnet nicht, der weigert sich. Gegen Staat und Uniform! Ist das kein Beweis, wie irr er ist?

Vor der Tür, nach dem zweiten Beamtenklopfen, entstand eine leise, aber erregte Diskussion. Dann schellte es wieder, ganz kurz, wie ein Antippen nur, wie ein Signal: Achtung, ich bin da. Und dann eine Stimme, tief und väterlich, wohlwollend und breit. Judo-Fritze.

»Mach auf, Peter«, sagte er. Er schien den Mund gegen die Ritze zu pressen, denn seine Stimme klang so voll und gegenwärtig, als stände er neben Kaul. Der Angesprochene zuckte zusammen, ließ Susanne und die Kinder los und war mit zwei Schritten an der Tür. Nur ein Türblatt trennte ihn jetzt von den anderen, eine aufgedoppelte Tür, wie der Schreiner sagt, 20 mm stark. Sperrholz, Limba furniert, zweimal grundiert und lasiert. Mit BKS-Schloß und Innenriegel. Kein großes Hindernis, mehr ideell. Man konnte sie eintreten, wenn man wollte. O Kameraden, da haben wir schon ganz andere Dinger eingetreten. Damals, bei Cherbourg, die Tür der kleinen Françoise, die nicht wollte, aber schließlich mußte. Das war eine Eichentür! Und rumm, war sie durch. Was ist da schon so eine Wohnungsgenossenschaftstür?

Peter Kaul schwieg. Judo-Fritze versuchte es noch einmal. Seine väterliche Stimme war ein Gesang in Moll.

»Mach keinen Quatsch, Peter! Komm mit. Der Herr Professor gibt dir auch ein Einzelzimmer.«

Jeder wußte, daß dies gelogen war. Ein Einzelzimmer kostete pro Tag achtundzwanzig Mark, ohne Professor. Nur das Bett. Und dann kam alles andere noch hinzu. Visite, Schwester, Medikamente, Benutzung der Untersuchungsräume, Röntgen, EKG, Enzephalogramm, Liquoruntersuchung, Labor, Arteriogramm. Das kann auf 100 Mark am Tag kommen. Privatstation. Gnädige Frau und lieber Herr Kaul … aber bei Judo-Fritze hieß es: »Mach keinen Quatsch, Peter … sonst knallt's!«

Peter Kaul lehnte sich gegen die Tür. Es war ihm, als brenne die Körperwärme Judo-Fritzes durch das Holz. Und es war sogar, als röche er Weihrauch. Der Gedanke, daß Pfarrer Merckel ebenfalls draußen stand, regte seine Geruchsnerven an. Weihrauch und Schnaps … merkwürdig, daß noch niemand in der Kirche diesen Geruch analysiert hatte.

»Ich komme nicht!« sagte Peter Kaul plötzlich. Er erschrak vor seiner eigenen Stimme. Sie war hohl und doch laut, sie explodierte gegen die Tür und schlug an das Trommelfell des Irrenpflegers.

»Mach doch keine Schwierigkeiten, Peter.« Väterchen Judo-Fritze sprach. »Du bist doch nur zur Beobachtung. Gesetz ist nun mal Gesetz, es muß alles seinen normalen Weg gehen, auch in der Klapsmühle. Komm raus, Peter.« Und dann machte der gütige Vater Fritz einen groben Fehler. Er sagte, zwar auch freundlich, aber ebenso klar: »Die Polizisten sollen doch nicht etwa die Tür aufbrechen, Peter …?«

»Das können sie!« Peter Kaul hieb mit der Faust gegen die Füllung. »Tut es doch!« schrie er plötzlich. »Tretet sie doch ein! Holt mich doch, ihr Halunken! Ich werde hier alles verrammeln! Ihr kommt nicht in die Wohnung! Und wenn ihr denkt, ihr könnt es mit mir so machen wie sonst, so mit Tränengas, Feuerwehrleitern, Handgranaten gegen die Tür … ich bringe mich um! Hört ihr! Ich bringe mich um! Und meine Frau mit! Und die Kinder. Alle … Petra – Heinz – Gundula! Fünf sind wir! Fünf! Besorgt fünf Särge, bevor ihr hereinkommt!«

Vor der Tür war es plötzlich still. Auch in der Wohnung lag lähmende Lautlosigkeit. Und in diese Stille hinein sagte Susanne ganz klar und ohne Erregung:

»Ja, so wird es! Wir gehen alle mit unserem Papi!«

Jetzt kommt der Pfarrer, dachte Peter Kaul. Er nickte Susanne zu, und dieses Nicken hieß: Dank. Ewiger Dank. Man kann die Welt einreißen … unsere Liebe stirbt nur mit uns. Er zog die beiden Kinder wieder an sich und stand hochaufgerichtet vor der Tür. Ich bin der Sieger! Ich bin der Stärkere! (Da er das als Deutscher dachte, muß man annehmen, daß der Alkohol doch schon sein Gehirn angegriffen hatte.)

Eine neue Stimme. Dunkel, mächtig, redegewandt. Pfarrer Merckel. Also doch, dachte Peter Kaul. Nun werde ich Gottes Willen hören. Gottes Mahnung, aufzuschließen und mitzugehen in die Hölle menschlicher Versumpfung.

»Ich verspreche Ihnen, Herr Kaul, daß man Sie nach einer genauen Untersuchung wieder freiläßt«, sagte Pfarrer Merckel. »Ich verwende mich dafür, daß man Ihnen nichts antut. Ich habe mit Professor Brosius gesprochen. Auch er tut nur seine Pflicht. Denken Sie daran, was aus Ihrer Familie wird, wenn Sie weiterhin Schwierigkeiten machen.«

»Wenn ihr mich holt, gibt es keine Familie mehr!« schrie Peter Kaul. »Ruhe! Ich will nichts mehr hören! Ruhe!« Er hieb wieder gegen die Tür, als könne er damit die wartenden Gesichter wegfegen. Zwei Polizisten, zwei Irrenwärter, einen Oberarzt und einen Pfarrer. Eine runde, wohl ausgewogene Gemeinschaft.

Im Treppenhaus wieder wispernde Stimmen. Der Baß des Pfarrers, unverständliche Worte. Die väterliche Stimme Judo-Fritzes. Man schien nicht einer Meinung zu sein, Baß gegen Baß, einmal das akademisch hohe Organ des Oberarztes, zwei zackige Bemerkungen, das war die Polizei, dann wieder der Pfarrer. Und dann, Peter Kaul legte das Ohr an die Tür, Schritte, die sich entfernten, die nach unten gingen, die sich im Haus verloren. Von unten eine Frauenstimme, Frau Plotzke. Gierig und flatternd vor Neugier. Geil nach Neuheit. Im Tremolo vor angestauter Wissensperversität. Daß sie nichts erfuhr, war noch schlimmer als eine korrekte Auskunft. Jetzt spielte die Phantasie auf allen Tasten. Sie seufzte und setzte sich zitternd ans Fenster. Ein vergitterter Wagen, zwei Männer im weißen Kittel, zwei Uniformen. O Gott, o Gott, was in diesem Haus alles geschieht! Wie aufregend ist das Leben … Peter Kaul rannte ins Schlafzimmer. Er schlidderte fast und wäre gefallen, wenn der Kleiderschrank ihn nicht aufgefangen hätte. Er stieß mit der Schulter daran, er grunzte und stürzte ans Fenster.

Auf der Straße stiegen sie ein … Judo-Fritze und der andere Pfleger, die beiden Polizisten, der Oberarzt. Und sie fuhren ab. Beide Wagen.

Nur der Pfarrer Merckel war im Haus geblieben.

Er steht noch vor der Tür, dachte Kaul grimmig. Saufkumpan Merckel wartet.

»Das ist eine Falle, Susi«, sagte er und ließ die Gardine zurückfallen. Er legte den Kopf auf die Schulter seiner Frau und seufzte ein paarmal tief. »Sie wollen mich nur in Sicherheit wiegen. Sie fahren um die nächste Ecke und warten da. Oder sie kommen mit Verstärkung, sie wollen die Festung ausräuchern. Daß ich euch so was antun muß! Daß ich solch ein erbärmlicher Hund bin! Sag … sag es ehrlich … bin ich denn überhaupt noch wert, zu leben?«

»Du bist mein Mann, Peter«, sagte Susanne Kaul ohne Bewegung. »Du bist der Vater unserer Kinder … wir leben durch dich … Ist das nicht genug?«

»Du bist wie ein Engel«, sagte er leise. Er richtete sich auf, trat wieder an das Fenster, sah, wie einige Nachbarn in den Türen zusammenstanden, wie sie hinaufblickten zur Kauischen Wohnung, wie sie die Köpfe zusammensteckten. Pack, dachte er.

Schadenfreudiges Pack. Es wäre euch eine Wonne gewesen, mich abgeholt zu sehen. Im Arm von Judo-Fritze, wie eine nasse Katze, halb getragen, halb geschleift, mit zerrissenen Kleidern, in meinem lächerlichen, gestreiften Schlafanzug mit dem Monogramm LHA auf der Brust, ein Festzug außer der Zeit: vorweg der Oberarzt, dann die nasse Katze von Kaul, Hosenboden zerrissen, nackter Hintern zu den Nachbarn, rechts und links die weißen Kittel und dann der Pfarrer und am Schluß die Polizisten. Na, ist das nicht ein schöner Zug? Schöner als Schützenfest und Karneval, als Kirmes und Fronleichnam!

»Wenn du sagst, ich soll gehen, Susi – dann gehe ich!« sagte er leise. »Ich schwöre es dir … ich gehe freiwillig. Aber du mußt sagen: Geh, Peter!«

»Nein.« Sie schrie es fast, und Heinz und Petra kamen ins Schlafzimmer. In der Küche begann Gundula zu weinen. Sie hatte Hunger und vermißte die gewohnten bunten Bauklötzchen.

Peter Kaul lauschte. Das Jammern Gundulas schnitt ihm ins Herz. Der lebende Beweis seiner Unzulänglichkeit. Ein Kind, dessen Beine nur Körperform waren, dessen Kopf ein Hirn enthielt, das tot war.

»Ich gehe«, sagte er dumpf. »Seid ihr nicht glücklicher ohne mich?«

»Wie kannst du das sagen, Peter?« Susanne und die Kinder umringten ihn.

»Ihr lügt alle!« Er bückte sich, nahm seinen Sohn Heinz am Kragen des Pullovers und zog ihn zu sich heran. »Du hast Angst vor mir, nicht wahr? Sag die Wahrheit … du hast Angst?«

Heinz preßte die Lippen aufeinander. »Manchmal«, sagte er ängstlich.

»Und du, Petra?« Kaul drehte sich herum. »Du auch?«

»Ja, Papi …«

»Wie könnt ihr das sagen?« schrie Susanne. »Keiner hat Angst vor dir, Peter! Keiner! Die Kinder sind nur eingeschüchtert … heute nacht … und vorhin das … Es sind ja nur Kinder, Peter …«

»Der Herr Pfarrer hat gesagt, wir dürfen nicht lügen!« sagte Heinz fest.

»Und ich will auch nie lügen!« fügte Petra hinzu.

»Brav, Kinder, brav! Der Herr Pfarrer ist ein guter Mann. Ein weiser Mann!« Peter Kaul ging aus dem Schlafzimmer. Susanne rannte ihm nach und fing ihn ab, als er an der Wohnungstür stand und sie aufriegeln wollte.

»Nicht, Peter!« schrie sie verzweifelt. »Nein!«

»Der Pfarrer ist ein guter Mann!« Peter Kaul lächelte breit. Er befreite sich von Susanne, schloß die Tür auf und ließ sie aufschwingen. »Seht, wer dort steht. Im Dunkeln auf der Treppe. Wie der Erzengel vor dem Paradies. Der Herr Pfarrer.« Er machte einen tiefen Diener und eine weite, einladende Handbewegung. »Bitte einzutreten, Herr Pfarrer. Bitte zu den zerrütteten Seelen zu kommen. Sie finden uns bereit, Gottes Rat anzunehmen.«

Merckel ging in die Wohnung, gab der Tür einen Tritt und ließ sie zuschlagen. Die Kinder drückten sich an die Flurwand. Ihre weitaufgerissenen Augen nahmen ein seltsames Bild auf: Ihr Vater klopfte dem Herrn Pfarrer auf die Schulter und sagte: »Haben Sie einen Flachmann in der Tasche?« Dann lachte er rauh, ging voraus ins Wohnzimmer, knipste das Licht an, denn es war ja noch dämmerig draußen, warf sich in einen Sessel und legte die Beine übereinander. Der Pfarrer setzte sich ihm gegenüber, und Susanne blieb stehen, neben der Blumenbank mit den Primeln, den Fleißigen Lieschen und den Zyklamenveilchen.

»Müssen die Kinder alles hören?« fragte Merckel und sah zur Tür, wo Heinz und Petra standen.

»Ja! Warum nicht? Sie haben ihren Vater besoffen gesehen, warum sollen sie nicht eingeweiht werden, wie man einen Menschen von der Gemeinschaft isoliert? Sie können daraus doch nur lernen ...«

Pfarrer Merckel winkte und sah auf seine Uhr. »Zeit, um in die Schule zu gehen«, sagte er. »Paßt gut auf, Kinder.«

Heinz und Petra blieben in der Tür stehen und sahen auf den Vater. Peter Kaul zog die Nase kraus.

»Hört ihr nicht: Der Herr Pfarrer wünscht euch alles Gute. Antwortet mit einem ›Vergelt's Gott!‹ und geht ...«

»Ist der Papi noch da, wenn wir aus der Schule kommen?« fragte Heinz.

»Nein!« Pfarrer Merckel legte die Hände breit auf seine Knie. So sitzen Bierkutscher da, wenn sie satt sind und auf das Aufstoßen warten. »Aber ihr werdet Papi bald wiedersehen. Geht jetzt ...«

Als sie allein waren, als Susanne gesehen hatte, wie die Kinder Hand in Hand über die Straße gingen zur Schule, vorbei an den Nachbarn, die etwas fragten, aber keine Antwort bekamen, als Gundula ihre bunten Klötzchen bekommen hatte und ruhig war, lehnte sich der Pfarrer zurück, daß die Sessellehne knackte.

»Warum sind Sie aus der Anstalt weg, Peter Kaul?« fragte er.

»Weil es dort zu schön war. Zuviel Schönheit macht mich sentimental. Und ich hasse das Sentimentale.«

»Peter …« sagte Susanne leise und bebend.

»Dummheit war das!« Merckel schlug mit der flachen Hand auf den Tisch. »Man hätte Sie bald wieder freigelassen! Noch lag keine richterliche Einweisungsverfügung vor … aber jetzt ist sie ausgestellt! Ins Wasser gehen! In die Ruhr! So ein Blödsinn! Und dann ausreißen … noch größerer Blödsinn! Sind das Lösungen von Problemen? Helfen Sie damit Ihrer Familie? Wird es dadurch besser in der Welt? Sind Sie solch ein Schlappschwanz, der aus Jammer vor der eigenen Schwäche sich entleibt? Ich habe Sie immer für einen Kerl gehalten, Peter Kaul! Für einen zwar versoffenen, aber doch für einen im Grund anständigen Kerl! Wir wissen ja, warum das Saufen ist. Auch hier triumphiert die Dummheit! Sehen Sie denn nicht ein, daß es besser ist, in sich zu gehen, als sich zu häuten und selbst aufzufressen?« Und plötzlich griff er über den Tisch, faßte Kaul am Hemd und zog ihn zu sich heran. »Bist du ein Kerl?« brüllte er mit seiner gewaltigen Stimme. »Oder hast du dich zur Memme gesoffen?«

Peter Kaul befreite sich mit einem Ruck aus dem Griff. Fahlbleich war er jetzt, mit zitternden Augäpfeln. Er starrte Susanne an und erkannte, daß in ihrem Blick die gleiche Frage stand, die große Hoffnung, er möge gehen, er möge nicht mehr aufsässig sein, er möge mittrotten wie ein Lamm zum Schlachthof, leise blökend und mit kullernden Augen. Die Gegenwart des Pfarrers hatte sie verändert. Vorher bereit, mit den Kindern zu sterben, aus der Verzweiflung heraus, das Leben sei verspielt, stemmte sie sich jetzt dagegen, hatte sie Hoffnung, spürte sie Kraft, jene Kraft, die es ihr jahrelang erlaubt hatte, an seiner Seite zu leben, zu lieben, zu gebären und ab und zu auch glücklich zu sein.

»Kommen Sie, Herr Pfarrer«, sagte Peter Kaul leise. »Kommen Sie schnell, ehe es mir wieder leid tut.« Er hob bedauernd die Hände. »Nur mit dem Schlafanzug kann ich nicht mehr dienen. Ich habe ihn zerrissen. Total zerrissen! Verbrennen wollte ich ihn … aber Sie und Ihre Begleiter waren schneller. Ich werde ihn ersetzen müssen. Was kostet solch ein Schlafanzug? War ein rauher Stoff, eine zarte Haut schabt er bestimmt auf, vor allem am Gesäß. Das Schönste war noch das Monogramm. LHA. Ludwig Heinrich Adam, kann das heißen. Oder: Lieber Herr Abraham. Oder: Liebe, Hoffnung, Aberglaube. Es läßt einen großen Spielraum für die Phantasie, Herr Pfarrer, dieses LHA. Ich werde es unbedingt ersetzen, dieses Monogramm. Den Schlafanzug drumherum kann ich vermissen. Wie gesagt – er kratzt am Hintern.«

Es gab keine weiteren Diskussionen mehr. Peter Kaul kleidete sich an, er nahm seinen Sonntagsanzug aus dem Schrank, den grauen Pfeffer und Salz, er ließ sich von Susanne einen Windsorknoten binden mit einem blaugrauen Schlips, er stieg in seine spitzen schwarzen Schuhe, Modell Gondola – Made in Italy –, er wusch sich noch einmal die Hände, polkte sich einen schwarzen Rand unter dem linken Mittelfinger weg, kämmte sich korrekt und machte den Eindruck eines wohlsituierten Bürgers, der sonntags zur Messe geht, zum Frühkonzert, in eine Ausstellung, im Park spazieren, zum Fußballklub oder in ein Bordell.

»Wir können!« sagte er und betrachtete sich noch einmal im Spiegel an der Innenwand des Kleiderschrankes. »Ich nehme an, daß mein äußerer Eindruck gut ist.«

Susanne saß auf dem Bett und weinte haltlos. Auch das beruhigende Klopfen der pfarrerlichen Hand auf ihrer Schulter hielt den Weinkrampf nicht zurück. Peter Kaul nahm ihr Gesicht zwischen beide Hände, küßte ihre nassen Augen, den salzigen Mund, strich ihr über die blonden Haare und – Herr Pfarrer, sehen Sie weg, zur Seite, an die Decke, in den Himmel – mit der offenen Hand über ihre Brüste.

»Denk gut an mich«, sagte er stockend. »Und sag den Kindern, daß ich bald wiederkomme und ihnen etwas Schönes mitbringe ...«

Zu Fuß gingen sie später zum Präsidium, stumm, im gleichen Schritt. Sie mußten sich lange durchfragen, bis sie jemanden fanden, der zuständig war.

Das Problem, das sie herantrugen, war ungewöhnlich und stand in keiner Ausführungsbestimmung.

Da kommt ein Mann, der aus der Landesheilanstalt ausgebrochen ist, als notorischer Alkoholiker, mit einem Einweisungsbeschluß, ein verhinderter Selbstmörder, und stellt das Ansinnen, in ein Gefängnis eingeliefert zu werden. In die sogenannte U-Haft. Auf Vorhaltungen, daß dies unmöglich sei, sagte dieser Mann schlicht:

»In die Klapsmühle gehe ich nicht zurück. Ich werde jeden Beamten, der mich dorthin bringt, zum Krüppel schlagen. Das reicht doch für die U-Haft, nicht wahr?«

Ein schweres Problem. Die Staatsanwaltschaft wurde bemüht, Pfarrer Merckel sprach selbst mit dem Oberstaatsanwalt, und es ergab sich, daß doch ein Paragraph zuständig war: Schutzhaft.

»Sie haben Glück, Kaul, daß man bei uns an alles denkt«, sagte Pfarrer Merckel freudig. »Sie kommen tatsächlich ins Gefängnis und nicht mehr in die Heilanstalt. Nur weiß ich nicht, warum Sie da hinein wollen.«

»Wenn ich schon nicht zu Hause leben darf, will ich wenigstens nicht unter Irren und Warmen leben«, antwortete Kaul bestimmt.

Eine Stunde später meldeten sie sich in der Aufnahme des Gefängnisses. Es gab wieder lange Rückfragen, weil Kaul keine schriftliche Einweisung vorzeigen konnte. »So einfach kommt keiner in 'n Knast!« sagte der Oberwachtmeister in der Schreibstube gemütlich. »Junge, was wären wir dann überfüllt! Freie Kost und Logis, freie ärztliche Betreuung, einmal in der Woche ein bunter Abend mit Fernsehen ... nicht wahr, Herr Pfarrer, die haben's oft besser als mancher Familienvater!«

Aber dann ging alles schnell. Händedruck mit Pfarrer Merckel, ab zum Baderaum, baden, Frage des Wachtmeisters: »Filzläuse? Schon mal geschlechtskrank gewesen? Bücken! Keine Hämorrhoiden! Ab durch die Mitte!« Kleiderkammer, Abgabe des Zivils, Unterschrift unter die Asservatenliste, Empfang der Gefängnisklamotten, blaues Käppi, blauer Anzug, Wollstrümpfe, dicke Lederschuhe, plötzliches Stutzen, Verlegenheit: »Sie sind ja U-Häftling! Warum sagen Sie das nicht gleich? Sie dürfen ja alles behalten!« aber Peter Kaul will nichts Ziviles behalten, er winkt ab und wird weitergereicht.

Komischer Vogel, das flattert vor ihm her durch die Gänge und Türen, zum Blockwachtmeister, zum Kalfaktor. Da kommt einer, er ist plemplem. Weggesoffenes Hirn. Harmlos und farblos, Hautfarbe wie ein Onanist. Soll aber drei Kinder haben. Na, wenn schon ...

Im Zellenbau, im gläsernen Aufsichtsturm, umgeben von eisernen Treppen und Geländern – so was kenne ich nur aus dem Kino und aus Fernsehspielen, dachte Peter Kaul, aber es stimmt, sieh an, es stimmt wirklich –, empfing ihn der Wachtmeister mit einer kurzen Rede.

»Kaul!« sagte er. »Sie sind jetzt hier!« Wie klug solche Feststellungen sind. »Und Sie haben das Recht der Beschwerde, wenn Ihnen etwas nicht gefällt, was nach Ihrer Meinung ungesetzlich ist. Ich möchte erwähnen, daß sich in den letzten zehn Jahren noch keiner aus meinem Block beschwert hat. Sie bekommen Zelle Nr. 112, zweiter Stock. Merken Sie sich die Nummer. Ich rufe der Vereinfachung wegen öfter nur die Zahl. Also Nr. 112 c.« Der Wachtmeister lächelte jovial. Er nahm eine kupferne, kleine Gießkanne und begann, sieben Primeltöpfe an den gläsernen Wänden zu begießen. »Verstehen wir uns?«

»Jawohl, Herr Wachtmeister.« Kaul nahm stramme Haltung an. Einen Augenblick zwinkerte der Wachtmeister verwirrt mit den Lidern. Dann erinnerte er sich des Telefonats aus der Aufnahme. Ein bißchen plemplem.

»Gehen wir ...«

Peter Kaul bekam seine Zelle. Sie war bereits mit zwei Mann belegt, und nun begriff er auch, warum er 112 c hieß. A und b saßen schon drin.

Die Tür hinter ihm klirrte zu, der Riegel knirschte in die Halterung. Er blieb stehen und sah seine beiden Zellengenossen fragend an. »Kaul«, sagte er dann. »Peter Kaul. Elektriker.«

Der Insasse 112 a erhob sich und verbeugte sich:

»Franz Lukasch. Sittlichkeit.«

Und 112 b: »Emil Hangelar, Einbruchdiebstahl.«

Dann sahen sie sich an, lachten laut, fielen auf ihre Schemel und lachten noch lauter.

»Junge, Junge!« rief endlich Franz Lukasch. »Bist du eine Flöte! Warum haste vom Primel-Kurt nicht einen Frack verlangt.« Er erhob sich und kam auf den verbissen dreinschauenden Kaul zu. »Los, mach die Schnauze auf ... was haste ausgefressen?«

»Selbstmord«, sagte Kaul dumpf.

Die beiden, 112 a und 112 b, sahen sich groß an. Dann waren sie sich einig, daß eine Pflaume in ihre Zelle gekommen war.

»Ein Justizirrtum, mein Gott!« sagte Emil Hangelar und verdrehte die Augen. »Laßt uns gemeinsam weinen, Freunde ...«

Der erste Tag im Gefängnis war nicht schön, aber paradiesisch gegen die Station von Judo-Fritze.

Wer den Arzt und Hirnchirurgen Dr. Konrad Lingen kannte, war berechtigt, neidisch zu sein. Was das Füllhorn des Lebens auszuschütten vermochte, hatte es über Dr. Lingen ausgestreut. Erfolg, Reichtum, eine eigene Klinik, Betten in drei anderen Krankenhäusern, einen internationalen Namen, Sachverständiger bei Gerichten, eine schöne, elegante Frau, eine Tochter, die gerade ihre Mittlere Reife machte, Verfasser zweier Lehrbücher über Psychiatrie und traumatische Chirurgie, Tennisspieler mit vielen Pokalen, Motorbootfahrer auf dem Lago Maggiore, Herrenreiter mit dem am besten sitzenden roten Frack, passionierter Jäger mit einem kleinen Saal voller Trophäen in seinem weitgestreckten Landhaus, Besitzer eines Sportwagens, Träger einer Figur und eines Gesichtes, die Patientinnen wie Schwestern der Klinik gleichermaßen zum verinnerlichten Seufzen reizten ... was wollte Dr. Lingen noch mehr vom Leben?

Seine Gastlichkeit war so berühmt wie seine Abruptheit, wenn ihn jemand außerhalb der Klinik mit medizinischen Dingen belästigte. Er küßte die Hand einer Dame so galant, daß diese nervös mit den Zehen im Schuh spielte, und er war so grob wie sein großes Vorbild Sauerbruch, wenn es darum ging, die persönliche Note auch noch um dieses Odium genialer Ungezogenheit zu bereichern. Seine Visiten waren berüchtigt, seine Operationen wurden gefilmt, seine Kollegs als Privatdozent waren überfüllt. Er wurde angehimmelt und verflucht – mit einem Wort: Er war ein großer Mann.

Die Untersuchung der kleinen Gundula Kaul hatte Dr. Lingen längst vergessen. So etwas Alltägliches bleibt nicht haften. Ein Säuferkind. Wie viele Tausende liegen so herum? Wie viele Tausende verbergen sich in den Anstalten, isoliert von der Menschheit, vergessen von ihren Erzeugern, der Wohltätigkeit des Staates oder der kirchlichen Organisationen übereignet, Wesen zwischen Spuk und Alptraum, vom mummelnden Blöden bis zum Mongoloiden, vom kriechenden Insekt bis zum pulsenden Klumpen Fleisch. Ein Anblick, der für Dr. Lingen sowohl das Schaurige als auch das Tragische verloren hatte. Es waren nur mehr Karteinummern, Krankenblätter, Fieberkurven. Nicht einmal Namen hatten sie zum Teil. Sie wurden nach ihrer Krankheit oder nach ihrer Bettnummer benannt.

Wer war da Gundula Kaul?

Der Morgen eines der Arbeitstage Dr. Lingens begann wie immer: Der Portier der Klinik sah den weißen Sportwagen auf dem Weg zur Privatstation rasen und meldete durch einen Druck auf eine Taste der Rufanlage an alle Stationen: Der Chef ist da!

Die Oberschwester und der Oberarzt standen schon bereit, als Dr. Lingen aus seinem Zimmer trat, in seinem weißen, leicht angestärkten Arztmantel, weißen Schuhen und weißen Leinenhosen. Der goldene Clip eines goldenen Kugelschreibers leuchtete aus der linken Brusttasche.

»Besonderes?« fragte er knapp.

»Nein. Nur vor fünf Minuten ein Anruf. Unfall auf dem Ruhrschnellweg. Wollten zu uns verlegen, aber wir haben weitergegeben an Bergmannsheil.« Der Oberarzt warf einen schnellen Blick auf seinen Notizblock. »Ein Herr Hatzenbach ist verunglückt. Zwei Autos frontal. Nach Aussagen der Polizei soll eine schwere Schädelfraktur –«

»Hatzenbach?« fragte Dr. Lingen. Sein von den Frauen verschwiegen geküßtes Gesicht wurde hart. Schönheit verlor sich in zerfurchter Strenge.

»Konsul Hinrich Hatzenbach?«

»Ich weiß nicht. Hinrich hieß er –«

»So etwas weiß man!« schrie Dr. Lingen plötzlich. »Konsul Hatzenbach ist ein Reitklubkamerad von mir! Erster Direktor der Vereinigten Stahl! Und Sie schicken ihn ins Bergmannsheil? Ist denn so etwas möglich? Los, anrufen, nachfragen, ob transportfähig. Und dann her zu mir!«

Er drehte sich schroff um und ging wieder in sein Zimmer. Oberarzt und Oberschwester sahen sich fragend an. Wer ruft an, hieß diese stumme Blicksprache. Wer sagt den Kollegen im Bergmannsheil, daß Konsul Hinrich Hatzenbach ein Patient Dr. Lingens ist?

»Ich werde telefonieren«, sagte die Oberschwester und lächelte. »Einer Frau sagt man nicht Dinge, die man einem Mann sagen würde.«

Eine Stunde später rollte der Krankenwagen in den Aufnahmehof. Im OP war alles vorbereitet. Die Diagnose aus Bergmannsheil war klar. Schädelfraktur. Knochenabsplitterungen im Hirn. Schäden des Hirns noch nicht übersehbar. Es sah ganz so aus, als sei man froh, daß Dr. Lingen diesen Patienten abgeholt hatte.

Zu einer erneuten langen Röntgenkontrolle war wenig Zeit. Der Puls Hatzenbachs war weich, die Atmung flach und unregelmäßig.

Dr. Lingen saß in seinem Zimmer, während Konsul Hatzenbach für die Operation vorbereitet wurde. Die Post hatte eine neue Liste der Untersuchungskandidaten gebracht, die auf Gerichtsbeschluß einem Gutachter vorgestellt werden mußten. Eine Liste voller Leid und Grauen. Ein Mord. Zwei Entmündigungsverfahren. Eine Notzucht. Vier Einweisungen in Trinkerheilstätten. Ein Fall von schwerer Zerebral-Sklerose. Und doch alltäglicher Kleinkram. Dr. Lingen sah auf die Liste.

Kaul. Peter Kaul, dachte er. Woher kenne ich den Namen?

Er versuchte sich zu erinnern. Aber er suchte in einer falschen Welt. Direktor Kaul? Dr. Kaul? Dipl.-Ing. Kaul? Er fand keine Erinnerung. Um nachher in der Patientenkartei nachzusehen, machte er ein kleines rotes Kreuz vor dem Namen. Kaul? Kaul? Untersuchung wegen chronischem Alkoholismus? Gab es nicht einen Kaul im Tennisklub? Generalvertreter einer Spirituosenfirma?

Das Telefon summte, diskret, in Moll. Er nahm ab und bekam aus dem OP gemeldet, daß alles klar sei. Die Operationsschwester paßte sich dem Ton Dr. Lingens an. Knapp, das Wesentliche herausstellend. »Patient liegt in Narkose. Anästhesie besonders schwierig wegen Puls. Geben dauernd Herzstärkung.«

»Danke.« Dr. Lingen legte auf und erhob sich.

Im OP wartete alles auf den Chef. Als er endlich eintrat und an die Waschbecken ging, ahnte er, daß eine schwierige Operation auf ihn wartete. Der Oberarzt und der Erste Assistent standen schweigend um den Operationstisch. Die OP-Schwester saß auf einem Schemel neben dem Instrumentenbrett. Sie stehen herum wie eine Totenwache, dachte Dr. Lingen und spülte sich Hände und Arme unter dem heißen Wasserstrahl ab.

Mit tropfender Haut trat er an den Kopf Konsul Hatzenbachs und beugte sich über die klaffende Schädelwunde. Die Schädeldecke war eingedrückt und gesplittert. Ein Teil des rosagrauen Großhirns war herausgetreten. Aber das schreckte ihn nicht. Wenn man weiß, mit wie wenig Hirn man leben kann, verliert ein geöffneter Schädel seine Dramatik.

»Beginnen Sie schon mit der Trepanation, Krüger«, sagte Dr. Lingen zu seinem Oberarzt. »Legen Sie ein genügend großes Fenster. Das andere mache ich dann.«

Er ging zu dem Waschbecken zurück und trocknete die Hände und Arme an einem sterilen Handtuch ab. Dabei probierte er die Reaktion und Tastfähigkeit seiner Fingerspitzen. Sie waren sein wichtigstes, sein einziges Kapital. Wer im Gehirn operiert, wer seidenfadendünne Nerven ertasten muß, muß in den Fingerspitzen das Gefühl einer elektrischen Sonde haben. An dem Tastsinn der Chirurgenhand hängt oft das Leben eines Patienten.

Dr. Lingen blickte schnell zurück zum OP-Tisch. Dr. Krüger trepanierte. Die Instrumente klirrten, ab und zu ein Wort, eine nach den Instrumenten ausgestreckte Hand mit der stummen Fingersprache. Schere, Tupfer, Klemme, Knochensäge, Elektromesser ...

Noch einmal tippte Dr. Lingen die Fingerspitzen seiner Hände gegeneinander. Er strich ganz sacht, wie ein Hauch nur, über die weißen Kacheln neben dem Waschbecken. Und in diesem Augenblick trat in seine Augen ein gehetzter, ein panischer Ausdruck, das schöne Gesicht verhärtete sich zu einer Maske, die Lippen wurden dünn, strichähnlich ... er verließ mit schnellen Schritten den OP, so, als flüchtete er vor der Notwendigkeit, an den geöffneten Schädel heranzutreten.

Oberarzt Dr. Krüger und die OP-Schwester warfen sich über die Gesichtsmaske einen schnellen Blick zu. Schon wieder! Vor jeder großen Operation geht er hinaus. Und wenn er zurückkommt, sieht er aus wie ein junger Gott, sprüht vor Geist und Witz, und unter seinen Fingern entstehen chirurgische Extravaganzen, die sich nur ein Dr. Lingen leisten konnte. Aber der Erfolg blieb ihm treu. Sein Ruf wuchs und wuchs.

Dr. Krüger trepanierte weiter. Er muß ein Stimulans nehmen, dachte er. Entweder spritzt er sich Morphium, schnupft Kokain oder er säuft. Noch niemand hatte ihn bei seiner geheimnisvollen Tätigkeit überrascht, denn wer ihn überraschen konnte, stand am OP-Tisch und war beschäftigt.

Die Schiebetür rollte wieder zur Seite. Dr. Lingen kam zurück. Elastisch, mit federnden Schritten, sprühenden Augen, fast verzückt von der Aufgabe, die auf ihn wartete.

»Schön, lieber Krüger!« sagte er, als er sich über den geöffneten Schädel Konsul Hatzenbachs beugte. »Wissen Sie, daß dieser Mann mit diesem Hirn einen Konzern von dreißigtausend Angestellten und Arbeitern leitet? An uns liegt es, ihn der Wirtschaft zu erhalten oder aus ihm einen stammelnden Säugling mit dem Körper eines Sechzigjährigen zu machen.« Er streckte die Hand aus. Die OP-Schwester gab ihm eine haarfeine Sonde. »Ich bin sicher, daß wir dem Konzern seinen Meister erhalten werden ...«

Und er operierte, daß selbst Dr. Krüger das Empfinden hatte, diesen genialen Mann müsse man einfach lieben und verehren.

Am Nachmittag fuhr Dr. Lingen zur Landesheilanstalt.

Ein Privatpatient Kaul hatte sich in seiner Kartei nicht gefunden. Somit war dieser Mensch, der ebenfalls Kaul hieß, uninteressant und ein Fall wie jeder andere geworden. Man kann sich irren, hatte Dr. Lingen gedacht. In der Kartei gab es einen Dr.-Ing. Kauler. Fast ein Gleichklang des Namens. Aber dieser Dr. Kauler war schon vor einem Jahr gestorben. Eine ekelhafte Meningitis, die zu spät erkannt worden war.

An diesem Nachmittag wollte er seine Liste herunter untersuchen. Zuerst die Frauen, hatte er sich vorgenommen. Ein Entmündigungsantrag, eine Säuferin. Diese beiden Untersuchungen würden schnell gehen. Man ließ die Frauen eben reden, stellte hier und da eine weitertreibende Frage, und der Redefluß würde aus ihnen herausströmen wie an anderer Stelle die Entleerung eines Cholerakranken. Dr. Lingen liebte solche Vergleiche, sie brachten freudigen Rhythmus in den Alltag.

Die Frauenabteilung der Heilanstalt war streng isoliert von den anderen Gebäuden. Drei große Pavillons lagen am hinteren Parkrand, umgeben von hohen Mauern. Hier lebten 248 Irre und 149 Trinkerinnen. Zwischen den einzelnen Pavillons hatte man ebenfalls Mauern gezogen, wenn auch nicht so hohe wie um den Frauenkomplex. Bis auf die Ärzte und den Pfarrer durfte kein Mann diesen Sperrbezirk betreten, ja selbst ein Besucher mußte im Hauptgebäude warten, bis man die Verwandte zu ihm führte.

Dr. Lingen war bekannt. Die Oberschwester ließ ihn ein und berichtete, daß die beiden Patientinnen noch im Waschraum seien. In einer Viertelstunde ständen sie zur Verfügung.

»Gut.« Dr. Lingen schlug den Mantelkragen hoch. »Dann gehe ich solange im Garten spazieren. Ich bin richtig lufthungrig, Schwester Beate. Den ganzen Tag im OP … man ist ja nicht mehr der Jüngste.«

Er sagte es so charmant, daß Schwester Beate versucht war, ihn zu trösten und ihm zu beteuern, daß er noch jugendlich und forsch sei und das Herz einer Frau allein mit dem Blick seiner treuen Augen erweichen könne. Sie unterließ es aber und ging schnell ins Haus zurück. Es ist schwer, in Gegenwart Dr. Lingens ein geschlechtsloses Krankenhausorgan zu bleiben.

Dreimal ging Dr. Lingen im Kreis um das Mittelbeet, Rosen und Dahlien, blieb ein paarmal stehen und atmete tief durch. Am Sonntag reite und jage ich wieder, dachte er. Die Lunge braucht frische Luft. Ich fühle mich so dumpf wie selten. Ich muß mich wieder auslüften, bis in die Zehen hinein.

»Das tut gut!« sagte eine Stimme hinter ihm.

Eine helle, eine singende Stimme. Ein Klang zwischen Kindlichkeit und frivoler Süße.

Dr. Lingen fuhr herum. Er hatte sich allein im Garten geglaubt, und nun sah er an der Hecke, auf einer Bank, ein Mädchen sitzen. Es lächelte ihn an, erhob sich und strich sich den Rock über die langen, schlanken Beine. Sein Haar war weißblond, floß in langen Strähnen wie eine goldene Mantilla über seine Schultern und rahmte ein Gesicht ein, daß in seiner reinen Kindlichkeit und seiner versteckten weiblichen Reife einen Zauber ohnegleichen ausströmte.

»Sicherlich sind Sie ein Arzt oder ein Pfarrer«, sagte das Mädchen. »Sonst liefen Sie nicht so frei hier herum. Guten Tag, mein Herr.«

»Guten Tag«, antwortete Dr. Lingen verwirrt.

Sie ging zum Haus. Aber das war kein Gehen, das war eine Lockung, eine Aufforderung, ein Aufschrei der Lust, eine Einladung, ein Mitziehen, eine teuflische Elektrizität, die von diesen wiegenden Hüften ausging, von diesem leicht pendelnden Oberkörper, von diesen langen, wippenden Beinen, von den weißblonden Haaren, die im Wind flatterten, einer Fahne gleich, die zum Sturm führte.

Dr. Lingen starrte ihr nach. Plötzlich war seine Kehle trocken. Er ging rückwärts zu der Bank, von der sie aufgestanden war, setzte sich, und es war ihm, als spüre er noch ihre Körperwärme, als habe er sich genau auf den Fleck gesetzt, auf dem ihre Schenkel die Wärme ihres Körpers hinterlassen hatten.

Sie ging ins Haus, ohne sich umzusehen. Schwester Beate erschien in der Tür und sah in den Garten. »Doktor Lingen!« rief sie. »Herr Doktor … es ist alles fertig …«

Dr. Lingen rührte sich nicht. Er, dem die Sehnsucht der Frauen entgegenschrie, wenn er sie nur mit seinen Händen berührte, mit Händen, die nach einer Diagnose suchten und nicht nach seufzender Hingabe, spürte in sich die Fremdartigkeit eines zweiten Wesens. Es war ihm, als habe ein Zauberer über seine Augen gestrichen – nun sah er die Welt anders. Ob besser, das entzog sich seiner Kritik. Er sah plötzlich einen Stern, der auf die Erde gefallen war, er sah einen Engel mit der Lockung des Satans, und er empfand in sich einen Zwang, diesen Engel in der Ekstase entfesselter Natur zu zerreißen, in einem Kannibalismus der Lust, der alles in ihm wegwischte, was ihn durch Bedenken und Moral noch hemmte.

»Herr Doktor Lingen!« rief Schwester Beate wieder von der Tür her. »Herr Doktor Lingen ...«

Da sprang er auf und rannte quer über das Beet dem Haus zu, über die Dahlien, durch die Rosen, zum sprachlosen Erstaunen der Schwester.

Er rannte nicht dem Haus zu, weil es Zeit war, zu untersuchen ... er stürzte seinem Engel nach, und er kam sich vor wie Ikarus, der der Sonne entgegensteigt und die Götter besiegt.

An diesem Tag geschah es im Block V des Gefängnisses, daß der Untersuchungshäftling Nr. 112 c, mit bürgerlichem Namen Peter Kaul, von seinem Mithäftling Nr. 112 b, Emil Hangelar, Einbruchdiebstahl, zusammengeschlagen und ins Gefängnislazarett eingeliefert wurde.

Es hatte Streit gegeben. Um eine Nichtigkeit. Man wurde sich nicht einig, ob ein geschlechtsreifes Mädchen von vierzehn Jahren genauso zu behandeln sei wie eine etwa Zwanzigjährige. Emil Hangelar vertrat die Ansicht, ob vierzehn oder zwanzig ... sie fühlen alle dasselbe! Und Peter Kaul sagte darauf:

»Ich habe eine Tochter. Sie ist jetzt zwölf! Wenn ich denke, daß du meine Tochter in zwei Jahren anfassen würdest ... ich schlüge dich tot, du Schwein!«

Das genügte. Der Neue galt sowieso als plemplem, wie der Kalfaktor bei der Mittagsausgabe geflüstert hatte. Und nun das! Drohungen! Dämliche Ansichten! Moralpredigten!

Emil Hangelar langte ein paarmal hin, und da er ein großer, kräftiger Kerl war, hieb er Peter Kaul an die Wand und auf den Boden, als schlage er auf einen nassen Sack. Dann trommelten sie gegen die Tür, bis Primel-Kurt, der Wachtmeister, kam, und berichteten:

»Wir weigern uns, weiter mit dem in einer Zelle zu sein. Wir sind sittlich gefährdet ...«

»So ein Duckmäuser!« sagte Primel-Kurt. »Und er machte einen ganz guten Eindruck.«

Man schaffte Peter Kaul in das Gefängnislazarett, verband seine Wunden, nahm ein Protokoll auf, das keiner glaubte, denn man hat ja Erfahrung mit den Knastbrüdern, vor allem mit den Säufern! Die sind unberechenbar mit ihrem versoffenen Gehirn ... mal Frauen, mal Männer, die nehmen alles mit, wenn sie in Druck sind. Einer sogar ein Schaf. Der Richter nannte das vornehm Sodomie. Aber eine Sauerei blieb's trotzdem.

Und in diesem Gefängnislazarett, aus der Apotheke der Station, die in einem Wandschrank auf dem Flur untergebracht war, stahl Peter Kaul eine Flasche mit sechsundneunzigprozentigem Alkohol, verdünnte ihn mit Wasser und betrank sich sinnlos.

Am Morgen fand ihn der Lazarettkalfaktor besinnungslos im Bett. Das Zimmer roch wie eine Hafenbudike.

Der Erfolg war teuflisch.

Die Gefängnisdirektion rief am gleichen Morgen noch bei der Landesheilanstalt an. »Wir schicken ihn euch wieder zurück«, sagte der Justizinspektor zu seinem Kollegen von der Klapsmühle. »Bei euch ist er sicherer. Der säuft uns noch den Brennspiritus weg, mit dem wir in der Glaserei die Scheiben polieren ...«

Niemand fragte, warum sich Peter Kaul betrunken hatte, niemand warf einen Blick in sein zerrissenes Herz, in seine Verzweiflung, niemand erkannte, daß er ein Mensch war, in dem sich die Weltordnung aufzulösen begann. Ein Mensch, der Liebe brauchte, um zu gesunden, keine körperliche Liebe, sondern die warme, einbettende Liebe der Menschlichkeit – wer machte sich die Mühe, Peter Kaul danach zu fragen?

Man stieß ihn auf den bequemsten Weg. Man warf ihn zurück in die Arme von Judo-Fritze.

4

Die Rückkehr in die Landesheilanstalt erlebte Peter Kaul in der Dumpfheit eines alkoholgelähmten Gehirns. Die Verdünnung des reinen Alkohols war anscheinend doch nicht so gelungen, wie er es sich vorgenommen hatte. In seinen Hirnwindungen nistete Blei, sein Gleichgewichtssinn war gestört – er hatte den Eindruck, daß sein Kopf unheimlich schwer sei und den Körper ständig nach vorn und nach unten drückte. So ging er auch … mit wackelndem Kopf, strauchelnd, sich festhaltend an den beiden Beamten, die ihn zur »Grünen Minna« brachten. Mit leerem Blick betrachtete er das Gefährt, kletterte in die schmale Zelle und lachte blöde, als er das Knirschen des Schlüssels hörte.

»Total weggetreten!« sagte Primel-Kurt, der bis zum Transportwagen mitgekommen war und dem Fahrer die Asservaten aushändigte, natürlich gegen Quittung und peinliche Nachzählung, denn spätere Reklamationen werden nicht anerkannt.

»Wenn ihr den in der Anstalt wieder hinkriegt, will ich Äpfelchen heißen! Sieht so harmlos aus, der Kerl, und ist dabei ein Schwein, sag' ich dir. Die ganze Zelle einhundertzwölf hat sich beschwert.« Er rückte die grüne Schirmmütze vom roten Kopf und wischte sich mit einem Taschentuch den Nacken und dann den Lederrand der Mütze aus. »So einer kann einem den ganzen schönen Knast versauen! Mach's gut, Ludwig.«

Peter Kaul drückte das Gesicht gegen das dichte Gitter des Fensterchens, als der Wagen aus dem Gefängnis fuhr. Er winkte sogar zu Primel-Kurt hin, und dieser winkte zurück. Man ist ja gutmütig, man ist ja ein Menschenkenner und seelenvoller Beamter. Warum soll man armen Irren nicht winken? Im Grund sind es arme Menschen, dachte Kallenbach, Justizwachtmeister in grüner Uniform, im vierzehnten Dienstjahr, verheiratet, Blumenliebhaber, freitags Stammtisch mit Skat, zum Martinstag sogar Preisskat um eine Gans, die er in vierzehn Jahren nie gewonnen hatte, was ihn maßlos ärgerte und an seine Beamtenehre griff, sonntags, wenn er dienstfrei war, Ausflug mit der Familie zur Gruga oder zum Baldeneysee, im Sommer Kahn fahren, im Winter Schlittschuh, aber das nur als Zuschauer, denn Primel-Kurt war fast zwei Zentner schwer und bot auf dem Eis kein Bild preußischer Schönheit. Abends zwei Flaschen Bier, Pils, weil's nicht so sehr ansetzt, Lektüre des Lokalanzeigers und des Zehnpfennig-Blattes, großer Ärger, wenn Reporter die Justiz angreifen, Fixierung eines Leserbriefes: »Als Beamter des Strafvollzugs möchte ich Ihnen mitteilen, daß Ihr Artikel ...« Ja, was ist er? Eine Sauerei? Das ist Beleidigung. Eine Lüge? Das muß bewiesen werden? Eine Infamie? Wieder eine Beleidigung! Also was? Und so blieb der Leserbrief im ersten Satz stecken, aber man war abreagiert, und das Bier schmeckte wieder. Immer diese Angriffe auf die Beamten! Was wäre ein Staat ohne Beamte? Ein Würstchen ohne Senf! Jawoll! Freitags Skat, Schimpfen auf die Presse. Einmal im Jahr Treffen der Regimentskameraden. Alles ehemalige Zwölfender. Jetzt Beamte. Jungs, wißt ihr noch? Bei Rowenkij? Wie der Iwan plötzlich durchbrach, und der Alte saß auf dem Donnerbalken, und die Iwans schossen hinter ihm in die Scheiße? Mit blankem Arsch ist er abgewetzt, der Alte! Das war'n noch Zeiten, was? Hurra! Hurra!

Kurt Kallenbach winkte noch immer, und Peter Kaul, dieses arme Schwein Kaul, dieser arme, immer getretene, mißverstandene, räudige, ausgesetzte, versoffene Hund, winkte zurück, preßte die Stirn gegen die Gitter, bis sich das Muster auf seiner Haut abbildete, ein Gesicht wie ein Fliegendraht, und die Augen weinten plötzlich, der Mund zuckte, und die Zähne bissen in die Gitterstäbe. Verzweiflung, Ekel, Reue, Bitte, Aufschrei – es war alles in diesen Augen, in diesem Mund, in diesen gegen die Eisenstäbe schlagenden Zähnen.

Die Fahrt durch die Stadt war ein Erlebnis. Man konnte Gesichter studieren, Physiognomien, wie der Wissenschaftler sagt, Mädchen, die dumm kicherten, als sie das bleiche Gesicht hinter dem kleinen Gitterfenster sahen, die nagenden Zähne, wie ein Affe im Zoo, Orang-Utan Peter Kaul, oder auf lateinisch: Pithecus satyrus Peter Kaulae. Ha, das war es. Satyrus! Ein Satyrspiel war's, die Ausgeburt eines Komödiendichters, dem die Personen durchgegangen waren, die nun Tragödien spielten. Satyrspiele. Gehörnte Fabelwesen, die Elfen jagen, Haha, Peter Kaul – das bist du! Ein Affe, der Mensch sein wollte – oder ein Mensch, der lieber ein Affe wäre ... es bleibt sich gleich.

Und die Menschen sahen der »Grünen Minna« nach, und sie hatten Gesichter wie Kreise und Flächen, wie Winkel und Quadrate, und darin glotzende Augen, verzogene Münder, Interesse, Ekel und Mitleid, Abscheu, Frage oder Mißachtung. Wie sich doch eine ganze Welt spiegeln kann in den Gesichtern der anderen, wenn man hinter Gittern quer durch eine Stadt fährt. Der Mann mit dem Fliegendrahtgesicht kann sich ja nicht wehren ... man kann ihm zeigen, was man denkt, stumm, lautlos, nur mit dem Gesicht. Die Rache des normalen Menschen: Gnadenlosigkeit!

Judo-Fritze stand am Tor, als der Wagen in den Aufnahmehof rollte. Wie eine Amme, der man das gestohlene Kind wieder an die Brust legt, glänzte sein Gesicht, er breitete die Arme aus und nahm Peter Kaul mit einem kräftigen Griff an die Schulter in Besitz.

»Da sind wir wieder!« sagte er gemütlich und tätschelte Kaul die bleichen, von den Gittern eingerillten Wangen. »Und was versprochen ist, ist versprochen: Du bekommst ein eigenes Zimmer! Im ersten Stock! Beim Herrn Professor.« Und dann, geheimnisvoll, als verrate er ein Beichtgeheimnis: »Die Kirche übernimmt die Kosten. Was sagste nun? Stell dir vor, die sammeln vielleicht am Sonntag für dich im Gottesdienst. Für unsere armen Brüder, heißt es in der Kollekte. Und dabei bist du's. Hier 'n Gröschchen, dort 'n Märkchen, und du hast ein weißes Bettchen, der Herr Professor mißt dir selbst den Puls, und deine Ente mit der Nachtpisse trägt ein Pfleger weg, nicht mehr du allein! Ist das ein Leben? Und du wolltest in 'n Knast, kleiner Dummer! Bei Fritze biste zu Hause ... «

Peter Kaul schwieg. Er sah sich um. Die »Grüne Minna« drehte im Hof und verließ die Anstalt. Das Tor schloß sich hinter ihr, zwei sich zusammensaugende Eisenflügel, die das Leben abschnitten.

»Ich möchte sterben!« sagte Peter Kaul. »Tut mir einen Gefallen, nur einen einzigen Gefallen: Laßt mich sterben ... «

»Komm erst 'rein und iß was!« Judo-Fritze faßte Peter Kaul unter und trug ihn mehr, als daß er gehen konnte, ins Haus. »Wie kannst du bloß reinen Alkohol verschnasseln? Junge! Überleg doch mal.« Und dann brachte Judo-Fritze einen Witz an, der in der Landesheilanstalt berühmt war und sogar unter Ärzten gehandelt wurde: »Reiner Alkohol! Wenn du einen läßt, ist ja deine Umgebung besoffen ... «

Peter Kaul lachte nicht. Aus großen, traurigen Augen sah er den meckernden, über den eigenen Witz außer sich geratenen Pfleger an. Dann zupfte er ihn am Ärmel des weißen Kittels, so wie ein Hund sich mit einem Nasenstüber bemerkbar macht.

»Ich bin müde«, sagte er.

»Sofort, mein Junge. Dein Bettchen wartet schon. Nur noch das Klistier. Du weißt: Ein leerer Darm zur rechten Zeit, ist Gipfel der Gemütlichkeit! Gehn wir.«

Wehrlos, mit halb geschlossenen Augen, ein Stück Fleisch nur, ließ Peter Kaul alles mit sich geschehen. Er bückte sich nach vorn, bekam sein Klistier, hörte, wie Judo-Fritze in alter Landsermanier dabei rief: »Aber nicht gurgeln!«, entleerte sich (Weißkohl mit Frikadelle hatte es gegeben, Frikadelle mehr Brötchenteig als Fleisch, Kohl etwas säuerlich, aber das konnte Absicht sein, vielleicht war der Gefängniskoch ein Ostpreuße), »brav, brav, der Mann!« sagte Judo-Fritze, ein Glas Wasser, darin ein Pulver, Verekelungsmittel nannte man die Droge, man soff das Wasser, und wenn man hinterher Alkohol roch, kotzte man, ab ins Bad, warm gebraust, Kontrolle der Geschlechtsteile mit Judo-Fritzens Kommentar: »Man muß alle Ecken fegen!«, Empfang des Schlafanzuges, gestreift, mit Monogramm auf der Brust, LHA, wie ein auf einen Hinrichtungsanzug genähter Stoffetzen: Seht, hier ist das Herz. Feuer! Und dann endlich das Zimmer, das Bett, eine weiche Matratze, ein Laken, eine Decke in einem Bezug, sterile Weißheit, leichter Duft nach Bleiche und Chlor und Waschmaschine, nach Mangelhitze und »Nichts wäscht weißer als Plumplum, das neue Waschmittel mit der Leuchtkraft von drei Sonnen«. Aber Ruhe ... göttliche, himmlische, grabesnahe Ruhe! Ein weiches Kissen, worin der Kopf versinkt, ein Gefühl der Schwerelosigkeit ... Denkmäler gibt es genug, von Politikern, von Dichtern, von Kaisern, von Bildhauern, von Ärzten ... nur einer hat kein Denkmal, dem als erstem eins gebührt: der Erfinder des Bettes.

O Seligkeit! Schlaf! Sich langstrecken können. Kein anderer im Zimmer, der redet oder auf den Eimer geht, der Streit sucht oder nachts, wenn die Lampen ausgehen, zum Lokus rennt und onaniert. Kein Dreck, kein Menschengestank, keine Gegenwart. Nur Schlaf!

Peter Kaul wühlte sich in sein Bett und war glücklich. Er hörte nicht mehr, wie Judo-Fritze ihn fragte, ob er keinen Hunger habe. Eine dumme Frage nach einem Klistier. Er schlief tief und selig wie ein müdegespieltes Kind, und sein Gehirn dankte es ihm, indem es abschaltete.

Am nächsten Morgen sah die Welt weniger bequem aus. Über sich, in der zweiten Etage, hörte er das bekannte Geheul aus den Schlafsälen und das Trappeln vieler Füße. Waschen, hatte Judo-Fritze kommandiert. Es war halb sieben. In der Anstalt braucht man keinen Wecker. Wenn die Blechtassen durch den oberen Speisesaal flogen, war es halb acht. Wenn auf den

Treppen Schlägereien mit den Besen stattfanden, war es neun Uhr. Dann war die Kolonne vom Stubendienst am Werk. Um elf Uhr war Ruhe ... da kam die Visite. Nur die Notorischen weinten bitterlich und versuchten immer wieder, Mitleid zu erregen. Eine sinnlose Idee, aber sie gaben es nicht auf. Sie waren die großen Optimisten im Bau, die Flenner, die Visitenheuler, die Wasserspeier. Einmal werden sie weich, dachten sie. Der Gedanke vom steten Tropfen, der den Stein höhlt, war ihr Evangelium. Diese Morgenheuler waren es auch, die Vertrauensposten erhielten ... sie durften im Garten Gemüse für die Küche holen, sie fegten den Hof und die Wege, sie reparierten kleine Dinge im Haus, denn unter ihnen waren wahre Genies an Einfallsreichtum. Und da sie bis in die Küche kamen, sahen sie auch Frauen. Das war ihr großes Privileg, von dem sie den anderen erzählten.

Peter Kaul saß im Bett und wartete. Gleich mußte die Tür aufgerissen werden und jemand brüllte: Aufstehen! Dann hieß es, 'raus aus dem Bett, ab in den Flur, Waschzeug unterm Arm.

Aber niemand kam und schrie. Auch entdeckte Peter Kaul eine gekachelte Ecke in seinem Zimmer, und in dieser Ecke hingen ein Waschbecken, ein Spiegel, sogar eine Ablage unter dem Spiegel war vorhanden, und vor dem Waschbecken sogar eine Matte aus Frottiertuch. Wunder über Wunder.

Er kletterte aus dem Bett und trat ans Fenster. Vergittert. Das war klar. Ob erster Klasse oder Schlafsaal – man war ein Säufer, ein Halbtier, ein Isolierter, wie es vornehmer klingt. Nur waren die Gitter dieses Zimmers nicht so grob, Gardinen dämpften ihren Anblick, und sie waren weiß gestrichen. Das gab dem Gitter etwas Zierliches, Fröhliches, Boulevardmäßiges. French style würde es der Amerikaner nennen.

Peter Kaul trat zurück und betrachtete sein Gesicht im Spiegel. Wie du aussiehst, Peter, dachte er, bleich und wie ein halbgebackenes Brötchen. Deine Augen sind gar nicht mehr deine Augen ... früher waren sie braun, von einer warmen, pelzigen Farbe, jetzt sind sie vergittert wie die Fenster, und der Glanz in ihnen ist Angst und Politur des Alkohols.

Er wusch sich, vermied es, noch einmal in den Spiegel zu sehen, denn was ihm da entgegenstarrte, war wert, angespuckt zu werden. Das aber durfte er nicht. Der Professor würde es anders auslegen: Selbstzerstörungs-Psychose! Dabei ekelte er sich doch nur vor sich selbst.

Als der Lärm auf der zweiten Etage verebbte und die Säufer, Delirier und Halbblöden an den blanken Tischen saßen und ihr Frühstück verschlangen, kam Judo-Fritze in das Zimmer Kauls und war erstaunt, daß der Patient schon gewaschen, angezogen und menschenwürdig auf einem Stuhl saß, die Hände flach auf den Knien, so wie man vor einem Bestrahlungsapparat sitzt, das Kreuz durchgedrückt.

»Nanu?« sagte Judo-Fritze. »Schon auf? Du kannst doch länger schlafen. Hannes, das ist der Unterpfleger, mein Sohn, bringt gleich das Frühstück und mißt dir das Fieber. Was, da staunste!« Er setzte sich auf die Bettkante und betrachtete Peter Kaul wie einen interessanten Vogel. »Sag mal, du bist Elektriker?«

»Ja.«

»Willste arbeiten?« Judo-Fritze beugte sich vor. »Wohlverstanden, das bleibt unter uns. Als Erster-Klasse-Patient kannste verlangen, daß se dich in Watte rollen und dir Zucker in 'n Hintern blasen. Aber ich halte nicht viel davon. Ich meine, du bist glücklicher, wennste arbeiten kannst.«

»Ja«, sagte Peter Kaul wie aufgedreht.

»Ich baue mir nämlich ein Haus.« Judo-Fritzes Gesicht glänzte vor Stolz. »Einen Bungalow, weiste. Fenster bis auf die Erde, Terrasse, flaches Dach. Wie die Amerikaner in Florida. Geht zwar langsam … jedes Jahr einen Teil, aber jetzt sind die Installationen dran. Willste?«

»Ja.«

»Der Professor merkt es nicht, der sieht dich nur bei der Visite. Der Oberarzt ist auch nicht da, der sitzt über den Gutachten. Der Stationsarzt ist ein guter Freund von mir, dem habe ich die Lola besorgt. Damit ist er ausgelastet. Ich nehme dich nach dem Mittagessen mit zu mir, und dann kannste arbeiten. Aber wehe dir, wenn du auch nur einen Tropfen säufst!«

»Ich trinke nie mehr«, sagte Peter Kaul leise.

»Und die Sache im Knast, he?«

»Ich wollte weg. Weg von diesen Menschen da …«

»Und hier gefällt's dir besser?«

Peter Kaul hob die Schultern, als fröre er. »Die Hölle ist überall«, sagte er mit klammer Stimme. »Was uns bleibt, ist, sich die richtige Ecke auszusuchen.«

Drei Tage warteten Susanne Kaul und die Kinder auf eine Benachrichtigung vom Gefängnis. Pfarrer Merckel war verreist, zu einer Theologentagung. Für acht Tage. Ein junger Vikar hatte den Gottesdienst und die anderen pfarramtlichen Aufgaben übernommen. Was niemand wußte: Pfarrer Merckels Tagung fand in einem kleinen Sauerlanddorf statt. Dort, in schlichtem Zivil, hatte er sich in einem Gasthof eingemietet und soff vom Sonnenaufgang bis zum Sonnenuntergang. In der Nacht aber schlief er kaum, nur knapp drei Stunden – da saß er vor einem Stapel Papier und schrieb mit seiner energischen, steilen Handschrift ein Buch. Titel: »Ein Priester spricht zu euch!« Ein Buch voller Predigten, kraftvoll, erregend, das Gewissen aufreißend. Eine Philippika gegen den Trunk, das war es. Eine Verdammung des Saufens. Ein Hilfeschrei zu Gott.

Um so etwas zu schreiben, mußte er betrunken sein, es ging gar nicht anders. Im Dorf kannte man ihn nach zwei Tagen. »Der besupene Poet« nannten ihn die Sauerlandbauern.

Susanne Kaul wartete also auf eine Nachricht aus dem Gefängnis. Ihr Mann schrieb nicht, und sie dachte sich, daß er aus Scham schwieg, daß er darauf wartete, daß sie zuerst zu ihm kommen und ihm sagen würde: »Mein Peter ... es wird alles wieder gut.«

Hinzu kam, daß sie eine merkwürdige Begegnung hatte. Einen Tag nach Kauls Abgang ins Gefängnis schellte es an der Tür. Ein Mann stand davor, ein Unbekannter, zog den Hut und lächelte wie ein Staubsaugervertreter. Schon wollte Susanne sagen: »Danke! Wir sind reichlich versorgt!«, als er fragte: »Ist Herr Kaul nicht zu sprechen?«

»Nein. Er ist krank«, sagte sie. »Was wollen Sie?«

»Liegt er im Bett?«

»Ja. Im ... im Krankenhaus ...«

»Oh, wie schade.« Der Fremde setzte den Hut wieder auf. Ein Fuchsgesicht hatte er, dachte sie. Wenn er lächelt, sieht er aus wie der Fuchs in Petras altem Märchenbuch, bevor er die Gans zerrupft. »Ein Unfall?«

»Ja! Aber wer sind Sie? Kommen Sie von der Krankenkasse? Sind Sie der Kontrolleur?«

»Nein. Mein Name ist Hubert Bollanz. Er sagt Ihnen nichts, Frau Kaul, aber wenn Sie Ihren Mann besuchen, erwähnen Sie bitte, daß ich hier war. Ich bin ein alter Freund von ihm, ich wollte ihm nur einmal die Hand drücken ...«

Dann ging der Fremde, den Susanne in den Jahren ihrer Ehe nie gesehen und von dem sie nie etwas gehört hatte. Auch Peter hatte nicht von ihm erzählt. Aber sie behielt den Namen. Hubert Bollanz.

Auch das war ein Grund, daß Susanne nach drei Tagen Warten Gundula einer Nachbarin zur Bewahrung gab und die Zeit, in der Heinz und Petra in der Schule waren, ausnutzte, mit der Straßenbahn zum Gefängnis fuhr und dort auf den Pfortenbeamten, den Wachhabenden, traf.

Das Gespräch war kurz. Frauen von Knastbrüdern haben wenig Anspruch auf gehobene Umgangsformen.

»Name?«

»Kaul. Peter Kaul.«

»Angemeldet? Wo ist Ihre Sprecherlaubnis?«

»Ich … ich habe keine …« stotterte Susanne verwirrt. »Wieso muß ich –«

»Sie können doch nicht einfach hierherkommen und sagen: Ich möchte den Kaul sprechen! Wir sind doch kein Hotel, und ich bin kein Portier!« Der Wachtmeister war erzürnt. Sitten reißen jetzt ein! Keine Achtung mehr vor der Obrigkeit. »Wie lange ist Ihr Mann denn hier?«

»Den dritten Tag.«

»Ach so.« Der Wachhabende wurde milder gestimmt. Neulinge haben Narrenfreiheit. Man muß manches übersehen. »Wissen Sie was: Da gehen Sie erst mal zum Direktor und beantragen eine Sprecherlaubnis. Am besten macht das Ihr Rechtsanwalt. Sie haben doch einen?«

»Nein.«

»Offizialverteidiger?« Das klang gut. Es ist für einen Beamten immer eine Wonne, amtlich zu sprechen. Es klingt so gebildet. Susanne schüttelte den Kopf. »Nicht?«

»Nein. Mein Mann ist nur vorübergehend hier.«

Dem Wachtmeister dämmerte etwas. Er sah in dem Berichtsbuch nach und fand, daß ein Peter Kaul vor drei Tagen abgeholt worden war. In die LHA. Ein Beklopfter, um es hochdeutsch auszudrücken. Der Wachtmeister klappte das Buch zu und bemühte sich, nicht verlegen zu sein. Diese Kameraden von der Verwaltung, dachte er. Immer diese Schlamperei. Haben vergessen, der Frau die Verlegung mitzuteilen. Wie gut, daß es in der Beamtensprache gewisse Redewendungen gab, die Ersatzansprüche ausschalteten.

»Ihr Mann ist noch im Vorgang!« sagte der Wachtmeister würdevoll.

»Was ist er?« stotterte Susanne erschreckt.

»Im Vorgang. Das heißt, seine Verlegung wird aktenkundig gemacht und das Schreiben an Sie ausgefertigt.«

»Verlegung?« stammelte Susanne. Sie schwankte, ihr wurde plötzlich übel. O mein Gott, dachte sie. Verlegung ... und ich muß mich übergeben. Seit einigen Tagen ist es so ... jeden Morgen ... Dreimal habe ich das mitgemacht. O Gott, laß es nicht wahr sein. Laß nicht wieder eine zweite Gundula in meinem Leib wachsen ...

»In die Landesheilanstalt«, sagte der Wachtmeister und stützte Susanne, indem er ihr unter die Achsel griff. Dabei streifte er ihre Brust. Ein strammes Weib, dachte er – es ist doch zum Kotzen, daß die Ganoven immer die schönsten Weiber haben! Als ob sie besonders riechen, wie die Moschusbullen.

»Das ... das gibt eine Katastrophe!« stammelte Susanne. »Er wollte nicht mehr in die Anstalt. Er wird alles kurz und klein schlagen. Was kann man denn da machen? O Gott, da muß doch was geschehen! Dort wird er ja nie geheilt. Dort wird er ja erst wirklich verrückt!«

Der Wachtmeister zuckte mit den Schultern. Meine Sorge, dachte er. Wenn er tobt, kriegt man den schon klein. Es ist schade um ein so schönes Frauchen ... Er seufzte, stützte Susanne weiter, und als sie sich aufrichtete, war es nicht zu vermeiden, daß sein Handrücken wieder über ihre Brust glitt. Das machte ihn nervös, und er war froh, daß die Frau ohne weiteren Wortwechsel die Wachstube verließ.

Vor dem Gefängnis blieb Susanne wie betäubt stehen. Sie begriff das alles nicht, und als sie wieder klarer denken konnte, kam ein galliger Verdacht in ihr hoch.

Sie haben ihn betrogen, dachte sie. Auch Pfarrer Merckel hat ihn betrogen. Sie haben ihn ins Gefängnis geschafft und dann, als sie ihn sicher hatten, weiter in die LHA. Nur einen kleinen Umweg haben sie gemacht. Sie haben Peter betrogen. Meinen armen Peter ... Sie rannte zur nächsten Straßenbahnhaltestelle und kümmerte sich wenig darum, daß es bald Zeit war, das Mittagessen zu machen und die Kinder aus der Schule kamen.

Sie fuhr in die Stadt, von dort mit dem Omnibus hinaus zur Landesheilanstalt.

Ich werde es ihnen sagen, dachte sie und ballte die Fäuste im Schoß. Ich werde ihnen ins Gesicht schreien, daß sie Betrüger sind. Ganz gleich, was nachher kommt ...

Zwei Tage arbeitete Peter Kaul im Bungalowneubau von Judo-Fritze. Es ging ganz gut, niemand merkte es. Nach dem Mittagessen nahm Fritz den »Harmlosen«, wie er zum Pförtner sagte, mit an den Bau und ließ ihn dort allein. Vor dem Abendessen holte er ihn wieder ab, schnupperte, sagte: »Mund auf!«, nickte, klopfte Kaul auf die Schulter: »Brav, mein Junge!« und nahm ihn mit in die Anstalt zum Fiebermessen.

Prof. Brosius hatte Kaul nur einmal gesehen. Am Tag nach seiner Rückkehr. Er war jovial, aber kurz angebunden, was das Merkmal großer, überlasteter Geister ist. »Es freut mich, Herr Kaul, daß wir uns in Zukunft enger miteinander beschäftigen werden«, sagte er, blickte Kaul tief in die Augen, bemerkte noch die Nachwirkungen des Alkoholexzesses im Gefängnis, nickte stumm und machte sich eine kleine Notiz, die niemand entziffern konnte. Übrigens, Brosius auch nicht ... aber darauf kommt es ja nicht an. Ein Professor, der sich vor einem Patienten Notizen macht, wird sofort von einem Odium des Vertrauens umweht. Das allein ist wichtig für die Heilung: das Vertrauen zum Arzt. Einmal hatte eine Patientin, sie war siebzig Jahre, darauf bestanden, das Gekritzel zu lesen. Brosius zeigte es ihr. Er hatte geschrieben Diagnosa deflorata. Ein völlig sinnloses Wort, bis auf deflorata. Die alte Frau lächelte unsicher. »Ist das schlimm, Herr Professor?« hatte sie gefragt. Und Brosius hatte im Brustton der Überzeugung geantwortet: »Das ist völlig normal, meine Dame.«

Bei Peter Kaul schrieb er gar nichts. Er kritzelte bloß, sagte zu Fritze: »Beobachtungen?«, was dieser verneinte, dann sah er noch einmal Kaul an und fragte: »Halluzinationen?«, und als Kaul den Kopf schüttelte, war Brosius zufrieden und ging.

Anders war es bei Dr. Lingen, der als gerichtlicher Sachverständiger am dritten Tag ins Zimmer kam und sich Kaul gegenübersetzte. Er kam ohne Instrumente, er blickte ihm nicht in die Augen, er prüfte keine Reflexe. Er unterhielt sich nur.

Aber instinktiv spürte Peter Kaul, wie gefährlich dieser freundliche, wie ein Filmbeau aussehende Arzt war. Er überlegte sich jede Frage und Antwort, und wenn er es nicht wußte – etwa: »Sie gewinnen im Lotto fünfhunderttausend Mark. Was tun Sie? Bauen Sie ein Haus, kaufen Sie sich eine Wirtschaft, würden Sie viel reisen?« – antwortete er zögernd. »Ich würde das Geld meiner Frau schenken. Was Susanne damit tut, ist gut, das weiß ich im voraus.« Es waren Antworten, die Dr. Lingen verblüfften.

»Hirn intakt«, notierte er sich in sein Untersuchungsbuch. »Nur bei Genuß von Alkohol psychogene Reflexionen. Heilungserfolg gegeben bei Entzug und Selbsthilfe des P.«

Peter Kaul sah seinem Widersacher Dr. Lingen, wie er ihn im stillen nannte, mit verschleierten Augen nach. Er sah ihn unter seinem weißvergitterten Fenster über den Rasen gehen, durch das Tor der hohen Mauer, hinter der die Frauenabteilungen begannen, von denen man hier im Bau die tollsten Dinge berichtete. Viel geile Phantasie war dabei, aber selbst Judo-Fritze sagte einmal: »Lieber mit hundert Männern als mit drei von diesen Weibern! Wenn die monatelang keinen Mann haben, kommen sie auf die dümmsten Ideen.« Dann schwieg er sich aus. Er erzählte nichts. Es mußten harte Knochen sein, was da im Frauenabteil geschah.

An diesem Tag wurde Susanne Kaul in der Verwaltung abgewiesen. Obgleich erste Klasse – zum erstenmal erfuhr Susanne, daß Peter ein Einzelzimmer hatte, wie versprochen, und daß die Kirche den Aufenthalt bezahlte, worauf sie vor Glück und Erschütterung zu weinen begann –, war es nötig, daß alle Besuche von Prof. Brosius selbst genehmigt wurden. Eine LHA ist schließlich kein normales Krankenhaus. Ob ein Patient hundert Mark am Tag bezahlt oder seine Krankenkasse dreiundzwanzig Mark fünfzig ... ihr Säuferwahn blieb der gleiche, nur war er bei dem einen im eigenen Kämmerlein, während die anderen gemeinsam oder gegeneinander die Welt aus den Angeln zu heben versuchten.

»Kommen Sie bitte morgen wieder«, sagte der Inspektor im Vorzimmer des Professors höflich. »Ich werde es mir notieren. Der Herr Professor ist morgen früh wieder da.«

Es war Freitag. An einem Freitag ritt Brosius immer aus, durch den Stadtwald, Brust 'raus, Kreuz hohl, Schenkel eng am Pferd, die Zügel zwischen den Daumen, die Arme angewinkelt. Seine Sehnsucht als verhinderter Kavallerist brach dann durch. Er ritt sogar einen Angriff. Dann jagte durch seinen Kopf der Befehl: Eskadron – Gaaaalopppp!, und er preschte durch den Wald und über die sandigen Reitwege und fühlte sich um vierzig Jahre jünger, wie damals, als er sich zu den Ulanen meldete, aber das »von« in seinem Namen fehlte. Jetzt war er Professor und Chef einer großen Anstalt, und die früheren Kavallerieoffiziere, die mit dem nötigen »von«, kamen jetzt zu ihm und legten sich nackt auf den Tisch und beugten sich seinen Diagnosen. Tempora mutantur, nos et mutamur in illis! Nicht einmal das konnten die Offiziere mit »von« übersetzen. Um es kurz zu sagen: Am Freitag war Professor Brosius ein froher, glücklicher Mensch ...

»Darf ich dann etwas für meinen Mann abgeben?« fragte Susanne Kaul den Inspektor.

»Aber natürlich, gnädige Frau.«

Gnädige Frau. Ab Einzelzimmer wird man so genannt. Auch das ist im Preis inbegriffen. Susanne nahm eine Tüte mit Weintrauben und reichte sie dem Inspektor.

»Weintrauben?« Der Inspektor zögerte. Das Wort Wein in diesen Räumen gab schon zu Illusionen Anlaß. »Ich weiß nicht, gnädige Frau ...«

»Mein Mann ißt sie so gern.«

»Ich will den Oberarzt fragen.«

So erhielt Peter Kaul zum Abendessen schöne dunkelblaue Weintrauben. Er aß sie gemeinsam mit Judo-Fritze, der ihm Gesellschaft leistete. Er aß sie unter Tränen, er streichelte jede Traube, bevor er sie in den Mund steckte und die harte Schale (blaue Trauben haben meistens harte Schalen) mit den Zähnen aufknackte. Dann saugte er den süßen Saft heraus und legte die Schale auf den Teller zurück. Judo-Fritze kaute und verschluckte sie. »In der Schale sitzt die Kraft!« belehrte er seinen Freund Peter Kaul. »Und nun heul nicht, mein Junge ... morgen siehste und sprichste deine Frau. Aber kein Wort vom Bau, verstanden?«

In der Nacht träumte Kaul, er läge bei Susanne im Bett und sie seien Mann und Frau. Aber als er sich von ihr löste, war es gar nicht Susanne, sondern eine menschengroße Flasche, auf der »Korn« stand. Da schrie er auf, sprang aus dem Bett – und erwachte auf dem Boden vor dem Bett, schweißüberströmt und am ganzen Körper zitternd wie im Schüttelfrost.

Er kletterte zurück unter die Decke, zog sie bis zum Hals und faltete die Hände unter dem Bezug.

»Nie wieder!« betete er. »Mein Gott, nie wieder trinke ich einen Schluck.«

Dann entsann er sich, daß heute Freitag war.

Freitag. Lohntag. Hubert Bollanz. Die fällige Überweisung. Zwanzig Prozent des Lohnes ...

Er klapperte mit den Zähnen, sprang aus dem Bett, riß das Fenster auf und lehnte die Stirn an die weißgestrichenen Gitter.

Ein Toter, durch seine Schuld. Fünf Kinder ohne Vater, durch seine Schuld. Niemand weiß es ... nur Bollanz, dieser Bollanz ...

und jetzt ist der zweite Freitag, wo er kein Geld bekommt. Er wird nicht schweigen, er wird sie alle ins Elend stürzen, wenn er spricht ... Susanne, Petra, Heinz, Gundula ...

Peter Kaul biß in die weißen Gitter. Sein Körper, sein Hirn schrien nach Alkohol. Es war, als kehre sich sein Magen plötzlich um ... er würgte und wand sich in wahnsinnigen Magenschmerzen.

Aber niemand kam und half ihm. Er mußte allein mit dem Feind in sich fertigwerden.

Im Garten der Frauenabteilung setzte sich Dr. Lingen wieder auf die Bank. Etwas unerhört Mächtiges trieb ihn hierher, etwas, was er nicht mehr bezwingen konnte. Er hatte es versucht, und er hatte es auf die einzige Art versucht, die Hilfe bringen konnte: Er hatte getrunken. Die Wirkung war katastrophal. Noch nie hat man einen Brand gelöscht, indem man Sprengstoff hineinschüttete. Es war Dr. Lingen, als stehe er außerhalb seines Körpers, betrachte ihn und stelle die Diagnose: Heilung nur möglich durch eine Frau. Durch diese Frau. Ohne diese Frau wird dieser Körper verrotten. Da hatte er wieder getrunken, hatte anschließend zwei Tabletten Chlorophyll gelutscht, um den Alkoholgeruch zu verscheuchen, hatte Peter Kaul untersucht und saß nun auf der Bank, wartend auf etwas, was er selbst nicht wußte, was aber wie Fieber durch seinen Kreislauf jagte.

Und plötzlich sah er sie.

Ihr langes goldenes Haar, ihren schlanken Körper, die rehhaften Beine, ihre wiegenden Hüften, die spitzen Brüste, die den Stoff der weißen Bluse spannten. Er sprang auf, er wurde rot im Gesicht, er spürte es, wie das Blut zuerst zum Kopf drang und dann abfiel und sich in seine Männlichkeit stürzte. Dieses Gefühl machte ihn atemlos und einen Augenblick wie gelähmt. Dann ging er mit steifen Beinen auf das Mädchen zu, das vor ihm zurückwich, Schritt um Schritt, wie er Schritt um Schritt näher kam, zurückwich zu einer Gerätelaube, in der die Gärtnerinnen der Frauenabteilung das Handwerkszeug aufbewahrten.

Vier Meter vor ihm schlüpfte sie in die Laube, und als er ihr nachkam, empfing sie ihn mit einer Umarmung, hing sich an seinen Hals, küßte ihn mit der Wildheit eines hungrigen Tieres und drängte ihn gegen die morsche Bretterwand.

»Ich habe auf dich gewartet ...« flüsterte sie und nagte mit spitzen Zähnen über seine Lippen und über seinen Hals. Das machte ihn verrückt, er griff zu, umfaßte ihre Brüste und drückte sie. Ihr Stöhnen war raubtierhaft, brünstig und von einer entwaffnenden Dumpfheit. »Vier Tage habe ich gewartet«, flüsterte sie. »Ich wußte, daß du kommst ... ich wußte es ... Wie ich dich liebe, du! Man kann einen Menschen zerreißen aus Liebe, weißt du das? Man kann kannibalisch werden. O du ... du ...«

Stoff riß unter seinen Händen, er fühlte Fleisch, warmes, pulsendes Fleisch, glatte Haut, weiche Haare, eine Warze, hart wie eine Murmel, er fühlte Muskeln und Sehnen, Brust, Leib, Schenkel und Schoß, Beine, die sich um ihn schlossen wie Klammern, ein Mund, der aufriß unter Wimmern und Keuchen, Hände, die ihre Fingernägel in seinen Rücken hackten wie zehn Schnäbel tollwütiger Habichte ... er lag auf einem Ballen auseinandergebrochenen Torfs, und um ihn herum tobte ein Meer, oder war es ein Vulkan, oder heulte ein Sturm ... er konnte es nicht mehr unterscheiden, er unterschied überhaupt nichts mehr, er fühlte nur, er empfand nur, er war Tier und Gott, Mensch und Satan, er verströmte unter heiserem Stöhnen, er starb in der Glut des brennenden Leibes, den nichts mehr löschte, der ihn aufsaugte, ihn verdampfte, ihn zerstörte.

Wie ein Trunkener schwankte er schließlich aus dem Schuppen, schlich an der Mauer entlang, atmete und atmete, inhalierte die frische Luft und begann zu zittern. Dann saß er wieder auf der Bank, leer wie eine ausgeschüttete Flasche, sein Herz hämmerte, sein Unterleib schmerzte, als sei er zerquetscht. Er legte die Hände vors Gesicht und schrie sich innerlich an. Du warst eine Bestie! Du hast sie gerissen wie der Wolf ein Schaf. Oder war sie eine Bestie? War er das Opfer gewesen? Was machte es aus? Es war geschehen. Aber es blieb kein Glück zurück, keine Freude, keine Zufriedenheit. Es blieb nur das zitternde Bewußtsein, die Grenze des Ichs übersprungen zu haben.

So saß er da, als die Frau aus dem Schuppen kam. Sie strahlte, die langen goldenen Haare flatterten im Wind wie eine Siegesfahne, wie wippte wieder in den Hüften, ihr Lächeln war beseligt, ja, sie blieb stehen, sah zu Dr. Lingen hinüber, hob die Hand und grüßte ihn, so wie man grüßt, wenn man sich begegnet ... im Auto, auf der Straße, von fern ... Hallo, siehst du mich? Guten Tag! Alles Gute ...

Dr. Lingen starrte ihr nach, wie sie, umweht vom Odium der Lust, den Weg zum Haus ging, leichtfüßig tänzelnd, ein gezähmtes, aufgeputztes Tierchen, wippend wie im Rhythmus eines

Zungenschlages ... Er starrte ihr nach, als die Stationsschwester sie in Empfang nahm, sie musterte, auf die zerrissene Bluse wies, wie das Tierchen etwas antwortete, hell auflachte, auf einen Dornenbusch zeigte, wie die Schwester es ihr glaubte und sie ins Haus holte.

Und hier erst kehrte die Klarheit in das Hirn Dr. Lingens zurück. Es war eine Explosion, die ihn durchschüttelte.

Sie ist eine Patientin!

Sie ist irr ... oder eine Trinkerin ... oder ... oder ...

Dr. Lingen sprang auf und rannte aus dem Garten. Er benutzte wieder das Verbindungstor. Der Pfleger, der ihm auf sein stürmisches Klingeln öffnete, starrte ihn verwundert an. Er rannte weiter, blieb vor dem weißen Haus der Klinik Brosius stehen und ordnete seine Krawatte, bevor er in die Welt der Freiheit hinaustreten wollte.

Dabei sah er kurz nach oben.

Hinter dem Gitter eines Fensters im ersten Stock starrte ein Gesicht zu ihm herab. Peter Kaul.

Du hast es gut, dachte Dr. Lingen und wandte sich ab. Wie ich dich jetzt beneide.

Hocherhobenen Hauptes, wie immer, ein Gentleman bis zu den Haarspitzen, schritt er durch die Halle der Brosius-Klinik hinüber zum Ausgang. Zwei junge Ärzte grüßten ihn devot. Sie waren neu bei Brosius. »Das ist er«, sagte der eine leise. »Morgen liest er wieder über Enzephalitis. Wetten, daß er in ein paar Jahren Ordinarius wird ...?«

Wer ahnte, daß der Ruhm Dr. Lingens in einem morschen Geräteschuppen begraben lag, hinter einer zwei Meter hohen Mauer, auf einem zertretenen Ballen Torf?

Pfarrer Merckel war aus dem sauerländischen Dorf zurückgekehrt. Sein Predigtbuch war zwar noch nicht beendet, aber er hatte die innere Kraft, seinen literarischen Funken wieder unter die Glasglocke priesterlichen Benehmens zu drücken und sich von den Schnapsflaschen loszureißen. Er übernahm aus der Hand des Vikars wieder seinen Sprengel und erklärte auf Befragen: »Ja, es war sehr anstrengend. Immer diese Arbeitssitzungen auf den Tagungen. Ich bin froh, wieder hier zu sein.« Da er sehr zerknittert aussah, bedauerte man ihn auch ehrlich, ja, »unser Pfarrer reibt sich auf!«, hieß es in der Gemeinde, und er stieg in der Achtung.

Bevor er sich richtig seinen Aufgaben widmen konnte, zu denen auch die Sorge um Peter Kaul und seine Familie gehörte, bekam er Besuch.

»Nanu«, sagte Pfarrer Merckel. Nach einer Nacht tiefen Schlafes hatte sein mächtiger Bärenkörper die Strapazen der vergangenen Woche fast überwunden. Nur die Augen schwammen noch, und jeder, der etwas vom Trinken verstand, brauchte nur in diese Augen zu sehen, um in Merckel einen Freund Dionysos' zu erkennen. Er wußte das selbst, und er setzte eine leicht getönte Brille auf, als der Besucher in sein Arbeitszimmer geführt wurde. »Herr Doktor Lingen! Das nenne ich einen guten Besuch. Nehmen Sie Platz! Trinken Sie etwas?«

Die Frage kam glatt von seinen Lippen, so, wie man eben einen lieben Gast zu einem Gläschen einlädt. Dr. Lingen schüttelte den Kopf.

»Danke, Herr Pfarrer, nein.« Er war bleich, und die Tünche des eleganten Mannes bröckelte ab, je länger er auf dem lederbezogenen Stuhl hockte. »Wundern Sie sich nicht?«

»Gott wundert sich nie.«

»Sie wissen, wie ich über die Religion denke …«

»Allerdings, Ärzte neigen zu Extremen. Die einen erkennen Gott, wenn sie einen Bauch aufgeschnitten haben, die anderen, Virchow, euer Medizinpapst, gehörte dazu, sagte: ›Ich habe Tausende Körper aufgeschnitten – eine Seele habe ich noch nie entdeckt.‹ Sie tendieren zu Virchow, lieber Lingen, ich weiß.«

»Ich möchte Ihnen etwas beichten, Herr Pfarrer«, sagte Dr. Lingen gepreßt. »Fragen Sie nicht: Sind Sie evangelisch oder katholisch … ich bin nichts! Als Kind wurde ich katholisch erzogen, aber das sind Kindheitserinnerungen, die ich als Student im ersten Semester ablegte. Jetzt …« er stockte und schnippte nervös mit den Fingern, »… jetzt habe ich das Bedürfnis, mit einem Priester zu sprechen. Ich muß Ihnen ein Geständnis machen … ich bin ein Schwein!«

Pfarrer Merckel zeigte keinerlei Erstaunen oder auch nur Verblüffung. Er nickte nur, als habe Dr. Lingen vollkommen recht. »Wir alle sind Schweine, Doktor, womit ich nicht die lieben Borstentiere beleidigen möchte. Irgendwo, in irgendeiner Ecke seines Wesens, ist jeder Mensch anders, als er sein sollte, ist jeder Mensch schlecht! Sie sagen es von sich – Ich gestehe es bei mir selbst auch. Vollkommenheit ist etwas Schreckliches: Sie ist langweilig! Wären wir vollkommen, brächten wir uns alle selbst um ... wir gähnten uns zu Tode!«

»Ich ... ich bin ein Alkoholiker!« sagte Dr. Lingen laut.

Pfarrer Merckel fuhr herum und suchte Halt, als habe man ihn vor die Brust gestoßen. »Sie – auch?« fragte er fassungslos.

Dr. Lingen legte den Kopf in den Nacken zurück. »Es ist eine kurze Geschichte, Herr Pfarrer. Sie liegt fünf Jahre zurück. Damals begann ich meine Karriere als Hirnspezialist, ich sah einen Aufstieg vor mir, einen Gipfel, der jeden schwindlig gemacht hätte, nur mich nicht. Es klingt eitel, aber ich wußte, was ich konnte. Ich kannte meine Grenzen – sie begannen da, wo für andere schon das Wunder eingesetzt hat. In diesen Tagen der Sternennähe schleuderte ich mit meinem Wagen, prallte gegen einen Kilometerstein, wurde herausgeschleudert und war zwei Tage besinnungslos. Nichts blieb zurück, kein Bruch, keine Verrenkung, kein Trauma ... nur, als ich nach sechs Wochen Ruhelager wieder operieren wollte, hatte ich das Fingerspitzengefühl verloren. Wissen Sie, was das heißt: Chirurg, Hirnchirurg, und keine Gefühl mehr in den Fingern? Der Tastsinn ist das Göttliche an unserem Beruf! Und dieser war nun weg. Irgendwo in meinem Hirn war durch den Aufprall, während der zweitägigen Ohnmacht, eine falsche Schaltung eingetreten. Ich habe alles versucht ... medikamentös, durch Schock, durch Elektrobehandlung, durch Bestrahlung ... dann nahm ich aus Verzweiflung Morphium, nicht, weil es heilen sollte, sondern weil ich mich betäuben wollte. Und dann, eines Tages, betrank ich mich, sinnlos. Aber bevor ich in Agonie fiel, kam ein Wunder über mich ... ich spürte unter meinen Fingerspitzen den Bierfilz, ich konnte feinste Unebenheiten auf dem Glasrand ertasten ... ich hatte mein Fingerspitzengefühl wieder. Am nächsten Tag machte ich die Probe ... ohne Alkohol ... nichts! Mit Alkohol ... Tastsinn! Herr Pfarrer – es war wie eine Offenbarung! Und seitdem trinke ich ... vor jeder großen Operation, vor jeder Untersuchung, die meine Fingerspitzen braucht ... heute genügen drei oder vier Gläschen Cognac, und hier ...« er tippte an seine Stirn, »... hier im Hirn knacken die Kontakte und ordnen sich. Es ist, als ob die Nerven sich hinlegen und sich dabei vereinigen. Ich werde frei, mutig, und – Sie wissen es – ich stieg zu dem empor, was ich heute bin!«

Pfarrer Merckel schwieg. Er operiert, ich schreibe und predige. Er heilt die Körper, ich die Seelen ... und beide können wir es nur, wenn wir uns betrinken, betäuben, betrügen. O Bruder im Alkohol, wie gut verstehe ich dich …

Dr. Lingen wartete auf eine Reaktion Merckels. Da diese ausblieb, setzte er seine Beichte fort.

»Katastrophen kann man züchten«, sagte er mit belegter Stimme. »Ein Wille, der im Alkohol schwimmt, ist tot wie ein Bandwurm im Spiritus. Die Katastrophe aber liegt in einem Latenzstadium. Plötzlich ist sie da … und der Wille, der sich dagegenstemmen sollte, ist nur noch ein Alkoholpräparat. So war es kürzlich … vor ein paar Tagen …« Dr. Lingen bedeckte das Gesicht mit beiden Händen. Nichts war mehr an ihm von dem Mann, den die Welt beneidete, der im Tennisklub den Frauen auswich, weil sie ihn bedrängten, der auf der Jagd die Hochsitze mied, weil weibliche Jäger sich ihm dort anboten, und der in der Gesellschaft mit einem Frack auftrat, der andere Männer zu der Bemerkung reizte: »Ein affektierter Pinkel!« Gibt es ein höheres Lob?

Jetzt saß er da, die Hände vor das Gesicht geschlagen, und seine Sprache war die eines Stammlers.

»Ich habe eine Patientin genommen …« stotterte er. »Herr Pfarrer … keiner weiß es, nur Sie … ich habe in der Heilanstalt eine Patientin … ich konnte nicht anders, ich … ich … ich habe Angst! Hündische Angst.« Er ließ die Hände fallen, und sein Kopf sank auf die Brust. »Wenn dieser Vorfall Folgen hat … wenn … wenn sie schwanger wird … es gibt nur einen Weg, eine Lawine der Tragödien aufzuhalten; Ich werde sie irgendwie, irgendwann – töten müssen …«

5

Mit dem Ende der Beichte fühlte sich Dr. Lingen wie aus einem Schwitzkasten gezogen. Sein Körper war aufgeweicht und schlaff, er kam sich gedunsen und doch wieder ausgelaugt vor. Er wartete auf eine Antwort, aber Pfarrer Merckel schwieg. Groß, bärenstark, den runden Schädel wie zwischen die beiden breiten Schultern eingerammt, stand er am Buffet und trank mit langsamen Zügen ein Glas Mineralwasser. Er sah Dr. Lingen schweigend an. Es war ein Schweigen, das der Stille in einem Sarg glich.

Dr. Lingen zuckte von seinem Stuhl hoch. »Warum sagen Sie nichts, Herr Pfarrer?« schrie er. »Hat Gott die Sprache verloren?«

»Was soll ich sagen, Doktor?« Pfarrer Merckel stellte das Glas Mineralwasser auf das Buffet. »Sie werden dieses Mädchen umbringen, Sie werden dafür von einem Gericht verurteilt werden, Ihre glanzvolle Welt wird zugrunde gehen ...«

»Ich werde mich vorher selber töten!«

»Nein! Soviel Mut bringen wir nicht auf!« Pfarrer Merckel strich sich mit beiden Händen durch die weißen Haare. Daß sie alle nach dem Tod streben, dachte er. Diese Hast nach der Ewigkeit! Was haben sie davon, wenn sie sich selbst umbringen? In eine Kiste kommen sie, in die Erde, das Holz verfault, Maden ernähren sich vom zersetzenden Fleisch, man wird Dünger und nährt die Blumen, die ein gedenkendes Herz gepflanzt hat. Als Kind schon hatte er staunend festgestellt: Die üppigsten Blumen blühen auf den Friedhöfen. Das ist die eine Seite. Und die andere? Sinnlose Flucht. Warum? Man muß büßen für seine Taten, natürlich, denn man ist ein Ordnungsbrecher. Aber man lebt! Ob hinter Gittern oder auf einer Wiese, unter einem Busch oder in einem Salon, in einem Wohnwagen oder einem Palast, einer Kajüte oder einem Keller ... man lebt! Man lebt! Man kann die Sonne sehen und ihre Wärme spüren, man kann die Vögel hören und die Blumen riechen, man kann Schweinerippchen mit Sauerkraut essen oder heiße, aufgeplatzte Maronen, man kann eine Frau ansehen und ihre Brüste anstarren, man kann träumen von Begattungen und sich selbst berauschen an der Stärke seiner Lenden, man kann Wasser trinken oder Wasser lassen, man kann das eigene Herz hämmern hören und in der Ferne das Pfeifen eines Zuges oder das Nebelhorn eines Schiffes. Alles, alles ist doch

Leben, ist Bewegung, ist Kraft, ist Schönheit ... der Strahl aus dem Wasserkran, das Klappern der Schuhabsätze, das Winseln des Windes an der Dachrinne, das Rauschen des Regens, das Schlüsselklappern des Wärters ... Leben! Leben! Und sie werfen es weg, sagen so einfach: Dann töte ich mich auch! Warum denn, mein Junge? Und wenn du in der Gosse liegst, ist das Leben noch schön ... an deinem Ohr vorbei gurgelt der Abfluß, ein Käfer kriecht über die Straße, ein Blatt wird vom Wind an dir vorbeigetrieben und raschelt wie hundert Kastagnetten, du kannst den Frauen unter die Röcke sehen, und sie merken es gar nicht, denn für sie bist du ein besoffenes Luder, ein Gossenpenner. Junge, auch das ist Leben! Leben ist Bewegung, weiter nichts. Was gibt es Schöneres als Bewegung? Pfarrer Merckel sah nach oben an die Decke. Ja, so denkt ein Pfarrer, mein Gott! Auf der Kanzel predige ich anders, natürlich! Da rede ich von der Moral und der Selbstbezwingung, von der Schönheit des Lebens im Geist der Zehn Gebote, der Treue, von der Liebe. Aber um diese Predigten zu schreiben, muß ich trinken, muß ich besoffen sein. Du, Gott, weißt es! Und du läßt mich leben! Wie werde ich einmal dastehen vor dir ...

»Sie waren betrunken, als das mit dem Mädchen geschah?« fragte er laut. Dr. Lingen zuckte vor der plötzlich ihn anfallenden Stimme zusammen.

»Ja. Natürlich! Ich bin immer betrunken!«

»Was heißt immer?«

»Ich kann nur arbeiten, wenn ich Alkohol habe. Morgens, gleich nach dem Aufstehen, brauche ich zwei Cognacs, mehr nicht. Das genügt.«

»Wer weiß davon?«

»Keiner.«

»Ihre Frau?«

»Sie ist völlig ahnungslos. Sie würde es nie glauben, wenn es ihr einer sagte.« Dr. Lingen stützte sich schwankend an der Tischkante. »Daß Sie mich so von aller Würde degradiert sehen, ist nur darum, weil ich noch nichts getrunken habe ...«

»Dann holen wir das schnell nach.« Pfarrer Merckel goß ein großes Glas Cognac ein und reichte es Dr. Lingen hin. Gierig griff dieser zu und trank es, ohne abzusetzen, aus.

Die Verwandlung war plötzlich, so wie ein Schwamm Wasser aufsaugt und sich bläht und prall wird. Der Körper Dr. Lingens straffte sich, in die leeren Augen trat Glanz, jener faszinierende

Glanz, den Betrachter achtungsvoll mit sprühender Energie bezeichneten. Auch Pfarrer Merckel verfolgte mit angehaltenem Atem die Verwandlung des Arztes. Und im gleichen Atemzug wußte er, daß der Mensch, der jetzt vor ihm stand, nicht mehr die Fähigkeit besaß, zu beichten und zu bereuen. Ein Schalter war herumgelegt worden: Der kalte Intellekt regierte wieder. Die vor Minuten noch bloßgelegte Seele hatte sich verkapselt. Sie schwamm, um mit Dr. Lingens plastischer Rede zu sprechen, wie ein Bandwurm konserviert im Alkohol.

Dr. Lingen stellte das Glas auf den Tisch. Seine Hand zitterte nicht mehr. Er strahlte eine Würde aus, ein Odium von Genialität, das selbst Pfarrer Merckel wie einen beklemmenden Hauch spürte.

»Vergessen Sie, was ich gesagt habe.« Dr. Lingen zog den bei der Beichte heruntergerissenen Schlips wieder hoch, steckte ihn in den Rockausschnitt, fuhr mit den Händen glättend über die Revers. »Sicherlich war es Dummheit! Es wird sich alles arrangieren lassen. Im Leben kommt es vor allem darauf an, unangenehme Dinge freundlich zu verpacken und dann wegzuschicken Ein Stein, der im Weg liegt, ist dazu da, daß man ihn übersteigt, nicht, daß man über ihn stolpert ...«

»Und wenn dieses Mädchen nun doch ein Kind bekommt?«

Dr. Lingen griff nach seinem Hut und lächelte. Ein elegantes, ein weltmännisches, ein sicheres Lächeln.

»Ich werde es leugnen, Herr Pfarrer.«

»Und wenn sie es beweisen kann?«

»Beweisen? Wie?« Dr. Lingen ging zur Tür und klinkte sie auf. »Das schöne Fräulein ist Patientin in der Frauenstation der Deliriumkranken. Ich sagte es doch schon! Es wird einfach sein, ihre Wahrnehmungen als Halluzinationen zu diagnostizieren.«

»Eine Geburt ist etwas Reales, Doktor!« rief Pfarrer Merckel entsetzt.

»Allerdings. Aber zwischen Zeugung und Geburt liegen neun Monate! Das ist eine lange Zeit ... fast *zu* lang für ein vom Alkohol zerstörtes Gehirn ...«

Pfarrer Merckel wartete, bis auch die Außentür des Pfarrhauses klappte. Dann griff er mit bebenden Händen zur Flasche, setzte sie an seinen breiten Mund und trank und trank.

»Er ist doch ein Schwein!« sagte er laut, als er die Flasche wieder hinstellte. »Gott im Himmel, sieh es ein – so weit bin ich noch nicht ...«

An diesem Tag wurde die Arbeit auf dem Bau unterbrochen. Peter Kaul blieb in der Anstalt, ließ sich von Judo-Fritze bedienen und spielte den Erste-Klasse-Patienten mit vollendetem Können. Prof. Brosius untersuchte ihn am Vormittag selbst, er blieb fast eine Stunde lang in Kauls Zimmer und unterhielt sich mit ihm über Politik und Kultur. Das Gutachten Dr. Lingens war gut gewesen. Prof. Brosius gab es immer einen Stich, wenn die Gerichte seinen Kollegen Lingen in seine Anstalt schickten, um Männer und Frauen zu untersuchen, die er, Brosius, besser kennen mußte als der ärztliche Gast, der nur wenige Momente im Leben der Irren erlebte. Aber so war es nun einmal: Dr. Lingen war der Gutachter und Prof. Brosius nur der Anstaltsleiter. Vorsichtige Versuche, auch als Gutachter von den Gerichten bestimmt zu werden, schlugen fehl, trotz gleicher Burschenschaft mit dem Oberlandesgerichtspräsidenten, trotz fröhlicher Reitgemeinschaft mit dem Generalstaatsanwalt. Ein dunkler Fleck war da auf der weißen Weste Brosius', der zwar nichts aussagte über die Qualifikation seines psychiatrischen Könnens, wohl aber im neudemokratischen Denken so etwas wie ein politisches Sodbrennen bedeutete: Brosius war Mitglied der Reiter-SA gewesen. Das war nicht zu leugnen, nicht wegzuwischen, nicht zu kaschieren, nicht zu bagatellisieren. So wie er heute im roten Rock auf Fuchsjagd ritt, war er 1938 im braunen Rock durch die Wälder gepirscht. Obwohl jeder wußte, daß ihn nur die Liebe zur Kavallerie, diese große, unglückliche Liebe seit 1913, dazu getrieben hatte, war man der Ansicht, daß ein Gerichtsgutachter so weiß sein müsse wie eine Waschmittelreklame. Bei Dr. Lingen war dies der Fall. Er hatte 1937 sein Abitur gemacht, ohne Mitglied der HJ zu sein. Das verdankte er seinem Vater, der eine Allgemeinpraxis als Arzt hatte und durch Zufall eine Patientin mit einer Lues in seine Kartei aufnahm. Sie war eigentlich wegen einer Bronchitis gekommen, aber Dr. Theodor Lingen entdeckte, daß das Übel im wahrsten Sinne des Wortes tiefer saß. Zwei Tage später kam der stellvertretende Gauleiter zu Besuch. Das Karteiblatt wurde vernichtet, ein germanisch-harter Händedruck besiegelte das Schweigen. Aber Konrad Lingen brauchte nie die braune Uniform der HJ oder später des NS-Studentenbundes zu tragen.

Prof. Brosius fand das ungerecht. Wie konnte man ihn jetzt dafür bestrafen, daß er nie mit einem luetischen stellvertretenden Gauleiter zusammengetroffen war? So kam es, daß Brosius die

Gutachten Dr. Lingens immer selbst gewissenhaft nachprüfte und ein Obergutachten anfertigte, das niemand las und in den Krankenblättern verstaubte.

Peter Kaul war auf der Hut, als Brosius freundlich und jovial ins Zimmer kam und ihm eine Zigarette anbot. Judo-Fritze hatte ihn gewarnt. »Wennste klug sprichst, heißt es: Der Mann ist von einer schizophrenen Bildhaftigkeit! Biste dumm, heißt es: Der Mann hat sich blöd gesoffen. Also paß auf!«

»Wie soll ich mich denn benehmen?« fragte Peter Kaul entgeistert. »Ich bin doch so, wie ich bin! Ich will doch hier heraus! Ich will nie mehr trinken! Ich will ein anständiger Mensch werden!«

»Das sagen se alle.« Judo-Fritze winkte warnend mit dem Zeigefinger. »Sing bloß nicht solche Lieder, Junge! Da ist der Alte ganz sauer.«

Prof. Brosius begann zunächst mit einigen Fragen der Allgemeinbildung. Er hatte damit einmal einen Erfolg erzielt, der am Ärztestammtisch schallendes Gelächter hervorrief. Ein Wermutbruder, der gleichzeitig als sechzehnfacher Einbrecher galt, hatte auf die Frage: »Wer war die Madame de Pompadour?« ernsthaft geantwortet: »Die Matratze eines französischen Königs!« Seitdem eröffnete Brosius seine Intelligenztests mit geschichtlichen Fragen.

Die einstündige Unterhaltung überzeugte Brosius davon, daß der Patient Peter Kaul, Protektionskind des Pfarrers Merckel, ungefährlich und umgänglich sei. Leider hatte das auch Dr. Lingen in seinem Gutachten gesagt. Der Patient Kaul wird nur eine Gefahr für die menschliche Gesellschaft, wenn er unter Alkoholeinfluß steht. Dann verletzt er die ethischen Gesetze, die der Mensch braucht, weil er im Grund genommen, ohne die seelische Bremse, nur ein Vieh ist.

Prof. Brosius drückte Peter Kaul freundlich die Hand und klopfte ihm auf die Schulter. »Das bekommen wir schon hin!« sagte er im Brustton ärztlicher Erkenntnis. »Wenn Sie mitarbeiten, lieber Herr Kaul«, er sagte »Herr Kaul«, was man für den Preis der ersten Klasse auch verlangen kann, »wenn wir alle an einem Strang ziehen, werden Sie in absehbarer Zeit ein strebsamer, freundlicher, anständiger Mensch sein!«

»Aber das bin ich doch, Herr Professor!« rief Peter Kaul.

Brosius nickte. »Natürlich!« Dann scharf: »Haben Sie Durst?«

»Ja.«

»Immer?«

»Fast immer.«

»Brennen im Magen?«

»Manchmal wie Feuer.«

»Träumen Sie?«

»Manchmal.«

»Was träumen Sie?«

»Nur erotische Dinge, Herr Professor.«

»Aha!«

»Ist das nicht natürlich?«

»Nana …«

»Ich bin jetzt fast vier Wochen von zu Haus weg. Ohne meine Frau. Ich … ich bin es nicht gewöhnt, daß …« Er schwieg. Er schämte sich. Muß ich das alles sagen, dachte er. Susanne und ich hatten eine gute Ehe. Natürlich, ich war jeden Freitag besoffen, wir haben Schulden, wir sitzen oft in der Küche und rechnen und rechnen … aber was hat das mit der Ehe zu tun? Wir haben uns immer geliebt, auch wenn wir Angst vor dem nächsten Tag hatten, wenn die Raten fällig waren. Ja, gerade weil wir Angst hatten, liebten wir uns und krochen zusammen …

»Was sind Sie nicht gewöhnt?« fragte Brosius bohrend.

Peter Kaul schluckte. Dieser Kloß im Hals, diese Scham …

»Vier Wochen, Herr Professor … Ich, ich bin ein normaler Mensch …«

»Sie träumen plastisch?«

»Ja, Herr Professor.«

»Und hinterher?«

»Ich bin wie erschlagen.«

»Danke, Herr Kaul. Guten Morgen.«

In seinem Zimmer freute sich Prof. Brosius, dem Bericht Dr. Lingens eine neue Nuance zufügen zu können. Er schrieb:

»Patient durch Alkoholmißbrauch in eine geistige libido sexualis geraten. Während der Entziehungskur dringend die Verabreichung triebhemmender Hormone empfohlen.«

Am Nachmittag erlaubte Prof. Brosius den Besuch von Susanne Kaul.

»Passen Sie auf!« sagte er zu Judo-Fritze. »Bei der geringsten Erregung entfernen Sie ihn.«

Es war das alte Problem des Besuchstages, das hier angedeutet wurde. Oft genug hatte Brosius erlebt, daß die Männer beim Anblick ihrer Frauen sich die Hosen herunterrissen. Die Pfleger mußten dann mit Gewalt die Umsichschlagenden aus dem Besuchszimmer zerren und die Schreienden so lange unter die kalte Brause stecken, bis sie sich beruhigt hatten. Ein einziges Mal war es tödlich ausgegangen ... einer der Tobenden griff mit beiden Händen zu, riß sich auf und entmannte sich. Er verblutete, bevor er noch im OP genäht werden konnte.

Judo-Fritze gab die freudige Nachricht sofort weiter. Peter Kaul, er stand gerade am Fenster, umklammerte die weißgestrichenen Gitter.

»Susanne kommt ...« sagte er leise. »Mit ... mit den Kindern ...?«

»Ich nehme an.«

Kaul strich sich über das Kinn. Seine Finger kratzten über Stoppeln. Es knirschte wie bei einem Reisigbesen.

»Kannst du mich heute außer der Reihe rasieren?« fragte er kläglich. »Wie sehe ich denn aus?«

Judo-Fritze lachte. »Setz dich hin. Ich mach' dir ein Gesicht wie 'n Kinderpopo!« Er drückte Kaul auf einen Stuhl und band ihm ein Handtuch um den Hals. »Du hast eine hübsche Frau?«

»Ja.«

»Hör mal. Als Elektriker kriegste doch alles billiger. Zum Einkauf! Boiler, Elektroherd, Lampen ...«

»Ja, natürlich.«

»Kann deine Frau in deinem Namen so was kaufen?«

»Ja.« Kaul drehte den Kopf zu Judo-Fritze. »Ich weiß, was du willst. Wenn ich Susanne sage, sie soll für dein Haus die Sachen, die du brauchst, besorgen, dann tut sie das.«

»Genau das wollte ich.« Judo-Fritze legte seine riesige Hand auf die Schulter Kauls. »Du, das ist 'n Geschäft, Nachher, wenn deine Frau kommt, laß ick dich allein mit ihr. Fünfzehn Minuten ... kommste damit aus?« Judo-Fritze grinste und stieß Kaul in den Rücken. »Und die Kinderchen nehme ich mit aus 'n Zimmer und zeige ihnen Bildchen ... Na, ist der Fritz nich ein guter Kamerad ...?«

Peter Kaul schwieg. So weit bin ich also, dachte er und hatte Lust, zu schreien und um sich zu schlagen. Man läßt Susanne zu mir wie eine Dreimarknutte. Fünfzehn Minuten. Kommste damit aus ...

Er senkte den Kopf und weinte plötzlich.

»Nana«, sagte Judo-Fritze väterlich. »Nu dreh nich durch. Sind ja bloß noch vier Stunden. Die hältste auch noch aus ...«

Er ging zum Waschbecken und ließ heißes Wasser zum Rasieren einlaufen. Dabei pfiff er. Grün ist die Heide ...

Peter Kaul riß die Hände empor und preßte sie gegen die Ohren.

Es war ein Festtag. Es war schöner als Ostern, feierlicher als Weihnachten, freudiger als Geburtstag, ergreifender als Zeugung. Es war ein Tag, der mit keinem anderen verglichen werden konnte.

Susanne Kaul hatte die Kinder herausgeputzt wie zu einer Preisverteilung für das schönste, sauberste, kindlichste Kind. In vier Tagen hatte sie Nacht für Nacht an der Nähmaschine gesessen (eine japanische, halb so teuer wie die deutschen, auf vierundzwanzig Monatsraten, bezahlt bisher sechs Raten und vier Mahnungen für fällige Raten) und hatte für Heinz und Petra neue Kleider genäht. Petra bekam ein rotes Wollkleid mit weißem Piquékragen und weißen Armstulpen, sie sah darin wie eine Puppe aus, und ihre blonden Haare flossen über den roten Stoff wie Honigfäden. Heinz erhielt die ersten langen Hosen seines Lebens. Er war ein großer Junge, größer als andere Jungen im Alter von zehn Jahren. Es war ein dunkelblauer Anzug, die Jacke (Schnittmodell »Für die sparsame Hausfrau«, Beilage der Wochenzeitung »Beim Kaufmann«, Kundenschrift des Einzelhandels, wurde beim Lebensmittelhändler an der Ecke jeden Monat umsonst verteilt, mit einer Beilage »Tip des Monats: Ananas 1/1 Dose nur 1,48«) war eine stilisierte Matrosenjoppe und ein Zwischending zwischen Dinnerjackett und Barmixerfrack, sie machte eine gute Figur und hatte die ungeahnte Eigenschaft, Heinz trotz der langen Hosen kindlich aussehen zu lassen.

Selbst Gundula bekam ein neues Kleid. Ein rosa Fähnchen mit einer gestickten Blumenborte. Gundula schien die Blumen zu erkennen, sie zerrte an dem Kragen, sah auf die bunten Bildchen und versuchte, sie in den Mund zu stecken.

Sich selbst vergaß Susanne auch nicht. Aber sie änderte nur ein Kleid um, in Ermangelung weiteren Geldes für einen neuen Stoff. Sie zertrennte ihr geblümtes Sonntagskleid und machte daraus ein enges Futteralkleid, so eng, daß sie, als sie vor dem Spiegel im Schlafzimmer stand und sich drehte, Angst bekam, es könne unanständig wirken, denn die Brüste drückten sich durch den Stoff, der Schwung der Hüften und ihr Übergang zu den Oberschenkeln demonstrierten die Unverbrauchtheit ihres Körpers, und die Wölbungen der beiden Gesäßbacken bildeten eine

Fortsetzung des langen geraden Rückens und eine Drehscheibe zu den schlanken Beinen, wie sie erfreulicher nicht mehr zu betrachten waren.

Was wird er sagen, dachte sie, als sie sich entschloß, das Kleid so eng zu lassen. Er wird sich freuen, daß ich die Tage der Verzweiflung überwunden habe. Ja, das soll er, sich freuen. Es ist nichts Unanständiges dabei, wenn ich ihm zeige, wie schön ich bin. Wir haben drei Kinder miteinander gehabt, wir kennen unsere Körper. Aber für ihn werde ich jetzt neu sein, ein erreichbares Ziel, wenn er sich ändert. Das wird seine Heilung beschleunigen. Ich kenne ihn ja ... ohne Liebe ist er ein Verdurstender.

Um drei Uhr nachmittags stand sie in der Halle der Landesheilanstalt und wurde von dem Pförtner telefonisch gemeldet. Wenig später erschien Judo-Fritze. Auf der Treppe pfiff er leise durch die Zähne, als er Susanne in ihrem engen Kleid sah, und nahm sich Zeit, sie vom oberen Treppenabsatz aus genau zu betrachten. Es ist zum Kotzen, dachte er. Die größten Ganoven haben die schicksten Weiber! Es ist, als ob die Kerle einen Wildgeruch haben, der die Frauen verrückt macht. Immer wieder kann man das sehen, wenn die Saufbrüder eingeliefert werden. Dann stehen unten in der Halle die Miezen herum, Dinger, mein Junge, daß es einem heiß unter der Hirnschale wird.

»Frau Kaul?« fragte Judo-Fritze unnötig.

Susanne drehte sich herum. »Ja.« Sie legte die Arme um Heinz und Petra, die in ihren neuen Kleidern strammstanden wie bemalte Zinnsoldaten. Gundula lag im Kinderwagen und knabberte an ihren geliebten bunten Klötzchen.

»Ihr Mann erwartet Sie schon!« sagte Judo-Fritze mit der Höflichkeit, die einer schönen Frau zusteht. Er packte mit seinen mächtigen Pranken den Kinderwagen, drückte ihn an seine Gorillabrust und trug ihn die Treppe hinauf. »Bitte, folgen Sie mir. Erste Etage. Immer nur mir nach ...« Gundula krähte fröhlich, und Heinz zog am Ärmel Susannes und flüsterte: »Du, Mama, das ist doch der Mann, der damals Papi weggeschleppt hat ...«

»Sei still!« Susanne schüttelte den Kopf. Sie kamen in einen weißen Gang, den eine Glastür vom Treppenhaus trennte. In das Glas war eingeätzt, vornehm stumpf: Privatstation. Betreten verboten! Hinter der Glastür befand sich ein Scherengitter. Es konnte in eine Zwischendecke aufgerollt werden und wurde elektrisch durch einen Knopfdruck von der Wachstation aus betätigt, wenn einem Tobenden der Ausbruch aus seinem Zimmer gelang.

Dann klirrte das Gitter aus der Decke, knallte auf den gebohnerten Linoleumboden, und die feudale Privatstation sah nicht anders aus als die Stationen I–III im oberen Stockwerk. Ein Käfig, in dem das Tier Mensch sich gegen die Gitter warf.

Peter Kaul stand am Fenster, als Susanne ins Zimmer kam. Zuerst, nachdem sich die Tür geöffnet hatte, kam Heinz herein. Er blieb stehen und sah seinen Vater mit großen Augen an.

»Guten Tag, Papa!« sagte er dann leise.

»Mein ... mein großer Junge ...« stammelte Peter Kaul. Seine Kehle war trocken. Ich habe Fieber, dachte er erschrocken. Ich glühe. Das Zimmer dreht sich vor mir.

Petra kam herein. Artig, wie einstudiert, machte sie einen Knicks. »Guten Tag, Papi!« sagte sie mit ihrer hellen Stimme.

Peter Kaul nickte. Wasser, dachte er. Eine Wanne voll Wasser. Ich möchte mich in sie hineinwühlen wie ein Seehund. Ich glühe. Ich glühe.

Und dann kam Susanne. Sie wurde von dem Fleischberg Judo-Fritze ins Zimmer geschoben. Er drückte sie vor sich her, und da er dazu seine Hände auf ihre Hüften legte, hatte er einen hochroten Kopf bekommen und atmete wie ein Asthmatiker.

»Peterle ...« sagte Susanne leise und hob die Arme.

Peter Kaul starrte seine Frau an. Sie hatte in der Nacht ihre Haare aufgedreht (das Geld für den Friseur war nicht vorhanden), nun umwehten blonde Locken ihr schmales, verhärmtes Gesicht, das sie mit etwas Puder und Rouge in die Maske frischen Lebens umgewandelt hatte.

»Wie ... wie schön du bist ...« sagte Peter Kaul gepreßt. »Guten Tag, Susi ...«

Er kam auf sie zu, aber einen Meter vor ihr blieb er stehen und sah sie wieder an.

»Du bist schmäler geworden. Aber es steht dir gut, Susi.« Er schluckte und legte seine Hände auf den Rücken, weil er nicht wußte, was er mit ihnen anfangen sollte. »Früher, die vielen Kartoffeln, die Milchsuppen, die schwemmten auf. Jetzt kannst du dir ab und zu ein Stück Fleisch gönnen, nicht wahr?«

»Ich würde Kartoffelschalen essen, wenn du wieder bei uns wärst, Peter ...«

Judo-Fritze hielt es für angebracht, jetzt zu gehen. Er nahm Heinz und Petra an seine mächtigen Hände und nickte Kaul zu. »Ich zeig' den Kindern 'n paar Fotos aus meinem Urlaub im Schwarzwald!« sagte er. »Fünfzehn Minuten, du weißt ja!« Er sah auf den Rücken Susannes, auf ihre Hüften, auf die Beine und leckte sich über die Lippen. »Ich klopf nachher dreimal an ...«

Gehorsam folgten ihm Heinz und Petra. Sie fragten nicht, sie wehrten sich nicht, ein Krankenhaus war für sie ein Ort, wo man nur flüstern durfte, auf Zehenspitzen ging und die Männer und Frauen in den weißen Kitteln immer recht hatten.

Peter Kaul blieb stehen wie ein eingerammter Pflock. Schweiß trat auf seine Stirn ... Susanne kam zu ihm, klappte die Handtasche auf, nahm ein Taschentuch und wischte ihm über das Gesicht.

»Was meint er mit fünfzehn Minuten, Peterle?« fragte sie dabei. Kaul schluckte und schnaufte durch die Nase.

»Nichts!« Dann umfaßte er seine Frau, ganz vorsichtig, als sei sie aus dünnem Glas, küßte sie und lehnte den Kopf wortlos an ihre Schulter. Er wagte nicht, die Hand auf ihre Brust zu legen, er spürte den Druck an seiner Schulter, durch den Anstaltsschlafanzug hindurch empfand er die Muster der Spitze im oberen Teil des Büstenhalters. Er ist weiß, dachte er. Ich kenne ihn. In der Mitte, dort, wo er sich teilt in die beiden Körbchen, ist eine lächerliche, kleine gelbe Rose aus Perlontüll. Drei Haken hat er am Rücken. Wie oft habe ich ihn auf- und zugehakt! Jetzt wird es Petra tun mit ihren kleinen, spitzen Fingern.

»Warum will er dreimal anklopfen?« fragte Susanne wieder.

Kaul stöhnte leise auf. »Frag nicht, Susi. Er ... er ist ein Schwein ...«

»Wieso?«

»Er ist gegangen, damit wir ... wir ...« Er riß sich aus ihrer Umarmung los, breitete wie ein Erstickender die Arme weit aus und rannte ans Fenster. »Es ist so furchtbar, Susi. So erniedrigend! Man will hier Menschen aus uns machen, und man wird entlassen mit dem ausgebildeten Instinkt eines Tieres!«

Susanne blickte auf das aufgeschlagene Bett. Sie verstand ihn plötzlich. Mit steifen Beinen ging sie zum Bett, blieb vor ihm stehen und legte beide Hände gegen die Brust. Er ist mein Mann, dachte sie. Ich liebe ihn. Trotz allem. Er ist der Vater meiner Kinder, auch wenn eines blöde ist und ein Trinkerkretin. Er hat ein Recht auf mich.

»Wenn ... wenn du darauf gewartet hast ...« sagte sie leise.

Peter Kaul schüttelte den Kopf. Er hatte das Fenster aufgerissen und drückte die Stirn gegen das Eisengitter. Unten, auf dem Platz vor dem Haus, an der Mauerpforte zum Frauenteil, stand

Dr. Lingen und sprach mit einem Wärter und einer Krankenschwester aus der Frauenabteilung.

»Nein, Susi, nein! Ich müßte mich hinterher anspucken!«

»Aber ich liebe dich doch ...«

»Ich weiß! Sprich nicht mehr davon! Geh von dem Bett weg. Sag irgend etwas anderes, etwas Dummes, Banales, Idiotisches. Nur sag was anderes ...«

Susanne ging quer durch das Zimmer und setzte sich an den weißlackierten Holztisch an der Wand. Sie faltete die Hände und nagte an der Unterlippe, während ihr Körper vor unterdrücktem Schluchzen zitterte.

»Bei Meyers an der Ecke gibt es jetzt Ananas für 1,45 die große Dose ...«

»Wie schön«, stammelte Peter Kaul und umklammerte das Gitter.

»Für das Fernsehgerät habe ich jetzt eine Stundung der Raten bekommen ... weil du hier bist ...«

»Siehst du, wie nützlich das ist?« sagte Kaul bitter.

Schweigen. Das Atmen zweier Brustkörbe. Seufzen. Im Haus bimmelte es. Station I–III fertigmachen zum Kaffeetrinken. Halb vier! Es gab eine Blechtasse mit Malzkaffee und eine Schnitte Brot mit Pflaumenmus. Sonntags ab und zu ein Stück Streuselkuchen. Das war besonders beliebt. Man aß nur den unteren Teig und verwahrte die Streusel. Um sie wurde Karten gespielt. Einsatz: Drei Krümel Streusel pro Spiel.

»Frau Wüllmann hat das sechste Kind bekommen«, sagte Susanne heiser. »Ein Mädchen.«

Peter Kaul nickte. Die Grausamkeit der Leere kam ihm immer mehr zum Bewußtsein, je länger Susanne im Raum war. Man hatte sich nichts zu sagen, man stand sich gegenüber, sah sich an, empfand, daß man zusammengehörte, aber da war ein Vakuum, das man nicht mehr auffüllen konnte, da gab es nichts, was man sich zu berichten hatte, da konnte man nur fragen: Wie geht es dir? Antwort: Gut. Vor einer Woche hatte ich einen Schnupfen. – Und die Kinder? Antwort: Auch gut. Petra hat im Diktat ein ›Gut‹ geschrieben, und Heinz soll im nächsten Sommer in ein Ferienlager nach Langeoog. – Langeoog? Wo liegt das noch mal? Irgendwo dort oben an der Nordsee. Eine Insel. Haben alle so komische Namen. Wangerooge, Spiekeroog. Erinnerungen an die Erdkunde, siebtes Schuljahr. Peter, nenn mir die Ostfriesischen Inseln, in der Reihenfolge angefangen von Borkum ... Und da soll Heinz im Sommer hin? Muß also einen neuen Pullover haben. Kostet mindestens 30 Mark! Woher nehmen? Schwarzarbeit am Bau! Aber das geht ja nicht. Ich bin ja in der Landesheilanstalt. Ich bin ein Säufer! Ein halb Irrer! Also wird Heinz frieren ... oder Susanne muß ihn selber stricken, den Pullover. Aus den aufgeribbelten Garnen von zwei alten Pullovern. Es wird schon gehen ... Und dann wieder Schluß. Schweigen. Was soll man sich sagen: Alles ist so weit entfernt, wenn man hinter Gittern sitzt. Ein Gitter ist nicht bloß der Abschluß eines Zimmers – es trennt ganze Welten. Man wird dumpf hinter Gittern, stumpf und kalt. Langeoog! Was soll's? Kann ich einen Pullover aus den Rippen schneiden? Ich bin ein Säufer! Basta, Susanne!

Schweigen. Noch immer Schweigen. Die ganze grauenhafte Leere tut sich kund! Es stimmt, was Judo-Fritze sagt. Im Grund genommen liegt die ganze Unterhaltung des Lebens im Bett! Das ist ein Thema, unausschöpfbar wie die Kraft von Ebbe und Flut. Es stimmt nicht, was die Feingeistigen sagen: Wo das Wort aufhört, beginnt die Musik! Falsch ist das! Es muß heißen: Wo das Wort zu Ende ist, beginnt der Körper! Das ist Realität! Seht mich an, den Säufer Peter Kaul, Privatstation Prof. Brosius von der Kirche Gnaden. Ich stehe meiner Frau gegenüber, nach vier Wochen LHA, Gefängnis und wieder LHA. In einem Schlafanzug mit einem Orden auf der Brust. Dem Medaillon der Gefangenen. Der Kennmarke der Hirnakrobaten. Und was haben wir uns zu sagen nach diesen vier Wochen? Nichts! Frau Wüllmann hat ihr sechstes Kind. Interessant. Sie soll sich ihren Namen ändern lassen in Frau Wühlmann! Ist das ein Witz, was? Man wird bescheiden in der Klapsmühle. Man freut sich über ein eingeschobenes h. Haha! So ist das, Susanne. Das ist dein Mann! Der Vater deiner Kinder! War es eigentlich immer so leer um uns? In uns? Bei uns? Es muß wohl so gewesen sein, denn die schönste Zeit unserer Ehe war auf der Matratze. Das ist doch ein Beweis! Und auch jetzt ist es so. Wir stehen uns gegenüber in einem Zimmer erster Klasse der Klapsmühle, sehen uns an, schweigen, schielen auf das aufgedeckte Bett, den einzigen Ort, an dem wir unsere Leere füllen können. Wo der Geist schweigt, ist die große Stunde der Kraft. In der Politik (schön, wie man alles einordnen kann!) wie in der Ehe. Sagt mir eine Ehe, in der es anders ist! Was bleibt von ihr, wenn man sich auch im Horizontalen langweilt?

Es klopfte an die Tür. Dreimal. Laut. Dann ein Warten. Und dann kam Judo-Fritze herein. Allein. Sein erster Blick fiel auf das

Bett, dann wanderte er zu Peter Kaul und Susanne. Sie saßen noch immer getrennt, er am Fenster, sie am Tisch, zwischen sich drei Meter fünfzig Luftraum. Oder fünfunddreißig Meter? Fünfhundertdreißig Kilometer? Es war das gleiche.

»Die Zeit ist 'rum!« sagte Fritze dumm. »Was ist denn los?«

»Nichts!« antwortete Peter Kaul dumpf. »Gar nichts. Wir sind glücklich, das ist alles ...«

Judo-Fritze schielte zu Susanne. Sie weinte lautlos, das Taschentuch gegen den Mund gedrückt. Blöder Hund, dachte er. Solch eine Frau sitzenzulassen! Aber so ist es bei den Säufern ... sie reden von erotischen Exzessen, aber in Wirklichkeit haben sie sich impotent gesoffen! Ihr Zwischenhirnzentrum ist vom Alkohol zerstört. Impotentia coeundi, nennen die Ärzte so etwas.

Heinz und Petra kamen ins Zimmer, bevor Judo-Fritze weitere eindringliche Fragen stellen konnte. Peter Kaul umarmte seine Kinder, er küßte sie, er ließ sich von der Schule erzählen, von ihren kleinen Nöten, von Langeoog im kommenden Sommer, von den Lehrern, von den Straßenspielkameraden. Die kleine graue Welt der Wohnkolonie stand wieder vor ihm auf. Ja, so war es einmal. Und so würde es wieder sein, wenn er entlassen wurde.

Susanne fing einen Blick und einen Wink Judo-Fritzes auf. Sie nickte unter Tränen.

»Es ist Zeit, Peterle ...« sagte sie kläglich.

»Schon?« Kaul sprang auf und drückte die Kinder an sich. So wenig es zwischen ihm und Susanne zu sagen gab, so sehr empfand er Freude an den Worten seiner Kinder. Für sie war er krank, ein armer Papi, der im Bett liegen mußte. Zwischen ihnen und ihm war keine gläserne Wand, kein Schuldgefühl, das wie Fesseln wirkte, ein stummer Blick, aus dem die Anklage oder das Mitleid troff.

»Ihr ... ihr kommt doch wieder?« fragte er und streichelte die Köpfe seiner Kinder.

»Nächste Woche Donnerstag«, sagte Fritze.

»Das ist schön!«

»Freust du dich?« fragte Susanne ganz klein.

»Ja. Das weißt du doch, Susi ...«

Wie weit sie ist, dachte er. Ich sollte schreien, sonst hört sie mich nicht!

Er ging bis hinaus auf den Flur, sah den Kinderwagen mit Gundula und beugte sich über sie. Ihre großen schönen Augen strahlten ihn an. Sie hielt ihm eines der angenagten Klötzchen entgegen und kreischte wie ein Papagei.

»Sie soll auch noch einmal untersucht werden«, sagte Susanne leise. Kaul sah auf.

»Warum?«

»Es gibt da neue Präparate, die die Nerven stärken und die Zellen anregen. Ich kenne mich da nicht aus …«

»Wer sagt das?«

»Doktor Lingen.«

»Ach der!« Kaul nickte. »Der kann was. Es wäre schön, wenn es ihm gelänge …«

»Ja, es wäre schön.«

Dann gingen sie. Peter Kaul blieb an der Tür seines Zimmers stehen und winkte ihnen nach. An der Glastür blieben sie alle stehen, und sie lachten, weil es sich so gehört, zur Aufheiterung des Zurückbleibenden fröhlich zu sein. Dann pendelte die Glastür zu, er sah die schemenhaften Schatten der Körper … den Riesen Fritze, die zarte Linie Susannes, einen Fleck, das war der Kinderwagen mit Gundula, zwei hüpfende Punkte, Heinz und Petra. Schatten, die sich auflösten …

Da rannte er zurück ins Zimmer, stürzte ans Fenster und starrte durch die Gitterstäbe hinaus. »Kommt wieder …« stammelte er. »Susi, komm wieder … ich habe doch nichts, nichts mehr als euch auf der Welt …«

Er schrak zusammen. Hinter ihm knallte die Tür. Judo-Fritze stand im Zimmer und zeigte auf das unberührte Bett.

»Idiot!« sagte er laut und geringschätzig.

Peter Kaul schüttelte den Kopf. »Ich … ich habe sie zu lieb dazu«, sagte er leise.

Am nächsten Tag hatte Prof. Brosius seine beiden Oberärzte um sich versammelt. Einem großen Ereignis ging eine kleine Besprechung voraus. Brosius hatte Zigarren herumgereicht, was bewies, wie wichtig er diese Besprechung nahm.

»Meine Herren«, sagte er dann auch ohne Einleitung, »wir bekommen heute einen, wie soll ich sagen, einen höchst amüsanten Besuch. Drei ehemalige Alkoholiker kommen zu uns. Sie sind eine Abordnung einer Art Vereinigung, die aus Amerika zu uns herübergekommen ist, um unser Europa mit Segnungen zu beschenken wie etwa Care-Pakete oder Marshall-Plan. Sie nennen sich ›Alcoholics Anonymous‹, also Anonyme Alkoholiker, eine Vereinigung, die in Amerika über zweihunderttausend Mitglieder hat, die samt und sonders geheilte Säufer sind! Ich sehe, meine Herren, Sie staunen! Ich tat es auch, als ich die Ziele und Methoden dieser Herren und Damen erklärt bekam, und ich muß sagen: Als nüchtern denkender Wissenschaftler« – das Wort floß ihm aus dem Mund wie Eiercognac – »nähre ich eine Skepsis, die berechtigt ist. Was wir mit allen verfügbaren Mitteln der Allopathie und Homöopathie nicht erreichen können, wollen diese Herren durch Vorträge erwirken! Durch seelische Berieselung. Durch das Beispiel der eigenen Person.« Prof. Brosius räusperte sich. »Nach langer Überlegung habe ich mich bereit erklärt, nachher drei dieser Herren der AA, wie sie sich nennen, zu einem Vortrag zu empfangen. Da sie nichts verderben können, denn sie reden bloß, ist es gefahrlos für unsere Patienten.« Brosius' Gesicht verklärte sich in einem fetten Lächeln. »Wir werden gleich erleben, meine Herren, wie man auf Station drei unsere lieben Wermutbrüder psychologisch bearbeiten wird.« Er beugte sich über einige Notizen und einen Packen Drucksachen, die er vor sich auf dem Schreibtisch liegen hatte. »Um Sie in großen Zügen zu informieren, meine Herren: Die Vereinigung der geheilten Trinker, die ihren Sitz in New York hat, Nummer 141 der 44. Straße, zweiter Stock, wurde von einem Mr. Bill W., sein Name ist anonym für die Öffentlichkeit, 1935 gegründet. Damals war er, so erzählt man, selbst einer der größten Trunkenbolde auf der Bowery, der Säuferstraße New Yorks. Heute ist er wohlhabend, in der ganzen Welt hat er dreihunderttausend Anhänger, es gibt kein Land ohne Angehörige der AA ... und nun ist Deutschland dran!« Der letzte Satz klang sarkastisch und spiegelte wider, wie Brosius über die geheilten und nun selbst heilenden Alkoholiker dachte.

Die Oberärzte grinsten. Das waren sie ihrem Chef schuldig. Aber in ihren Augen lagen Wachsamkeit und Interesse. Dreihunderttausend geheilte Trinker durch Überredung und Hilfe von außen ... was hat die Medizin dem entgegenzusetzen! Aus den Entziehungsanstalten werden die Trinker als gebessert entlassen, nach vier, sechs, neun Monaten, manchmal auch erst nach einem Jahr. Man ist vorsichtig und nennt sie nicht »geheilt«. Man hat dafür das Gummiwort »gebessert«. Und die Erfahrung bestätigte, daß die gleichen gebesserten Trinker in Intervallen wiederkamen, zweimal, dreimal, später als Dauergast, wenn ihre Hirnzellen zerstört waren. Nur wenige echte Trinker fanden den Weg zurück ins Leben. Eine Handvoll! Die Zahl von dreihunderttausend Geheilten war dagegen beklemmend. Prof. Brosius schien es zu spüren. Er winkte lässig ab.

»Warten wir es ab, meine Herren!« sagte er ironisch. »Ich habe Zimmer siebzig als Experimentpatienten ausgewählt. Wenn davon einer überläuft zu Mineralwasser, werde ich Prediger der AA!«

Eine halbe Stunde später betraten drei unscheinbare, aber gut gekleidete Männer das Zimmer siebzig. Judo-Fritze hatte die Station III auf Hochglanz gebracht. Das Zimmer war geschrubbt, der Tisch blank gescheuert, die elf Patienten hatten Kaffee vor sich stehen, diesmal nicht in Blechtassen, sondern in bunten Kunststofftassen. Die Betten waren gemacht, die Decken gefaltet, eine Stunde lang war gelüftet worden, und Judo-Fritze hatte gedroht: »Wenn in den nächsten zwei Stunden jemand von euch die Luft verpestet, den stecke ich in Dunkelhaft! Verstanden!« Dann hatte er dem Berliner, dem Homosexuellen, eine Ohrfeige verabreicht, weil dieser an die Kante des gescheuerten Tisches zwei Popel klebte, hatte noch einmal ermahnt, sich anständig zu benehmen, und so saßen denn auch die elf wie die Nachsitzschüler um den Tisch, als die drei Herren eintraten und freudig grüßten:

»Gott mit euch, Freunde!«

Der Anfang war schon Mist, dachte Judo-Fritze. Der Name Gott wirkt auf die Brüder dort am Tisch wie Salzsäure.

Prof. Brosius und die beiden Oberärzte traten ein. Die elf Säufer sprangen auf, nahmen Haltung an und sangen im Chor:

»Guten Tag, Herr Professor!«

Brosius nickte und winkte. »Setzen, bitte.«

Stühlescharren. Gemurmel. Tassenklappern. Die Augen der elf Trinker blickten erwartungsvoll zu einem Tisch, der einen Meter von ihnen entfernt stand. Dort setzten sich die drei Herren hin, aber dann erhoben sie sich wieder, einzeln, hintereinander wie Stehaufmännchen, die sagten etwas, was die elf maßlos verblüffte:

»Ich heiße Ewald B. und bin Alkoholiker.«

»Ich heiße Ludwig M. und bin Alkoholiker.«

»Ich heiße Hans S. und bin Alkoholiker.«

Ein kleiner, spindeldürrer Mann mit den Augen einer Angorakatze schneuzte sich. Es war der ehemalige Rechtsanwalt Dr. Faßbender, der Peter Kaul damals auf Zimmer siebzig seine Hilfe angeboten hatte.

Brosius schielte zu seinen Oberärzten. Was sage ich? hieß dieser Blick. Sie machen sich lächerlich. Hier sitzen ihnen abgebrühte Jungs gegenüber. Die verkaufen ihre Mutter für ein Glas Schnaps.

Der eine der Männer, der sich Hans S. genannt hatte, blieb stehen. Er knöpfte sein Hemd auf, zog das Unterhemd hoch und zeigte eine große rote Narbe zwischen Magen und Bauch.

»Seht ihr diese Narbe?« fragte er. Seine Stimme war ganz ruhig, gar nicht pastoral, sie hatte einen Plauderton, so, wie man Geschichten erzählt, aus dem Krieg, von einer Reise, über ein Erlebnis mit Frauen. Die elf Säufer nickten beifällig. Tolles Ding das.

»Diese Narbe erhielt ich bei einer Messerstecherei in München. Ich war betrunken, und der, der mir das Messer in den Leib rannte, war auch betrunken. Und gestritten haben wir uns um ein Mädchen, das vor uns lag, denn es war auch betrunken. Wir waren alle betrunken, ich war ein stadtbekannter Säufer, ich brauchte am Tag meine vier Flaschen Wein, um überhaupt gehen zu können. Ohne Alkohol war ich wie gelähmt. Angefangen habe ich mit dem Trinken, als ich zwanzig Jahre war. Als Student. Jawohl, ich habe studiert. Philosophie. Literaturgeschichte. Germanistik. Kunsthistorik. Ich habe meine Examina gemacht … aber immer war ich besoffen. Ich hatte einfach Angst, es nicht zu schaffen, denn alle, die mich kannten, sagten zu mir: Du bist ein dummer Mensch. Du hast nur Glück, wenn du so durch die Schulen rutschst. Du bist ein Döfchen! – Sie sagten es so lange, bis ich davon überzeugt war. Und da trank ich, denn wenn ich betrunken war, fühlte ich mich stark, konnte ich etwas, war ich ein Heros! Und so ging es abwärts mit mir. Ich verlor meine Stellung wegen Trunkenheit, ich flog aus allen Zimmern, ich übernachtete im Obdachlosenasyl, bei der Heilsarmee, am Stadtrand in Scheunen und Heuschobern. Ich wusch mich nicht mehr, ich stank wie ein Ziegenbock, ich magerte ab … aber immer hatte ich soviel, daß ich saufen konnte. Dann war ich glücklich.«

»Bravo!« rief der Berliner.

»Eines Tages fiel ich um. Mitten auf der Straße, auf der Kaufingerstraße. Passanten schleiften mich in ein Textilgeschäft, dort holten sie mich ab … nicht die Polizei oder die Feuerwehr, kein Krankenwagen oder die Lumpensammler der Behörden, sondern ein eleganter Herr kam in die Hinterstube des Geschäftes, sah mich an, sagte: ›Ich heiße Hubert N. und bin Alkoholiker!‹, ließ mich in seinen Wagen tragen und fuhr mit mir in sein Haus. Es war eine Villa in Bogenhausen. Hier lag ich eine Woche, ich schrie nach Schnaps und bekam Orangensaft. Ich spuckte ihn an die Decke, aber der feine Herr lachte nur und erzählte mir, daß er auch einmal so weit gewesen war wie ich und daß ihn allein das Bewußtsein geheilt habe, daß die Welt groß genug ist, um auch ihn etwas werden zu lassen. Das machte mich nachdenklich. Nach einer Woche hatte ich keinen Durst nach Schnaps mehr, ich spürte, wie die Fruchtsäfte mir gut taten. Ich aß wieder gut, ich bekam neue Kleidung, ich wurde mitgenommen und einigen anderen Herren vorgestellt. Und dann bekam ich eine Chance: Ich wurde in einer Zeitungsredaktion angestellt. Als Bote erst, dann im Archiv, später als Redakteur, der Meldungen sammelte. Ich bekam ein schönes Zimmer, ich lernte ein Mädchen kennen, es war Buchhalterin in dem gleichen Betrieb wie ich, wir wurden glücklich ... und immer sagte ich mir vor: Das alles ist mit einem Schlag vorbei, wenn du wieder trinkst! Nur einen einzigen Schluck! Dann liegst du wieder in der Gosse, dann pennst du wieder im Asyl. Der Gedanke daran machte mir übel. Ich hatte das Leben lieben gelernt, ich hatte eine Arbeit, ich hatte ein Mädchen, ich sah, wie ich vorankam, und niemand sagte zu mir: Du bist ein Döfchen! Nein! Ich erkannte, daß ich intelligent war und aufstieg im Beruf. Heute bin ich selbst Verleger, habe sechzig Angestellte, habe eine liebe Frau und vier Kinder ... und alles nur, weil ich nie mehr einen Tropfen Alkohol trinke.«

Herr Hans S. schwieg.

Im Zimmer siebzig lag eine miefige Stille. Der Rechtsanwalt Dr. Faßbender schluchzte, der Berliner kaute an der Unterlippe, ein anderer, den man »das Pferdegesicht« nannte, weil er die Zähne bleckte, wenn die Mahlzeiten ausgeteilt wurden, hatte den Kopf in beide Hände gestützt.

Prof. Brosius saß wie erstarrt. So etwas, dachte er. Nein, so etwas! Das ist besser als jedes Sedativ! Das ist eine Injektion direkt ins Herz!

Nachdem Herr S. sich gesetzt hatte, stand Herr Ludwig M. auf. Auch er begann mit »Ich bin ein Alkoholiker« und erzählte leidenschaftslos seine Geschichte. Vom Bunkerasyl zum Bankdirektor. Die dritte Geschichte des Herrn Ewald B. glich fast den beiden anderen. Es war der Umweg eines Architekten, von der Gosse bis zum Erbauer bekannter moderner Kirchen.

Die drei Anonymen Alkoholiker erwarteten kein Echo, keine Fragen, keine Kommentare. Sie erhoben sich nach der Rede des letzten von ihnen, grüßten die elf wie festgewurzelt am Tisch sitzenden Säufer und gingen aus dem Zimmer.

In diesem Augenblick geschah etwas Ungeheuerliches.

Dr. Faßbender und das »Pferdegesicht« sprangen auf und rannten den drei Herren nach.

»Bitte! Noch ein Wort!« schrie Dr. Faßbender mit weinerlicher Stimme. »Ich bin Akademiker. Ich bin Jurist! Helfen Sie mir, meine Herren! Ich will ja alles tun, alles! Aber niemand war ja da, der mir helfen wollte. Alle sperrten sie mich nur ein, redeten dumme Moral, gaben mir Spritzen und Pillen und Tabletten und rieten mir, mich sterilisieren zu lassen! Aber Sie haben einen Weg, ich sehe ihn, er führt aus dem Schlamm heraus. Helfen Sie mir, meine Herren!«

Das »Pferdegesicht« stand daneben und nickte. Seine Zähne bleckten wuchtig zwischen den hochgezogenen Lippen.

»Ich bin Anstreicher«, sagte er mit seltsam hoher Stimme, die wie aus einem Keller kam. »Ich könnte auch wieder arbeiten, wenn man mir eine Chance gibt ...«

Am Abend waren Dr. Faßbender und das »Pferdegesicht« von Station III verschwunden. Nach langen Diskussionen hatte Prof. Brosius sie den drei Herren der AA mitgegeben. Sie hatten eine Bürgschaft unterschreiben müssen, daß sie für alles aufkamen.

»Was halten Sie davon, meine Herren?« fragte Prof. Brosius, als Dr. Faßbender und das »Pferdegesicht« abgefahren waren. Die Oberärzte schwiegen. So direkte Fragen sind infam, man kann sich mit einer falschen Antwort das Wohlwollen des Chefs verscherzen. Das ist gleichbedeutend mit dem Ende einer ärztlichen Karriere. Prof. Brosius gab sich selbst die Antwort, er war viel zu sehr im Sog einer inneren Begeisterung. »Eine tolle Sache ist das, meine Herren! Daß wir als Psychiater danebenstehen müssen wie die Lehrjungen, es ist zum Jammern! Wissen Sie, was ich tue? Ich werde jeden Monat einen Vortrag der Herren von den Anonymen Alkoholikern zulassen! Wir müssen modern werden, meine Herren!«

Die Oberärzte scharrten mit den Füßen. Brosius wird modern! Darauf mußte man einen trinken ...

Dr. Lingen traf Karin von Putthausen wieder auf der Bank im Garten der Frauenabteilung. Sie schien auf ihn gewartet zu haben, denn sie winkte ihm zu, als er durch die Mauerpforte trat. Ihr wunderschönes Gesicht leuchtete, die langen blonden Haare hatte sie hochgesteckt. Fraulicher sieht sie aus, dachte Dr. Lingen. Betörend und gefährlich. Er setzte sich neben sie auf die Bank und sah sie nachdenklich an.

»Du warst vier Wochen nicht hier«, sagte sie, aber dabei lächelte sie, durchstrahlt von innerer Sonne.

»Ich war auf einer Vortragsreise«, log Dr. Lingen.

»Macht nichts. Ich habe eine schöne Nachricht für dich ... ich bekomme ein Kind. Von dir, mein Schatz! Von meinem Engel!« Sie lachte hell. Dr. Lingen sah sich um. Am Haupthaus stand die Oberschwester im Gespräch mit einer Ärztin.

»Wer weiß es?« fragt er.

»Niemand! Wen geht das was an? Wenn wir heiraten ...«

»Ich bin verheiratet, das weißt du.«

»Du wirst dich scheiden lassen! Oder glaubst du, ich gebe meinen Himmel her?« Sie legte den schmalen, rehhaften Kopf auf seine Schulter. »Ich weiß genau, wie es wird: Du holst mich hier heraus, du nimmst mich zu dir, wir heiraten, das Kind kommt zur Welt, und wenn wir ganz glücklich sind, betrinken wir uns. Du, ich bin ein Teufelchen, schon nach dem zweiten Glas ...«

Dr. Lingen nickte zerstreut. Nun ist es doch geschehen, dachte er. Ein Zurück gibt es nicht mehr und keine Illusion, daß sich alles von selbst entwirren kann. Es muß gehandelt werden, und alles muß den Schein des Natürlichen haben.

»Ich nehme dich in den nächsten Tagen mit, Liebes«, sagte er und stand auf. »Aber unter der Bedingung: kein Wort zu anderen.«

»Ich schwöre es.«

»Ich werde dich in meine Klinik verlegen lassen. Wundere dich also nicht, wenn man dich mit einem Krankenwagen abholt.«

»Du hast eine eigene Klinik, mein Engel?«

»Ja.«

»Dort werden wir allein sein?« Ihr herrlicher Kopf bewegte sich hin und her. In die großen blauen Augen trat ein hektischer Glanz. »Was wirst du dort mit mir tun, mein Gott?«

»Wir werden glücklich sein.«

»Wunschlos glücklich?«

»Ja. Du wirst die Welt vergessen ...«

Dr. Lingen drehte sich um und ging mit schnellen Schritten zur Oberschwester und der Ärztin am Hauseingang. Als sie ihn kom-

117

men sahen, winkten sie ihm zu, und die Ärztin kam ihm mit schnellen, aufgeregten Schritten entgegen.

»Denken Sie sich, Herr Kollege«, rief sie schon von weitem, »welcher Skandal! Die Patientin von Putthausen ist schwanger!«

Dr. Lingen blieb der Herzschlag stehen. Vorbei, dachte er. Endgültig vorbei.

»Das ist ja unerhört«, hörte er sich mit schwerer Zunge sagen. »Hier in der Anstalt passiert?«

»Ja. Noch weiß es der Chef nicht! Wir sind alle wie betäubt ...«

»Und wer ... wer ist der Vater ...?«

Die Ärztin ballte die Fäuste. »Das wissen wir nicht. Sie schweigt darüber! Aber ich bekomme es heraus, verlassen Sie sich darauf, lieber Herr Kollege! Ich bringe sie zum Sprechen! Und wenn ich zu unerlaubten Mitteln greifen muß und ihr enthemmende Mittel injiziere! Diese Ungeheuerlichkeit *muß* aufgeklärt werden!«

Dr. Lingen nickte schwach.

Sein Wettlauf mit der Zeit begann. Es war Selbstaufgabe, jetzt noch Skrupel zu haben. Er mußte handeln.

6

Frauen haben eine besondere Gabe, hinterhältig und mokant zu lächeln. Zu Meisterschaften bringen es darin Sekretärinnen großer Männer, es gehört zu ihrem Fluidum, das sie ausströmen, selbstsicher und überlegen zu sein. So sah auch Prof. Dr. Brosius erstaunt von seiner Wochenzeitschrift »Psychiatrische Rundschau« auf, als Fräulein Bänkel, seine Erste Sekretärin, nach kurzem Anklopfen eintrat und sagte: »Herr Doktor Lingen möchte den Herrn Professor sprechen. Es sei dringend, sagt der Herr Dozent. Soll ich ... oder soll ich nicht?«

Dabei lächelte sie das mokanteste Lächeln, das Brosius seit Jahren bemerkt hatte.

»Natürlich sollen Sie, Bänkel!« sagte er ungehalten. Dabei blickte er auf die goldene Barockuhr auf seinem Schreibtisch und tippte mit dem Bleistift gegen das Glas. »Nach einer halben Stunde muß ich zu einer Konferenz ...«

»Ich verstehe, Herr Professor.«

Brosius hatte nur wenige Sekunden Zeit, darüber nachzugrübeln, was Dr. Lingen bei ihm wollte. Es konnte nur fachlicher Natur sein, etwas anderes verband sie ja nicht miteinander. Wenn Lingen seine Jagdgesellschaften abhielt, machte Brosius ein Reiterfest, gab Lingen einen Tennisabend, veranstaltete Brosius ein Burschenschaftstreffen. So waren die Akademiker ihres Bekanntenkreises immer auf Tour und konnten Vergleiche anstellen zwischen dem modernen Lingen und dem traditionsgebundenen Brosius. Nur einmal waren sie zusammen auf einem gemeinsamen Fest: beim Opernball. Da hatte Brosius notgedrungen mit Frau Brigitte Lingen tanzen müssen und den Satz eingehandelt: »Man merkt, Herr Professor, daß Sie ein alter Kavallerist sind!« Bis heute wußte Brosius noch nicht, ob es ein großes Lob oder eine grobe Beleidigung gewesen war.

Als Dr. Lingen mit schnellen, forschen Schritten eintrat, erhob sich Brosius und kam ihm wohlwollend mit ausgestreckten Händen entgegen. »Guten Tag, Herr Kollege, guten Tag!« rief er. Da Lingen nicht ein bei ihm angestellter Arzt war, konnte er sich diese Freundlichkeit leisten. Ansonsten war Lingen als Dozent rangmäßig unter ihm, was einen bestimmten Abstand rechtfertigte. »Was führt Sie zu mir?« Aber bevor Lingen antworten konnte, wedelte Brosius mit der Hand und lächelte verschmitzt. »Um es gemütlicher zu machen, Herr Kollege ... trinken wir einen Cognac?«

»In einer Trinkerheilanstalt?« lachte Lingen fröhlich. Seine Augen glänzten wie immer. Er fühlte sich frisch und stark. Bevor er sich bei Brosius melden ließ, hatte er sich in der Toilette eingeschlossen, eine halbe Taschenflasche leer getrunken und den Mundgeruch mit zwei Tabletten Chlorophyll bekämpft.

»Ein Gläschen in Ehren ...« lachte Brosius zurück. »Der Umgang mit notorischen Säufern macht es uns leicht, den Alkohol zu lieben, weil wir die Grenzen kennen. Sie mögen doch Cognac, Herr Kollege?«

»Natürlich, Herr Professor.«

Sie tranken erst zwei Gläser, rauchten eine Zigarre an und bestätigten ihre gemeinsamen Ansichten über das saumäßige Wetter der letzten Tage, ehe sie zum wahren Thema kamen. Brosius, randvoll von angestauter Neugier, gab das Stichwort.

»Na, Herr Kollege, Kummer auf der Seele?«

»Kummer? Nein!« Dr. Lingen sah in sein Cognacglas. Diese beiden Gläser haben mir gefehlt, dachte er. Ich fühle mich stark wie Priapos, der täglich hundert Frauen glücklich machte. Es ist unheimlich, welch ein Wunder und welch ein Fluch im Alkohol stecken. »Ich komme wegen von Putthausen.«

»Putthausen? Wer ist das?« fragte Brosius irritiert. Blitzschnell überdachte er die letzten Gutachten. Putthausen? Nicht dabei. Ganz sicher nicht dabei. Ein solcher Name bleibt im Gedächtnis, zumindest ein paar Tage.

»Karin von Putthausen. Sie ist Patientin im Haus fünf. Seit drei Monaten, glaube ich.«

»Ach ja. Die!« Brosius erinnerte sich. Das blonde Mädchen mit dem Madonnengesicht. Abgerutscht, total versoffen und verdorben. Mit einem Freund an der Nordsee fing es an, mit einem Italiener in Rimini während der großen Schulferien ging es weiter. Kurz vor dem Abitur brach sie zusammen. Nervenschock. Im Kleiderschrank fand man siebenundzwanzig leere Flaschen! Alles scharfe Sachen. Sie galt als intelligent, hätte das Abitur blendend gemacht, aber da waren die Männerbekanntschaften, die viele Freizeit als Industriellentochter, der Alkohol, die Partys, und später die Angst: Du schaffst es nicht. Du mußt trinken ... trinken ... um zu vergessen und um dir Mut zu machen.

»Tragischer Fall!« sagte Brosius. »Typische Wohlstandstrunksucht!« Er sah Dr. Lingen fragend an. »Was ist mit Karin?«

120

»Die Verwandten haben mich gebeten, sie zu mir in meine Klinik zu nehmen.«

»Ach!« Prof. Brosius zog sich zusammen wie ein angetippter Igel. Verlegen, weg von ihm! War Lingen besser als Brosius? Wegen eines Patienten der Sozialversicherung brauchte man nicht zu reden, aber ein Privatpatient ist wert, daß man um ihn kämpft. »Wieso denn? Hier wird alles getan, was –«

»Ich bin der Ansicht, daß Fräulein von Putthausens Trunksucht ein Spätschaden ist. Folge einer Verletzung. Ich glaube, es handelt sich um eine traumatische Hirnleistungsschwäche nach Reichardt, die, wie Sie wissen, auch zu Alkoholmißbrauch führt.«

Prof. Brosius zog das Kinn an. Der Ausdruck »wie Sie wissen« beleidigte ihn. Natürlich wußte er! Er brauchte von einem jungen Dozenten keinen Vortrag über traumatische Störungen. Es war bekämpfungswürdige Arroganz, die Lingen da praktizierte. Brosius räusperte sich. Auch wenn der Herr Dozent recht hat, dachte er, man muß ihm widersprechen. Aus Prinzip! Es ist unerhört, einen Professor belehren zu wollen.

»Mein Bild von der Kranken ist anders. Es handelt sich um psychische Störungen, um Freudsche Komplexe, die sie mit Alkohol auffüllt. Sie ist, schlicht gesagt, das Opfer ihrer Langeweile und ihrer Lebenssehnsucht.«

»Trotzdem. Die Verwandten bitten um eine Verlegung zu mir – ich möchte den Fall hirnchirurgisch sehen.«

»Bitte!« Brosius erhob sich. Die Zigarre war erkaltet wie er selbst. Die kollegiale Freundlichkeit erfror in der eisigen Luft ärztlicher Konkurrenz. »Wenn ich einen schriftlichen Antrag erhalte. Fräulein von Putthausen ist freiwillig gekommen … sie kann auch wieder freiwillig gehen! Ich halte keinen bei mir!« Das klang spitz und verletzt. Dr. Lingen erhob sich ebenfalls.

»Mein Klinikwagen wird Fräulein von Putthausen in drei Stunden abholen. Bis dahin haben Sie die Vollmacht der Verwandten, Herr Professor.«

Eine knappe Verbeugung, eine Gegenverbeugung von Brosius, die Sekretärin Bänkel, begabt mit dem sechsten Sinn, riß die Tür auf, Dr. Lingen nickte ihr zu, mit dem Charme, der auf Frauen wie Höhensonne wirkt, die Tür klappte zu. Prof. Brosius war allein und sagte halblaut vor sich hin:

»So eine Frechheit! Dieser Lingen! Er ist gefährlich.«

Dann goß er sich noch einen Cognac ein und trank ihn langsam und genußvoll. Aber er schmeckte ihm nicht mehr. Es war ihm, als habe er eine der Verekelungspillen genommen, die man den Patienten in den ersten Tagen nach ihrer Einlieferung verabreicht.

Drei Stunden später hielt der Klinikwagen Dr. Lingens an der Aufnahme. Prof. Brosius wurde benachrichtigt. Die Verwandten Karins hatten noch keine Nachricht gegeben. Brosius winkte ab, als Sekretärin Bänkel auf diesen Umstand hinwies.

»Geben Sie die Patientin mit!« sagte Brosius unwillig. »Soll ich ein Theater machen, was? Lingen übernimmt die Verantwortung.«

»Aber wir müssen doch, Herr Professor …« Fräulein Bänkel pochte auf die Krankenakten. Brosius schlug mit der flachen Hand auf den Tisch.

»Ich bin Arzt und erst in zweiter Linie Beamter! Die Verwandten werden den Antrag nachreichen! Soll ich den Wagen wieder wegschicken? Keine Angst, Bänkel, Ihre Akten werden vollständig werden!«

Ein Aufatmen ging auch durch die Frauenstation. Die Stationsärztin und die Oberschwester trugen eigenhändig die Koffer zum Wagen und drückten Karin von Putthausen die Hände. Ein toller Mensch, dieser Lingen, dachten sie. Ein wahrer Kamerad! Er nimmt uns alle Sorgen ab. Keine Meldung an den Professor, keine hochnotpeinlichen Untersuchungen, keine Staatsanwaltschaft, kein Skandal … die Schwangerschaft der isolierten Patientin Karin wird die Landesheilanstalt nicht mehr belasten. Man darf schweigen. Man darf aufatmen.

Die Stationsärztin und die Oberschwester winkten Karin nach. Ihre Gesichter strahlten vor Erlösung.

Brosius stand am Fenster und sah den Wagen Dr. Lingens abfahren. Er war sich unschlüssig, ob er richtig gehandelt hatte. Traumatische Störungen, dachte er. Nie ist etwas von einem Unfall gesagt worden. Die Anamnese der Patientin war gründlich gewesen, er hatte sie selbst durchgeführt. Umwelteinflüsse, hatte er diagnostiziert. Aber ein Unfall …?

»Bitte die Krankengeschichte von Putthausen‹« rief er in die Sprechanlage zu Fräulein Bänkel.

»Die Krankengeschichte haben wir mitgegeben, Herr Professor«, antwortete die Sekretärin.

»Danke!« Brosius hieb den Schalter hoch.

Das ungute Gefühl blieb in ihm, warum, das wußte er nicht zu erklären. Es war nicht allein seine Aversion gegen Dr. Lingen, dem das Leben immer Glück geschenkt hatte und der nur in toten Sand zu greifen brauchte und ein Goldkorn hervorzog.

Diese Eile, diese Hast bei der Verlegung, dachte Brosius. Man sollte die Verwandten anrufen und sich erkundigen. Man kann es als Unkollegialität auffassen – ich nenne es Vorsicht.

Er griff, wenn auch zögernd, zum Telefon.

Karin von Putthausen erhielt ein Einzelzimmer, eine eigene junge Schwester, die wie alle Schwestern in der Lingen-Klinik in den Chef verliebt war, wodurch zum Erstaunen größerer und besser bezahlender Häuser die Privatklinik Dr. Lingen keinerlei Personalmangel hatte, sie bekam eine Injektion, damit sie einschlief und die Strapazen der Verlegung überwand.

Am Abend stand Dr. Lingen allein vor Karins Bett und sah die Schlafende nachdenklich an. Ich werde sie töten, sagte er sich. Alle anderen Möglichkeiten sind sinnlos ... ein künstlich eingeleiteter Abortus wäre eine halbe Sache, denn sie würde reden und erzählen und von der Stunde in der Laube des Anstaltsgartens berichten, so wie sie allen im Frauenhaus erzählt hatte, daß sie schwanger sei. Solange sie lebt, wird sie immer eine Gefahr bleiben ... eine Gefahr für den unaufhaltsamen Ruhm des Dr. Lingen, dessen Leben und Karriere mit diesem Mädchen zusammenbrechen würde.

Er nahm das Wasserglas, ging zum Kran des Waschbeckens, ließ Wasser hineinlaufen, kam zurück und holte aus der Tasche des weißen Kittels eine kleine braune Medizinflasche. Aus ihr schüttete er ein paar Tropfen einer wasserhellen Flüssigkeit in das Glas, rührte mit einem Glasstäbchen um und stellte das Glas auf den Nachttisch zurück. Darauf verließ er leise das Zimmer und zog die Tür lautlos hinter sich zu.

Sein Plan war einfach und genial zugleich, wie es bei Dr. Lingen nicht anders zu erwarten war. In einer halben Stunde kam die Nachtschwester. Sie maß noch einmal Fieber und gab der Kranken zur Vermeidung nächtlicher Unruhe zwei Sedativtabletten, die mit dem Wasser im Glas geschluckt wurden. Dem Wasser aber waren nun seit einer halben Stunde einige Tropfen radioaktiv aufgeladenen Wassers beigemengt. Dr. Lingen, mit radioaktiven Strahlen in seinem Labor experimentierend, um bestimmte Formen von Hirntumoren durch Strahlungen zu veröden, hatte eine kleine Menge Wasser bestrahlt und abgefüllt. Genossen als Getränk schuf es im Körper eine Strahlung, die langsam, aber sicher das Blut zersetzte und eine Leukämie erzeugte. Ein sicherer Tod. Ein legaler Tod. Ein perfekter Mord. Wem würde es einfallen, die Leiche mit einem Geigerzähler abzutasten?

Aber Karin hatte nicht geschlafen, als Dr. Lingen in ihrem Zimmer den Tod aus einer kleinen braunen Flasche träufelte. Unter den Wimpern weg beobachtete sie ihn. Sie hatte es nicht vorgehabt … sie hatte ihn überraschen wollen, mit einer Umarmung, mit einem Kuß, mit einer Darbietung ihres herrlichen Körpers, wenn er sich über sie gebeugt und in ihr Gesicht gesehen hätte. Er tat es nicht … er ließ einige Tropfen in ihr Wasserglas laufen und schlich sich hinaus.

Karin von Putthausen begriff plötzlich, was mit ihr geschah. Dieses Erkennen war so grausam, daß sie im Bett hochfuhr und beide Hände gegen den Mund preßte.

Er tötet mich … das war alles, was sie denken konnte. Immer nur: Er tötet mich … er liebte mich und tötet mich … er liebte mich und tötet mich … er liebte mich …

Einmal war das anders, da wollte sie sterben. Das war damals in Rimini. Franco hieß er. Franco Tellucci. Schwarze Locken, Hakennase, krause Wolle auf der Brust, Muskeln an den Armen, ein goldenes Medaillon zwischen den Brustwarzen, Bild einer Madonna, das er auch nicht abnahm, wenn er auf ihr lag, sondern er schleuderte es auf den Rücken, diesen herrlichen Rücken, auf dem die Muskeln wie Stränge aufquollen, wenn er liebte, und seine Haut, braun und glatt, sich mit heißem, herb riechendem Schweiß überzog. Zwei Wochen in Sonne und Sand, zwischen Felsen und auf dem schaukelnden Boden eines Ruderbootes, im Pinienhain und im Keller des Ristorante Dante, wo Franco als Laufbursche arbeitete. Zwei Wochen Wüstenwind über dem Körper, und dann sagte er: »Arrivederci, Bionda … du immer dasselbe! Isch liebe jetzt Babette. Die gibt fünfhundert Lire dafür …«

Das Herz zersplitterte. Wein her! Schweren Wein aus Ancona und Sizilien. Und Aperitifs! Und Schnaps! Eine Woche lang … am Morgen betrunken, am Abend, immer! Dazwischen Pausen, in denen man sich erbrach, sich die Galle auskotzte, der Magen bis zum Schlund zuckte … und dann wieder trinken, um zu vergessen, um sich zu betäuben, um die Lust abzutöten, die in den Lenden zuckte, Lenden, die gewohnt waren, sich unter zärtlichen streichelnden Fingern zu öffnen wie überfließende Schleusen. Und dann der Gedanke, einmal, ganz plötzlich, auf einer Klippe am Meer, unter sich das Rauschen der Brandung: Schluß jetzt! Sterben! Aufhören mit Trinken und Kotzen, mit zitterndem, ungestilltem Schoß, mit Sehnsucht nach Wärme. Hinab in die Tiefe. Aus! Ende! Ruhe!

Gott sei bei mir! Welche Lust, zu fliegen …

Im Hospital von Rimini wachte sie auf. Zerschunden, mit Prellungen und blauen Flecken. Aber lebend. Unverletzt. Und Durst. Brennendem Durst. Flammendem Durst. Durst, der die Eingeweide zerriß. Sie bestach einen Krankenpfleger, bekam Wein, süßen, klebrigen Likör, trank und trank und wurde nach einer Woche aus dem Krankenhaus geworfen, weil sie nackt durch die Gänge tanzte.

Das war vor einem Jahr. In den großen Ferien! Italia bella! Mach dir ein paar frohe Stunden, liebe einen Papagallo! Dolce vita – dolce morte – wie sich beides gleichen kann!

Aber jetzt war das vorbei. War Erinnerung, verblassendes Abenteuer. In ihrem Leib wuchs ein Kind. Das Kind Dr. Lingens. Und der Vater schlich sich ins Zimmer und goß Gift in das Glas. Sie starb nicht aus Lust am Sterben, wie damals auf den Klippen am Meer … sie sollte getötet werden. Ermordet! Von der Hand, die sie geküßt hatte, die ihren Schoß gefühlt hatte, die auf ihrer Haut Eindrücke hinterließ, an denen sie sich in den nächsten Tagen vor dem Spiegel weidete und erregte.

Er will mich töten …

Dieser Gedanke trieb sie. Nicht Angst war es, sondern Enttäuschung, Wehmut, Haß, Verzweiflung, Hoffnungslosigkeit.

Sie schüttete das Glas in das Waschbecken, füllte es neu, spülte es aus, immer und immer wieder. Dann legte sie sich hin, ließ sich das Fieber messen, den Puls fühlen, sprach wenig, nahm die beiden Schlaftabletten und sagte: »Gute Nacht, Schwester!«

Um drei Uhr morgens kletterte sie aus dem Fenster, katzenhaft, lautlos, sah unter sich ein Blumenbeet, sechs Meter tief, weiche Erde, die den Aufprall minderte. Nur sechs Meter … die Klippe war höher … sie sprang, zog die Beine an, landete in den Blumenrabatten, überkugelte sich, rollte auf die Wiese, aber sie war unverletzt und starrte noch im Liegen hinauf zu dem offenen Fenster, das ihr jetzt so hoch, so unendlich entfernt vorkam. Sechs Meter sind also wenig, dachte sie. Man überlebt sie, wenn man auf weiche Erde springt. Gute Erde! Mutter Erde! Geschichtsunterricht, germanische Götter, die Mutter der Welt. Erda heißt sie.

Sie kroch über die Wiese wie eine Schlange, bis sie am Rand der Straße lag, eine Privatstraße, die durch einen kleinen Wald zur Chaussee führte. Da sprang sie auf und lief und lief ... wie ein gelernter, gut ausgebildeter Infanterist im Manöver ... von Baum zu Baum ... Deckung, Leute, Deckung! Bauch 'rein, Arsch 'rein, beide Teile braucht man zum Leben! ... Der Weg steigt an ... die Lichter der Chaussee ... der Neonglanz der Freiheit ... die Leuchtstoffröhrenfackel des Weiterlebens ... mit einem Kind im Leib ... und Durst, wieder Durst, wie damals, wie immer ... Sehnsucht nach dem brennenden Trank, der Sekunden später durch das Blut flutet und die Welt verändert. Durst ...

Erst um sieben Uhr morgens, bei der morgendlichen Verteilung der Fieberthermometer, wurde das leere Zimmer Karin von Putthausens bemerkt.

Der Alarm riß Dr. Lingen aus dem Bett. Seine Frau Brigitte starrte ihn entsetzt und voll Unverständnis an, als er mit einem dumpfen Aufschrei aus dem Zimmer jagte.

»Konrad!« rief sie. »Was ist denn? Mein Gott, du bist ja wie von Sinnen! Kann ich dir helfen?«

»Nein!«

Dr. Lingen kam zurück ins Schlafzimmer. Er lehnte am Türrahmen, Schweiß rann ihm über das Gesicht. Er starrte seine Frau an, lange, stumm, bis sie aus dem Bett stieg und in ihrem kurzen, dünnen Schlafanzug auf ihn zukam, eine schöne, reife Frau mit hochgesteckten kupferbraunen Haaren.

»Konrad!« stammelte sie. »Was ist denn? So sag doch etwas ... Lieber ...«

»Liebst du mich?« fragte er dumpf. Sie zuckte zusammen und legte die Hände über ihre durch den dünnen Stoff sichtbaren Brüste, als schäme sie sich plötzlich vor seinem Blick nach langjähriger Ehe.

»Konrad, du bist krank ... ich sehe es ... du bist ganz weiß im Gesicht ...« flüsterte sie entsetzt.

»Du mußt mich immer lieben, Gitte«, sagte er hohl. »Das ist keine leere Rede! Ich werde Liebe brauchen ... viel Liebe ...«

Dann wandte er sich ab und rannte aus dem Zimmer. Im Ankleideraum schloß er sich ein, kam angezogen und mit einem kleinen Koffer aus Krokodilleder wieder heraus und schwankte etwas. Zum erstenmal roch Brigitte aus seinem Mund starken Alkoholdunst, bemerkte sie einen starren, glänzenden Blick an ihm, eine gelblich-weiße Hautfarbe.

»Du ... du verreist, Konrad?« rief sie. Es klang, als schreie sie um Hilfe. Dr. Lingen drückte den Koffer an die Brust.

»In die Hölle! Gitte! In die Hölle!« sagte er laut. »Komm nicht nach, du kennst den Weg nicht. Er führt über einen Regenbogen aus Feuer, und der Bogen beginnt in unserer Seele. Hinein ins Teuflische!«

Es war das letzte, was Brigitte von ihrem Mann hörte. Von dem Hirnchirurgen, Dozenten und medizinischen Sachverständigen Dr. Konrad Lingen, dem Mann, den man beneiden durfte, denn er hatte alles, was das Leben zu bieten vermochte.

Nur nicht sich selbst. Sein eigenes Ich fand er nie.

Mit den Fingerspitzen begann es, mit dem Gefühl, das ein Chirurg gerade an dieser Stelle braucht. Er verlor es, und mit ihm sich selbst.

Soll man sagen: Manchmal ist das Leben nur eine Fingerspitze?

Dumm klingt das, nicht wahr? Aber die Dummheit ist ein Hauptbestandteil des Lebens ...

Es gibt Kreisläufe, die zwingend sind. Der Blutkreislauf etwa, oder der Kreislauf der Erde um die Sonne, oder das Kreisen der Elektronen um den Atomkern.

Der Kreislauf Dr. Lingens hieß Pfarrer Merckel.

Er schellte gegen acht Uhr an der Tür des Pfarrhauses von St. Christophorus und erfuhr von der empörten Haushälterin, daß der Herr Pfarrer noch im Schlaf liege, da er heute erst um zehn Uhr die Beichte abnehmen wollte und zwei Vikare den morgendlichen Kirchendienst verrichteten.

»Holen Sie ihn aus den Federn!« befahl Dr. Lingen und drängte sich an der Haushälterin vorbei in den pfarramtlichen Flur. »Er soll nicht schlafen, während seine Umwelt zugrunde geht!«

Die Haushälterin hob schnuppernd die Nase und sah Dr. Lingen empört an. »Sie riechen nach Schnaps, Herr Doktor!«

»Irrtum! Es ist der Lustgeruch der Satyre, wenn sie die Nymphen jagen ...«

»Warten Sie!« Die Haushälterin verkrampfte die Finger in ihre Schürze und begab sich auf den Weg, Pfarrer Merckel zu wecken. Das war eine schwere Aufgabe, denn für Merckel war es gestern spät geworden, er hatte seine Sonntagspredigt ausgearbeitet und sich Kraft im Alkohol geholt. Über bestimmte Sätze kam er ohne tiefe Schlucke nicht hinweg, wie etwa: »Wir sind alle Brüder in Christo!« oder »Das Reich Gottes ist uns gewiß« oder gar »Gott ist die Liebe!« Dann dachte er, und der Griff zur Flasche mußte ihn trösten: Fünfundfünfzig Millionen Tote waren es im letzten Krieg, zweieinhalb Milliarden werden es im nächsten sein. Kann man sich das vorstellen? Wieviel Nullen sind es? Bitte: 2 500 000 000. Und jede Null ist ein Mensch, der sterben wird durch die Nullen, die sie regieren. Aber: Gott ist die Liebe!

Schnaps her, mein Gott – sonst habe ich nicht die Kraft, mich mit dir zu unterhalten!

Wie lang ist da eine Nacht! Und wie lang ist eine Predigt, die am Sonntag nur dreißig Minuten dauern wird.

Pfarrer Merckel reagierte auf das Klopfen seiner Haushälterin mit einem Knurren, Brummen, Stöhnen und einem unchristlichen Ruf: »Ruhe, du Hexe!« Aber als er, durch Nebel und Hirnzucken, den Namen Dr. Lingen wahrnahm, sprang er aus dem Bett, hustete, taumelte zum Waschbecken und steckte den Kopf unter den kalten Wasserstrahl. »Sofort!« prustete er, nahm einen Mund voll Wasser, spuckte es mit einer Grimasse aus und griff nach einer Dose mit Mentholbonbons. Vier Stück steckte er in den Mund, zerbiß sie mit seinen mächtigen Kinnladen und hauchte gegen die hohle Hand, ob noch ein Lüftchen von Alkohol zu riechen war. Es roch nach Menthol, was ihn sehr befriedigte.

Dann zog er sich an, kämmte seine weißen Haare, betrachtete seinen urigen Schädel im Spiegel, unterdrückte das selbstverständliche Durstgefühl und öffnete die Tür. Vorher aber riß er noch die Fenster auf und ließ den Morgenwind hereinblasen, um die nächtliche Geruchsansammlung nicht seiner Haushälterin zuzumuten.

Dr. Lingen wartete im Arbeitszimmer und betrachtete eingehend den geschnitzten eichenen Gebetsstuhl vor der Madonna mit dem Ewigen Licht. Er drehte den Kopf kurz nach hinten, als Pfarrer Merckel hereinstampfte, und wies auf das Prachtstück der Bibliothek.

»Schön alt …«

»Dreihundert Jahre. Aus dem Kloster St. Antonius in Oberkärnten. Ein Nonnenkloster. Handgeschnitzt. Einmal soll an ihm beim Gebet ein durchreisender Abt einen Schlag bekommen haben.« Pfarrer Merckel schlug die Tür zu, im Flur stand die Haushälterin und lauschte. »Soll ich Ihnen noch mehr von Oberkärnten erzählen, Doktor? Sie sind sicherlich aus Wissensdurst zu mir gekommen?«

Dr. Lingen hob die Schultern und drehte sich langsam um. Merckel erkannte an den wässerigen Augen, wie es um seinen Besucher stand.

»Sie ist weg!« sagte Lingen dumpf.

»Wer?«

»Das Mädchen aus der Heilanstalt. Sie wissen ...«

»Ach, die Sie –«

»Ja! Ich habe sie gestern zu mir genommen in meine Klinik. Es mußte sein, sie redete zu allen darüber. Gestern abend habe ich den ersten Schritt zu ihrer Tötung getan ... ich habe ihr radioaktiv bestrahltes Wasser gegeben. Das erzeugt Leukämie ...«

»Raffiniert, Doktor!« Pfarrer Merckel setzte sich schwer. Mein Kopf, dachte er. Er platzt. Gleich gibt es einen Knall, und er ist explodiert.

»In der Nacht ist sie weg! Man hat es heute morgen um sieben entdeckt.«

»Die Radioaktivität!« sagte Merckel sarkastisch. »Vielleicht ist sie zur Rakete geworden!«

»Lassen Sie die Witze, Herr Pfarrer!« Dr. Lingen stützte den Kopf in beide Hände. »Sie wissen, was das bedeutet?«

»Ja.«

»Mein Ende als Arzt und Mensch.«

»Als Mensch waren Sie schon am Ende, Lingen! Arzt blieben Sie nur durch den Alkohol! Ich weiß nicht, wem Sie nachtrauern.« Merckel stand auf und trottete zum Schrank, ein breiter, etwas nach vorn gebeugter Bär mit weißen, wallenden Haaren. Er schloß ein Fach der Bibliothek auf und schob drei Flaschen auf den Tisch. »Beruhigen wir uns erst einmal, Doktor Lingen. Nehmen wir unseren Tröster an die Brust. Fangen wir mit einem Klaren an?«

Dr. Lingen nickte. »Ich bin weg«, sagte er.

»Was heißt das?«

»Draußen steht mein Koffer.«

»Sie flüchten?«

»Ja.«

»Wohin?«

»Irgendwohin! Ich weiß es noch nicht.« Dr. Lingen hob beide Hände, als Merckel etwas entgegnen wollte. »Nein, sagen Sie jetzt nicht, das wäre eine billige Flucht. Feigheit! Schwachheit!

Lumperei! Ein Schlappschwanz, dieser Lingen! O nein – aber bedenken Sie, welcher Skandal sich da zusammenbraut. Ich, der Arzt und Sachverständige, habe die Notlage einer Delirium-tremens-Patientin ausgenutzt, sie zu meiner Geliebten gemacht und geschwängert! Wenn das kein Skandal ist!«

»Er bleibt es, ob Sie weglaufen oder bleiben.«

»Aber wenn ich weglaufe, erlebe ich ihn nicht mehr. Ich stehe nicht mitten drin, ich sehe ihn am Rande, als Zuschauer, als anonymer Besucher einer Arena, in der man einen Doktor Lingen zerfleischt.« Er griff nach dem Glas, das ihm Merckel hinschob, und trank wie ein Verdurstender, mit geschlossenen Augen, mit zuckenden Lippen, mit hüpfendem Adamsapfel. Dann seufzte er zufrieden und hielt das Glas von sich ab. »Sie wissen doch, Herr Pfarrer, wir Trinker sind elende Feiglinge. Stark sind wir nur im Exzeß. Dem Leben gegenüber sind wir winselnde Hunde, die in langer Reihe anstehen, um auch einmal das Bein an einem Baum zu heben. Auch ich bin ein Feigling, ich war es immer! Was man bisher von dem Doktor Lingen kennt, ist die Potemkinsche Fassade seines Lebens, ist der Daseinskarneval, ohne den man in der Gesellschaft als fade und abgestanden gilt. Im Grund bin ich ein elender Mensch.«

»Bitte, keine Selbstbemitleidung!« Merckel trank der Einfachheit halber gleich aus der Flasche. »Sie sind ein Genie.«

»Wenn ich gesoffen habe!«

»Ihre Operationen sind phantastisch.«

»Sie sind ein Wunder. Ich stehe nach diesen Stunden im OP vor dem Spiegel und starre mich selbst an und frage mein Spiegelbild: Konrad, woher kannst du das? Und da es darauf keine Antwort gibt, trinke ich weiter.« Dr. Lingen nahm Pfarrer Merckel die Flasche aus der Hand und goß sein Glas erneut voll. »Aber Sie, Pfarrer. Warum trinken Sie? Sie stehen unter der segnenden Hand Gottes, Sie bekommen Kraft aus seinen Worten – so wenigstens predigen Sie es ja den anderen! Sie stehen mit den Beinen auf der sündigen Erde und mit dem Kopf im Himmelreich! Sie haben gar keinen Grund, zu trinken.«

Pfarrer Merckel schwieg. Er tappte zu seinem klösterlichen Betstuhl, kniete nieder und faltete die Hände. Dr. Lingen erhob sich schwankend und hielt sich am Tisch fest.

»Himmel noch mal, wollen Sie jetzt beten?«

»Ich will Ihre Frage beantworten, Doktor.« Die tiefe Stimme Merckels bebte, als habe er einen schnellen Lauf hinter sich.

»Dabei muß ich die Mutter Gottes ansehen, muß die Hände falten, muß beten. Ich rufe um Verständnis, ich flehe um Vergebung, ich bettele um eine Antwort … verstehen Sie das? Zwei Weltkriege habe ich mitgemacht … den ersten als junger Vikar, bei Langemarck, wo wir Schlachtvieh wurden, bei Verdun, wo wir ahnten, wie die Hölle aussehen mußte. Und dann der zweite Krieg … Rußland, als Divisionspfarrer in den Sümpfen, an der Rollbahn, am Rande des Einschließungsringes von Stalingrad. Einmal bin ich eingeflogen in den Kessel … Mitte Dezember. In Gumrak lagen die Sterbenden wie weggeworfene, faulende Kohlköpfe, in den Kellern moderten die Verwundeten, auf der Straße nach Pitomnik pflasterten ihre Leichen den Weg. Und ich stand dazwischen, sollte das Kreuz heben und sagen: ›Kinder Gottes,der Herr ist bei euch! Er liebt euch, denn so steht es geschrieben: Wen der Herr liebt, den züchtigt er!‹ Das ist doch Wahnsinn! Wahnsinn!! Was habe ich getan? Ich bin herumgegangen. Ich habe neben den steifgefrorenen Leichen in den Güterwaggons von Gumrak gesessen, ich habe in den Kellern Stalingrads gehockt und die Augen zugedrückt, wortlos oder zu den Sterbenden sprechend: ›Ja, mein Junge, ich bin ein Priester, du wirst in den Himmel kommen, das ist gewiß, das ist das mindeste, was du verlangen kannst von Gott! Jawohl, verlangen! Du hast jetzt eine Forderung an Gott. Lös sie ein, hörst du, leg ihm deinen Beinstumpf vor, deinen aufgerissenen Leib, dein halbiertes Gesicht, deine hervorquellenden Därme, deine zerfetzte Lunge, deine weggeschossenen Hände. Das sind Einlaßscheine ins Paradies, mein Junge. Darum schweigt Gott jetzt, weil du schon die Fahrkarte in die Seligkeit hast …‹

Das habe ich gesagt, ich war ein merkwürdiger Priester, aber ich konnte nicht lügen. Ich flog wieder aus dem Kessel aus, ich wartete auf ein Zeichen Gottes, auf Erbarmen, auf ein Wunder! Ich warte heute noch darauf … und was sehe ich? Aus dem Blut der fünfundfünfzig Millionen Toten des letzten Krieges wurde die Arroganz des Konjunkturwohlstandes, aus den Leiden der Menschheit lernte der Mensch nichts anderes, als daß es das höchste sei, zu fressen, zu saufen, zu huren! Sie gehen in keine Kirche, Doktor Lingen, aber machen Sie sich den sonntäglichen Spaß und besuchen Sie eine Messe! Wer sitzt darin? Die alten Weiblein, die Geschäftsleute, die gesehen werden wollen, denn ein guter Christ ist immer noch die beste Reklame, die Frauen der Wohlstandsgesellschaft, die Kirchgang mit Modenschau verwechseln, die Jugend, die sich hinten im Chor zusammendrängt und sich verabredet für den Nachmittag, wo sie dann mit ihren steilen Zähnen in den Büschen liegen! Wo man hinsieht: Heuchelei, Theater, Pharisäertum! Und ich stehe da auf der Kanzel und muß predigen ... von der Liebe Gottes, von den Zehn Geboten, die täglich hundertmal gebrochen werden, denn wer kümmert sich noch darum: ›Du sollst nicht ehebrechen‹ oder ›Du sollst nicht töten‹ oder sage einem Politiker gar ›Du sollst kein falsches Zeugnis geben wider deinen Nächsten!‹ – Er würde pleite gehen! Aber ich *muß* es, ich muß dort stehen auf der Kanzel oder vor dem Altar, muß mir diese Verlogenheit ansehen, die da vor mir kniet und Gott nur auf den Lippen, aber nicht mehr im Herzen trägt, und ich muß ihnen vorsingen: Misereatur vestri omnipotens Deus, et dimissis peccatis vestris, perducat vos ad vitam aeternam. Amen! – Und ich weiß genau, daß dort Lüge und Trug hockt, die ich als Glauben in Gottes Hände empfehle! Himmel noch mal ... was bleibt mir anderes übrig, als zu saufen? Wo soll ich sonst die Stärke hernehmen, vor dem Altar zu stehen? Langemarck, Verdun, Stalingrad, Hiroshima ... aber: Lobpreiset den Herrn! Da hilft nur die Flasche, mein Freund, da muß ich den brennenden Saft in den Därmen, den Adern, in den Hirnwindungen und den Nerven spüren, um der starke Pfarrer von St. Christophorus zu bleiben! – Prost!«

Er nahm Dr. Lingen die Flasche wieder weg, er riß sie fast aus dessen Hände, setzte sie an die wulstigen Lippen und trank wie ein Bär im Zirkus die Milchflasche. Nur der Applaus der Masse blieb aus.

Dr. Lingen erhob sich wieder, nachdem er bei der Philippika Merckels auf den Stuhl gesunken war.

»Wir sind uns einig, Pfarrer!« sagte er mit rauher Stimme. »Ich bin nur gekommen, um mich zu verabschieden. Wo werden wir uns wiedersehen? Im Himmel oder in der Hölle?«

»Zwischen beiden, im Niemandsland. Dort gehören wir hin!« Pfarrer Merckel lehnte sich gegen seinen geschnitzten Betstuhl. »Wo wollen Sie denn hin?«

»Sie sagten es! Ins Niemandsland. Ich bin so jämmerlich, vor der Verantwortung zu fliehen.« Er streckte die Hand weit aus. »Ich danke Ihnen, Herr Pfarrer.«

»Wofür?«

»Für die Predigt! Ich war gekommen, um zu fragen, ob ich Schluß machen soll. Sie aber haben mir gezeigt, daß es sich lohnt, weiterzuleben. Fangen wir wieder an. Man wird auch in der Gosse gebraucht ...«

»Halt! Bleiben Sie, Doktor!« schrie Pfarrer Merckel. Aber Dr. Lingen hatte das Zimmer bereits verlassen. Merckel stolperte ihm nach, erreichte die Tür, als sie gerade zuklappte, und brüllte gegen das dicke Eichenholz: »Hierbleiben!«

Die Haushälterin stürzte aus der Küche. »Herr Pfarrer«, stotterte sie. »Was ist denn? Mein Gott, wie sehen Sie denn aus? Sie riechen ja nach Schnaps!« Sie schlug die Hände zusammen und starrte gegen die Haustür. »Hat dieser schreckliche Mensch Sie verführt, Herr Pfarrer ...?«

Merckel lehnte sich gegen die Tür und schluckte ein paarmal wie ein auf Land geworfener Fisch. Dann strich er sich die weißen Haare aus dem verquollenen Gesicht und leckte sich über die Lippen.

»So etwas!« rief die Haushälterin. »So ein verantwortungsloser Mensch. Und er wußte, daß Sie gleich zur Beichte müssen.«

»Gleich?«

»In einer halben Stunde, Herr Pfarrer.«

»Es ist gut!« Pfarrer Merckel tappte in sein Arbeitszimmer zurück. Hinter sich schloß er ab und trank die Flasche leer als stilles Gedenken für Dr. Lingen.

Beichte, dachte er und faltete die Hände über dem Bauch. Im Beichtstuhl sitze ich allein und im Dunkeln.

Und angelogen werde ich sowieso ...

Nach dem Besuch von Frau und Kindern war in Peter Kaul so etwas wie eine stille Zufriedenheit mit seinem Schicksal eingezogen. Noch dreimal überfiel ihn die unbändige Lust nach Alkohol, spürte er das Brennen in den Eingeweiden, zitterten seine Hände wie im Schüttelfrost, wackelte sein Kopf, als säße er auf einem Spiralhals, würgte er Gallensaft aus sich heraus und hatte den Drang, für ein Glas Bier oder Schnaps jemanden töten zu können. Dann kam Judo-Fritze ohne viele Worte, legte ihn auf den Bauch, gab ihm eine Injektion, »intrapopolär« wie er sie nannte, reichte ihm ein Wasserglas mit einer Flüssigkeit, in die Äther gemischt war, worauf Kaul ein Ekelgefühl bekam, sich krümmte vor Übelkeit und sich so lange erbrach, bis er das Gefühl hatte, den Magen bis zur Mundhöhle hinaufgesaugt zu haben.

Im übrigen arbeitete er weiter auf dem Bau Judo-Fritzes, legte die Leitungen für Licht und Ölheizung, Waschmaschine und

Tiefkühltruhe, lernte die Frau von Judo-Fritze kennen und erfuhr so, daß Fritze mit Nachnamen Kellermann hieß und seine Frau Lucie, ein kleines, zierliches, kapriziöses Ding, das neben dem Riesen Fritz wie der blühende Ableger einer Kaktee aussah. »Wie jefällt se dir?« fragte Fritze, und Kaul antwortete: »Man kann nur gratulieren!« Und Fritze strahlte: »Bei ihr bin ich klein und mickrig wie 'n überwinterter Primelpott! Die bringt mich um 'n Verstand, das Weib! Im Bett … Junge, Junge! War früher Bardame, die Lucie. Komisch, was! Bardame und Irrenpfleger, die Welt ist 'n Karussell! Ich weiß bis heute nich, was se an mir gefressen hat!« Und auch Kaul wußte es nicht, denn Lucie Kellermann war auch zu ihm freundlich, kam ihm einmal in den Keller nach, strich ihm über den Rücken und die Hüften, seufzte und sagte mit einer Stimme in Moll:

»Sind Sie wirklich ein Säufer, mein Lieber?«

»Ja!« hatte Kaul geantwortet. »Und geschlechtskrank dazu.«

»Schade …« Und Lucie Kellermann war wieder gegangen. Lange hatte Kaul daraufhin im Keller gestanden und an Susanne gedacht. Ob sie auch so war? Ob sie auch dem Gasmann über die Hüften strich oder dem Nähmaschinenvertreter die Brust kraulte? Waren alle Frauen so? Nein. Susanne nicht. Er hatte einen Engel geheiratet. Wahrlich, sie war viel zu gut für ihn. Aber war er anders? Hatte er nicht Lucie Kellermann mit einer erfundenen Lues abgeschreckt? Wer hätte das sonst getan an seiner Stelle? Lucie war süß und wohlgeformt. Wenn ein Apfel vom Baum fällt, fängt man ihn auf. Aber er hatte nein gesagt. War er auch ein Engel?

Peter Kaul meldete sich nach diesem Vorfall krank und unterbrach seine Bautätigkeit. Er klagte über Kopfschmerzen, legte sich ins Bett und schrieb an seine Frau. »Liebste Susi, mein Traum in allen Nächten«, so begann er. Dann warf er Papier und Kugelschreiber weg, schloß die Augen und sprach sich gütig zu.

Ein halbes Jahr, mein Lieber, dann ist alles überwunden. Dann wirst du arbeiten wie ein Roboter. Du wirst deine Familie aus dem Dreck ziehen. Susanne soll glücklich werden, und die Kinder sollen ihren Vater lieben und ehren. Nicht einen Tropfen Alkohol wirst du wieder trinken!

An einem Samstag stand er in der Aufnahmehalle und reparierte einen Schalter, als zwei Wagen vorfuhren und einige nach der neuesten Mode gekleidete Herren ausstiegen. Prof. Brosius, der anscheinend auf diesen Besuch gewartet hatte, kam in die Halle, was bewies, wie wichtig die Herren waren.

Wieder öffnete sich die Wagentür. Auf den gekachelten Boden sprang ein Mann in der wallenden Toga der Römer. Ein goldener Eichenkranz lag auf seinen blonden Haaren. Würdevoll schritt er auf Kaul zu, ehe die anderen es verhindern konnten, und hob die Hand zum alten römischen Gruß.

»Bist du es, Cassius?« fragte der Kostümierte. »O wehe dir, dein Dolch war stumpf! Du mußt zu Meier und Co. gehen! Messerschleifen einsfünfzig! Aber vergiß die Spitze nicht. Sie kitzelt so süß an den Rippen ...«

Peter Kaul nickte hilflos. Der Römer tippte mit den Fingerspitzen auf den Schraubenzieher, den Kaul wie schützend vor sich hielt. Dann wandte er sich brüsk ab, breitete die Arme nach Brosius aus und rief: »Großer Marc Anton! Vergiß deine Rede nicht! Aber sorge dafür, daß Cassius zu Meier und Co. geht!«

Dann wurde er von den anderen Herren in die Mitte genommen und weggeführt.

»Das war der große Schauspieler Hendrik Kayser«, erklärte Judo-Fritze später. »Kommt jedes Jahr auf sechs Wochen zur Entziehung zu uns. Nach jeder großen Rolle ist er so total die Gestalt, die er spielt, daß wir ihn erst mühsam zurückverwandeln müssen. Einmal war er Napoleon, dann König Lear – das war 'n Theater, Peter! –, vorher kam er als Faust und dann als Wilhelm Tell. Da wollte er jede Stunde einen Apfel vom Kopf des Professors schießen und tobte, wenn Brosius es nicht wollte. Jetzt ist er Cäsar. Brosius studiert schon die ganze Weltliteratur, ob es nicht eine Hauptrolle als Adam gibt.« Judo-Fritze lachte dröhnend. »Das ist 'n echter Trinker! Der studiert alle Rollen im Suff und identifiziert sich dann mit ihnen.«

Der Skandal, den Dr. Lingen ausgelöst hatte, wurde nur unter der Hand in den eingeweihten Kreisen bekannt. Prof. Brosius sorgte dafür, daß die Presse nichts davon erfuhr und lediglich für Karin von Putthausen ein Fahndungsersuchen der Polizei an die Bevölkerung weitergegeben wurde. Darin wurde Karin als gemütskrank erklärt, als eine arme Kranke, die man sofort abliefern möchte. Anders war es mit Dr. Lingen – hier entwickelte Brosius mit innerer Wonne eine Ausstreuung von Gerüchten, die ihn von einer neuen, hochbegabten Seite zeigte: als Diplomat. Er dementierte alle geflüsterten Ungeheuerlichkeiten mit dem Satz: »Doktor Lingen, mein lieber Freund, war überarbeitet. Er kam in eine nervliche Krise. Weiter nichts!« Und auf die Frage: »Und das Kind, das die Patientin ...«, sagte er, weise lächelnd: »Ich bitte Sie ... trauen Sie das dem Kollegen Lingen zu?« Da man das tat, blühte der Klatsch wie Mohn im Kornfeld. Brigitte Lingen verschloß sich in ihrer Villa, wurde dreimal von Beamten der Kriminalpolizei verhört, was auch bekannt wurde, denn Brosius' laute Anteilnahme: »Die arme Frau. Immer die Polizei im Haus!« flog durch die Gesellschaft wie ein Hut im Taifun, überhaupt war es für Brosius eine Genugtuung, daß ehrbares Preußentum Sieger blieb über dandyhafte Eleganz, was wieder einmal bewies, wie stark die Wurzeln der Tradition sind, auf der Erde, zu Wasser und in der Luft und vor allem auf dem Rücken der Pferde!

Von Dr. Lingen aber gab es keine Spur, ebensowenig wie von Karin von Putthausen. Sie blieben verschollen im Dschungel der Großstadt. Treibholz auf dem Meer ihrer Süchte.

Pfarrer Merckel, der große, bullige, weißhaarige Recke Gottes, der allseits geehrte und beliebte Hirte von St. Christophorus, war nach dem Verschwinden Dr. Lingens zu Susanne Kaul gekommen und hatte sich zwei Spiegeleier braten lassen. Susanne wollte es so. Sie hatte nichts, womit sie den geistlichen Herrn erfreuen und ihm ihre Dankbarkeit beweisen konnte. Eine Flasche Bier, die sie zögernd aus dem Eisschrank holte, lehnte Pfarrer Merckel ab. Susanne nickte betroffen.

»Verzeihung, Herr Pfarrer. Ich weiß, Sie trinken ja nicht.«

»Ab und zu, meine Tochter. Ein Glas zur Freude, zur Erbauung, zur Feier ist niemandem verwehrt.« Merckel setzte sich mit dem Rücken zu der auf dem Tisch stehenden Bierflasche, um sie nicht ansehen zu müssen und die Qualen eines Regenwurms in der Sonne zu erleiden. »Ich bin gekommen«, sagte er, »um Gundula zu helfen.«

»Gundula?« Susanne blickte schnell hinüber zu dem Rollenbettchen. »Ist ihr denn noch zu helfen?«

»Aber ja. Ich habe alles interessiert und mobilgemacht, was Geld geben kann. Die Caritas, unseren Krankenfonds, die Hilfe für Gebrechliche, die Wohlfahrtsorganisationen – nun ist es soweit. Wir könnten Gundula in ein Heim tun.«

»In ... in ein Heim?« Susanne schüttelte langsam den Kopf. »Ist es nicht genug, wenn einer unserer Familie schon fortgeschafft wurde?«

»Gundula soll in eine Spezialklinik kommen.«

»Ich gebe sie nicht her!«

»Es gibt heute Methoden, auch Kinder wie Gundula nicht zu heilen, das könnte nur ein Wunder Gottes, sondern zu bessern.«

Susanne atmete tief auf. »Sie sind ein guter Mensch, Herr Pfarrer«, sagte sie, und Merckel senkte den bulligen Kopf. Es sah aus, als weiche er einem Lob aus, in Wahrheit schämte er sich. »Ich weiß, Sie wollen nur das Beste für uns alle. Besser aber als alles andere wäre es, wenn Sie Peter wieder nach Hause bringen würden. Wir brauchen ihn ... nicht ich, Herr Pfarrer, wir, die Kinder brauchen ihn. Er ist doch nicht schlecht, er war nur verzweifelt, weiter nichts.« Sie zerknüllte die Schürze, die sie über dem Kleid trug, und nagte an der Unterlippe. »Eigentlich bin ich an allem schuld. Ich bin zu Ihnen gelaufen, Herr Pfarrer ... und dann kam alles so plötzlich. Das mit Gundula, Peters Verzweiflung, das Inswassergehen, die Polizei, sie ist ja nur gekommen, weil Peter in der Ruhr ...« Sie weinte plötzlich und setzte sich auf den Stuhl neben dem Herd. »Es war ja alles gar nicht so schlimm ... wir wären auch so weitergekommen, niemand hätte Peter abgeholt, wenn ich nicht versagt hätte. Aber damals konnte ich nicht mehr. Es war einfach Schluß in mir. Jetzt tut es mir leid. Ich kann die Kinder zu Bekannten geben, ich könnte mitarbeiten, halbtags, im Büro oder im Lager oder als Putzfrau ... wenn nur Peter wieder hier wäre. Wir schaffen es, Herr Pfarrer, wenn wir zusammen anpacken. Glauben Sie es mir, Herr Pfarrer!« Und plötzlich hatte sie eine Idee, ihr Kopf flog hoch, ihre blauen Augen sahen Merckel flehend und doch triumphierend an. »Herr Pfarrer«, sagte sie. »Ich gebe Gundula in die Klinik, wenn Sie mir Peter wiederbringen ...«

»Wenn das so einfach wäre. Er ist auf richterliche Verfügung eingewiesen.«

»Dann überzeugen Sie den Richter, Herr Pfarrer!« Susanne sprang auf und griff nach den Händen Merckels. »Ich weiß es, ich verspreche es Ihnen – wir werden eine glückliche Familie.«

»Und Hubert Bollanz?« fragte Merckel.

»Bollanz? Wer ist denn das?«

»Sie kennen ihn nicht?«

»Nein. Doch ja. Da war vor wenigen Wochen ein Mann hier. Der hieß so. Er wollte Peter sprechen. Aber da war er gerade eingeliefert worden. Er ging sofort wieder und bestellte einen Gruß. O Gott, den habe ich ganz vergessen auszurichten.«

»Danken Sie Gott für diese Vergeßlichkeit.« Pfarrer Merckel drehte sich um, griff zu der Flasche Bier und zog sie zu sich heran.

Ich bin nicht Jesus, der sagen konnte: Hebe dich hinweg, Satan! dachte er. Ich habe Durst.

Susanne holte ein Bierglas, fast verzückt sah Merckel, wie der goldene Gerstensaft ins Glas rauschte, wie sich der Schaum wölbte, wie die Pilsblume stehenblieb, eine leise knisternde Haube über ausgegorener Köstlichkeit.

»Ihr Mann hat nie über diesen Bollanz gesprochen?« fragte er nach dem ersten Schluck, der wie ein kühlender Umschlag für einen Fiebernden war.

»Nein. Nie. Was ist mit diesem Mann?«

»Hören Sie mir genau zu, meine Tochter.« Merckel strich sich über die Augen. »Gott muß mir verzeihen, wenn ich eine Beichte weitergebe. Nein, starren Sie mich nicht so an, ich weiß, daß ich eine Ausnahme unter den Dienern Gottes bin. Aber glauben Sie mir – ich bin einer seiner treuesten. Ich weiß, daß Peter Kaul nur geheilt werden kann durch Sie!«

»Durch mich ...« stammelte Susanne Kaul.

»Ihr Mann ertränkte im Alkohol ein Geheimnis. Es ist so klein und hat eine so große Wirkung. Er fühlt sich schuldig ... wenn Sie alles wissen, werden Sie diese Schuld von ihm nehmen können. Nur Sie allein ... denn jede andere Therapie ist nur ein Abdämpfen. Heilen allein kann nur die Liebe ...«

Und Pfarrer Merckel begann die Geschichte zu erzählen. Die Tragik vom Tod des Johann Milbach, Vater von fünf Kindern, der an eine elektrische Leitung kam, die Peter Kaul über die Mittagspause hinweg nicht isoliert hatte.

7

Frida Milbach dachte, es sei der Briefträger, als es gegen zehn Uhr vormittags an ihrer Tür schellte. Um so verwunderter war sie, als sie eine Frau im Treppenhaus stehen sah, die zu ihr sagte: »Könnte ich Sie sprechen, Frau Milbach? Nur ganz kurz ...«

Frida Milbach schüttelte den Kopf und musterte die fremde Frau. Schon wieder eine Vertreterin für Waschmittel oder Korsetts oder reine Pflanzenmargarine. Oder Werbung für ein Jahresabonnement »Das Reich der Hausfrau«, mit wöchentlichen Tips: Wie verwöhne ich meinen Mann? – Die kluge Frau macht sich hübsch für den Ehegatten! – Sein Leibgericht – Ihr Glück! – Auch in der Ehe hört die Verführung nicht auf!

Frau Milbach seufzte. »Ich habe alles«, sagte sie und steckte den Kopf durch den Türspalt. »Ich brauche nichts, ich bin Witwe und habe kein Geld dafür ...«

Das Wort Witwe ließ Susanne Kaul zusammenzucken. Witwe durch Peters Schuld, dachte sie, und es wurde in ihr kalt, als stehe sie in einem eisigen Wind. Er hat ein Kabel nicht isoliert, und Johann Milbach ist darangekommen. Nun ist sie Witwe, mit fünf unmündigen Kindern.

»Darum geht es ja«, sagte sie stockend. »Darum will ich Sie sprechen.«

»Wegen der Witwe?« Frida Milbachs Gesicht wurde kantig und hart. Die letzte Freundlichkeit wich aus ihm. »Ich bin in einer Versicherung! Ich habe, als mein Mann starb, so viele Angebote bekommen, daß ich Millionär sein müßte, um all die Prämien zu bezahlen! Und nun kommen Sie auch noch! Wie die Geier sind sie über mich hergestürzt ...«

»Ich bin Susanne Kaul ...« sagte Susanne leise.

»Kaul?« Frida Milbach öffnete die Tür etwas weiter. Der Name schien ihr wenig zu sagen, verwundert stellte Susanne das an dem Blick fest, der sie wieder musterte. »Bitte, Fräulein Kaul ...«

»Frau Kaul. Die Frau von Peter Kaul.«

»Ja und ...«

»Sie kennen meinen Mann nicht?«

»Nein.«

»Aber ich bitte Sie ...« Verwirrt strich sich Susanne ein paar in die Stirn gefallene blonde Strähnen fort. »Mein Mann ... er war doch ein Arbeitskamerad von Ihrem Mann ... Er war doch derjenige, der ...« Weiter konnte sie nicht. Sie begann zu weinen, lehnte sich an das Treppengeländer und schlug die Hände vors Gesicht.

Frida Milbach zögerte. Sie war überrumpelt von diesem Schluchzen, sie wußte nicht, was man da tun konnte, sie sah gar keinen Anlaß zu diesen Tränen. Die Nachbarn, dachte sie bloß. Wenn sie die weinende Frau vor meiner Tür sehen ... das gibt wieder Gesprächsstoff in der Kolonie für Wochen. Man wird rätseln: Warum war sie bei der Milbach? Warum weinte sie? Warum stand sie draußen im Treppenhaus? Was ist da los? O Himmel, werden die Mäuler gehen!

»Kommen Sie 'rein«, sagte Frida Milbach, nahm Susanne an der Hand und zerrte sie in die kleine Diele. Sie schloß die Tür ab, legte sogar die Sicherungskette davor und stupste Susanne in die große Wohnküche. Dort saß am Tisch ein vierjähriges dunkellockiges Mädchen, trank Kakao und aß eine mit Margarine bestrichene Rosinenplatzschnitte.

»Was hat die Tante, Mami?« fragte es.

»Sei still, Monika.« Frida Milbach drückte Susanne auf einen Küchenstuhl und setzte sich dann davor. »Warum weinen Sie denn?«

Susanne Kaul nahm die Hände vom Gesicht und sah Frida Milbach wie ein müde gehetztes Tier an. »Mein Mann ist in einer Anstalt ...« sagte sie leise. »In einer Trinkerheilanstalt ...«

»Monika, geh hinaus und spiel im Zimmer!« sagte Frau Milbach schnell. »Einen Augenblick, bitte.« Sie nahm Tasse und Teller, stupste die etwas widerspenstige Monika aus der Wohnküche in ein Nebenzimmer und kam dann zurück. »Es ist nicht nötig, daß die Kinder so etwas hören«, sagte sie, als sie sich wieder vor Susanne setzte. »Sie haben durch den Tod ihres Vaters genug mitgemacht.«

Susanne Kaul senkte den Kopf. Es war ihr unmöglich, Frida Milbach anzusehen. Sie war eine grobe, resolute, etwas derbe Frau, sicherlich eine gute Mutter, die sich auf ihre Kinder gefreut hatte und die den Haushalt blitzsauber hielt und immer ein gutes Essen bereit hatte, wenn Johann Milbach nach Hause gekommen war, sich am Tisch reckte und sagte: »So, Mutter, und nun fahr mal auf! Ah! Gebratene Leber mit Rosenkohl! Und 'n Bier dazu! Mutter, du bist 'ne Wucht!«

»Mein Mann trinkt«, sagte Susanne stockend. »Seit ein paar Jahren ... er trinkt, weil er die Belastung seines Gewissens nicht mehr ertragen kann, weil er erpreßt wird, weil er einer Schuld nicht anders weglaufen kann als durch die Flucht in den Alkohol. Eine Schuld, die mit Ihrem Mann zusammenhängt ...«

»Mit Johann?« Frida Milbach saß wie erstarrt und musterte die fremde Frau. »Was hat Johann mit Ihrem trinkenden Mann zu schaffen?«

»Mein Mann ist schuld am Tod Ihres Mannes«, sagte Susanne mit letzter Kraft.

»Dummheit!« Frida Milbach legte die Hände in den Schoß. Plötzlich zitterten sie. Der Tag, an dem man Johann Milbach nach Hause brachte, stand wieder vor ihr auf. Sie hatte es erst gar nicht begriffen, sie hatte geglaubt, er sei nur besinnungslos, weil ihm ein Gesteinsstück auf den Kopf gefallen sei oder ein Grubenstempel oder ein Werkzeug. Unter Tage lauern ja überall Gefahren. Vielleicht auch eine Gasvergiftung. Aber dann legte man Milbach ins Bett, faltete seine Hände über der Brust und legte eine Rolle, aus einem Handtuch gedreht, unter das Kinn, damit der Mund nicht aufklappte. Da erst begriff sie, das kannte sie von ihrem Vater und ihrer Mutter, das hatte sie selbst bei ihnen gemacht ... und dann schrie sie, schlug um sich, als man sie vom Bett wegzerren wollte, sie fiel vor den verstörten und schreienden Kindern auf die Knie und brüllte: »Euer Papa! Euer Papa! Mein Jean! Mein Jean! Mein Gott! Mein Gott! Nimm uns doch alle mit! Uns alle! Ich will nicht mehr leben ...«

Ein grauenhafter Tag war es gewesen ... Frida Milbach atmete tief auf und starrte auf den gesenkten Kopf Susannes. Als sie sprach, war ihre Stimme fremd und heiser.

»Mein Mann hat damals ein nicht isoliertes Kabel berührt und bekam einen elektrischen Schlag. Aber es war seine eigene Schuld. Die Kameraden haben es mir nachher erzählt. Er sah die gerade gezogenen Drähte, nutzte die Mittagspause aus und wollte sich ein paar Meter abschneiden. Für uns ... er wollte im Schlafzimmer eine neue Leitung ziehen. Er konnte nicht wissen, daß die Strippen schon unter Strom standen. Als er mit der Zange abkneifen wollte, war's geschehen.«

Frida Milbach starrte gegen den weißen Küchenschrank. Zwei Wochen vor seinem Tod hatte Johann ihn noch lackiert. »Es war seine eigene Schuld, Frau Kaul ...«

»Aber mein Mann ... mein Mann war es, der die Drähte gezogen hat und den Strom während der Pause nicht abschaltete ...«

Nach diesem Satz lag zwischen den beiden Frauen tiefes Schweigen. Sie blickten sich an, und plötzlich war zwischen ihnen eine tiefe Gemeinschaft des Leides. Auch wenn sie nicht sprachen ... ihre Augen redeten genug. Unsere Männer, sagten sie. Der eine starb, der andere zerbrach durch Alkohol. Der eine wollte ein paar Meter Strippen organisieren, der andere ließ Strom in der unisolierten Leitung. Beide sind sie Opfer einer Schuld, aber jeder für sich, der eine ist nicht schuld an der Tragödie des anderen. Nicht miteinander, sondern nebeneinander gingen sie zugrunde. Der eine ins Grab, der andere hinter die Gitter einer Heilanstalt.

»Da sitzen wir nun«, sagte Frida Milbach leise. »Und was nun? Ihr Mann konnte nicht wissen, daß mein Johann ...«

»Aber er hat die Leitung ...«

»Wenn Johann nicht hätte klauen wollen ...«

»Und wenn Peter nicht den Strom ...«

»Wir sind arme Luder, wir Frauen!« sagte Frida Milbach und stand auf. »Ich koche uns einen starken Kaffee.« Sie setzte Wasser auf, holte eine Plastikdose und zählte fünf Meßlöffel Kaffee für eine kleine Kanne ab. »Nun sitze ich da mit fünf kleinen Kindern, nur weil Johann ein paar Pfennige sparen wollte. Und Sie – haben Sie auch Kinder?«

»Drei. Das jüngste ist verblödet ...«

»O Gott! Durch ... durch das Saufen?«

»Ja. Der Arzt sagt es.«

»Und alles wegen der Leitung! Wegen so ein paar Metern Strippe! Ist das Leben nicht ein Hohn, was?« Auf dem Elektroherd begann der Wasserkessel leise zu singen. »Als wir heirateten, da hatten wir große Pläne. Ein kleines Haus im Grünen, ein kleiner Wagen, jeden Sommer 'ne Reise, im Garten Gemüse und Blumen, und die beiden Jungs sollten auf die höhere Schule und mal was anderes werden als Püttmann! Ingenieur oder so was. Und da packt man an so einen dämlichen Draht, und alles ist vorbei. Das ganze Leben! In einer Sekunde! Man kann das gar nicht begreifen! Ich kann es noch immer nicht. Ich glaube manchmal, am Abend, immer noch, Johann kommt von der Schicht heim. Ich decke sogar seinen Platz ... und dann kommt Fritz, mein Ältester, und nimmt den Teller wortlos wieder weg. Dann weiß ich, daß Johann nie wieder von der Schicht kommt. Man kann sich einfach nicht daran gewöhnen.« Der Wasserkessel brodelte und flötete. Frida Milbach stellte die Elektroplatte ab, goß das sprudelnde Wasser auf das Kaffeemehl und setzte den Kessel wieder zurück. Der Duft starken Kaffees durchzog die warme Wohnküche. »Aber Ihr Mann, Frau Kaul«, sagte Frida Milbach und rührte mit einem langen Löffel in der Kanne, damit das Kaffeemehl auch hundertprozentig ausgelaugt würde, »Ihr Mann hat an allem keine Schuld! Er braucht nicht in den Suff zu fliehen. Warum denn?«

»Er glaubt aber, er sei der Schuldige.« Susanne Kaul faßte plötzlich die Hand Frida Milbachs und hielt sie fest. »Kommen Sie mit!« rief sie. »Gehen Sie mit mir in die Anstalt! Sagen Sie es meinem Peter, daß er keine Schuld hat. Keinem wird er es glauben ... nur Ihnen! Sie können ihm seine Ruhe wiedergeben, Sie können ihn heilen, Sie werden ihn überzeugen! Sie können ihn und uns, mich und die Kinder, retten! Denn wenn es so weitergeht, sind wir am Ende ...«

Frida Milbach goß den Kaffee aus. Mit zitternden Fingern hielt sie das Sieb über die Tassen.

»Wann ... wann kann man ihn besuchen?« fragte sie tonlos.

»Jederzeit! Professor Brosius wird die Genehmigung dazu geben ...«

»Dann gehen wir morgen, ja? Und ich nehme meine Kinder mit. Alle fünf.« Frida Milbach setzte sich schwer. Sie hatte das Leid überwunden, sie war jetzt die Stärkere. »Und nun trinken wir erst den Kaffee, ja? Ich freue mich, daß Sie zu mir gekommen sind.«

Susanne Kaul verließ nach einer Stunde die Wohnung Frida Milbachs. Sie hatte noch zwei andere Milbach-Kinder kennengelernt, zwei Jungen, die aus der Schule kamen. Wilde, laute Burschen, die durch die Wohnung tobten. Frisches gesundes Leben. Sie haben es überwunden, dachte Susanne. Sie haben den Anschluß wiedergewonnen. Wir, die Kauls, stehen noch im Zusammenbruch ... Unser Tod ist nicht plötzlich, in einer Sekunde, mit einem Blitz – er ist schleichend, jahrelang, grausam und aushöhlend. Ein schrecklicher Tod, der erst durch die Höllen geht ...

Auf der Straße, während des Rückweges, wurde ihr wieder schlecht. Sie erreichte gerade noch ein Café, rannte auf die Toilette und erbrach sich wieder. Den Kaffee der Frida Milbach und das Stück Apfelkuchen, das sie noch gegessen hatte.

Bleich lehnte sie sich an die Kacheln. Ihr Magen zuckte wie in Krämpfen, Galle hatte sich in der Mundhöhle gesammelt und hinterließ einen bitteren, brennenden Geschmack.

Auch das noch, dachte sie und drückte das Gesicht an die glatten Kacheln. Auch das noch! Wie gemein ist doch das Leben, wie gemein ...

Prof. Brosius war mit dem Besuch der Familie Milbach einverstanden, nachdem Pfarrer Merckel ihm die Hintergründe geschildert hatte.

»Das wirft ja ein völlig anderes Bild auf unseren Patienten!« sagte Brosius und machte sich einige Notizen. »Ein Schuldkomplex – ja, warum hat man mir das nicht gleich gesagt?«

»Frau Kaul wußte es selbst nicht – und ich ... mein Beichtgeheimnis ...«

»Das ist auch wieder so ein Fall, über den man mit den Kirchenrechtlern diskutieren sollte!« Brosius warf seinen Bleistift auf die Papiere, die seinen Schreibtisch bedeckten. »Ich habe da in meiner Militärzeit etwas erlebt, was ähnlich gelagert war. Viermal riß ein Rekrut von der Truppe aus. Scheußlich war das. Immer diese Meldungen und Tatberichte. Dann sollte der Kerl vor ein Gericht kommen, wegen Fahnenflucht. Und plötzlich war der Divisionspfarrer da und sagte, er verbürge sich für diesen notorischen Ausreißer, nachdem er die Beichte abgenommen habe. Was er gebeichtet habe, könne er nicht sagen. Beichtgeheimnis! Ich kann Ihnen sagen – wir waren starr! Das ganze Offizierskorps war schockiert! Verfahren wurde niedergeschlagen, der Kerl als Paragraph 51 entlassen! Unzurechnungsfähigkeit! Erst später stellte sich heraus, daß sein älterer Bruder bei der Artillerie einen Rohrkrepierer verursacht hatte, beim Manöver, dem zwei Kanoniere zum Opfer fielen. Keiner konnte den Hergang mehr rekonstruieren, nur unser Ausreißer wußte die Wahrheit und hatte nun den Komplex, daß ihm so etwas Ähnliches auch passieren könnte! Da sieht man, wie Schuldkomplexe einen Menschen umhauen können!« Prof. Brosius schnaufte durch die Nase. Die Erinnerung an seine Militärzeit nahm ihn immer mit. Große Zeit das, dachte er. Das letzte Kaisermanöver! Majestät wirkten energiegeladen. Über den Kavallerieangriff auf dem rechten Flügel war er begeistert ... nur war da kein Brosius dabei. Die alte Tragik von der schwächlichen Konstitution.

Um drei Uhr wartete Frida Milbach mit ihren fünf Kindern in der Eingangshalle. Judo-Fritze hatte versprochen, sie zu holen, wenn Frau Kaul ihren Mann auf diesen Besuch vorbereitet hätte. So standen sie nun herum, sahen die Ärzte und Schwestern an und lachten über einen harmlosen Geisteskranken, der mit einem

Reisigbesen den Gartenweg vor der Eingangstür kehrte und ab und zu versuchte, auf dem Stiel des Besens wie auf einer Klarinette zu blasen.

»Laßt das dumme Lachen!« herrschte Frida Milbach ihre Kinder an. »Das ist zum Weinen! Das sind arme Menschen.«

»Ist der Mann, den wir sehen sollen, auch so?« fragte Benno, der Zweitälteste.

»Ich weiß nicht. Ich kenne ihn nicht.« Frida Milbach winkte und versammelte ihre Kinder um sich. »Aber das sage ich euch: Benehmt euch! Und wenn dieser Herr Kaul sonst was anstellt – ihr lacht nicht! Ich haue euch eine runter, wenn ihr euch danebenbenehmt. Verstanden?«

»Ja, Mami!« riefen die fünf im Chor. Ein Arzt blieb ruckartig stehen und sah zu ihnen hin. Dann ging er weiter und schüttelte den Kopf.

Judo-Fritze erschien und winkte. Sein breites Neandertalergesicht grinste. »Er weiß zwar nicht, wer kommt«, sagte er, »aber er freut sich, daß Besuch kommt. Frau Kaul hat nicht gewagt, es ihm einfach zu sagen.«

»Ist … ist er völlig klar?« fragte Frida Milbach zögernd.

»Klar? Das ist er doch immer! So vernünftig wie Sie und ich. Nur wenn er säuft … aber hier gibt's ja nichts. Kommen Sie!«

Peter Kaul saß am Tisch und aß Pudding mit Erdbeersoße, den ihm Susanne mitgebracht hatte. Kaul war glücklich. Prof. Brosius hatte ihn gelobt, Judo-Fritze war ein wirklicher Freund geworden, der ihm heimlich Zigaretten holte, die er dann auf dem Klosett rauchte und den Rauch durch das kleine, vergitterte Fenster blies, Susanne war gekommen mit dem herrlichen Pudding … es war eigentlich ein schönes Leben. Nur die Freitage waren noch immer eine Qual. Als sei in ihm eine Uhr, die am Freitag einen Kontakt auslöste und Feuer durch sein Hirn jagte, so kam ihm das selbst vor. Dann stand er oft am Gitter, verging vor Durst und Sehnsucht nach einem Glas Alkohol und bettelte Judo-Fritze an, seine große Freundschaft zu beweisen, indem er ein Gläschen bringe, nur ein winziges Gläschen … nicht einmal Schnaps, nur ein Bier, ein Tröpfchen Bier, einen Hauch von Alkohol. An diesen Freitagen bekam Kaul dann seine Injektionen, die ihn beruhigten und in einen Dämmerschlaf versenkten. Am Samstag war dann alles vorbei, aber er kam sich gerädert vor, als habe er wirklich die ganze Nacht getrunken. Er saß dann im Bett, trank Sprudelwasser flaschenweise, weil er einen wirklichen Nachdurst spürte, war benommen und knurrig, manchmal weinerlich und fast kindisch und philosophierte mit Judo-Fritze darüber, wie sinnlos es sei, zu leben, und welch ein riesiges Schwein doch der Mensch sei.

Am Sonntag, wenn Susanne mit den Kindern kam, war er wieder fröhlich und wie kerngesund, ging mit ihnen im Garten spazieren, spielte mit Petra und Heinz Federball auf der Klinikwiese, schob die immer lächelnde Gundula im Wagen rund um die Blumenbeete und erzählte Susanne, was er alles unternehmen wollte, wenn er wieder ins tägliche Leben entlassen würde.

Sie wußten beide, daß dies nicht so bald sein würde, nicht, solange die Alkohollustintervalle anhielten. Freigelassen, würde sich Kaul an diesen Tagen wieder sinnlos betrinken, und es hätte sich nichts geändert. Erst wenn die treibende Kraft zum Alkohol gebrochen war, konnte man daran denken, den Versuch zu wagen, ihn nach Hause zu entlassen. Wohlgemerkt – es würde ein Versuch sein. Beim ersten Trunkensein würde man ihn wieder abholen, und die Wochen oder Monate, die er bereits in der Anstalt verbracht hatte, würden sinnlos geworden sein … denn nun stand er wieder am Beginn der Behandlung. Das ist das Schreckliche bei einem Trinker: Jeder Rückfall löscht alles Zurückliegende restlos aus. Heilungsmäßig fällt er zurück in die Stunde Null.

Es klopfte.

Kaul hob den Kopf und legte den Löffel, mit dem er den Pudding aß, neben den Teller. Judo-Fritze kam herein wie ein Weihnachtsmann, der goldene Berge zum Geschenk bringt.

»Besuch, mein Lieber!« rief er mit seiner dröhnenden Stimme. »Nicht Schneewittchen mit den sieben Zwergen, aber Frida mit den fünf Nachwüchslingen …«

Peter Kaul sah schnell zu Susanne, sie blickte weg. Er sah zurück zu Judo-Fritze, der grinste dumm. Also ein abgesprochener Besuch, durchfuhr es Kaul. Susanne weiß davon. Eine Überraschung. Wer ist Frida mit den fünf Nachwüchslingen?

Fünf? Wo war die Fünf in seinem Leben?

Und plötzlich ahnte er es, wußte er es … er sprang auf, der Stuhl fiel polternd um, er umklammerte den Tisch und streckte den Kopf vor wie eine zischende Schlange.

»Nein!« brüllte er. »Nein! Das nicht! Woher wißt ihr das? Wer hat euch das verraten? Hat Bollanz gesprochen?« Er schwankte. Susanne sprang hinzu, um ihn zu stützen, aber er stieß sie weg, schlug nach ihrer Hand und taumelte gegen die Wand. »Alle habt ihr mich verraten! Alle! Auch du! Meine Frau! Ihr wollt mich fertigmachen, ihr wartet nur darauf, daß ich völlig verrückt werde! Gehirnschlag und weg ... ein Fresser weniger! Und du kannst wieder heiraten! Einen, der nicht säuft, der dir die Lohntüte voll auf den Tisch legt. Der dir noch zwei oder drei Kinder macht, aber die sind nicht mehr blöde, keine Säuferkinder, sondern gesund wie Forellen im Gebirgsbach. Das wollt ihr! Ich sterbe euch zu langsam! Ich habe ein zu starkes Herz! Eine zu robuste Natur! Warum krepiert er nicht, das versoffene Schwein? Man muß da nachhelfen, aber human, immer human natürlich. Man holt die Schatten aus der Hölle, man zerrt ihn durch den Dreck seiner Schuld ... einmal *muß* er doch überschnappen, einmal *muß* es doch gelingen, auf anständige Art Witwe zu werden, von allen bemitleidet, getröstet und unterstützt. Die arme Susanne! Oh, dieses vom Schicksal geschlagene Mädchen. Killekille! Soll man sie schaukeln wie ein Püppchen ...?« Judo-Fritze hatte ihn so lange brüllen lassen, bis er Atem schöpfen mußte. Er machte jetzt drei große Schritte in das Zimmer, nahm Kaul wie einen Hasen am Kragen, trug ihn zum Bett und ließ ihn dort niederfallen.

»Halt's Maul, du Spinner!« sagte er grob. »Und hör dir an, was los ist.« Kaul sah zu seiner Frau. Susanne stand am Tisch, starr und weiß wie eine Statue aus Gips. Petra und Heinz hatten sich in der Ecke des Zimmers zusammengedrückt, die Köpfe zwischen die Schultern gezogen, als peitsche sie jemand aus. Gundula lag in ihrem Wagen und spielte mit den bunten Klötzchen. Sie brabbelte und lachte ab und zu in ihrer Blödheit.

»Kommen Sie 'rein!« sagte Judo-Fritze an der Tür. »Und keine Angst – ich bin ja auch da!«

Frida Milbach betrat das Zimmer. Vor sich her schob sie ihre fünf Kinder. Judo-Fritze schloß die Tür. Mit einem langen Blick umfaßte Peter Kaul die Gruppe ... die fünf Kinder, mit angstvollen Gesichtern, sich an den Händen haltend wie eine Kette aus Leibern, die die Mutter schützen soll. Dahinter Frida Milbach, groß, stämmig, gesund, mit einem fahlen Lächeln auf den Lippen. Ein Bild des Lebens, über das plötzlich vor den Augen Kauls ein schwarzer Schleier wehte ein Trauerflor. Er schloß die Augen, warf sich herum und drückte das Gesicht in das Kissen. Was er in die Federn hineinschrie, verstand man nicht, aber sein Körper zuckte und seine Finger gruben sich in die Matratze.

»Herr Kaul ...« sagte Frida Milbach laut.

Peter Kaul rührte sich nicht. Aber das Zucken ließ nach ... er schien zu hören, was die Frauenstimme sagte.

»Ich bin gekommen, um einen Irrtum aufzuklären.« Frida Milbach legte die Hände auf die Schultern der beiden kleinen Mädchen vor sich. »Mit allen Kindern bin ich gekommen, damit auch sie kein falsches Bild bekommen. Wir haben unseren Papi verloren, durch einen Unglücksfall, aber dieses Unglück war nicht unabwendbar ... Johann hat es selbst herbeigeführt ...«

Kaul fuhr herum. Sein Gesicht war verzerrt. »Das ist nicht wahr! Ich habe Strom in der Leitung gelassen!«

»Ja. Aber Johann hat die Drähte –«

»Er ist daran gekommen! Es war meine Schuld!«

»Nein! Er wollte sich einige Meter abschneiden. *Dabei* ist es passiert ...«

»Er wollte ...« Kaul setzte sich gerade. Er starrte Frida Milbach und die Kinder an, als habe er gerade in diesem Moment das Sehen gelernt. »Aber er ist doch –«

»Glauben Sie, ich würde das sagen, wenn es nicht wahr wäre? Ich habe Johann geliebt, er war mein Mann, ich hatte sieben Kinder mit ihm, fünf leben, und diese Kinder sollen ihren Vater lieben und ehren über den Tod hinaus. Aber die Wahrheit muß wahr bleiben: Johann wollte einige Meter Draht abkneifen. Nicht für sich, für uns, für unser Schlafzimmer. Er hatte es nicht nötig, bei Gott nicht. Aber Sie wissen, wie das so bei den Männern ist. Da hängt was rum, und da gehen sie ran. Das ist kein Diebstahl in ihren Augen ... das nennt man organisieren, sich untern Nagel reißen ... aber es bleibt doch etwas Verbotenes.« Frida Milbach sah zu ihrem ältesten Sohn. Er ging in die Schlosserlehre und verstand, was seine Mutter jetzt preisgab. Er senkte den Kopf und schämte sich, daß er plötzlich Tränen in den Augen hatte. Vater, dachte er. So also ist das gewesen ...

»Johann hat den Draht nehmen wollen – daß er unter Strom stand, ist nicht *Ihre* Schuld, Herr Kaul! Johann brauchte die Leitung nicht anzufassen.«

»Aber Bollanz ...« stöhnte Kaul. »Bollanz war doch dabei. Er sagt, daß Johann zufällig an das freie Ende kam, weil es in den Gang hing ...«

»Wer ist Bollanz?« fragte Frida Milbach.

»Einer aus Johanns Kolonne. Er ... er ...« Kaul schwieg. Susannes Starrheit löste sich.

»Er erpreßt Peter seitdem. Er erkauft sich mit seinem Schweigen den halben Wochenlohn von Peter.«

»Zwanzig Prozent!« rief Kaul. »Das andere versaufe ich!« Er warf die Arme empor und sprang auf. Die Kinder wichen zurück, Judo-Fritze lehnte abwartend an der Tür, »Ich saufe, wenn ich diesen Druck nicht aushalten kann ... ein Toter, fünf Waisenkinder, und wenn es herauskommt durch Bollanz, ist auch meine Familie zum Teufel ... Mein Gott, was bleibt mir denn anderes übrig, als zu saufen? Wo ist denn Vergessen?« Er sank zusammen und stützte sich am Fußende des Bettes. »Und nun soll alles nicht wahr sein ...« sagte er kaum hörbar.

»Es war nicht Ihre Schuld, Herr Kaul. Glauben Sie es mir. Wenn ich es Ihnen sage, im Beisein der Kinder ...«

Stumm sah Peter Kaul wieder auf Frida Milbach und in die aufgerissenen Augen der fünf Kinder. Es war alles umsonst, dachte er und spürte, wie es in ihm zu brennen begann. Die Not, jeden Freitag, die zwanzig Prozent des Lohnes an Bollanz, die Jagd nach dem Vergessen, das Saufen, das Kotzen hinterher, die verblödete Gundula, die Schulden, die Leere, die Susannes Leben hatte, die Verwahrlosung seiner Seele, die Gleichgültigkeit gegenüber dem Morgen und Übermorgen, die Gedanken, Schluß zu machen, der Weg zur Ruhr, das kühle Wasser, der tote Fisch mit dem silbern schillernden Leib, der Mond, der blaß über den Feldern stand, die Anstalt, der homosexuelle Berliner auf Zimmer siebzig, Flügel III, das Gefängnis, die Ganoven mit ihren schweinischen Reden, die Flasche aus der Gefängnisapotheke, neunzig Prozent reiner Alkohol ... alles umsonst, alles sinnlos, alles für ein Nichts, eine Lüge. Ein ganzes Leben weggeworfen für die Illusion, ein Mörder zu sein!

Peter Kaul brach am Fuß des Bettes zusammen und schlug mit dem Kopf auf den Boden. Judo-Fritze riß die Tür auf und schob Frida Milbach und die entsetzten Kinder auf den Flur. Dann rannte er zurück und hob mit Susanne den schlaffen Körper aufs Bett.

In der Ecke am Fenster standen Petra und Heinz und rührten sich nicht. Als Kaul wieder auf dem Bett lag, stieß Petra ihren Bruder an. »Verstehst du das?« flüsterte sie. »Warum fällt er um?«

»Was ist denn mit der elektrischen Leitung?« Heinz hob die schmalen Schultern. »Warten wir ab, Petra. Aber brüllen kann er noch, was? Wie früher!«

»Ja, Heinz.«

Sie sahen zu, wie die Mutter ein nasses, kaltes Tuch auf die Stirn ihres Vaters legte, das Hemd aufknöpfte und ihm die haarige Brust massierte. Judo-Fritze war hinausgegangen und begleitete die Milbachs zum Ausgang.

»Jetzt wird es anders werden«, sagte er und drückte der großen, resoluten Frau die Hand. »Ich danke Ihnen! So was hätten wir mit hundert Spritzen nicht hingekriegt. Wenn das nicht hilft, hat der Kaul wirklich irgendwo 'ne Ecke ab.«

Als Peter Kaul die Augen aufschlug und in die Wirklichkeit zurückkehrte, sah er den blonden Kopf Susannes über sich. Da lächelte er wie ein kleiner Junge, hob die Hände, hielt den schmalen Kopf fest und streichelte mit den Fingern die goldenen Haare.

»Du …« sagte er leise.

»Ja, Peter.«

»Ich … ich habe alles falsch gemacht. Ich habe euch um Jahre betrogen …«

»Nun wird alles gut werden, Peter. Noch ein paar Wochen … und dann sind wir wieder zusammen … wir sechs …«

»Sechs? Wieso sechs?« Kaul hielt Susannes Kopf umklammert, als wolle man ihn ihm entreißen. »Susi … wir … wir …«

»… wir werden sechs sein.« Sie nickte zwischen seinen Händen und lächelte ihn glücklich an. »Ich weiß es ganz genau …«

»O Susi.« Seine Hände fielen herab. Er schloß die Augen und wandte den Kopf zur Seite. Er schämte sich. »Ich bin es doch gar nicht wert …« sagte er leise.

Sie legte ihre Wange auf seine Stirn und streichelte ihn.

»Du bist mir mehr wert als alles Gold der Erde«, sagte sie.

Heinz stieß Petra an und nickte zum Bett. »Sie vertragen sich wieder.«

Petra schob die Unterlippe vor. »Wie immer, Mensch!« Sie machte eine wegwerfende Handbewegung. »Bis nächsten Freitag. Das kennen wir doch …«

In Köln suchte sich Dr. Konrad Lingen zunächst ein kleines Hotel. Er bezahlte das Zimmer für eine Woche im voraus, badete sich auf dem Etagenbad, zog ein sauberes Hemd an und ging einkaufen. Er kaufte sich vier Flaschen Schnaps, legte sich damit ins Bett und trank, bis er besinnungslos wurde. Am Morgen hatte er genug damit zu tun, zwischen Bett und Toilette hin und her zu laufen, um sich zu erbrechen, bis er nur noch würgte, Gallensaft ausstieß und das Brennen in seinen Eingeweiden durch neuen Alkohol abtötete. Am vierten Tag lief er schon nicht mehr zur Toilette ... er kotzte einfach aus dem Bett heraus auf den Bettvorleger und auf die Dielen, schellte dann dem Zimmermädchen, zeigte auf das Erbrochene und lallte: »Schrubberfee – tu deine Pflicht.«

Am siebten Tag weigerte sich das Zimmermädchen, das Zimmer vierzehn zu betreten, am Abend dieses Tages wurde Dr. Lingen aus dem Hotel hinausgesetzt mit der Drohung, die Polizei zu rufen.

Halb trunken irrte er durch die Altstadt, stand am Rhein, sah über das schmutziggelbe Wasser, kaufte sich an einer Bude eine Flasche Wermutwein, setzte sich auf eine Bank an der Rheinpromenade und trank genießerisch den süßen, billigen Wein.

Er war nicht unglücklich, o nein! Er fühlte sich im Gegenteil freier als je zuvor. Herrenreiter hin, Tennisklub her, und auch der Golfklub kann einen kreuzweise ... das hier war das wahre Leben! Keine Termine, keine Operationen, keine Visiten, keine Gutachten, keine Handküsse: Gnädige Frau sehen heute bezaubernd aus ... und man denkt: Alte Kuh, auch dein Parfüm kann den ranzigen Speck nicht überdecken! – Oh, der Herr Generaldirektor. Ihre Neuerwerbung, einfach klassisch. Diese Farbenzusammenklänge! – Und man denkt: So dämlich kann auch nur der sein, daß er für die idiotischen Klecksereien Tausende ausgibt und so einen Schmarren auch noch in die Halle seiner Villa hängt! Aber so ist es oft: Der Besitz von Geld ist wie ein Virus, der den Geist langsam, aber sicher verblödet.

Vorbei alles! Gott sei Dank, vorbei! Man ist frei, man kann saufen, wann man will, man kann hingehen, wohin man will, man kann sich unter den Brückenpfeiler stellen und sein Wasser abschlagen, man kann den Frauen ungeniert auf die Brüste starren und auf den wippenden Po und sich dabei denken, wie sie ohne Kleid aussehen, nur im Schlüpfer, oben ohne. Wie sagte Professor Hollermann in der Anatomie: Es gibt verschiedene Brustarten, die man nach ihrer Form gliedert: Knospenbrust, Birnenbrust und Scheibenbrust. – Das gab ein Gaudium! Geflügeltes Wort im Kolleg: Herr Kollege – dort naht eine halbreife Birne!

Karneval im Herbst. Wer trinkt, hat immer Karneval. Nur der Ausdruck ist falsch. Karneval heißt: Fleisch, lebe wohl. Saudumm so etwas, nicht wahr? Fleisch, komm her! sollte es heißen.

Im Alkohol werden die Hexen zu Elfen, die Runzeln zu Grübchen. Die Welt ist herrlich! Gott ist ein großer Mann: Er schuf nur Schönes! In vino veritas! Man legt es immer falsch aus! Von Wahrheit redet man ... Illusionen sind die Krönung! Vergessen! Sich wegwerfen. Juchheisassa – alles wird groß, nur die Welt schrumpft zusammen ... sie wird klein, so klein, daß sie in eine Flasche paßt ...

Bis zur Dunkelheit saß Dr. Lingen am Rhein, den Koffer neben sich. Dann schwankte er zum Taxenplatz, ließ sich in die Polster fallen und lallte: »Zu einer Bleibe, mein Sohn. Wohin, ist egal. Nur, wo man pennen kann! Und wo man nicht 'rausfliegt, wenn man säuft!« Er legte dem Taxenfahrer einen Fünfzigmarkschein auf die Mütze, lehnte sich zurück und sang das Lied von der Marie, die tat es nie, wenn Föhn vom Berg wehte ...

So kam Dr. Konrad Lingen, ein Genie der Hirnchirurgie, in die Pension »Blades«. Sie lag in einer Altstadtgasse, nicht weit vom Rhein. Das Haus war graurot, hatte den Krieg mit einigen Bombensplittern überstanden, im Treppenhaus roch es muffig und schweißig, die Holzstufen knarrten, und sie knarrten in der Nacht oft und anhaltend, denn in den siebzehn Zimmern wechselten die Gäste stundenweise. Emmerich Blades, der Pensionswirt, war Mann für alles ... er hielt die Zimmer sauber, kassierte drei Mark extra, wenn die Besucher mit den Schuhen ins Bett gingen (»Ein richtiger Kavalier behält nur den Trauring an!« war eine seiner Weisheiten), er verprügelte Gäste, die nach vollbrachter Tat um den Preis handeln wollten, und schlug bei unsicheren Lüstlingen (man erkennt sie bei einiger Übung am unsicheren Blick) Vorauskasse vor – kurzum, Dr. Lingen bekam Zimmer zehn, wurde von Emmerich Blades und seiner Frau Henny, die sich Morphium spritzte und für fünfzig Mark Salome mit den sieben Schleiern spielte, ins Bett getragen und zugedeckt.

Am nächsten Morgen saßen Emmerich und Henny Blades an seinem Bett und begrüßten ihn mit einem fröhlichen »Guten Morgen, Herr Doktor!« Als vorsichtige Wirte hatten sie die Brieftasche des neuen Gastes inspiziert, den Paß mit großem Erstaunen gelesen und – ebenfalls als reelle Wirte – die Geldbündel unberührt gelassen. Sie hatten lediglich zweihundert Mark entnommen, gegen Quittung, auf der korrekt stand: »Miete für eine Woche dankend erhalten. Pension Blades, Köln.« Dr. Lingen stützte sich auf den Ellenbogen. Er sah in Hennys glänzende Augen. Starre Pupillen, dachte Lingen. Sie spritzt sich

Morphium. Und der Mann. Aufgedunsen, mit hängenden Tränensäcken, dicke Lippen, ein fades Lächeln ... er säuft und er hurt.

Dr. Lingen ließ sich zurückfallen. Am Ziel, dachte er. Jetzt sind wir da, wo das Vogelfreie die einzige Legitimation ist. Der Mensch, entkleidet von allen zivilisatorischen Behängen. Der nackte Mensch! Seelisch nackt ... die körperliche Nacktheit wirkt betörend. Aber seelisch nackt? Gott im Himmel, ein Tier hast du vollkommener gemacht!

»Ein Gläschen, Herr Doktor?« fragte Emmerichs fettige Stimme.

»Ja, bitte.«

Ein Glas, Er umklammerte es. Ein Schluck. Der erste auf den tobenden Brand in seinen Eingeweiden. Wermut! Natürlich, nur noch das! Schnaps wird auf die Dauer zu teuer. Aber dieser billige Wermut hat die gleiche Wirkung. Und noch etwas hat er in sich ... er enthemmt! Er macht die Zivilisation zum Popanz. Er sengt die letzten Zipfelchen der Scham weg. Ein Wermutsäufer ... juchhei, wer hindert ihn daran, sich vor einem Kaffeekränzchen auf der Terrasse des Cafés die Hose herunterzuziehen? Polizei! Einsperren! Im Winter ist das gut – da hat man's warm. Und im Sommer, da läuft man wie ein Wieselchen weg!

Dr. Lingen trank in zwei langen Zügen das Glas leer. Der Brand in den Därmen ließ nach ... auch sein Gehirn wurde klarer, er sah keine Nebel mehr, die sich drehten und in denen die starren Pupillen von Henny Blades schwammen wie riesige Quallen. Er unterschied die Dinge seiner neuen Umgebung.

Ein Fenster, schmutzige gelbe Gardinen, ein Eisenbett, ein Spind, ein Waschbecken, ein Stuhl, ein Tisch, ein Bettvorleger aus Schafwolle (Zimmer zehn war das beste Zimmer, muß man wissen!), ein Nachttisch, ein Spiegel, so gehängt, daß man das Bett darin sehen konnte (wie gesagt, das beste Zimmer war Nummer zehn), eine Wäschekommode, darauf eine Figur aus Porzellan. Nacktes Mädchen. Sylphidenhaft. Nur hatte es jemand bemalt ... mit Lippenstift rot die Brustwarzen, mit Schuhcreme schwarz den Schoß. Emmerich Blades hatte sich darüber schiefgelacht. Verdammt, hatte er fröhliche Gäste!

Dr. Lingen setzte sich wieder und schob die Beine aus dem Bett. Er war in Unterhosen, sein Anzug lag über dem Stuhl. Emmerich hatte ihn ausgezogen.

»Sie wissen also, wer ich bin?« fragte Dr. Lingen. »Ich nehme an, daß Sie nicht fragen werden.«

»Nee, dat dunn mer nich«, sagte Blades freundlich.

»Ich möchte ungestört sein! Stört es Sie, wenn ich trinke?«

»Aber nä! Wenn Sie dat Jerammel aus den anderen Zimmern nich stört, Herr Doktor ...«

Lingen schüttelte den Kopf. Hier also bin ich, dachte er. Ein Studentenlied fiel ihm ein, das allerdings in keinem Kommersbuch stand: Gehn wir in ein Hurenhaus – hinten 'rein, vorne 'raus! Nun war er drin. Einquartiert zwischen quietschenden Betten und schnaufenden Mäulern, bezahlten Seufzern und ehrlich erarbeitetem Schweiß.

»Können Sie mir ein paar Flaschen holen?« fragte er. Emmerich nickte beifällig.

»Ist alles im Haus, Herr Doktor. Vom Sekt bis zum Kümmel!«

»Dann Sekt!«

»Sekt?« Emmerich schien Erfahrung mit Trinkern zu haben. Ein echter Säufer verabscheut Sekt, er schmeckt ihm wie sauer gewordenes Sprudelwasser.

»Jawohl. Schampus!« Dr. Lingen sprang aus dem Bett. Er schwankte ein wenig auf unsicheren Beinen, und Henny, die Gute, stützte ihn, holte die Hose, hielt den Bund auf und half Dr. Lingen, einzusteigen. Da seine Finger noch ohne Tastgefühl waren, knöpfte sie ihm sogar den Hosenschlitz zu. Dienst am Kunden in der Pension Blades.

Emmerich eilte, um den Wunsch nach Sekt zu befriedigen. Unterdessen rasierte sich Lingen unter den Augen Hennys, stellte fest, daß sie nach der Klassifizierung Prof. Hollermanns eine ausgebildete Scheibenbrust hatte, der sie durch einen spitzen Büstenhalter etwas Wehrhaftes gab, lächelte sie im Spiegel an und fragte sie: »Wie alt sind Sie?«

»Zweiunddreißig!«

»Sehen noch gut aus, trotz Ihrer Spritzen.«

»Finde ich auch. Und Sie sind ein eleganter Mann, Herr Doktor. Wir zwei sollten uns mal unterhalten, wenn Emmerich wieder besoffen ist.« Ihre starren Augen glühten auf.

»Dann bin ich es auch, Puppe!«

»Dann sauf hinterher!«

»Man sollte sich das überlegen.«

Blades kam mit zwei Flaschen Sekt zurück. Er entkorkte eine, stellte sie ins Waschbecken und rieb sich die Hände.

»Vierzig Mark, Herr Doktor.«

Ohne zu handeln, warf Dr. Lingen zwei Scheine hin und ergriff die Flasche. Die ersten Schlucke waren wie ein Bad in einem eisigen Gebirgssee ... aber dann durchrann ihn die Wärme und entspannte seine nächtliche Verkrampfung. Er tippte mit den Fingerspitzen an den Flaschenhals, strich leicht über die Wölbung ... er spürte jede Unebenheit im Glas, jede Welle – er hatte seinen Tastsinn wieder.

Zwei Stunden blieb Dr. Lingen allein und trank nur eine Flasche leer. Unruhig ging er im Zimmer hin und her, hörte nebenan durch die dünnen Wände das nilpferdähnliche Prusten eines morgendlichen Erotikers, stellte sich ans Fenster und sah hinunter in den schmutzigen Hof, wo ein Kind auf einer Mülltonne saß und ein Butterbrot aß.

Ein Klopfen an der Tür riß ihn herum. Sein erster Gedanke war: eine polizeiliche Kontrolle. Dann redete er sich Ruhe und Vernunft ein, sagte laut: »Bitte!« und blieb am Fenster stehen.

Eine Frau trat ein. Eine schöne Frau. Ihr Gang war wiegend, der Rock kurz, die Beine dementsprechend lang, das Kleid eng, um Brust und Hüften modelliert. Darüber trug sie einen Flauschmantel. Ihre falbenfarbig gefärbten Haare trug sie in leichten Wellen bis zur Schulter. Auf den ersten Blick war man versucht, sich zu verbeugen und ihre Hand zum Handkuß hoch zu nehmen. Aber dann waren die Lippen da mit den steilen Falten in den Mundwinkeln, die Augen, schwarz umrandet und rötlich, die Form des Gesichtes, die an einen halbgefüllten Luftballon erinnerte, glatt, aber doch schlaff.

Dr. Lingen wartete ab. Er schwieg.

»Ich heiße Jutta«, sagte die Besucherin. »Man nennt mich allgemein ›Die Gräfin‹.« Ihr Lächeln war schön, wenn ihre ordinären Lippen nicht gewesen wären. »Ich war einmal mit einem Grafen verheiratet, wissen Sie. Graf de Broussac. Ein Franzose. Hatte in der Provence ein Gut. Als er starb, jagten mich die Verwandten zum Teufel. Aber das ist eine lange Geschichte. Sie interessiert Sie sicherlich nicht.«

»Nein, Frau Gräfin.« Dr. Lingen neigte etwas den Kopf. »Mich interessiert viel mehr, welchem Anlaß ich Ihre Bekanntschaft verdanke. Sie sind nicht zu mir gekommen, um meine einsamen Tage zu verschönen.«

»Wir brauchen Sie, Herr Doktor«, sagte die »Gräfin«. Mit vollendeter Grazie setzte sie sich auf den einzigen Stuhl, schlug die Beine übereinander und suchte in ihrer Handtasche nach Zigaretten. Lingen sah ihre Beine an. Der Rock war hochgerutscht. Rote Unterwäsche mit schwarzen Spitzen. Zwischen Spitze und Strumpfkante weißes, fahles, nacktes Fleisch.

»Wer ist wir?« fragte Dr. Lingen.

»Rauchen Sie?«

»Danke.«

»Unser Doktor ist vor einigen Wochen gestorben. Er war ein guter Mann. Zwanzig Jahre lebte er unter uns, wie ein Vater war er zu uns allen.« Die »Gräfin« sah an die bröckelnde Decke und zeigte ehrliche Ergriffenheit. Nebenan hustete jemand und sagte: »Ich krieg' zehn Mark zurück! Vierzig waren ausgemacht!« Das prustende Nilpferd. Auch noch geizig, der Knabe!

»Doktor Blinker wohnte allerdings in keinem Hotel, sondern im Bunker, bei den anderen. Er war wie wir alle jeden Tag betrunken, aber wenn's darauf ankam, war er da. Er hat sogar nach 'ner Schießerei vier Kugeln aus den Rippen geschnitten, im Keller eines Neubaues! Und auch sonst ... bei den Mädchen, wissen Sie ... Spaß haben sie alle gern, aber wenn die Kerle nicht aufpassen ... Und da war immer der Doktor Blinker da mit der Curette ... kritzekratze, und der Fall war erledigt. Und nun ist der liebe, gute Doktor Blinker tot. Schrumpfleber, muß ja so kommen. Daran gehen wir alle ein! Und Ersatz ist nicht da! Aber nun kommen Sie, Doktor Lingen ... und wir haben wieder Hoffnung.« Die »Gräfin« drückte die Zigarette auf dem Fußboden aus. »Wir sind alles Privatpatienten, Doktor! Honorar in bar oder in Naturalien! Flaschen oder Mädchen, ganz, wie's beliebt. Was halten Sie davon?«

»Wenig.« Dr. Lingen stieß sich von der Fensterbank ab. »Was da der verblichene Kollege Blinker getan hat, ist seine Sache. Solche Dinge wie mit der Curette mache ich nicht!«

»Die medizinisch-ethische Achtung vor dem keimenden Leben!«

»Genau!«

»Gut! Suchen wir dafür einen anderen. Aber sonst, Doktor: Hätten Sie Lust, der Leibarzt der Vogelfreien zu werden?«

»Sie werden romantisch, Gräfin.« Dr. Lingen lächelte. Sein schönes, männliches Gesicht glänzte. Die »Gräfin« starrte ihn an. Ich werde mich in ihn verlieben, dachte sie. Es wird mir gar nichts anderes übrigbleiben. Ich werde den Kopf verlieren, wenn er mich so ansieht. Er wird in unseren Kreis wie eine Lichtgestalt einbrechen. Baldur der Trinker. Der König der Wermutbrüder. Der Herrscher der Bunkerratten.

»Unten wartet eine Abordnung auf Ihre Antwort, Doktor«, sagte die »Gräfin« mit unsicherer Stimme.

»Eine gute Organisation. Alles Pennbrüder?«

»Die Intelligenz, Doktor. Sie werden sich an die Namen schnell gewöhnen: Emil, der Fisch, René, der Kavalier, und Jim, das Kamel ...«

Dr. Lingen lachte. Er ging zum Spülbecken, entkorkte die andere Flasche Sekt und hielt sie der »Gräfin« hin.

»Prost, Frau Gräfin!« rief er. »Früher trank ich aus geschliffenen Gläsern. Welcher Luxus! Mit einer schönen Frau trinke ich aus der hohlen Hand ...«

Die »Gräfin« nahm die Flasche und setzte sie an die Lippen. Dabei sah sie Dr. Lingen aus weiten Augen an.

Ein Mann, dachte sie und spürte ein Zittern an den Innenseiten ihrer Schenkel. Ein richtiger Mann in unserer Mitte. Ob ich das Wunder der wirklichen Liebe noch einmal kennenlerne ... noch einmal glücklich sein, bevor ich zerfalle ...

»Rufen Sie Ihre Kumpane herauf, Frau Gräfin!« sagte Dr. Lingen und nahm ihr die Sektflasche ab. »Ob an einem blinkenden OP-Tisch oder in einer Bunkerzelle ... schließlich geht es ja um den Menschen, nicht wahr? Und wer könnte menschlicher sein als wir ...«

Die »Gräfin« erhob sich. Ihre rotgeränderten Augen flimmerten. »Uns hat das Glück noch nicht verlassen«, sagte sie leise. »Es ist mir, als hätten Sie einmal kommen müssen ...«

Ein kurzer Brief alarmierte die Familie Lingen in Essen.

Aus Köln schrieb ein Hotelier folgende Zeilen:

»Vor vier Tagen wohnte bei uns, Zimmer vierzehn, ein Herr, der sich Dr. Lingen nannte. Die Hotelleitung sah sich leider genötigt, den Gastvertrag mit Herrn Dr. Lingen zu lösen, da er in den letzten Tagen Zimmer und Bettzeug beschmutzte und sich so benahm, daß die anderen Gäste unseres Hauses sich beschwerten.

Nach dem Auszug von Herrn Dr. Lingen erlauben wir uns, Ihnen beiliegend eine Rechnung über Sonderleistungen an Reinigungsgebühren vorzulegen, vor allem über die Anschaffung eines neuen Bettvorlegers, da der alte unbrauchbar geworden ist ...«

Brigitte Lingen las den Brief mit tränenlosen Augen. Sie benachrichtigte sofort ihren Anwalt, holte ihre Tochter von der Schule ab und zeigte ihr den Brief.

»Das ist ja Papi …« sagte das Mädchen leise.

»Ja. Er ist in Köln. Jetzt wissen wir endlich, wo er lebt. Wir fahren sofort zu ihm …«

»Aber er ist doch gar nicht mehr in dem Hotel!«

»Er ist in Köln. Das genügt! Wir werden ihn finden, ganz gleich, wo er sich versteckt hält! Die Kriminalpolizei kennt die Schlupfwinkel. Wir werden ihn zurückholen! Ich weiß jetzt, was geschehen ist … er braucht nicht wegzulaufen.«

»Und was ist geschehen, Mutti?«

»Später, mein Kleines. Erst müssen wir Papi finden.« Brigitte Lingen nahm den Brief, legte ihn ins Handschuhfach und ließ den Motor an.

Minuten später schoß der weiße Sportwagen über die Autobahn nach Köln.

Es war um die gleiche Zeit, in der Dr. Lingen die »Gräfin« küßte und wußte, daß es danach kein Zurück in das sogenannte bürgerliche Leben mehr gab …

8

Köln erwies sich für Brigitte Lingen als der berühmte Heuhaufen, in dem man eine Stecknadel suchen soll. Wenn sich jemand in die Einsamkeit der Wälder verkriecht, auf einen Bauernhof, in eine Heidekate, auf einen Berggipfel, ist es leicht, ihn aufzustöbern. Inmitten von siebenhunderttausend Menschen einer Großstadt aber ist er wie eine in einem Wasserfall tanzende Luftblase, ein winziges Teilchen im brodelnden Schaum der Menschen, ein Gärungsseufzer in der Hefe – weiter nichts! Nirgendwo ist man anonymer und sicherer als in der grauen Masse einer Großstadt. Heuschrecken, Termite unter Termiten …

Der Hotelier gab eine präzise Beschreibung des Gastes, der bei ihm nur als Betrunkener gewohnt hatte und den er nie nüchtern sah. »Es war furchtbar«, sagte er, als er sah, daß die Frau des akademischen Säufers Haltung genug hatte, die Wahrheit zu hören. »Mein Gott, wir trinken alle gern einen, wir sind keine Engel, o nein – auch ich habe manchmal einen am Ohr gehabt, und meine Frau hat mich ausziehen müssen und hat mich ins Bett gebracht, und hinterher, am Morgen, da habe ich mit meinen Haarspitzen Musik machen können … so etwas ist ja menschlich, gnädige Frau. Aber Ihr Herr Gemahl … ich meine, das war zu toll! Nur saufen und kotzen – Verzeihung, aber anders kann's nicht genannt werden –, nur so im Bett liegen, die Flasche im Arm … mein Hotel ist zwar kein erstrangiges Haus, ich weiß das selbst, aber ein wenig muß ich doch auf den Ruf sehen!«

»Was muß ich bezahlen?« fragte Brigitte Lingen steif.

»Hundertfünfundzwanzig Mark, wenn's recht ist. Wir haben Ihnen ja eine spezifizierte Rechnung …«

Brigitte Lingen bezahlte und verließ mit ihrer Tochter das kleine, dumpfe Hotel. Auf der Straße setzten sie sich in den Wagen und starrten durch die Scheibe auf das Straßenleben.

»Warum tut Papa so was, Mutti?« fragte das Mädchen. Brigitte Lingen zuckte zusammen.

»Ich weiß es nicht, mein Kind.«

»Papa hat doch nie getrunken. Das heißt … so getrunken. Wenn, in Gesellschaft und so, dann war er immer lustig, und alle waren begeistert von ihm. Warum hat er denn jetzt plötzlich …«

»Ich weiß es nicht, Kleines.« Brigitte Lingen strich sich über das Gesicht. Wie kann man erklären, was man selbst nicht versteht? »Vielleicht hängt es mit dem Unfall von früher zusammen, vielleicht hatte Papa heimlichen Kummer, er muß einen Schock bekommen haben ... das Verschwinden dieses Mädchens Karin hat ihn sehr erschüttert ...« Sie hob hilflos die Schultern. »Ich weiß es nicht ...«

Die nächste Fahrt führte zur Polizei. Im Präsidium reichte man sie zunächst von Zimmer zu Zimmer weiter, bis sie an einen Polizeirat gerieten, der bedingt zuständig war. Vorher hatte man sie zur Sittenabteilung geschickt, die auch nicht weiterwußte.

»So etwas erleben wir gar nicht so selten«, sagte der Polizeirat tröstend. »Ein Mann – oder eine Frau – kommt in einen Rausch, entdeckt in sich den Alkoholiker und rutscht ab! Nach einiger Zeit finden wir sie dann an den uns bekannten Plätzen wieder ... in den ehemaligen Bunkern, im Obdachlosenasyl, in den Schlafstätten der Heilsarmee, beim Guttemplerorden, in den Caritas-Häusern oder« – er blickte auf das junge Mädchen und fuhr zögernd fort – »oder in bestimmten Häusern, Sie wissen, was ich meine, Frau Lingen. Bei Razzien tauchen sie dann in den Fahndungsbüchern auf als Nichtseßhafte, Landstreicher und Nichtgemeldete.« Der Polizeirat suchte nach Worten, um wenigstens etwas Tröstliches zu sagen. »Ich glaube, daß wir auch Ihren Gatten auf diese Weise auffinden. Ihn systematisch zu suchen, ist fast unmöglich! Außerdem hat er – bis jetzt – keine kriminellen Handlungen vollbracht, die einen Sondereinsatz meiner Beamten rechtfertigen. Stellen Sie sich vor, wenn wir für jeden herumstrolchenden Alkoholiker die gesamte Polizei in Alarm versetzen wollten! Haben Sie keine Sorge ... Ihr Gatte kommt von ganz allein in die Arme der Behörden. Lassen Sie bitte ein gutes Bild von ihm hier, ich werde es an die Dienststelle weiterleiten.« Der Polizeirat seufzte, als er ein Foto Dr. Lingens in der Hand hielt. Ein Bild aus dem OP. Ein schöner, intelligenter Kopf, das, was man einen Beau nennt. Weißer Arztkittel, die Haltung eines Siegers, der Ausdruck in Gesicht und Körper der eines Herrschers. Eine Modellstudie für ein prämienreifes Bild: Der Chefarzt. »Man versteht es wirklich nicht«, sagte er und legte das Bild auf den Tisch. »Köln scheint eine merkwürdige Anziehungskraft für Alkoholiker zu haben. Wenn ich Ihnen die Berichte der Razzien zeigen würde ... erschreckend! Und darunter – wie Ihr Gatte – hochintelligente Männer! Einmal sogar ein Professor! Und ein ehemaliger Generaldirektor! Wenn Ihr Gatte sich nicht von allein fängt – und das wollen wir alle hoffen, Frau Lingen –, dann sehen wir ihn eines Tages in irgendeinem Bunker oder Asyl wieder. Es wäre nützlich, wenn Sie vorsorglich eine Anzeige erstatteten, damit wir ihn dann festsetzen können.«

»Ich soll meinen Mann anzeigen?« fragte Frau Lingen leise.

»Wir müssen eine Handhabe haben! Wenn sich Doktor Lingen sittlich unauffällig benimmt, kein öffentliches Ärgernis darstellt, sich nicht der Landstreicherei schuldig macht – wie sollen wir ihn dann festnehmen! Anders ist es, wenn Sie Anzeige wegen Verletzung der Unterhaltspflicht erstatten. Das ist in solchem Fall immer gut! Dann kriegen wir ihn! Was dann folgt, ist ja eine Verständigung zwischen den Anwälten und der Justiz.«

Brigitte Lingen erhob sich langsam. Sie mußte sich auf die Tischkante stützen, so schwach war sie plötzlich in den Knien.

»Von einer Anzeige ... Herr Kriminalrat ... ich habe noch die Hoffnung, meinen Mann ohne eine solche Anzeige zurückzuführen in sein früheres Leben. Wenn ... wenn Sie mir die Plätze nennen, wo man ihn treffen könnte ... ich meine die Plätze, wo die ... die Trinker sich sammeln oder übernachten ...«

»Unmöglich!« Der Kriminalrat starrte Brigitte Lingen entsetzt an. »Sie wollen in die Bunker gehen?«

»Ja.«

»Da wagen sich unsere stämmigsten Beamten nur zu zweien oder dreien 'rein! Es ist völlig ausgeschlossen, daß Sie –«

»Ich liebe meinen Mann ...« sagte Brigitte Lingen leise.

Das Mädchen begann zu weinen. Der Kriminalrat nagte an der Unterlippe. Das ist völlig ausgeschlossen, dachte er. Eine Frau allein unter diesen stumpfsinnigen, betrunkenen, amoralisierten Elementen. Man würde sie anfallen, wie Raubtiere auf ein hingeschobenes Stück Fleisch stürzen.

»Übermorgen ist wieder eine Kontrolle der Bunker und Asyle angesetzt«, sagte er ausweichend. »Bitte, halten Sie sich in einem Hotel auf. Ich bin sicher, daß wir Ihren Mann aufgreifen. Ich verspreche Ihnen, alles zu tun. Wo sind Sie abgestiegen?«

»Noch nirgendwo. Wir kommen direkt aus Essen.«

»Dann rufen Sie mich bitte an, wenn Sie ein Zimmer gefunden haben.«

Brigitte Lingen nickte und verließ das Präsidium. Wieder im Wagen sagte das Mädchen weinend: »Was nun, Mutti? Ich schäme mich so. Papa ein Säufer! Wenn das im Gymnasium bekannt wird! Ich schäme mich so ...«

»Wir werden Papa suchen, aber ohne Polizei.« Brigitte Lingen fuhr an und ordnete sich in den Straßenverkehr ein. »Jetzt fahren wir erst zu einem Hotel, und dann erkundige ich mich, wo sich die Trinker treffen …«

»Und wie willst du das erfahren, Mama?«

»Jeder Taxifahrer weiß das.« Brigitte Lingen starrte durch die Windschutzscheibe. Sie fuhren über den breiten Ring von Köln, aber sie sahen nichts von dem Glanz einer aus glühender Asche neu und schöner erstandenen tausendjährigen Stadt. Ihre Blicke gingen an den Hausfassaden aus Glas und Marmor vorbei … sie dachten an den Mann, der jetzt irgendwo in diesem Labyrinth von Häusern und Straßen und Gassen und Kellern und Zimmern und Fenstern saß oder stand oder lag, trank und trank und sich mit jedem Schluck mehr entmenschlichte. Vielleicht hinter diesem Fenster dort, an dem sie gerade vorbeifuhren … oder in dieser schmalen Straße … in diesem grauen Haus mit den Ziegelgesimsen vielleicht … oder dort … und dort … überall konnte er sein, Dr. Konrad Lingen, Gehirnchirurg, alle Examina mit Auszeichnung, beseelt von brennendem Ehrgeiz, ein schöner, reicher, geehrter Mann, ein Tennisspieler mit vielen Silberpokalen, ein Turnierreiter, ein Jäger mit seltenen Trophäen … in den Augen der Frauen wie ein gestaltgewordener Liebesgott, angebetet mit stummen, aber schreienden Blicken, verfolgt von heimlichen Wünschen. Saß er jetzt dort, hinter diesem Fenster mit der halbzugezogenen Gardine, starrte auf die Straße und setzte in immer schnelleren Abständen die Flasche an die Lippen? Vertrank er sein herrliches Leben, eingepreßt in ein Geheimnis, das niemand kannte oder – wenn man es ahnte – niemand kennen wollte?

»Wann … wann willst du gehen, Mama?« fragte das Mädchen.

Brigitte Lingen bremste auf dem Parkplatz eines Hotels am Rhein. Sie umklammerte das Lenkrad und drückte die Stirn gegen den blanken, kalten Hupenring.

»Heute nacht, mein Kleines … Ich habe keine Angst.«

In Wahrheit starb sie innerlich bereits vor Angst …

Emil, der Fisch, machte seinem Namen alle Ehre. Selten hatte Dr. Lingen eine solche Ähnlichkeit eines Menschen mit einem Schellfisch gesehen. Er besaß genug Vergleichsmöglichkeiten, denn wenn es Absonderlichkeiten menschlicher Physiognomie gibt, dann in den Irrenanstalten, in denen Lingen aus und ein gegangen war. Emil, der Fisch, übertraf alles an Erfahrung!

Ein platter Kopf, ein breites Maul, hervorquellende rötliche Augen, Ohren wie Kiemen, eine Nase wie ein horniger Höker ... der Eindruck, einen Riesenfisch vor sich zu haben, war vollkommen.

Er ist eine hohe Zangengeburt, dachte Dr. Lingen und betrachtete Emil interessiert. Der Kopf ist völlig deformiert worden. Außerdem hat er eine hochgradige Basedow. Dieser Mensch ist so häßlich, daß er direkt schön ist!

Jutta, die Gräfin, lachte, als Dr. Lingen den Kopf schüttelte. Sie saß neben ihm, den Rock hochgeschoben, mit glühendem, glücklichem Gesicht und hektischen Augen. Emil, der Fisch, stierte auf das zerwühlte Bett, leckte sich über die Lippen und kratzte sich am rechten Ohr, als jucke es.

»Die Sache ist also perfekt?« fragte er.

Dr. Lingen hob die Augenbrauen. Die Stimme des Riesenfisches war dunkel und melodisch. Wer Emil ansah und die Stimme hörte, mußte sich unwillkürlich umsehen, woher dieser volle Ton drang, denn aus diesem Mund schien es unmöglich.

»Was sehen Sie mich so an?« fragte Emil, der Fisch. »Ich weiß, wie ich aussehe! Kann ich dafür? Na also! Und Sie sind Arzt? Richtiger Arzt? Oder geben Sie bloß an? Wollen gleich mal sehen, was Sie können.«

Er zog die Jacke aus, streifte das Hemd hoch und wölbte seine Brust vor. Ein behaarter Fisch, dachte Dr. Lingen begeistert. Ein Naturwunder!

»Was ist das?« fragte Emil, der Fisch. Dabei wies er auf eine Narbe, die von Brustwarze zu Brustwarze lief. Dr. Lingen schüttelte verwundert den Kopf.

»Ein Säbelhieb, mein Bester. Aber schlecht vernäht! Die Narbenränder dürften keine Wülste haben!«

Emil, der Fisch, ließ das Hemd fallen. »Richtig!« Er nickte Jutta, der Gräfin, zufrieden zu. »Das ist 'n Doktor! Sieht sofort, wo's drauf ankommt!« Er warf wieder einen Blick auf das Bett und schnaufte. »Und Sie wollen unser Arzt werden?«

»Wenn ihr mich braucht – gern.«

»Wir laden Sie ein, Doktor. Heute abend, im Cäcilienbunker! René, der Kavalier, hat ein gutes Ding gedreht. Das wird gefeiert. Dabei können wir Sie gleich einführen.«

»Es soll mir eine Ehre sein.« Dr. Lingen lächelte. Es war das so mokante, gefürchtete Lächeln, das Unsicherheit bei denen auslöste, die es auf sich bezogen. Auch Emil, der Fisch, wurde verlegen, nickte und verließ das Zimmer. Draußen, das wußte Lingen, warteten Jim, das Kamel, und René, der Kavalier. Mit einem Schwung setzte sich Jutta auf seinen Schoß, küßte ihn und lehnte sich dann in seinen Armen zurück.

»Du bist ein Teufel von einem Mann«, sagte sie mit rauher Stimme. »Es wird bei uns noch hoch hergehen, wenn du auftauchst. Die anderen Weiber … oh, ich zerkratze sie bis zur Unkenntlichkeit, wenn sie dich anhimmeln!« Sie sah ihn darauf nachdenklich an und bemerkte auch das mokante, wie gefrorene Lächeln um seine Lippen. »Du … so darfst du uns nicht ansehen«, sagte sie leise und strich über seinen Mund, als könne sie damit das Lächeln auslöschen. »Wir haben ein feines Gefühl für solche Dinge. Wir sind Säufer und Huren, jawohl, aber wenn wir lieben und wenn wir Kameraden sind, dann erobern wir die Hölle! Wir merken sofort, wenn uns jemand verachtet oder lächerlich nimmt! Dann kennen wir keine Gnade, verstehst du das?«

»Ich verstehe alles, Gräfin.« Dr. Lingen angelte nach einer Flasche, die hinter ihm auf dem Nachttisch stand. »Wir sollten nicht so viel reden, Gräfin! Die wahre Freude liegt im schweigsamen Genuß.« Er setzte die Flasche an den Mund, trank ein paar tiefe Schlucke und reichte sie dann an Jutta weiter. »Weißt du, daß ich eine wunderschöne Frau besitze?«

»Ich nehme es an … ein Mann wie du.«

»Und eine entzückende Tochter.«

»Natürlich.«

»Und eine Villa mit Park, Swimming-pool und einem Tennisplatz und einem Reitplatz …«

»Du bist schon ein toller Kerl, Doktor!« Jutta, die Gräfin, trank und warf dann die leere Flasche aufs Bett. »Aber wo ist das alles? Wo ist deine wunderschöne Frau? Wo deine entzückende Tochter? Wo Villa, Park und all der Klimbim? Ist das alles hier? Nee – nichts ist davon hier. Nur ich bin hier … ich bin da … Faß mich mal an … wie ich da bin!« Dr. Lingen nickte und zog Jutta an sich. »Ja, du bist da«, sagte er heiser. »Verdammt, man sollte sich an das halten, was man hat!« Vor der Tür warteten die drei Trinker auf ein Zeichen, ins Zimmer kommen zu dürfen. Statt dessen wurde von innen her der Schlüssel 'rumgedreht. Es knirschte laut und unüberhörbar.

»Kommt, Jungs!« sagte Emil, der Fisch. »Seht ihn euch heute abend an. Jetzt macht der Doktor erst eine Injektion!«

Sie lachten laut. Polternd stolperten sie die steile Treppe hinunter.

In einem Zimmer unter dem Dach starb an diesem Abend Karin von Putthausen. An Alkoholvergiftung.

Das Zimmerchen lag verborgen in dem großen Haus des Handelsherrn und Gutsbesitzers von Putthausen, und an dem Bett der Sterbenden stand nur die alte Martha, die seit dreißig Jahren den Haushalt führte und Karin großgezogen hatte.

Das klingt wie der Beginn eines feudalen Familienromans: Auf dem Gute derer von Putthausen geschah es unter Eichen und rauschenden Linden, daß das Edelfräulein … Es mag heute befremdend klingen, kitschig und lebensunwahr, aber hier war es noch so. Es gab bei den Putthausens das Rittergut mit dem Eichenwald, es gab eine Martha, die dreißig Jahre lang diente und keine Ahnung von Tariflöhnen und Gewerkschaft hatte, es gab eine eiserne, harte Tradition in diesem Haus, die besagte, daß ein Mädchen wie Karin von Putthausen in einer Gesindekammer unter dem Schieferdach zu sterben hatte, weil ihr Leben nicht des Namens von Putthausen würdig war.

Und so verging Karin an diesem Abend, eingebettet in Alkohol, zerfressen von Rauschgift, getötet von Leidenschaften, die stärker waren als ihre Lebenskraft. Sie starb in einem Rausch, der ihr höchstes Glücksgefühl vermittelte. Bevor sie in Bewußtlosigkeit fiel und durch das Gift starb, zu dem der Alkohol in ihrem geschwächten Körper wurde, machte sie das Stadium süßester Halluzinationen durch. Sie träumte von den Umarmungen eines Mannes, der einen flammenden Leib hatte und einen mächtigen Phallus, der wie eine Sonne leuchtete. Bei der Vereinigung mit ihm spürte sie auch sich in Flammen aufgehen, die Erde, auf der sie lagen, verwandelte sich in Lava, der Himmel war ein Feuermeer, die Welt war zurückversetzt in den Urzustand der Zeugung, und sie, das Mädchen, und der Sonnengott zeugten eine neue Erde, auf der die Lebewesen nur atmen konnten, wenn sie sich liebten.

In diesem höchsten Taumel der Wunschbilder ereilte sie der Tod. Himmel und Erde erloschen, die Flammen sanken zusammen, ein Meer überspülte alles, ein graues, stinkendes Meer, das nach Fusel roch …

Die alte Martha, übriggeblieben aus der Zeit der Sagen, in denen die Dienerin der Gnädigen noch die Hand küßte, drückte Karin die aufgerissenen, in die Seligkeit starrenden Augen zu.

Dann zog sie ein Laken über das schmale, bleiche Gesicht der Toten, bekreuzigte sich und stieg hinunter in die Jagdhalle. Baron von Putthausen saß inmitten seiner Trophäen, zwischen

165

Eberköpfen und Kronenhirschen, starrte ins Leere und wartete. Er trug einen dunklen Anzug, der einzige Ausdruck von Verbundenheit mit dem Mädchen, das unter dem Dach allein und doch glücklich gestorben war. Die alte Martha machte vor ihm einen Knicks und blieb dann mit gesenktem Kopf stehen.

»Es ist vorbei?« fragte von Putthausen mit gefaßter Stimme.

»Ja, Herr Baron. Soeben ...«

»Hat sie noch etwas gesagt?«

»Nichts, Herr Baron.«

»Sie ist nicht nüchtern geworden?«

»Nein.«

Von Putthausen erhob sich und trat an das Fenster. Er blickte hinüber zu den Parkbäumen und dem Bach, der den Garten durchzog. Einige Minuten war es still in dem großen Jagdzimmer, die alte Martha stand noch immer mit gefalteten Händen und gesenktem Kopf vor dem verlassenen Sessel. Eiche, reich geschnitzt, bezogen mit einem Gobelin. Heimkehr von der Jagd. Flandrische Arbeit. 18. Jahrhundert. Es schien sich seit dieser Zeit kaum etwas geändert zu haben ... vielleicht der Schnitt der Kleidung und die Getränke in dem altdeutschen Getränkeschrank ... auf keinen Fall aber der Geist. Baron von Putthausen räusperte sich.

»Wann kommt der Pfarrer?«

»In einer halben Stunde.«

»Karin wird in der Familiengruft begraben. Aber ohne Beteiligung der Öffentlichkeit. Der Pfarrer soll sich einfallen lassen, wann es am besten ist ... sechs Uhr morgens oder elf Uhr nachts ...«

»Und der Herr Baron?«

»Ich habe eine Jagd in den Karpaten. Ich fahre in zwei Stunden.« Von Putthausen drehte sich um. Er sah in die stumm rebellierenden Augen der alten Martha. Er verstand diesen Blick, aber es war ihm nicht gegeben, eigene Schatten zu überspringen. »Kaufen Sie Rosen ...« sagte er langsam und bemühte sich um ein steinernes Gesicht. »Gelbe Rosen. Karin liebte sie besonders.«

Irgendwo, in der Ferne des weiten Hauses, schlug eine Klingel an. Wenig später trat der Butler ein, fast siebzig, mit weißen Haarkoteletten. Ein Auftritt wie in einem Dickens-Film.

»Der Arzt, Herr Baron ...«

Von Putthausen nickte. »Martha wird ihn hinführen.«

»Der Herr Doktor möchte den Herrn Baron gern sprechen.«

»Wozu? Ich weiß, daß meine Tochter an Delirium tremens gestorben ist! Ich brauche keine ärztlichen Kondolationen!«

»Der Herr Doktor meint, es sei da noch etwas gewesen …«

»Kein Interesse!« Von Putthausen winkte energisch ab. »Sie ist eingeschlafen! Damit erlischt alle Schuld, und etwaige Geheimnisse sind mitgestorben. Ich möchte nichts mehr hören.«

Der Butler entfernte sich wieder lautlos. Martha folgte ihm. Ihre langen Röcke wehten raschelnd über die Fliesen der Jagdhalle. Von Putthausen sah ihr nach, bis die schwere geschnitzte Tür hinter ihr zufiel. Erst da verzog sich sein Gesicht wie in einem inneren Schmerz. Er legte die flache Hand über die Augen und stand so eine Minute lang, als blende ihn das trübe Licht des Tages.

Der älteste Sohn 1945 an der Oder gefallen … der zweite Sohn mit dem Wagen verunglückt … die Frau gestorben an einem Magenkarzinom … die jüngste Tochter, das letzte Kind, eingegangen durch den Trunk, ein Opfer des Rausches …

Was war von der Welt derer von Putthausen geblieben? Ein Landgut, eine Exportfirma in Hamburg, ein Bankkonto mit einigen Millionen, Aktienpaketen und Beteiligungen, zwei Jagden mit kleinen Jagdschlössern, zwei Hände voll Dienerschaft, ein kleines Gestüt. Eine runde, volle Welt … doch wofür?

Von Putthausen sah auf die große altenglische Standuhr neben dem offenen Kamin. Es wurde Zeit. In einer Stunde traf der Wagen ein, der ihn zum Flughafen brachte. Hirsche in den Karpaten. Vielleicht auch einen Bären, wenn man Glück hatte. Die einzige Abwechslung in dem Lebensgrau eines Satten.

Als von Putthausen zwei Stunden später die Ulmenallee hinunterfuhr, begegnete ihm ein anderer, schwarzer Wagen.

Der Sarg. Einen Moment sah er den gewölbten Holzdeckel mit dem bronzenen Kruzifix darauf. Ein teurer Sarg. Der beste, den man auf Lager hatte. Zehn Jahre hält er garantiert, bis er einbricht …

Von Putthausen wandte den Kopf geradeaus.

Mit mir geht eine Dynastie zugrunde, dachte er. Aber es gibt Eichen, die viermal der Blitz traf, und sie stehen noch immer! Auch ich stehe noch! Und ich werde stehen! Wir sterben aufrecht wie die Elefanten …

Man mag den Kopf schütteln … aber auch das gab es noch in dieser Zeit. Jahrhunderte sind nicht wegzuwischen … sie lassen sich nur ab und zu maskieren.

Besuch bei Peter Kaul.

Judo-Fritze war sich nicht im klaren, ob er den Besucher vorlassen sollte. Der Mann machte einen netten, freundlichen Eindruck, er hatte für Kaul eine Tüte Obst mitgebracht, aber irgendwie hatte Judo-Fritze das dumpfe Gefühl, dieser Besuch wäre besser zu Hause geblieben.

»Sie sind ein Arbeitskollege von Herrn Kaul?« fragte er noch einmal. Der Besucher nickte eifrig.

»Sein bester sogar.«

»Sie heißen Bollanz?«

»Ja, Hubert Bollanz.«

»Herr Kaul hat nie von Ihnen gesprochen.« Judo-Fritze war sich nicht ganz so sicher, als er das sagte. Irgendwie kam ihm der Name doch bekannt vor. Bollanz! So einen eigentümlichen Klang behält man im Ohr. Andererseits war es Judo-Fritze zu dumm, erst den Abteilungsarzt zu fragen. Als Oberpfleger hatte er bei Besuchen freie Hand, wenn es sich nicht um ganz schwierige Fälle in der »geschlossenen Abteilung« handelte, wo Besuche vom Stationsarzt oder gar vom Chef selbst genehmigt werden mußten.

»Sie werden sehen, er erkennt mich sofort, wenn ich ins Zimmer komme.« Hubert Bollanz legte über sein Gesicht einen Schleier von Mitleid. »Ist er denn ganz klar? Oder ist er ...«

»Herr Kaul ist völlig gesund!«

»Aber warum ist er dann hier?«

»Zur Beobachtung! Er ist einer der leichten Fälle, die nur Ruhe und ein anderes Milieu brauchen, um sich zu fangen.« Judo-Fritze räusperte sich. Das war ein guter, eingelernter Satz, den er in seinem Pflegerleben ungezählte Male abgespult hatte. »Na, dann woll'n wir mal!« fuhr er in seiner natürlichen Sprechweise fort. »Aber wenn das nicht stimmt, das mit dem Arbeitskollegen ...« Er blieb stehen. Hubert Bollanz sah an dem Riesen empor und nickte. Man muß es wagen, dachte er. Seit Wochen fließt die Quelle nicht mehr. Aber die Raten für das Auto gehen weiter. Ein Auto, dessen Wechsel Peter Kaul bezahlte. Bisher.

Kaul saß in seinem Zimmer und las. Ein historisches Buch. Aus der Heilanstaltsbibliothek. »Der Löwe von Flandern« hieß es. Darin spielte bei den Schlachten und Städteeroberungen die Metzgerinnung eine große Rolle. Überall, wo es brenzlig wurde, marschierten die Fleischer heran und hieben mit ihren Beilen den

Sieg heraus. Die alte Form des modernen Stoßtrupps. Ein spannendes Buch. Es bewies, daß zu allen Zeiten und in allen Jahrhunderten das staatlich sanktionierte Menschenschlachten als Heldentat betrachtet wurde.

Die letzten Tage nach der Aussprache mit Frida Milbach waren eine Hölle gewesen. Er war in eine seelische Krise geraten, die Prof. Brosius veranlaßte, ihm dämpfende Mittel zu geben. In der Nacht nach der entscheidenden Begegnung hatte Kaul wieder das unbändige Durstgefühl gepackt. Er hing an den weißlackierten Gitterstäben seines Fensters, biß in das Eisen, leckte die Feuchtigkeit ab und wimmerte in dem Gefühl, daß er innerlich verbrenne, daß er ausdörrte, daß sein Hirn brodelte wie eine überkochende Masse. Als er es nicht mehr aushalten konnte, schellte er nach der Nachtwache. Sie war auf Anordnung des Professors nicht bloß mit einem Pfleger besetzt, sondern auch mit einem Arzt, da es mehr als einmal vorgekommen war, daß sich Tobende schwer verletzten und dann sofort ärztlich versorgt werden mußten. Vor allem in den Schlafsälen kamen solche Dinge häufig vor, und von diesen Schlafsälen war es wieder das Zimmer siebzig im Flügel drei, wo die Wermutbrüder und stumpfen Säufer gesammelt waren.

Nach dem Auftreten der Männer der Anonymen Alkoholiker hatte sich eine Verschiebung bemerkbar gemacht. Der ehemalige Rechtsanwalt Dr. Faßbender und zwei andere Trinker hatten um Verlegung gebeten und besuchten jetzt Kurse und Lehrgänge, Filme und Vorträge, um – wie es heißt – resozialisiert zu werden. Prof. Brosius war von diesem Anfangserfolg fasziniert und hatte auf eigene Faust versucht, den Spruch: »Ich bin Alkoholiker und heiße Peter S.« umzuändern in: »Ich zeige euch jetzt einige Alkoholiker ...«, und ließ einen Lehrfilm über Trinker abrollen.

Der Erfolg war niederschmetternd.

Erst gingen die Trinker förmlich mit, sie klatschten bei Filmstellen, wo die Betrunkenen in die Gosse fielen, sie gaben Kommentare, wenn jemand in einem Hauseingang schlief, und sie wurden ordinär, wenn Frauen der Heilsarmee oder Caritasschwestern auf der Leinwand erschienen, um die Betrunkenen aufzusammeln. »Keine Lautenmusik!« schrie jemand in der Dunkelheit, als ein weiblicher Leutnant der Heilsarmee mit der Laute besinnliche Weisen an einem Mittagstisch des Asyls zupfte. »Rock hoch, Mädchen! Zupfen tun wir!«

Und eine andere Stimme sagte: »Der Film ist Mist! Saufen, Schlafen, Fressen, Beten … das Wichtigste zeigen se nicht! Ist ja alles Tinnef! Jungs, wenn ich jetzt 'n Schluck hätte …«

Später schliefen sie dann ein und erlebten das Ende des Lehrfilmes schnarchend. Prof. Brosius brach seine Versuche ab. Er war bitter enttäuscht.

»Es hat keinen Zweck!« referierte er vor seinen Oberärzten nach diesem Fiasko. »Moralisch ist den Burschen nicht zu kommen! Wo nichts ist, kann man nichts suchen! Die Sache mit den Anonymen Alkoholikern war eine Eintagsfliege. Ein Zufall! Sie sollten jetzt mal kommen, bei dieser Belegung von Station drei!«

Der Wunsch des Professors sollte schnell in Erfüllung gehen. Er erhielt wenig später einen Anruf, ob wieder einige Herren am Samstag kommen könnten. Brosius sagte sofort zu. In seiner Stimme schwang Schadenfreude.

»Jetzt werden Sie den Zusammenbruch einer frommen Theorie erleben, meine Herren!« sagte er zu seinen Ärzten. »Ich werde reumütig zu meiner Ansicht zurückkehren: Strenge! Zucht wie in einer Kaserne! Die Kandare straff, meine Herren! Jedes wilde Pferd wird weich durch Sporen und Kandare! Geschweige denn ein Mensch! Ich sage es immer: Ein guter Psychiater sollte auch ein guter Reiter sein!«

Die Oberärzte nickten und fügten im stillen ein dreimaliges »Hurra! Hurra! Hurra!« hinzu. Brosius hatte wieder seinen vaterländischen Tag. Dann wurde selbst die Medizin preußisch.

So standen die Dinge, als Hubert Bollanz zum Besuch bei Peter Kaul vorgelassen wurde. Judo-Fritze wurde auf dem Flur von der Seite Bollanz' weggeholt … in Zimmer siebzig hatten sich zwei Trinker verprügelt. Aus Eifersucht um einen jungen Patienten, der mit seinen zwanzig Jahren und seinem aufgedunsenen Milchgesicht wie ein Engel wirkte. Er hatte den einen angelächelt und dem anderen über das Haar gestreichelt. Darauf waren die beiden Ausgezeichneten aufeinander losgegangen wie zwei Stiere.

»Ist gleich erledigt!« sagte Judo-Fritze und spreizte seine riesigen Hände. »Gehen Sie schon mal zu Herrn Kaul! Ich komme nach! Die Brüder auf Nummer siebzig müssen abgekühlt werden …«

Peter Kaul sah kurz auf, als die Tür klappte. Es hatte niemand angeklopft, also konnte es nur jemand vom Anstaltspersonal sein. Wie ein Schlag in den Nacken aber war es, als ihn eine Stimme ansprach.

»Guten Tag, Peter ...«

Kaul fuhr herum. Im Zimmer stand Bollanz mit seiner Obsttüte und lächelte freundlich. Er tippte auf die obere Lage in der Tüte und nahm dann einen Apfel heraus, den er hoch hielt.

»Cox Orange, Peter! Die schmecken sogar ein klein bißchen nach Wein. Ist dir doch recht, was?«

Peter Kaul ließ das Buch, das er in den Schoß gelegt hatte, fallen. Eine Hitzewelle flutete über ihn hinweg, als stecke er in einem Schwitzkasten. Das Herz war plötzlich wie ein Bleiklumpen, der ihm die Luft abdrückte. Er riß den Mund auf und atmete ein paarmal schnell, tief und röchelnd.

»Was ... was willst du hier?« fragte Kaul, nachdem der fürchterliche Druck in der Brust nachgelassen hatte.

»Dich nur besuchen, Kumpel.« Hubert Bollanz stellte die Obsttüte auf den Tisch. Dann rieb er sich die Hände, nickte Kaul zu und rückte an seinem Schlips. Er war nervös, man sah es, und er bemühte sich, unbefangen auszusehen. »Mal sehen, wie's dir geht und wann du wieder so weit bist, Piepen zu verdienen. Weißt du ... die Raten für den Wagen, die drücken mich verdammt. Und ich glaube ...«

»Du bekommst keinen Pfennig mehr!« sagte Kaul dumpf.

»Wie bitte?«

»Keinen Pfennig!«

Hubert Bollanz legte den Kopf etwas schief. »Hör mal«, sagte er betont, »doof kannste hier spielen, nicht bei mir! Ich habe gestern die arme Witwe Milbach getroffen. Jammern könnte die einen. Verhärmt, zehn Jahre älter, als sie ist, sieht sie aus. Und die Kinderchen ... man könnte heulen. Hohle Augen, schwindsüchtige Farbe ... und wenn sie einen ansehen, ist in ihren Augen die stumme Frage: Wo ist unser Vater ...«

Das war Bollanz' Tour, mit der er zwei Jahre lang Peter Kaul weichgeknetet hatte. Immer war es ihm gelungen. Kaul war zusammengebrochen unter seiner Schuld, der Mörder Johann Milbachs zu sein. Und auch jetzt schien es so, als sänke Kaul unter den Worten zusammen ... sein Kopf neigte sich, die Arme hingen schlaff herab, Hubert Bollanz war bereit, noch ein Schüppchen draufzulegen und zu erzählen, daß der begabte älteste Sohn Hilfsarbeiter werden müsse, weil kein Geld für die Ausbildung da sei ...

In diesem Augenblick sprang Kaul auf. Er schnellte vor, als habe sein Stuhlsitz eine Katapultvorrichtung. Ehe Hubert Bollanz ausweichen oder auch nur die Arme zur Abwehr heben konnte, war Kaul bei ihm, hieb die Finger um seinen Hals und drückte Bollanz gegen die Wand.

»Du Schwein!« sagte er ganz ruhig. Obwohl seine Augen wie im Fieber glühten, war seine Stimme von einer merkwürdigen Gleichgültigkeit. »Sie war hier, die Frida Milbach, mit allen Kindern. Ich weiß die Wahrheit, du Lump. Ich weiß alles! Du hast mich zwei Jahre lang ausgesaugt, du hast Susanne unglücklich gemacht, meinen Heinz, meine Petra, und auch an der Blödheit Gundulas bist du schuld! Nun ist es vorbei ... nun zahlst du zurück ...«

Er preßte die Finger gegen den Adamsapfel Bollanz'. Dieser schlug um sich, trat Kaul in den Leib. Kaul krümmte sich vor Schmerzen, aber er ließ den Hals nicht los, er grub die Fingernägel in das Fleisch und schüttelte Huberts Körper. Zufrieden sah er, wie der Kopf bläulich wurde, wie die Augen hervorquollen. »Du Aas!« sagte er da, »du gottverdammtes Aas!« und drückte weiter zu.

Es gelang Bollanz mit einem wilden, verzweifelten Ruck, sich dem Griff zu entziehen. Taumelnd rannte er zur Tür und riß sie auf. »Hilfe!« schrie er in den Gang. »Hilfe!« Dann sank er in die Knie und fiel nach vorn aufs Gesicht in den Flur. Ein Kranker, der neugierig aus dem Nebenzimmer sah, stieß einen schrillen Schrei aus und verschwand. Dafür rasselte die Alarmglocke.

Peter Kaul stand neben dem ohnmächtigen Bollanz, als Judo-Fritze von Station III herbeistürzte. Ihm folgte ein junger Volontärarzt, der beim Anblick des langgestreckten Körpers bleich wurde.

»Er hat einen umgebracht!« stammelte er.

»Blödsinn! Der Kaul nicht!« Judo-Fritze nahm Kaul mit einem Griff vorn an der Jacke, hob ihn in alter Manier hoch und trug ihn wie eine nasse Katze ins Zimmer. »Was ist los, Peter?« fragte er dabei. »Los, rede! Er ist doch dein Arbeitskollege! Was ist denn los?«

Kaul ließ sich auf das Bett fallen und starrte auf die offene Tür. Die Schuhe Bollanz' ragten noch ins Zimmer.

»Habe ich ihn wirklich umgebracht?« fragte er leise. »Habe ich ihn endlich umgebracht? Oh, ist das schön! Ist das schön!«

Judo-Fritze gab ihm eine Ohrfeige. Ernüchterung, nannte er das. Bei bestimmten Symptomen der Geistesabwesenheit hilft nur eine kräftige Ohrfeige, war seine Ansicht. Prof. Brosius bekannte sich zwar nicht zu dieser Therapie, aber er duldete sie stillschweigend, vor allem auf Station III, Zimmer neunundsechzig bis zweiundsiebzig.

Kauls Kopf zuckte zurück. Seine Augen verschleierten sich.

»Er ist es, Fritz«, stammelte er. »Er … mein ganzes Leben … das Saufen … alles Unglück … nur er … er …«

Judo-Fritze verstand plötzlich alles.

»Hinlegen!« befahl er.

Als Kaul lag, gab er ihm eine Injektion in den Oberschenkel und deckte ihn dann zu.

»Und jetzt schlaf!« sagte er. »Und morgen erzählst du alles dem Chef.«

Im Flur hatte der Volontärarzt unterdessen Hubert Bollanz aufgerichtet. Keuchend lehnte der Angefallene an der Wand, die Würgemale waren rot angelaufen, die Lippen aufgesprungen.

»Sehen Sie sich das an!« rief der junge Arzt. »Ein Mordversuch! Würgen! Der Mann muß sofort in eine Zelle!«

»Wird er auch, Herr Doktor.« Judo-Fritze sah Hubert Bollanz kritisch an. Und dann tat er etwas, was den Volontärarzt völlig aus der Fassung brachte: Er holte aus und schlug Bollanz eine solche Ohrfeige auf die linke Backe, daß der nach Atem Ringende umfiel wie vom Blitz getroffen.

»Sind Sie verrückt, Kellermann?« schrie der Arzt.

Judo-Fritze bückte sich wortlos, warf den schlaffen Körper über die Schulter und wandte sich dann an den Arzt.

»Das verstehen Sie nicht, Herr Doktor«, sagte er laut. »Das ist ein Akt der Kameradschaft!«

»Wo wollen Sie denn mit dem Mann hin?« rief der Arzt fassungslos.

»Ins Freie. Ich lege ihn draußen auf die Bank.«

»Er wird uns eine tolle Anzeige auf den Hals laden!«

»Der? Nie!« Judo-Fritze schob den schlaffen Körper zur besseren Gewichtsverteilung nach hinten. Dann ging er zu einer Tür, die ein Nottreppenhaus abschloß, über das man bei Bränden noch ins Freie flüchten konnte. Dem Glöckner von Notre-Dame gleich tappte er mit seiner Last die dunklen Stiegen hinab und wußte, daß er mit jedem Schritt die Krankheit von Peter Kaul wegtrug.

Und das machte ihn fast fröhlich.

Der Cäcilienbunker ist ein Überbleibsel aus jener Zeit, in der die Deutschen glaubten, eine Laus sei stärker als ein Elefant. Das war noch gar nicht so lange her, die Betonflure und die Betonzimmer

waren noch nicht verfallen, sondern nur muffig und feucht, die
Riegel der Eisentüren etwas angerostet, der Boden glitschig.

Bei der allgemeinen Sprengung der Bunker hatte man diesen
Luftschutzraum vergessen, ob bewußt oder unbewußt, war
nicht mehr festzustellen. Vielleicht hatte es einmal einen Mann
gegeben, der nicht daran glaubte, daß Deutschland keine Luft-
schutzbunker mehr brauchte und nun der ewige Friede ausgebrochen sei, und der sich sagte, was man hat, das hat man ...
sprengen und später neu bauen ist Idiotie und kostet nur unser
sauer verdientes Geld. Er ließ den Eingang zuschütten, und fertig war die Abrüstung. Nun, in diesen Jahren des Aufbaues, wo
es trotz fünfundfünfzig Millionen Toten in einem einzigen
Krieg wieder Marschmusik gab, die Uniform wieder zum Eh-
renkleid wurde, Panzer herumrollten, die Truppen neue Fahnen
bekamen (denn die Fahne ist mehr als der Tod! solchen Geist
muß man behalten), der Blick nach Osten die Augen stählte und
die Kinne vorschob, die Deutschen wieder begannen, Bunker zu
bauen und Merkheftchen herausgaben: »Beim Fall einer Atom-
bombe lege man sich auf die Erde und decke seine Aktentasche
über den Kopf ...« (Leute, kauft mehr Aktentaschen! Die Japa-
ner in Hiroshima hatten keine Aktentaschen, darum verglühten
sie zu Asche!), als die Zeit also wieder begann, »groß« zu werden, und das Heroische im Volk als Neuzüchtung gepflegt
wurde (man sollte Walther Flex wieder lesen: »Offiziersdienst
heißt, seinen Leuten vorleben. Das Vorsterben ist dann nur ein
Teil davon« ... Hurra!), als Fertigbunker angeboten wurden
(neben dem Volkswagen jedem seinen Volksbunker, komplett,
für lange Wartezeiten ausgerüstet mit »Mensch, ärgere dich
nicht«!), kurzum, in der Zeit endlicher deutscher Demokratisie-
rung nach preußischem Geist führte der Cäcilienbunker noch
immer ein Dornröschendasein und war nur der Polizei bekannt
als Treffpunkt der Trinker, Homosexuellen, Dirnen, Zuhälter
und Untergetauchten. Zu diesem Zweck sprengte man ihn auch
nicht, sondern ließ ihn illegal offen als riesige Mausefalle der
Justiz.

In Abständen von einer Woche erfolgten Razzien der Polizei.
Die Bewohner des Bunkers ließen sich nicht stören – sie waren re-
gistriert. Die neuen Bewohner allerdings huschten wie die Ratten
durch die Gänge davon, wenn vom Eingang her der Warnruf
tönte: Polente! Dann jagten sie durch einen unbekannten Gang,
der im Hauptkanal der Stadt endete ... eine Atmosphäre fäkaler

174

Romantik, der sich keiner entziehen konnte, der sie einmal eingeatmet hatte. Sie gab einem das Gefühl absoluter Sicherheit: Hier sucht uns keiner. Über uns braust die Großstadt, unter uns gluckert der Unrat von siebenhunderttausend. Die Freiheit ist es wert, zu stinken ...

René, der Kavalier, hatte eingeladen zum Fest.

Er war ein eleganter Mann Ende der Dreißig, trug einen Menjoubart unter der gebogenen römischen Nase, hatte pomadisierte schwarze Locken, kleidete sich etwas dandyhaft und führte am Arm einen Stockschirm spazieren, der sich Eingeweihten als Stockdegen zu erkennen gab. René bevorzugte eine gebildete Sprache. So würde er niemals »Scheiße« gesagt haben, sondern mit gespitzten Lippen nur »merde«. Damen, denen sein Interesse galt, nannt er »Papillon« – Schmetterling –, was alle reizend fanden. Es ging die Mär durch Bunker und Keller, daß René einmal Friseur gewesen sei ... aber das hielt man für üble Nachrede. Dr. Lingen gegenüber hatte René, der Kavalier, durchblicken lassen, daß er die mittlere Reife habe und sich autodidaktisch weitergebildet habe zum Finanzgenie. Allerdings nicht als rechte Hand der Banken, sondern als nehmende Hand. Er hatte die Gabe, ungedeckte Wechsel aufzuschwatzen, mit ihnen zu kaufen und das Gekaufte dann wieder zu verkaufen, was einen reellen Gewinn bedeutete. An diesem Tag feierte er ein großes Geschäft. Er hatte einen Wagen auf einen klingenden Namen gekauft (Wozu gibt es Adreßbücher?), ihn mit einem Scheck bezahlt, sofort über die holländische Grenze gefahren und dort wieder verkauft. So etwas gelingt nicht alle Tage, selbst nicht einem Genie wie René.

»Warum ich in einem Bunker lebe?« hatte er geantwortet, als Dr. Lingen ihn danach fragte. »Sehen Sie, Doktor, wenn ich eine Wohnung habe, muß ich gemeldet sein, bezahle Steuern, werde überwacht, bin ein Bürger. Sie glauben nicht, wie es mir davor graust, ein Bürger zu sein! Das wahre Leben kennt nur der Vogelfreie. Was sind ethische Bindungen? Was kümmert uns die Moral? Die christlichen Zehn Gebote – laßt uns lachen, Freunde! Unser Leben ist frei von allen Konventionen.«

Man sieht, René, der Kavalier, demonstrierte seine mittlere Reife im Gebrauch von Fremdwörtern. Dr. Lingen hatte nur den Kopf geschüttelt.

»Wo kämen wir hin, wenn wir alle so denken würden?« fragte er.

Und René, entsetzt: »Das wäre schrecklich, Doktor! Dann würde ich sofort ein Bürger! Ich kann nur leben, wenn ich mich von anderen Menschen grundsätzlich unterscheide ...«

Das Fest war gut vorbereitet. Im großen Bunkersaal waren zwei Fässer Bier aufgestellt. Scharfe Alkoholika brachte jeder Gast für sich mit. Ein Problem waren die Weiber. Die Stammfrauen waren ausgelaugt und zottelig, stanken und klebten, die anderen verlangten Geld, und nicht zu knapp. So war immer ein Mangel an Frauen im Bunker, und man half sich, indem man die Frauen für Stunden verkaufte. Ganz schlimm wurde es, wenn die Polizei die Frauen kassierte und in Arbeitshäuser einwies ... dann schwärmte man durch Köln und versuchte, aus anderen Bunkern und Asylen neue Frauen abzuwerben.

Die große Sensation des Cäcilienbunkers wurde die Ankunft von Dr. Lingen und Jutta, der Gräfin. Sie kamen mit einer Taxe, ließen diese vor dem Ruinengrundstück halten und gingen nur das letzte Stück zu Fuß. Noch hatte Dr. Lingen Geld genug, nur Gast und nicht Insasse eines Bunkers zu sein. Ich werde auch nie dort hausen, dachte er, als er die glitschigen Betontreppen hinab in die Unterwelt stieg. Ich werde immer so viel verdienen, daß ich mir ein Zimmer leisten kann. Jawohl, ich bin ein Säufer ... aber ein Säufer mit einem gewissen Anspruch auf Kultur. Ich habe mir Jutta, die Mumie, als Geliebte genommen, das ist genug Geruch aus der Gosse. Abstand, meine Herren, auch jetzt noch, wenn ich bitten darf. Ich werde euer Arzt sein, und wie ein Medizinmann im Urwald der heimliche Herrscher des Stammes ist, so werde ich euch beherrschen mit meinem Skalpell, mit meinen Spritzen, mit meinen Pillen und Tabletten, mit meinem ungebrochenen Geist!

René, der Kavalier, stand unten an der Treppe zum Empfang seiner Gäste. Er trug einen dunkelblauen modischen Einreiher und roch nach herbsüßem Kölnisch Wasser französischer Duftnote.

»Seien Sie willkommen, Doktor!« sagte René, küßte der Gräfin die Hand und bot ihr seinen Arm. »Sie sind die letzten. Aber Sie sind auch der Höhepunkt. Siebenundvierzig Brüder warten auf Sie, Doktor.«

Als sie eintraten, verstummte das Stimmengewirr. Rundherum an der feuchten Betonwand saßen auf Decken die Trinker. Ihre Flaschen hatten sie zwischen die Beine geklemmt, wie Musikinstrumente von ihren Musikern festgehalten werden, ehe sich der Taktstock des Dirigenten hebt.

Dr. Lingen sah sich um. Eine merkwürdige Ergriffenheit überfiel ihn, als er in die zerstörten Gesichter blickte, die flackernden oder stumpfen Augen sah, die ausgemergelten oder aufgedunsenen Körper, als er den typischen Geruch in die Nase bekam, der aus Alkohol, Schweiß und süßlicher Verwesung bestand.

»Guten Abend«, sagte er mit plötzlich belegter Stimme.

Niemand antwortete ihm.

Eines der merkwürdigsten Gastmähler begann. Ein höllisches Fest.

9

Sie sind noch zu nüchtern, Doktor«, sagte René, der Kavalier.
Die Gräfin hatte sich zu den anderen auf einen Haufen Lumpen
gesetzt, ihre Augen flackerten, über die fahle Haut krochen hekti-
sche Flecken, die Hände, die ihre Kleidung ordneten, zitterten heftig. René blickte zu ihr hin, griff in die Tasche und warf ihr einen
ledernen Kasten in den Schoß. »Mach's jetzt und störe nicht meinen Galaabend!« sagte er dabei. Er griff von einer Kiste eine Flasche Cognac und hielt sie Dr. Lingen vor das Gesicht. »Trinken Sie,
Doktor. Es war ein Fehler der Gräfin, Sie vorzuschlagen und sogar
mitzubringen. Ihr Vorgänger war weiter als Sie … er lag von vierundzwanzig Stunden ungefähr achtzehn Stunden besoffen in der
Ecke und praktizierte nur vier Stunden. Bei Ihnen ist es noch umgekehrt … Sie scheinen mir nur vier Stunden betrunken zu sein!
Mit solchen Lebensgewohnheiten werden Sie es schwerhaben,
ernstgenommen zu werden. Wir haben ein fein ausgebildetes Gefühl, wer zu uns gehört oder wer nur ›mal hereinriechen‹ will …«

Dr. Lingen nickte. Er setzte die Flasche an die Lippen und
trank. Das Getränk brannte in seinem Gaumen und rann wie
Feuer in die Kehle, sein Adamsapfel zuckte, als würge ihn jemand, in der Speiseröhre ätzte es wie Salzsäure. Ich werde eine
Ösophagitis bekommen, dachte er dabei und wunderte sich
selbst über die Ruhe und Sicherheit, mit der er diese Worte streng
medizinisch dachte. Daraus wird sich ein Ösophagus-Karzinom
entwickeln, es wird eine Ösophagastrektomie erfolgen und dann
der Tod. Aber vielleicht werde ich vorher an diesem höllischen
Gesöff eingehen. Ich werde eine Mumie werden wie die Gespenster dort an den Wänden, ich werde nur noch leben können mit
Alkohol in Hirn und Blut, ich werde mich krümmen und wimmern wie ein getretener Hund, wenn ich am Morgen aus dem
Rausch erwache und nicht sofort wieder zur Flasche greifen
kann. Ich werde trinken, bis ich innerlich verbrannt bin.

Er nahm noch einen Schluck, und diesmal brannte es nicht so
sehr. Man gewöhnt sich schnell daran, dachte er weiter. Der
dritte Schluck wird kaum noch zu spüren sein, der vierte
schmeckt sogar, der fünfte ist ein Genuß, der sechste wird er-
sehnt, der siebte entführt in den Himmel.

Er umklammerte die Flasche und sah auf Jutta, die Gräfin. Sie
hatte den von René zugeworfenen ledernen Kasten geöffnet und

zog mit einer Spritze eine wasserhelle Flüssigkeit aus einer kleinen gläsernen Phiole. Sie verrichtete diese Arbeit mit glänzenden Augen und bebenden Fingern, ab und zu fuhr ihre Zunge blitzschnell über die Lippen, genußvoll, erwartungsvoll, als seien ihre Lippen unter glühenden Küssen und nagenden Zähnen aufgesprungen. Dann schob sie den Rock des Kleides hoch, zog den Strumpf des rechten Beines herab, strich mit der flachen Hand liebevoll über das nackte, fahle Fleisch, schob die Spritze zwischen Zeige- und Mittelfinger und legte den Daumen auf den Kolbenhals, stieß dann zu, daß die dünne Nadel tief in ihren Schenkel drang und drückte mit einem entrückten Lächeln den Kolben der Spritze nach unten. Beim Herausziehen preßte sie den Daumen gegen den Einstich, er blutete kaum, die Tropfen an der Fingerkuppe wischte sie am Saum des Rockes ab, zog den Strumpf wieder hoch, hakte ihn fest, strich das Kleid herunter und lehnte sich aufatmend gegen die feuchte Betonwand.

Ihr Gesicht belebte sich unheimlich schnell. Es war, als habe eine Zauberhand darüber gestrichen. Die Runzeln und Falten glätteten sich. Was Placentacreme für den Normalverbraucher, ist ein Spritzchen für den Süchtigen. Man quillt auf wie ein getränkter Schwamm, das Blut schäumt, die Hirnnerven zittern vor Energie. Was ist die Welt wert … her mit ihr, damit man sie umarmen oder zerreißen kann, ganz wie's beliebt!

Dr. Lingen nahm den vierten Schluck aus der Flasche, den Schluck, der schon schmeckt. René fing das Lederetui auf, das ihm die Gräfin mit einem höflichen »Danke, mein Lieber!« wieder zuwarf. Die Gestalten an den Wänden starrten auf die kleine Gruppe. Ergriffen von der plötzlichen Erkenntnis, daß diese Menschen gar nicht begriffen, was sie anstarrten, setzte Dr. Lingen die Flasche ab.

Von der Treppe her polterte es. Jemand fluchte, brüllte: »Solche Scheiße! Da hat einer auf die Treppe gekotzt!«, die Tür flog auf und gegen die Wand; Jim, das Kamel, trat ein.

Warum er »das Kamel« hieß, wußte Lingen noch nicht. Wie alle in diesem Kreis hatte auch Jim seine Vorgeschichte. Sah Emil wirklich wie ein Riesenfisch aus, war René wirklich ein vollendeter Kavalier, konnte Jutta tatsächlich ihre gräfliche Herkunft nachweisen, so war Jim, der eigentlich Johann Borbecke hieß und aus dem Sauerland stammte, aus dem kleinen Dorf Hillemecke im Arnsberger Wald, äußerlich weder ein Kamel noch vom geistigen her. Im Gegenteil, Johann Borbecke hatte einmal sein Abitur gemacht und studierte in Aachen Maschinenbau, als er, der biedere, fleißige Bauernsohn aus dem Sauerland, in die Hände eines Mädchens geriet, das sich Bibi nannte. Von Bibi bekam er außer einem Unterricht in Liebe, der sich schon wesentlich von dem unterschied, was Johann bisher unter Liebe verstand, auch eine hochvirulente Gonorrhoe, die ihn ein Semester kostete und zur Betäubung von Schmerz, Scham und Ekel zum Alkohol trieb.

Dabei blieb er dann, getreu dem Gesetz der schiefen Ebene, daß die Geschwindigkeit eines Körpers, der erst einmal abwärts rollt, sich beschleunigt. Ab und zu, in Minuten weinerlicher Selbsterkenntnis, raufte er sich die Haare und sagte: »Ich Kamel! Ich Kamel! Was hätte ich werden können!« Dann trank er wieder, ersäufte das Kamel, wie er sagte, schlief in Bunkern oder bei der Heilsarmee, verdiente seinen Lebensunterhalt als Waggonauslader im Güterbahnhof Köln-Gereon und sparte von seinem Lohn mit eiserner Konsequenz jeweils genau zehn Prozent. Wenn er dreißig Mark zusammen hatte, und das war meistens nach vier Wochen, band er sich einen roten Schlips um, leistete sich für zwei Mark ein Wannenbad in der Badeanstalt, betrank sich vorsichtig und bis zu der Grenze, wo man unternehmungslustig und noch nicht impotent ist, und marschierte in eines der Kölner Altstadt-Bordelle. Dort ließ er für dreißig Mark die Puppen tanzen, wie er es nannte, steigerte seine Lebenslust bis zum Exzeß, bis man ihn auf die Straße warf, wo er – in einer Haustür hockend – bis zur Ernüchterung schlief. Regelmäßig erfolgte dann die Anklage: »Ich Kamel! Ich riesiges Kamel!« Er verkroch sich weinend in den Bunker, schwor, nach Arnsberg zurückzukehren und ein anderes Leben zu beginnen … aber am nächsten Tag entlud er wieder Waggons auf dem Güterbahnhof und betrank sich abends mit den Worten: »Beim Kaiser Karl V. ging nie die Sonne unter! Bei mir auch nicht! Ich schlucke sie, wenn's auf Erden dunkel wird!«

Man sieht, eine abgeschlossene Reife kann man immer gebrauchen.

»Was ist los?« brummte Jim, das Kamel. »Komm ich zu spät? Mußte noch Mehl ausladen! Einen Durst habe ich.«

»Jutta hat gerade Stoff bekommen, Emil ist verhindert, die anderen warten.« René, der Kavalier, zeigte auf Dr. Lingen. »Unser Ehrengast ist mir noch zu normal.«

»Pfui!« rief Jim. Er ging zu einem der Fässer Bier, drehte den Hahn auf und hielt ein Glas darunter. Dann schnupperte er an dem Bier, sah René strafend an und schüttelte den Kopf.

»Nicht mal 'n Bock!« Schmatzend stürzte er das Bier in sich hinein – es war wirklich ein Stürzen, er öffnete nur den Mund und schüttete, schüttete, beugte den Kopf nach hinten wie ein Trompeter, der einen hohen Ton zu blasen hat, ja, sogar in den Knien knickte er ein … dann setzte er ab, schüttelte den Kopf und sagte: »Wie Spülwasser! Pfui Deibel!«, griff in die Gesäßtasche und zog eine Flasche heraus.

Die dumpfe Stimmung lockerte sich, als zwei Neue kamen. Sie brachten ein Akkordeon. Mit ihnen kamen fünf Mädchen in den Bunker. Die Mumien an den Wänden wurden lebendig. Sie klapperten mit den Flaschen auf den Zementboden, ihre starren Gesichter wandelten sich, zeigten Freude und Erwartung. Mit zusammengebissenen Lippen betrachtete die Gräfin die Mädchen, die sich um René und Dr. Lingen scharten.

»Laßt den in Ruhe, hört ihr!« rief sie mit ihrer rauhen Stimme. »Er gehört zu mir!«

»Gepachtet, was?« Eines der Mädchen legte seinen Arm um Lingens Hals. »Endlich mal ein Mann unter den Leichen! Ich kauf 'n dir ab, Gräfin!«

»Hände weg!« schrie Jutta und stemmte sich an der Wand hoch.

Die Mädchen lachten. Ihre hellen Stimmen hallten in den Betongewölben wider, brachen sich, wurden verzerrt, verflüchtigten sich im Echo. Die Hölle, dachte Dr. Lingen. Nicht so wie die des Dante Alighieri mit ihren phantastischen Übersteigerungen, sondern nüchterner, realer, logischer … menschlicher. Eine Hölle durch den Menschen, was gibt es Grausameres? Hier sind die Teufelchen kleine Nutten, und die toten Seelen kriechen herum und schleifen die Wermutflaschen mit sich.

Gegen drei Uhr morgens wurde der Cäcilienbunker umstellt, und vier Polizeibeamte stiegen in die Unterwelt. Schnaps- und Bierdunst schlug ihnen entgegen, Kreischen und Singen füllte die Betongänge, Mädchenstimmen überschrien die Musik eines Akkordeons …

Das Erscheinen der Polizei wurde wahrgenommen, aber nicht als Hindernis betrachtet. René, der Kavalier, höflich wie immer, ging als einziger auf die vier Beamten zu und verbeugte sich.

»Ich gebe ein kleines Fest«, erklärte er. »Wenn meine Gäste etwas ausgelassen sind – wir sind ja unter uns, und Pastorentöchter sind nicht anwesend!«

Die Beamten blickten über die Paare, über die tanzenden, kriechenden, liegenden, in Agonie verfallenen Gestalten. Sie sahen,

wie eine noch leidlich schöne Frau – die Gräfin – mit einem gut
gekleideten Mann tanzte und ihm in kurzen Abständen immer
wieder eine Flasche gegen die Lippen preßte.

»Aufhören!« brüllte einer der Beamten. Das Akkordeon starb
mit einem Mißklang, aber die Paare tanzten auch ohne Musik
weiter, schwitzend, johlend, mit verzückten Visagen, vor allem
die Glücklichen, die eine weibliche Partnerin hatten.

Die Polizeipfeifen gellten. Stiefel klapperten die Bunkertreppe
herunter, Uniformen füllten den Raum vollends, rissen Paare
auseinander, drängten die Betrunkenen zum Ausgang, wehrten
die Schläge der kreischenden Weiber ab, schleiften Körper zur
Treppe und trennten auch Dr. Lingen von der Gräfin. Jutta
schlug um sich, wurde um den Leib gepackt und weggetragen.
Ein anderer Polizist, der den Betrieb bei den Trinkern kannte,
ließ es auf keine Diskussion mehr ankommen, sondern griff
Dr. Lingens rechten Arm und drehte ihn auf den Rücken.

Lingen schrie auf, krümmte sich und fiel auf die Knie.

»Aufstehen! Los!« brüllte der Polizist. »Kein Theater, mein
Junge! Das kennen wir! Ab in die Minna!«

Er ließ den Arm los, und Dr. Lingen erhob sich keuchend.

»Ich bin Arzt …« sagte er und schwankte. »Ich protestiere gegen diese Behandlung.«

»Die Schnauze hältst du, versoffener Kerl!« Der Polizist
drängte Dr. Lingen gegen die Wand. Die erste Gruppe war nach
oben geführt und wurde vor dem Bunker in einen Wagen geladen. Bis der zweite Schub geholt wurde, waren nur drei Beamte
im Keller, und es war gefährlich wie in einem Löwenkäfig.

»Gesicht zur Wand!« kommandierte der Polizist.

»Ich bin Arzt …« rief Dr. Lingen.

»Zur Wand!« schrie der Beamte.

Langsam drehte sich Lingen um. Er legte die Stirn gegen den
kalten, feuchten Beton. Hinter sich hörte er eine kreischende
Mädchenstimme. Stoff zerriß mit einem lauten Geräusch.

»Ich zeige euch an!« schrie die Stimme. »Ihr habt mir die Kleider vom Leib gerissen, ihr Bullen! Ihr geilen Hunde! Meint ihr,
weil ihr 'ne Uniform anhabt, könnt ihr alles mit uns machen?
Finger weg!«

Er hörte einige klatschende Schläge, die Frauenstimme gellte,
als schlachte man sie ab, der Fall eines Körpers, die Stimme eines
Polizisten: »Faß an, Heinrich, das kennste noch nicht. Das
machen die immer so! Kleider vom Leib, hinfallen lassen und

182

später aussagen, wir hätten was von ihnen gewollt! Merk dir eins: Es gibt für uns Polizisten nichts Schlimmeres als besoffene Weiber ... Raus mit ihr ...«

Aus dem bereits gefüllten Gefängniswagen, der »Grünen Minna«, tönte Johlen und Singen. Ein Beamter mit einer silbernen Kordel an der Mütze sah Dr. Lingen wütend an, als er aus dem Bunkereingang hervorkam. Polizeiobermeister Schmitz machte in dieser Nacht seine dreiunddreißigste Razzia in den Bunkern und Absteigen. Dreiunddreißigmal hatte er in Abgründe gesehen, von denen man auf keiner Polizeischule etwas erfährt. Er hatte es sich abgewöhnt, sich zu wundern. Aber er hatte auch einen Blick gewonnen für die notorischen Säufer und für die, die noch nicht lange im Sumpf menschlicher Selbstaufgabe schwammen. So fiel ihm Lingen sofort auf, dessen Hose sogar eine Bügelfalte hatte.

»Einen Augenblick!« sagte Polizeiobermeister Schmitz und hielt den taumelnden Lingen fest. »Wer sind denn Sie?«

Dr. Lingen lehnte sich erschöpft gegen den Polizisten.

»Ich möchte nach Hause ...« sagte er leise.

Polizeiobermeister Schmitz hielt den Schwankenden aufrecht.

»Wo wohnen Sie denn?« fragte er.

»In einem Hotel. Ich habe den Namen vergessen. Es liegt irgendwo am Rhein ... Bringen Sie mich irgendwohin. In meiner Brusttasche ist Geld genug. In das nächste Hotel bitte ... Ich bin Doktor Lingen. Ich bin Arzt ...«

Polizeiobermeister Schmitz reagierte schnell. Er hatte vor wenigen Stunden die neuen Fahndungsersuchen bekommen. Da er keine Zeit mehr hatte, sie genau durchzulesen, hatte er sie nur durchgeblättert. Der Name Lingen war ihm dabei aufgefallen, warum, das wußte er jetzt nicht mehr. Aber Lingen war dabei.

»Kommen Sie«, sagte er und schob Dr. Lingen vor sich her zu dem grünen Volkswagen, der neben der zweiten »Grünen Minna« stand. »Ich bringe Sie nach Hause ...«

Eine halbe Stunde später klingelte das Telefon im Hotelzimmer Brigitte Lingens. Es klingelte fünf Minuten lang, aber niemand hob den Hörer ab. Brigitte Lingen fuhr in dieser Nacht mit einer Taxe die in Köln bekannten Absteigen ab. Sie suchte ihren Mann, der zu dieser Zeit im Zimmer siebzehn des Polizeipräsidiums in einem Sessel lag und schlief.

Pfarrer Merckel hatte eine lange Aussprache mit Prof. Brosius. Er hatte sich dazu gestärkt mit einer guten Flasche, hatte sich danach den Hals ausgespritzt mit einem Chlorophyllspray, der den Alkoholgeruch wegnahm, aber die Seligkeit im Gehirn beließ.

Brosius war an diesem Tag sehr zugänglich. Die Anonymen Alkoholiker hatten sich für den Nachmittag angesagt. Vorfreude auf Niederlagen anderer ist ein tief menschlicher Zug, dem auch Brosius erlag. In Zimmer siebzig, Station III, war gegenwärtig eine Belegschaft, die den Teufel zum Schwanzausreißen bringen konnte. Selbst Judo-Fritze verzweifelte diesmal. Ob er brüllte oder schlug ... die sturblickenden Männer auf Zimmer siebzig grinsten und ließen Fritze totlaufen. Seit gestern hatten sie, auf den Rat eines Unbekannten hin, eine neue Taktik entwickelt: Sie legten ihre Kleider ab und liefen nackt herum. Weder gutes Zureden noch Gewalt konnte sie dazu bringen, sich zu bedecken. Zog man sie gewaltsam an, zerrissen sie die gestreiften Hosen und Jacken und warfen sie durch die Gitterstäbe aus dem Fenster. Als letztes Mittel hatte Brosius die Essensentziehung angeordnet. Nur der sollte einen Teller Suppe bekommen, der sich wieder anzog. Die Säufer von Zimmer siebzig grinsten bloß. Und einer sagte: »Das ist ungesetzlich! Uns steht dreimal Essen zu!«

Es war ein Fall von Rebellion, den Brosius noch nicht erlebt hatte. Da er erwartete, daß die Herren von den Anonymen Alkoholikern dieser Situation auch nicht gewachsen sein würden, saß er sehr leutselig Pfarrer Merckel gegenüber und hörte sich an, was der Priester sich ausgedacht hatte.

»Wir sollten einen Versuch machen, Herr Professor«, sagte Merckel, nachdem er ein Glas angebotenen Cognac abgelehnt hatte, obwohl der Geruch des Alkohols ihn unruhig machte. »Entlassen wir unseren Freund Peter Kaul ...«

»Entlassen? Wieso?« fragte Brosius verwirrt zurück.

»Peter Kaul wird nicht wieder trinken.«

»Ist diese Behauptung nicht ein bißchen leichtfertig, Herr Pfarrer?«

»Ich weiß es, Herr Professor.« Merckels Stimme wurde eindringlich wie bei einer Predigt über die Sünden des Fleisches. »Er hat keinen Grund mehr, sich zu betrinken. Wir haben ihn geheilt. Er hat Frau Milbach sprechen können, er hat seinen Erpresser Bollanz unschädlich gemacht, er ist – wenn man so sagen darf – über seine Psychose hinweggesprungen. Er ist erwacht! Ich habe ihn vorhin gesprochen ... er begreift einfach nicht, warum er früher getrunken hat.«

»Das sagen sie alle. Und ein paar Monate später kommen sie als lallende Wracks wieder zu uns!«

»Um diese Gefahr auszuschalten, habe ich einen Vorschlag: Behalten Sie Kaul hier in der Anstalt. Aber nicht als Patient, sondern als Mitarbeiter. Er ist ein vorzüglicher Elektriker – so etwas könnte jede Klinik gebrauchen.«

»Das ist Sache der Verwaltung, lieber Herr Pfarrer.«

»Die Verwaltung hat nichts dagegen, wenn Sie Kaul als geheilt entlassen.«

»Ach, das haben Sie auch schon organisiert?« Prof. Brosius lachte. »Sagen Sie mal – sind Sie Priester oder Stellenvermittler?«

»Beides, Herr Professor. Ein gutes Leben auf Erden sichert eine gute Stellung in der Seligkeit.«

Brosius schob die Unterlippe vor. »Interessant. Ehrlich, Herr Pfarrer – glauben Sie an das alles? An Himmel und Hölle, an ein Weiterleben nach dem Tod, an das, was Sie Seligkeit nennen?«

»Ja!«

»Es ist Ihr Beruf.«

Merckel schwieg. Er hatte sich diese Fragen oft genug selbst vorgelegt, und wenn er an die Grenze seines Glaubens kam, hatte er zur Flasche gegriffen, sich vor einen Spiegel gestellt und sich selbst angepredigt. »Gott ist dein Herr!« hatte er sich angeschrien. »Begreif es doch, du Dickschädel! Gott hat Himmel und Erde gemacht und die Meere und das Land und die Tiere und die Pflanzen und die Sterne und die Sonnen. Nichts geschieht, was Gott nicht weiß!« Und hier war es immer, wo er sich anstarrte, wo er nach der Flasche tastete und trank und so lange trank, bis er umfiel.

Hat Gott auch die Mörder gemacht, dachte er erschrocken. Duldet er auch die Kriege? Ist es sein Wille, daß in Asien jedes Jahr zwei oder drei Millionen verhungern? Beschützt er die Politiker, die ihr Volk belügen? Ist es sein Geist, der sich in Kriegserklärungen niederschlägt? Hat er von den KZs gewußt, von den Vergasungen, von dem Zerbomben der Städte, vom Sterben unschuldiger Kinder im Phosphorfeuer, das vom Himmel, aus seinem Himmel fiel?

Was blieb da anderes übrig als der Trank? Wer konnte Antwort geben? Einmal hatte es Pfarrer Merckel versucht. Er war zu seinem Bischof gefahren. Die Antwort: Lieber Bruder, fahren Sie in Urlaub, spannen Sie aus, Sie sind überarbeitet! – Aber sonst? Nichts! Auch ein Bischof ist ein Mensch ... vielleicht trinkt er auch, wenn er an solche Fragen denkt? Prof. Brosius sah auf den stillen, bärenstarken Pfarrer und räusperte sich, als er ihm ansah, wie weit weg er mit seinen Gedanken war.

»Ich werde es mir überlegen«, sagte er. »Zugegeben, der Grund des Trinkens ist ausgeräumt. Aber ein Mensch, der sich an den Alkohol gewöhnt hat, trinkt auch weiter, wenn er keinen Grund hat. Er *muß* einfach. Es ist ein einfacher, aber grundlegender Lehrsatz: Ein Säufer braucht den Alkohol wie die Lunge die Luft. Alles in ihm schreit nach dem Stimulanz Alkohol, ganz gleich, ob nun eine Psychose der Anlaß war oder eine andere Lebensangst oder eine Vererbung. Es gibt Fälle – ich kenne sie aus meiner Praxis –, da brachte es ein Trinker fertig, ein halbes Jahr keinen Tropfen Alkohol zu trinken … und dann, ohne Anlaß, soff er zwei Flaschen leer und vergiftete sich. Trinker sind unberechenbar, Herr Pfarrer. Wenn ein Dieb schwört, nie mehr zu stehlen, wenn ein Betrüger beteuert, nie mehr zu fälschen – ja, wenn ein Mörder Reue zeigt: Ich glaube ihnen! Einem Trinker, der schwört, nie mehr zu saufen, glaube ich nie! Kennen Sie eine Katze, die mit einer Maus Freundschaft schließt?«

»Versuchen Sie es mit Peter Kaul, Herr Professor.« Merckel sah auf seine mächtigen Hände. Der Geruch des Cognacs brachte ihn um den Verstand, um so mehr, als das Gespräch ihn wieder zu den Problemen hingeführt hatte, die er nur mit Alkohol ertragen konnte. Er spürte, wie es in ihm heiß wurde, wie Schweiß an seinem Körper ausbrach, wie seine Finger zu zittern begannen … erst in den Spitzen, dann von Gelenk zu Gelenk, bis es zum Flattern wurde. Er erhob sich abrupt. Ich muß gehen, dachte er. O Himmel, ich muß gehen, sonst greife ich über den Tisch und nehme die Flasche! Mein Gott, gib mir Stärke! Wenn ich in meiner Kammer saufe, sind wir unter uns. Dann bete ich vor jedem Schluck.

»Versuchen Sie es, Herr Professor …« wiederholte er eindringlich. »Und zu den Anonymen Alkoholikern möchte ich ihn auch bringen. Er wird gerettet werden, indem er andere rettet …«

»Jetzt fangen Sie auch noch damit an!« Prof. Brosius lehnte sich zurück. »Heute nachmittag kommen sie wieder, die Anonymen Alkoholiker. Mit schönen Reden! Mit ihren eigenen Lebensbeispielen! Ich habe fast den Eindruck, daß es gar keine echten Alkoholiker waren, sondern lediglich Männer, die mal einen Guten hinter die Binde gossen, mit ihren Frauen Krach bekamen und nun in einer Art von Lammfrommheit herumziehen und Wanderprediger der Enthaltsamkeit wurden.«

»Nein. Es sind echte Trinker!« sagte Pfarrer Merckel dumpf und starrte zum Fenster. Aber selbst in dieser abgewandten Haltung spürte er wie ein wärmendes Feuer die Nähe der Flasche. »Sie lebten wie die Schweine ...«

»Könnten Sie durch solche Vorträge geheilt werden, wenn Sie Trinker wären? Ehrlich, Herr Pfarrer.«

»Ich weiß nicht.« Merckel hob die breiten Schultern. »Ich glaube nicht.«

»Aha!«

»Aber ich wäre – wenn ich trinken würde – auch eine Ausnahme! Jeder in das Leben zurückfindende Trinker hat in sich die Moral wiederentdeckt. Er hat seinen sogenannten ›guten Kern‹ gefunden. Er ist vom Schicksal anderer angerührt worden. Wenn ich, der Priester, saufen würde, nützte das alles nichts mehr, denn wenn Gott nicht stark genug ist, mich davon abzuhalten, wie sollten es da die Menschen können ...«

Pfarrer Merckel verließ die Landesheilanstalt, als müsse er zu einer dringenden seelsorgerischen Aufgabe. Er rannte fast – aber nur bis zur nächsten Wirtschaft. Dort kippte er zwei Klare und fühlte sich wieder ruhiger, als er die brennende Flüssigkeit durch seine Kehle rinnen spürte. Das Zittern der Hände ließ nach. Er faltete sie und sah aus dem Gasthausfenster hinaus auf die Straße.

Die Sonntagspredigt mußte noch geschrieben werden.

Thema: Gott ist ein guter Hirte. Die Menschen sind seine Lieblingsgeschöpfe ... die Menschen, die sich in jeder Minute irgendwo auf der Erde gegenseitig zerfleischen.

Im nächsten Lebensmittelladen kaufte Pfarrer Merckel zwei Flaschen Korn. Die Sonntagspredigt machte es notwendig ...

In einem Bett, das er nicht kannte, in einem Zimmer, das ihm fremd war, in einer Luft, die nach Kölnisch Wasser roch, in einem Nachthemd, das zwar ihm gehörte, das er aber nicht mit auf seine Flucht genommen hatte, erwachte Dr. Lingen aus seiner Trunkenheit. Er war gebadet, roch nach Sandelholzseife, die er bisher immer benutzt hatte, und statt einer Flasche Schnaps stand eine Flasche Mineralwasser auf dem Nachttisch neben dem unbekannten Bett.

Mit einem Ruck fuhr Lingen aus den Kissen und setzte sich auf.

Ein Hotelzimmer, das war ihm auf den ersten Blick klar. Aber ein gutes Zimmer. Zwei Fenster, geraffte Gardinen, Übergardinen bis auf den Parkettboden, ein Orientläufer vor dem Schrank, gegenüber in der Ecke eine Polstersesselgruppe, zwei Bilder – Alpensee und balzender Auerhahn –, eine offene Tür zu einem Badezimmer. Aus dem Badezimmer hörte er Schritte ... Frauenschritte. Hohe Absätze.

Dr. Lingen faßte sich an den Kopf. Fetzen der Erinnerung umflogen ihn wie Nebelschwaden. Der Bunker ... Jutta ... ein Mädchen, das sich kreischend die Kleider vom Leib riß ... Polizeiuniformen ... eine ferne Stimme: »Doktor Lingen, erkennen Sie die Dame?«

Welche Dame?

Er schob die Beine aus dem Bett, strich das hochgerutschte Nachthemd über die Hüften und lauschte auf die klappernden Absätze im Badezimmer. Widerwillig griff er zum Mineralwasser, weil sein Gaumen wie ledern war, geätzt vom Gallensatz, den er in der Nacht immer wieder erbrochen hatte. Er trank, empfand zwar die Flüssigkeit als wohltuend, aber den Geschmack des Wassers wie Jauche, spuckte aus und ließ sich ins Bett zurückfallen.

»Wie geht es dir, Konrad?« fragte eine sanfte Stimme.

Dr. Lingen zuckte hoch. Die Gestalt der Frau in der Badezimmertür verschwamm, drehte sich und wurde wieder klar.

»Brigitte ...«

»Ja.«

»Was ... was machst du denn hier? Wo bin ich denn?«

»In einem Hotel. Wie fühlst du dich?«

»Welche Frage ...« Er wandte sich ab, stieg aus dem Bett und kam sich in dem langen Nachthemd dumm und lächerlich vor. »Was willst du hier?« fragte er grob. »Wer hat dich gerufen? Wie komme ich in dieses Zimmer und in dieses Hemd?«

»Ich habe dich gesucht, Konrad.«

»Warum?«

»Wie kannst du so fragen?« Sie kam langsam näher. Es war ihm, als lächle sie. Er kannte dieses Lächeln ... so blickten seine Krankenschwestern, wenn sie einem Kranken sagten: Aber lieber Herr Direktor, keine Sorgen, Sie haben nur einen Schwächeanfall gehabt ... Und dabei war es ein Herzinfarkt oder ein Hirnschlag, und er würde für immer linksseitig gelähmt bleiben. Das Lächeln des Mitleids und der Lüge. Das Lächeln des Betrugs. Ein Mundwinkelverziehen, hinter dem die Trauer schwamm: Du armer, armer Kerl!

»Ich liebe dich doch ...« sagte die Stimme aus den lächelnden Lippen. Brigittes Stimme. Seine Frau!

»Laß diese Dummheiten!« antwortete er rauh. »Du siehst, was aus mir geworden ist! Laß mich in Ruhe! Du hast Geld genug, die Villa, die Klinik – setz einen Verwalter ein! Was willst du mehr?«

»Dich, Konrad!«

»Ich lebe nicht mehr! Gewöhnt euch daran!«

»Aber du bist doch da!«

»Ich habe eine Geliebte!« schrie er ihr ins Gesicht. Sie stand jetzt dicht vor ihm und hatte versucht, ihm über das Haar zu streichen. Da war er zurückgewichen und hatte ihre Hand weggeschlagen.

»Ich weiß«, sagte Brigitte mit ruhiger Stimme. »Jutta, die Gräfin, heißt sie. Morphinistin und Trinkerin. Ich habe sie gesehen, als sie vor dem Polizeiarzt auf die Knie fiel und um eine Ampulle bettelte. Auf dem Boden hat sie sich gewunden und sich die Stirn blutig geschlagen …«

»Genügt das nicht?« Dr. Lingen drehte seiner Frau den Rücken zu. »Mit so etwas habe ich geschlafen! Ich habe dich vergessen! Dich und die Welt, aus der ich ausgebrochen bin! Ich fühle mich glücklich unter den lebenden Leichen, ich gehöre zu ihnen. Ich habe entdeckt, welch ein Genuß es ist, zu faulen!«

»Warum lügst du so, Konrad?«

Er fuhr herum. Sie stand dicht hinter ihm und reichte ihm ein Glas. Er schnupperte. Wein! Mit beiden Händen griff er zu, trank das Glas leer und warf es dann an die Wand. Mit hellem Klang zersplitterte es.

»Du kannst aus meinem Glas weitertrinken«, sagte sie ruhig. »Noch einen Schluck …?«

Lingen schüttelte den Kopf. Er zerwühlte sich die Haare, warf sich auf das Bett zurück und ließ es ohne Gegenwehr zu, daß ihn Brigitte zudeckte. Ihre Ruhe machte ihn wehrlos, Der Hauch von Kultur, der von ihr zu ihm wehte, nahm ihm die Lust, sie zu demütigen oder etwas Verrücktes zu tun, das sie verscheuchte. Wie ein Mosaikbild setzte er sich die Stunden zusammen, die seiner Erinnerung fehlten. Polizei, Wache, Brigittes Suchantrag, Auslieferung an die Ehefrau, Hotelzimmer, Demonstration der aufopfernden Liebe. Was er verbergen wollte, um dessentwillen er aus Essen geflüchtet war in die Anonymität der Trinker, was er nicht ertragen konnte, hatte sie nun doch erreicht: Sie sah seinen Zusammenbruch, das Zusammenfallen eines Ideals, als das er gegolten hatte und dessen Bild er immer blank und fleckenlos gehalten hatte, den Niedergang eines Mannes, die Entblößung des Ich bis zur grausamsten Nacktheit der Seele, die Entkleidung eines Menschen von allen Masken und Übertünchungen, Lügen und Halbwahrheiten, Schlichen und Beteuerungen. Sie hatte ihn gesehen, wie er nie gesehen werden wollte. Sie hatte Erinnerungen und Illusionen ausgelöscht. Sie kannte nun den wahren Dr. Lingen.

Gibt es Schrecklicheres, als einen Menschen ganz zu kennen?

Er starrte an die Decke. Das Glas Wein hatte seinen Durst geweckt. Aber er bezwang sich.

»Laß mich allein ...« sagte er.

»Nein!« antwortete sie fest.

»Zwing mich nicht, eine Dummheit zu begehen!«

»Was kann es noch für Dummheiten geben?«

»Ich könnte aus dem Fenster springen ...«

»Dann springe ich mit.«

»Ich könnte dich umbringen!«

»Glaubst du, das wäre schrecklich für mich?«

»Ich könnte dich für den Rest deines Lebens verstümmeln.«

»Es steht dir frei, das zu tun. Den Anblick mußt du ertragen ...«

»Ich will, daß du gehst!« schrie er. »Ich trete dich aus dem Zimmer!«

»Und ich werde mich vor die Tür setzen und warten, bis du hinauskommst. Warum wehrst du dich dagegen, daß ich bei dir bin?« Sie beugte sich über ihn und sah ihm in die starren, im Untergrund unruhigen Augen. »Ich bin eben da ... wie die Luft, die Sonne, der Wind, die Wolken, der Regen ... Gehst du weg, gehe ich mit, legst du dich hin, liege ich auch, trinkst du, trinke ich mit ...«

»Das ist die Hölle!« stammelte Lingen. »Und Viola ... unser Kind?«

»Ich habe sie nach Hause geschickt. Ich wollte ihr ersparen, daß sie ihren Vater so sieht, wie du ausgesehen hast. Sie soll Mitleid mit einem Kranken haben, nicht Verachtung für einen Haltlosen.«

»Haltlos! Wie vernünftig, wie logisch, wie normal ihr alle denkt! Es ekelt mich an! Seit Jahren kann ich nur unter Alkohol operieren, wußtest du das?«

»Nein! Ich glaube es auch nicht!«

»Glauben! Meine Finger sind tot ohne Alkohol! Sieh sie dir an! Hier! Hier!« Er hielt ihr seine Hände vor die Augen. »Gefühlloses Fleisch sind sie. Erst Cognac belebt ihre Nerven! Und dann überspringt man eine Grenze, ganz plötzlich, ganz ungewollt, dann ist man nicht mehr der Sieger über den Alkohol, sondern sein Opfer. Dann geschehen Dinge, die ein ganzes Leben zerstören.« Er streckte sich und drückte mit beiden Händen das Gesicht Brigittes weg. »So weit bin ich jetzt. Und deshalb geh! Ich bitte dich, geh! Lebe für Viola, das ist deine Aufgabe. Ich lebe nicht mehr. Ich bin ein Präparat in Alkohol ...«

Nach einer Stunde sah er ein, daß Beredsamkeit keinen Sinn hatte. Er trank noch zwei Glas Wein, aß widerwillig etwas Rührei mit Schinken, das ihm Brigitte bringen ließ, zog sich dann an und ging mit ihr spazieren. Sie führte ihn wie einen Schwerkranken, und er ließ es geschehen. Sein Plan stand fest.

Am Nachmittag schlug er vor, einkaufen zu gehen. Er machte einen fröhlichen, gelösten Eindruck, er war wie in seiner besten Zeit, witzig, galant und bestellte telefonisch Blumen für Brigitte. »Für meinen Engel«, sagte er, als er den Strauß überreichte. Er küßte sie, rasierte sich sorgfältig, tupfte die Gesichtshaut wie früher mit Kölnisch Wasser ab, entwickelte einen Reiseplan für die Weihnachtsferien ... Cortina d'Ampezzo, Weihnachten und Silvester im Schnee, mit Schlittenfahrt und Glöckchengeläut am Pferdehalfter ... und dann gingen sie einkaufen wie Jungverheiratete, Arm in Arm.

Brigitte war glücklich. Sie ließ sich täuschen. Er hat den Schock überwunden, glaubte sie. Er hat zurückgefunden. Es war in ihm wie ein Fieber, das plötzlich zusammengefallen ist. Morgen fahren wir zurück in unser Haus. Das Wichtigste wird die Nacht sein, die noch kommt.

In einem großen Kaufhaus schwammen sie im Gewoge der Menschen. Eine riesige Halle, Wellen aus Leibern, die sich an den Ständen brachen, teilten, weiterfluteten, brausend, hektisch ... Sie blieben an einem Stand mit Pullovern stehen, Sonderangebot, jedes Stück nur fünfzehn Mark, reine Wolle, garantiert Merino, meine Dame, dieses Blau steht Ihnen phantastisch, na, mein Herr, sagen Sie das nicht auch, Ihre Gattin kann gut Blau tragen, gerade dieses Blau macht so jung. Die neue Farbe, gewiß, pastell alles, zart und luftig, kommt aus Paris, jawohl, reiner Import, deshalb so preiswert, EWG, Sie wissen ja, und dieser spitze Ausschnitt, schick, ganz schick, bei dem schönen Hals, den Sie haben, gnädige Frau ... oder dieses Rot, zu Ihren Haaren, dieser Gegensatz, und der Rollkragen, wird ganz modern im nächsten Jahr, gnädige Frau können gut sportlich tragen, bei *der* Figur ...

Hände, die in Pullovern wühlen, Finger, die die Weichheit der Wolle ertasten, Augen, die die Form kritisieren, Worte, Fragen,

Antworten ... Unbemerkt schlich sich Dr. Lingen fort, ging unter im Menschengewühl, ertrank in den wogenden Leibern.

Erst als Brigitte sich mit einem Pullover umdrehte und ihn um Rat fragte, entdeckte sie, daß sie allein war.

»Der Herr ist weitergegangen«, sagte die Verkäuferin. »Ich glaube, hinüber zu der Buchabteilung. Wollen Sie diesen Pulli nehmen, gnädige Frau?«

Brigitte nickte stumm.

Mit der Pullovertüte unter dem Arm verließ sie das Kaufhaus, fuhr mit einer Taxe zum Hotel, bezahlte die Rechnung und ging zum Hauptbahnhof. Dort holte sie aus einer Großgarage ihren Wagen, fuhr über die Brücke nach Deutz, auf die Autobahn und zurück nach Essen. Sie wußte, daß sich der Zufall, Konrad Lingen zu treffen, nicht wiederholen würde. Aber sie wußte auch, daß sie ihren Mann jetzt in einer anderen seelischen Verfassung zurückgelassen hatte.

Er wird kommen, ganz von allein, dachte sie. Mag er sich auch zunächst wieder verkriechen ... er ist doch aufgewacht aus seinem Wahn, sein Leben von sich werfen zu können. Jetzt müssen wir geduldig sein. Das ist es, was den meisten von uns fehlt: Geduld! Wer einen Menschen lieben will, muß lernen, was Großmut ist. Mit Überzeugung sagen zu können: »Ich verstehe dich!«, ist ein Heilpflaster aus der Apotheke Gottes ...

Die Insassen von Zimmer siebzig, Station III, saßen in trauter Gemeinschaft nackt auf ihren Stühlen, als die Anonymen Alkoholiker, begleitet von Prof. Brosius und Oberarzt Dr. Schwenker, eintraten. Zwar kommandierte Judo-Fritze mit Brüllstimme: »Der Chef kommt!«, aber das hinterließ bei den nackten Männern nur ein fahles Grinsen.

Wieder nahmen die Herren von den Anonymen Alkoholikern hinter dem Tisch Platz, der wie ein Richtertisch vor den aufgereihten nackten Männern stand. Was Brosius vermutet hatte, schon beim Eintritt, traf nicht zu ... die Anonymen Alkoholiker waren von dem Anblick ihrer Zuhörergemeinde keineswegs betroffen. Sie schienen gar nicht wahrzunehmen, was da auf den Stühlen hockte, welche Ausgeburt von Menschsein und körperlichem Verfall.

Der erste Redner begann mit nüchterner Stimme, als verlese er eine Litanei, mit dem obligaten Satz, der jedes dieser Gespräche einleitet, ob in New York oder Tokio, Montreal oder Singapur,

Essen oder London, München oder San Franzisko, Paris oder Rio de Janeiro, überall, wo diese ehemaligen Alkoholiker zu ihren noch im Trank lallenden Brüdern sprechen: »Ich heiße Wilhelm T. und bin Alkoholiker ...« – da zeigten sich die ersten Reaktionen in den Reihen der Zuhörer. Einer rief: »Prost!«, und ein anderer sagte heiser: »Aber die Pulle haste vergessen, Junge!«

»Ihr werdet die Pulle hassen lernen«, erwiderte der Redner ganz ruhig. »So wie ich sie jetzt verfluche! Ihr könnt rausgehen, wenn es euch zu dumm ist, was ich erzähle. Aber für die, die hierbleiben, habe ich von meinem Leben zu berichten. Ich war früher einmal ein bekannter Arzt ...«

Prof. Brosius zuckte zusammen und sah zu seinen Oberärzten hinüber. Auch diese blickten betroffen und sahen den Redner an. Es war ein mittelgroßer, ergrauter Mann mit durchgeistigten Zügen, um den Mund einige tiefe Falten, die noch verrieten, welche Vergangenheit überwunden war.

Die Trinker, zusammengeballt zu einer schwitzenden Opposition, wandten den Kopf wie auf Kommando zu Prof. Brosius. Dann sprach Wilhelm T. weiter, und keiner der Nackten stand auf, um hinauszugehen.

Nach einer Stunde verließen die Anonymen Alkoholiker wieder das Zimmer siebzig. Prof. Brosius wartete auf dem Flur auf den Redner Wilhelm T. und bat ihn zur Seite.

»Sie sind Kollege?« fragte er und bemühte sich, jeden abfälligen Ton in seiner Stimme zu vermeiden. »Oder haben Sie nur eine Fabel erzählt?«

»Ich *war* Kollege, Herr Professor.« Wilhelm T. nickte. »Heute arbeite ich in der pharmazeutischen Industrie als Abteilungsleiter. Ich habe in meinem Lebenslauf vor den armen Brüdern etwas ausgelassen, das stimmt. In meiner Trinkerzeit habe ich einhundertsiebzehn Abtreibungen vorgenommen und dann auf Lebenszeit meine Approbation verloren. Ich werde sie nie wiederbekommen. Aber ich fühle mich trotzdem wohl, weil es mir gelungen ist, wieder Anschluß an das vernünftige Leben zu finden.«

Am Abend meldeten sich vier Trinker von Zimmer siebzig bei Prof. Brosius. Sie baten darum, verlegt zu werden und arbeiten zu dürfen. Sie schworen, nie mehr zu trinken.

Brosius nickte und grübelte darüber nach, welche geheimnisvolle Macht wohl in den Worten »Ich bin ein Alkoholiker« lag.

Sie wirkten wie ein Magnet, der die noch Heilbaren aus dem Menschenmüll herauszog.

Die Entlassung Peter Kauls aus der Landesheilanstalt geschah bewußt genauso geschäftsmäßig wie seine Einweisung.

Judo-Fritze erschien am Morgen im Zimmer, weckte Kaul mit dem bewährten UvD-Ruf: »Aufstehen!«, zog ihm die Bettdecke vom Körper und fügte hinzu: »Klamotten packen, Peter! Heute ist Entlassung.«

»Wieso Entlassung?« fragte Kaul und setzte sich im Bett auf. »Anderes Zimmer?«

»Genau! Weiches Ehebett mit noch weicherer Unterlage!«

»Laß den Blödsinn, Fritze!«

»Da kündigt man dir was Gutes an, und du glaubst es nicht! Los, zieh dich an! Bade dich! Rasieren, glatt wie ein Kinderpopo ... um zehn Uhr holt dich deine Susanne ab!«

Peter Kaul starrte auf Judo-Fritze, der pfeifend das Zimmer verließ und auf dem Flur einen Trinker anbrüllte, der schamlos ohne Schlafanzughose vor den geöffneten Türen stand und einen Vortrag hielt.

Um zehn Uhr, dachte Kaul. Es überlief ihn heiß und dann wieder kalt. Entlassen! Susanne holt mich ab! Das ist alles doch nur ein böser Witz! Keine Untersuchung durch den Professor, keine Tests, keine äußeren Anzeichen ... einfach: Entlassen! Raus aus dem Bett in die Freiheit ... Das gibt es doch nicht in unserem bürokratischen Zeitalter, in dem jeder Vorgang ein eigenes Aktenstück besitzt, eine Karteikarte, einen Laufzettel, einen Bericht. Man kann doch nicht einfach einen Menschen aus einer Anstalt entlassen, ohne einen Fragebogen auszufüllen, ohne Papier zu beschreiben, ohne Unterschriften, Stempel, Durchschläge, Siegel.

Peter Kaul glaubte es nicht. Er machte aber einen Versuch. Er ging ins Badezimmer – es war frei, und er konnte ungehindert baden. Er rasierte sich, und niemand stand hinter ihm, um notfalls zu verhindern, daß er sich die Pulsadern aufschnitt. Er zog sich an, was Judo-Fritze während des Bades gebracht hatte ... seine Zivilkleider, ein richtiges Oberhemd, einen Schlips, seine grauen Hosen, den Sportsakko, die spitzen italienischen Schuhe. Alles war wieder da ... sogar das Taschenmesser und das Kleingeld für die Straßenbahn.

Entlassung.

Er hatte nie begriffen, daß ein Wort wie eine ganze Welt sein kann. Wenn er es las, hatte er den Kopf geschüttelt. Übertreibungen der Schriftsteller. Müssen ja was schreiben, die Kerle.

Aber nun spürte er, wie das eine Wort »Entlassung« ihn wie auf Flügeln trug. Er mußte sich sogar hinsetzen, weil sein Puls jagte und das Glücksgefühl heftige Übelkeit erzeugte. Man kann vor Freude sterben, dachte Peter Kaul. Wirklich, das Herz zerspringt dabei. Der Atem bleibt weg. Ich werde entlassen! Susanne holt mich ab. Um zehn Uhr.

In einer Stunde. Mein Gott, was ist eine Stunde! Eine Ewigkeit jetzt ... Er ließ das Frühstück unberührt. Es war ihm unmöglich, zu kauen und zu schlucken. Beim ersten Versuch blieb ihm der Bissen am Gaumen kleben wie zäher Gummi, er drehte ihn im Mund, er kaute und malmte, aber er wurde dicker und immer dicker, und schließlich spuckte er ihn in das Waschbecken und spülte nach.

Noch eine halbe Stunde.

Er rannte im Zimmer hin und her, stürzte ans Fenster, sah auf den Hof, drückte die Stirn gegen die weißen Gitter und atmete tief. Immer noch wartete er darauf, daß Judo-Fritze hereinkam und hämisch sagte: »Na, ganz schön auf 'n Arm genommen, was?« Oder daß der Oberarzt erschien oder der Professor selbst sagte: »Herr Kaul, es war ein Irrtum. Auf Station ist ein Patient namens Kuhl – das hat Fritze nur verwechselt ...«

Noch eine Viertelstunde.

Über den Hof kam Susanne. Heinz und Petra gingen neben ihr, Blumen in den kleinen Händen.

Peter Kaul sank am Fenster auf einen Stuhl. Er weinte.

Es ist wahr! Es ist wahr! Ich werde entlassen!

Frei! Frei!

Ich bin wieder ein Mensch!

Taumelnd zog er sich an der Fensterbank hoch, drehte den Wasserhahn auf und hielt den Kopf unter den kalten Strahl. Ich muß stark sein, dachte er dabei. Jetzt muß ich ganz, ganz stark sein. Die Kinder werden mich genau beobachten, sie haben einen Blick für die kleinsten Schwächen. Aber sie werden nichts sehen, sie werden einen gesunden, fröhlichen Vater abholen. Und ich werde am Sonntag mit ihnen hinausfahren ins Grüne und wandern ... wandern ... die Luft genießen, die Freiheit, die Weite, das nicht mehr Eingeengte. Ich werde die Arme ausbreiten und die Sonne umarmen.

Judo-Fritze kam ins Zimmer. Sein mächtiger Schädel glänzte vor Freude. »Fertig, Peter?«

Kaul nickte. Und plötzlich hatte er Angst vor der Freiheit.

10

Während der Krankenpfleger die Tür aufstieß, symbolisch fast: Geh hinaus – du bist frei! –, stand Kaul noch immer mitten im Zimmer, in der rechten Hand eine Einkaufstasche aus rotem Schottenstoff, Ecken aus Kunstleder, Sonderangebot vom Kaufhaus Hellebau, Stück nur sieben Mark fünfzig. Susanne hatte sie einmal mitgebracht, weil ihr altes Netz mitten auf der Straße zerriß. Vor zwei Wochen – bei jenem Besuch – hatte sie die Einkaufstasche mit Obst dagelassen. Nun hielt Kaul sie in der Hand. Was sich so alles ansammelt, dachte er. Als ich eingeliefert wurde, war ich nackt … nun habe ich einen Anzug an, Hemd, Schlips, Unterhemd und Unterhose, Strümpfe und Schuhe, in der Tasche sind zwei Schlafanzüge, zehn Taschentücher, ein Paar Pantoffeln, drei Frottierhandtücher, ein Kamm, eine Bürste, Rasierzeug, sogar eine Flasche Kölnisch Wasser, noch halbvoll – Judo-Fritze hatte sie ihm erst ausgehändigt, als es als sicher galt, daß er das Eau de Cologne nicht aussoff, denn der Hauptbestandteil ist ja Alkohol!

»Das gibt's alles«, hatte er gesagt. »Haste nicht gelesen in der Zeitung? Die Araber, die dürfen ja nicht, von wegen Koran und Religion und so. Und da lassen sie sich Kölnisch Wasser kommen, als Körperpflegemittel, und saufen das! Aber das gibt einen Affen, kann ich dir sagen! Wir hatten mal einen hier, keinen Araber, sondern 'n Püttmann. Als der eingeliefert wurde, roch die Halle gleich wie 'n Puff nach Parfüm! Der Kerl hatte einen Liter Lavendelwasser gesoffen. Ist am Morgen abgekratzt. So 'ne schön duftende Leiche haben wir nie wieder gehabt …«

Judo-Fritzens Mentalität! Man konnte Steine darauf zerschlagen.

Aber es half. Eine Stunde lang hatte Peter Kaul tatsächlich gezaudert, hielt die Flasche Kölnisch Wasser in der Hand, schnupperte daran, roch durch die Parfümierung den unverkennbaren Duft des Alkohols und hatte sich zitternd hingesetzt. Es kostete eine ungeheure Überwindung, die Tropfen auf die Handfläche zu schütten, die beißende Flüssigkeit über die rasierte Haut zu streichen, die Flasche wieder zuzuschrauben und wegzustellen auf die Ablage unter dem Spiegel. Wie erschöpft hatte er sich dann aufs Bett geworfen, die Augen geschlossen und tief eingeatmet. Alkohol! Alkohol auf meiner Haut! O Gott, ich trinke mit den Poren!

Ich trinke … So fand ihn Judo-Fritze, verkrampft, mit geballten Fäusten. »Maul auf!« kommandierte er, roch und nickte erfreut. »Brav, Peter … du kannst die Flasche behalten!«

Das war, ohne daß Kaul es wußte, einer der wichtigsten Momente seiner Heilung. Er hatte sich überwinden können, zum erstenmal hatte er von sich selbst aus, aus eigenem Antrieb, dem Lustgefühl nach Alkohol einen starken Willen der Verneinung entgegengesetzt. Es war ein zermürbender, nervenglühender Sieg. Aber es *war* ein Sieg! Er hatte sich fangen können, er hatte den Hebel seiner seelischen Bremse – wie es Prof. Brosius bildlich ausdrückte – finden können. Er war keiner der Verlorenen mehr.

Aber niemand ahnte etwas von den schrecklichen Stunden der dann folgenden Nacht.

Bis zum Morgengrauen wanderte Kaul vor der Spiegelablage hin und her. Zwei Stunden lang schien der Mond auf die Flasche, sie flimmerte und glitzerte, eine Teufelslockung ohne Beispiel. Da saß Peter Kaul auf dem Bett, die Hände zwischen die Knie geklemmt, schluckend, mit trockenem ausgedörrtem Hals, brennenden Eingeweiden, pochendem Gehirn. Schließlich flüchtete er hinaus auf die Toilette, erbrach sich vor Erregung, hockte dort eine Stunde oder länger, er wußte es nicht, betete und fluchte, dachte an Susanne, die Kinder, die Freiheit, die Schönheit des Lebens … und an die kleine Flasche, aus der der Duft von Alkohol strömte, wenn man den Schraubverschluß drei-, viermal drehte …

Vorbei das alles! Ich bin frei! Frei! Ich bin geheilt. Ich nehme Kölnisch Wasser für die Haut, und ich erfreue mich am frischen Geruch. Weiter nichts.

Unten in der Halle warten Susanne und die Kinder, Blümchen in den Händen. Wie bei einem Heimkehrer.

»Was ist denn, Peter?« fragte Judo-Fritze an der Tür, schon im Flur. »Kannste dir nich trennen von der Bude?«

Peter Kaul nickte. Mit steifen Knien verließ er sein Zimmer. Im Flur hörte er durch die Decke von der über ihm liegenden Etage wieder einen Höllenlärm. Dort veranstalteten die Delirium-Kranken wieder einen Aufstand. Das kam selten vor … meistens hockten sie stumpfsinnig herum, durch starke Beruhigungsdosen unschädlich gemacht. Aber ab und zu half keine Spritze mehr, da wurden sie vulkanisch. Und wie man einen Vulkan nicht mit einem Korken abdichten kann, so brach aus diesen Menschen das Urhafte heraus. Das alte, unbegreifliche Phänomen vollzog sich wieder: Urhaft heißt Zerstörung!

»Ick jeh gleich rauf!« sagte Fritze gemütlich. »Drei sind schon oben! Da sind vier Neue gekommen, die wollen zeigen, wie stark se sind! Junge, was gibt es doch für Idioten!«

In der Halle standen Susanne und die Kinder. Als sie Peter Kaul auf der Treppe sahen, rissen sich Heinz und Petra von Susannes Hand los und rannten ihm entgegen.

»Papi!« riefen sie. »Papi!« Ihre hellen, jungen Stimmen waren wie Fanfaren in der weiten Halle. »Wir holen dich ab! Du bleibst wieder bei uns! Papi …«

Peter Kaul ließ die Einkaufstasche fallen und breitete die Arme aus. Er fing seine Kinder auf, hob sie hoch, drückte sie an sich, und was er nie und nimmer wollte, wovor er sich gefürchtet hatte in all den Stunden, seit er wußte, daß er entlassen wurde, es trat nun ein, es war stärker als jeglicher Wille: Er weinte wie ein Kind, Schluchzen schüttelte seinen Körper, die Tränen liefen ihm über die Wangen und näßten die Gesichter der Kinder, die er an sich gepreßt hielt.

»Ich bin wieder da …« stammelte er, als er merkte, wie Heinz und Petra nicht mehr jubelten, sondern ihn fassungslos anstarrten. Sie kannten alles an ihrem Vater, Trunkenheit, Fröhlichkeit, Jähzorn, Brüllen und Lachen, Zerschlagen von Möbeln und Zärtlichkeit gegenüber der Mutti … aber weinen hatten sie ihn nie gesehen. Es war ihnen unmöglich erschienen, daß ein Vater überhaupt weinen konnte.

»Ich bin wieder da!« brüllte Peter Kaul plötzlich. Seine Stimme war eine Explosion. Die Kinder zuckten zusammen – aber dann lachten sie wieder.

Ja, das war der Papa!

»Mutti! Er ist wie früher!« rief Heinz die Treppe hinunter.

Susanne lächelte still. Gott gebe, daß es nicht so ist, dachte sie. Er muß wie ganz früher sein, wie damals, als er mit mir an den Ruhrwiesen entlangging und mir sagte, daß er mich liebte, richtig liebte, nicht nur so wie die anderen, um das eine zu haben, sie wüßte schon, was. Er wolle sie heiraten.

»Peter …« sagte sie und streckte beide Arme nach ihm aus, als er in der Halle der Landesheilanstalt vor ihr stand. »Willkommen bei uns! Wir fahren sofort nach Hause …«

Er küßte sie, scheu und doch innig. Er schämte sich vor den Kindern, vor Judo-Fritze, der die Treppe herunterkam, vor einigen Schwestern und Ärzten, die die Halle durchquerten.

»Nicht sofort, Susi ...« sagte er leise. »Laß uns ins Grüne fahren ...« Er lächelte. »Dumm, was. Draußen ist es ja kalt. Hat es schon gefroren?«

»Nicht viel.«

»Trotzdem. Ich will die Freiheit sehen! Die Weite! Ich habe zu lange in einem Zimmer gesessen ...«

»Ich habe zu Hause alles gerichtet, Peter. Schweinebraten, Klöße, Stachelbeerkompott ... dein Leibgericht ...«

»Susi ...« Er lehnte den Kopf auf ihre Schulter und schloß die Augen. »Es ist nicht wahr, daß es keine Engel mehr gibt ...«

Die Nacht. Die gefürchtete erste Nacht.

Die Kinder schliefen. Das Glück lag auf ihren entspannten Gesichtern wie leuchtende Schminke. Selbst Gundula schien begriffen zu haben, daß es ein besonderer Tag war. Sie hatte gespielt und ihre unverständlichen Töne mit größerer Lautstärke hervorgestoßen. Nun lag auch sie erschöpft unter der Decke.

Peter Kaul hatte den Arm unter den Nacken Susannes geschoben und ihren Kopf zu sich herangezogen. Ihre Körper berührten sich ganz leicht, sie spürten ihre gegenseitige Wärme, die Glattheit ihrer Haut, die Sehnsucht, die wie ein elektrischer Schleier sie umspann.

»Was wird, wenn das neue Kind so wird wie Gundi?« fragte Kaul mit trockener Kehle. Die weiche Hand Susannes legte sich auf seinen Mund. »Sprich nicht davon, Peter. Es ist noch viel Zeit ...«

»Wir dürfen der Wirklichkeit nicht ausweichen, Susi ...«

»Ich will es aber. Ich will träumen ...« Ihr Kopf bewegte sich, ihre Lippen lagen an seinem Hals, küßten ihn. »Ich liebe dich ...« sagte sie ganz leise. »So wie früher ... weißt du noch ... dein kleines Zimmer unterm Dach ...«

Er nickte. Ein Schauer durchrann ihn, aber er wagte nicht, die Hand auszustrecken und sie auf ihren warmen, glatten Körper zu legen.

Das Fenster stand offen, Nachtkälte kam ins Zimmer, es roch nach gefrorenem Rauch.

»Ich steh' auf und mach' das Fenster zu«, sagte er unsicher.

»Nein!« Ihr Kopf schob sich näher an ihn. Ihre Wärme kroch über ihn, als ziehe sie langsam ein heißes Laken über seinen zitternden Körper. »Ich friere nicht ...«

»Susi ...«, stammelte er heiser. »O Gott, ich habe so von dieser Nacht geträumt. Ich ... ich ... Er griff zu, umspannte ihren Körper und zog ihn an sich. »Ich verspreche dir mit meinem Leben, daß ich ein anderer Mensch sein will ...«

»Du bist es schon.« Ihre Haare fielen über sein Gesicht, ihre Zärtlichkeit zerriß die letzte, sich selbst auferlegte Abwehr.

Draußen, vor dem offenen Fenster, fiel lautlos der erste Schnee.

Drei Tage später saßen sie gemeinsam im Büro des Verwaltungsamtmanns der Landesheilanstalt. Der Amtmann kannte weder Peter Kaul noch seine Akten, ihn kümmerte nicht das Schicksal der Insassen, sondern das, was diese an Staatsgeldern verbrauchten. Und das war enorm. So war es nicht verwunderlich, daß der Amtmann ohne lange Umschweife zum Thema kam, unpersönlich und mit der Präzision des Beamten.

»Mir liegt von der Direktion ein Einstellungsersuchen für einen Elektriker namens Peter Kaul vor, ich nehme an, Sie sind es. Haben Sie einen Ausweis bei sich, Papiere, Paß, Kennkarte, Geburtszeugnis, Lohnsteuerkarte, Zeugnis der letzten Stelle, das war, lassen Sie mich nachsehen, ja, die Marsellus-Werke, hier am Ort. Sie sind Elektriker, nicht wahr, der Herr Direktor kennt Sie ja schon, gut denn, Sie können anfangen, melden Sie sich morgen bei Meister Pretzel im Materiallager, im Haus, hinten um die Ecke, Sie finden es schon. Arbeitsbeginn sieben Uhr, Besoldung ist Ihnen bekannt, Papiere behalte ich hier, freut mich, daß Sie bei uns arbeiten wollen!« Und dann erst sah der Amtmann auf, nickte auch Susanne zu und sagte in einem Anfall von Menschenfreundlichkeit: »Es freut uns immer, fleißige Mitarbeiter zu bekommen. Guten Tag, Frau Kaul. Guten Tag, Herr Kaul.«

Zweimal Händedruck, von Kaul aus eine höfliche Verbeugung. Klapp, die Tür zu. Ein netter, zuvorkommender Mann, dachte der Amtmann. Einer der wenigen, die einem nicht ins Wort fallen und sinnlose Fragen stellen. Angestellter einer Behörde zu sein, bedeutet, daß alle Fragen bereits im voraus durch Verordnungen geregelt sind. Wozu also fragen? Ich glaube, da haben wir einen guten Fang gemacht, dachte der Herr Amtmann, griff in ein Schreibtischfach und holte eine Flasche Bier hervor.

In diesen Tagen löste Susanne Kaul ein Versprechen ein.

Bevor sie es aber tat, erzählte sie Peter alles. Noch einmal zogen die qualvollen Stunden an ihr vorbei, in denen sie mit Pfarrer

Merckel um ihren Mann gerungen hatte und ihm, einer Einge-
bung folgend, vorgeschlagen hatte: »Wenn es Ihnen gelingt, Peter freizubekommen, werde ich Gundula in eines dieser Spezial-
heime geben.« Nun war Peter zu Hause. Das Versprechen aber
war noch nicht eingelöst.

Zunächst sagte Kaul: »Unmöglich! Gundi bleibt hier! Ich
glaube überhaupt noch gar nicht daran, daß sie so ... so ... so
blöd sein soll.« Das Wort wog auf seiner Zunge wie ein Bleige-
wicht. »Wer sagt denn das?«

»Eine Kapazität. Doktor Lingen.«

»Ach der! Den kenn ich auch!« Kaul nickte. »Der hat mich
auch untersucht. Ein gefährlicher Bursche! Fragen hat der gestellt. Die kannst du beantworten wie du willst ... du bist immer
ein Säufer!« Kaul schüttelte den Kopf. »Bevor Gundi wegkommt,
laß ich sie noch von anderen untersuchen! Und zu Doktor Lingen
gehe ich auch noch mal selbst.«

»Doktor Lingen ist seit Wochen verreist. Ins Ausland. Er muß
dort irgend etwas erforschen, ich weiß nicht, was. Der Pfarrer
sagte es mir.« Susanne legte die Hände auf Peters Arm. »Sieh dir
doch Gundi an, Peter, vergleiche sie mit anderen in ihrem Alter.
Ich habe Wochen gebraucht, um es zu glauben, und ich kann es
jetzt noch kaum fassen ... aber es ist besser für Gundi, wenn sie
in eine Spezialbehandlung kommt.«

»Das stammt von Merckel?«

»Ja.«

»Und wohin soll sie?«

»Ich weiß nicht. Der Pfarrer kennt da einige Kliniken.«

Und so saßen sich schon zwei Tage nach seiner Entlassung Peter Kaul und Pfarrer Merckel wieder gegenüber. Wieder roch das
Arbeitszimmer mit dem alten Betstuhl und der herrlichen Madonna nach Schnaps, als Kaul eingelassen wurde. Erschrocken
stellte Kaul fest, daß Merckels Blick glänzend und starr war, mit
weiten Pupillen, den Augen eines Trinkers, der an der Grenze
zum Umfallen wandelt, auf jenem winzig schmalen Grat der Seligkeit, neben dem zu allen Seiten der Abgrund lauert. Peter Kaul
kannte diesen Zustand, er war oft genug über den Schwebebal-
ken der Euphorie balanciert, um dann abzustürzen in die
Schwärze des Rausches.

Peter Kaul setzte sich zögernd und starrte den Pfarrer an. Unter dem Tisch, halb versteckt durch die tief herabhängende Tisch-
decke, sah er eine Flasche stehen. Halb leer. Ein Klarer. Er riß sei-

nen Blick davon weg und sah wieder auf Merckel, der in gerader Haltung, das Kinn vorgeschoben, mit stampfenden Beinen durch das Zimmer ging, zum Schrank, ihn öffnete und eine Flasche Mineralwasser herausholte. Dann kam er zurück, breit und wuchtig, ein Bild erdhafter Stärke und praller Gesundheit und in Wahrheit eine Eiche, hinter deren dicker Rinde die Fäulnis Höhlung nach Höhlung fraß.

»Was gibt es, mein Sohn?« fragte Pfarrer Merckel mit seiner dröhnenden Baßstimme. »Es freut mich, daß alles so schnell gegangen ist. Heute kann ich Ihnen sagen, daß Sie am Ende waren. Ihre Rückkehr, Ihre so schnelle Rückkehr ist wie ein Wunder, wenn's das noch gäbe. Meistens rechnet man mit mindestens sieben Monaten! Ich könnte gemein sein und sagen: Trinken Sie einen Schnaps mit mir, um zu sehen, wie Sie reagieren ...«

»Ich würde ablehnen, Herr Pfarrer.« Kauls Stimme war belegt. Mein Gott, dachte er. Keiner hat es gesehen, keiner sieht es bis heute, wie lange aber wird es noch dauern, diese Blindheit der Umwelt: Der Pfarrer ist ja ein Trinker! Ich sehe es, ich habe ja den Blick dafür, ich komme ja aus der Gemeinschaft der Verlorenen. Ich hatte einen Hubert Bollanz und eine eingebildete Schuld ... was aber mag er haben, er, der Pfarrer, der Diener Gottes, der Verkünder der Worte von Liebe und Vergebung? Wenn *er* trinkt, o mein Gott, wie groß muß dann *seine* Schuld sein? Oder trinkt er aus Verzweiflung? Aus Einsamkeit? Sieht und hört er mehr, er, der Priester, als ein Mensch verkraften kann?

Merckel blieb vor Kaul stehen und sah auf ihn herab. Ein Lächeln überflog die zerfurchten Bärenzüge seines Gesichtes.

»Sie haben die Flasche unterm Tisch gesehen?«

»Ja, Herr Pfarrer.«

»Ich habe morgen ein Begräbnis. Ein hoher Offizier. Starb regelwidrig im Bett und nicht auf dem auch von ihm viel besungenen ›Feld der Ehre‹. Die Glanznummer – der ›Heldentod‹ – blieb ihm versagt ... er starb profan an einem Prostataleiden. Mag sein, daß er schon ein zu hoher Offizier war, um als idealer Soldat abzugehen. Nun muß ich die Grabrede halten, lieber Freund. Das Leben eines Mannes zieht vorbei, der von Kindesbeinen an nur mit dem Säbel rasselte, zuerst als Hosennässer mit einem Säbel aus Holz, dann ab zehn Jahren, als Kadett, mit einem echten, und dann über alle Jahrzehnte hinweg immer wieder: ›Hurra! Es lebe seine Majestät! Nieder mit Franzos' und Engeland!‹, und später: ›Heil, mein Führer! Der Endsieg ist unser! Jeden Meter deutschen Bodens tränkt das Blut unserer Feinde!‹ und schließlich, Exzellenz war immerhin jetzt neunundachtzig Jahre: ›Eine Demokratie ist die einzige Staatsform deutschen Friedenswillens!‹« Pfarrer Merckel hob beide Arme und ließ sie an den breiten Körper zurückfallen. »Was soll ich da sagen, mein Lieber, am Grab einer Seele, die paradieseinlaßheischend vor Gott pendelt? Was war denn Exzellenz nun wirklich? Ein Feldherr oder ein Kriegsverbrecher? Ein großer Deutscher oder ein militanter Hasardeur? Ein Kämpfer für die Nation oder ein Schlächter deutscher Jugend? Ein Schild gegen den Osten oder ein Verbrecher gegen die Menschlichkeit? Das Vokabularium ist groß … und ich soll die richtigen Worte finden! Da *muß* man ja ein Schnäpschen trinken, um in der Auswahl der Möglichkeiten nicht zu verkommen.« Pfarrer Merckel setzte sich neben Kaul, griff unter den Tisch, holte die Flasche und ein schlankes hohes Glas hervor, goß ein und kippte den Schnaps in sich hinein. Ohne Erregung, ohne Durstgefühl sah ihm Kaul zu. Seit Wochen sah er zum erstenmal wieder einen trinkenden Menschen, roch den reinen Alkohol … und er empfand keinen Drang, eher eine innere Abwehr, ein Gefühl der Übersättigung, einen Ekel. Das war merkwürdig, aber es machte ihn glücklich. Ich bin darüber hinweg, dachte er wieder. Ich bin wirklich darüber hinweg.

»Wie würden *Sie* die alte, tote Exzellenz nennen?« fragte Pfarrer Merckel und goß sich wieder ein. Kaul hob die Schultern.

»Ich weiß nicht. Ich kannte ihn nicht.«

»Er hat einmal eine große Schlacht gewonnen. Sie kostete hunderttausend Tote.«

»Er hat verteidigt?«

»Nein. Er war der Angreifer.«

»Dann ist er in meinen Augen ein Mörder!«

»Aber er bekam für diese Schlacht den Pour le Mérite! Für andere Schlachten bekam er das Eichenlaub zum Ritterkreuz. Und schließlich, 1960, verlieh man ihm als Aufsichtsratsvorsitzenden einer bedeutenden Firma das Bundesverdienstkreuz am Band. Und Sie sagen, er war ein Mörder! Und andere sagen: Er war ein Held! Und wieder andere sagen: Er war ein Kriegsverbrecher! Und was sage ich? Am Grab? Das ist ein Problem, mein Lieber. Prost!«

Pfarrer Merckel trank. Und, so sehr er sich dagegen wehrte, auf einmal verstand Peter Kaul den alten Bären von St. Christophorus. Er hatte einen Grund zum Trinken. Und auch das Grausamste daran erkannte Kaul: Er hatte keinen, der ihm helfen konnte. Nicht einmal Gott.

Pfarrer Merckel war allein auf der Welt mit sich und seinem Alkohol. Er trank nichts anderes als seine eigene Einsamkeit.

Viel später erst kamen sie auf den Grund von Kauls Besuch.

»Unsere Gundula, ach ja«, sagte Merckel. Er hatte die Flasche nun leergetrunken, eine neue anzubrechen, wollte er Peter Kaul nicht antun. Der Ton beim Herausziehen des Korkens ist in den Ohren jedes Trinkers wie ein Claironsignal. Auch für einen Geheilten, vor allem, wenn er die ersten Kinderschritte wieder ins Neuland der Normalen setzt. »Ich habe schon herumgehört. Das ist ein gutes Haus in der Schweiz.«

»So weit?« sagte Kaul gedehnt. Schweiz, dachte er. Tausend Kilometer. Für einen Arbeiter, der sich einen Berg von Schulden zusammengesoffen hat, ist das der Mond. Ich werde Gundula nicht mehr sehen, wenn sie einmal weg von uns ist. Muß das sein? Er legte die Hand über die Augen, und Pfarrer Merckel trank wieder, den letzten Rest in dem hohen, schmalen Glas. Da Kaul es nicht sah, fuhr seine Zungenspitze schnell hinein und leckte den letzten Tropfen vom Boden des Glases.

Exzellenz wird eine schöne Grabrede bekommen! Sünder sind wir allesamt, wird der Pfarrer Merckel sagen. Der Fleischer liest die Waage ungenau ab, der Maler nimmt billige Farbe, der Möbelhändler kalkuliert über 'n breiten Daumen, der Juwelier taxiert erst seine Kunden, ehe er den Preis macht, und ein General jagt eben einige Hunderttausende in die Schlacht, um den Kampf zu gewinnen. Die Größenordnungen sind nun mal so verschieden wie die Metiers.

»Wo in der Schweiz?« fragte Kaul zögernd.

»In der Südschweiz. Im Tessin.« Pfarrer Merckel erhob sich und tappte zu seinem Schreibtisch. Dort wühlte er in einem Haufen Papiere und zog endlich ein Schreiben hervor. »Die Clinica Santa Barbara. Chefarzt Dr. Giulio Torgazzi. Er ist berühmt, lieber Peter Kaul. Sie wissen ja – heilen kann man da nichts mehr, aber man kann einen Menschen in einen bestimmten Lebenskreis einordnen. Oder soll Ihre Gundula noch mit zwanzig Jahren auf dem Rücken liegen und mit bunten Klötzchen spielen?«

»Um Gottes willen, hören Sie auf, Herr Pfarrer!« rief Kaul und drückte die Hände gegen die Ohren. »Ich könnte schreien, wenn ich daran denke.«

»Hilflose Schreie, mein Junge.« Merckel setzte sich. »Wollen wir es tun? Soll Gundi nach Santa Barbara?«

»Und ... und wie lange?«

»Wer weiß das?« Merckel sah auf seinen herrlichen Betstuhl. Hinter diesem, in einer Truhe, in der man kirchliche Dokumente vermutete, versteckte er seine Flaschen. »Es können Jahre sein.«

»Und wer bezahlt das alles?«

»Die Kirche, mein Sohn.«

»Also Sie!« Kaul stand auf. »Und wenn Sie .... ich meine, Herr Pfarrer ... wir alle müssen einmal sterben ...«

»Ich bin ein wohlhabender Mann, Peter Kaul. Ich habe zwei Tanten und einen Neffen beerbt. In meinem Testament steht, daß Gundula bis zu ihrem Eingang in Gott von mir versorgt wird.«

Es war eine Weile völlig still zwischen den beiden Männern. Dann fragte Peter Kaul kaum hörbar:

»Und warum, Herr Pfarrer, warum tun Sie das alles für mich?«

»Weil du ein Trinker bist!« Die Antwort war klar und laut und wie ein Peitschenhieb. Kaul zuckte zusammen und hob wie schutzsuchend die Schultern. »Ich will einen Trinker wieder glücklich machen, gerade ich ... Vielleicht betrachtet Gott einmal diese kleine Tat als ein Einlaßbillett in die ewige Stille der Reue ...«

Erschüttert, sprachlos verließ Peter Kaul das Pfarrhaus.

Es schneite nun auch in Köln.

Zwar blieb der Schnee nicht liegen, sondern wurde in kürzester Zeit schmutzig-grau, dann matschig und schließlich weggeschoben in die Gosse, aber in den Randbezirken blieb er liegen, im Grüngürtel, in den wenigen Stadtparks, im Stadion und zwischen den noch immer vorhandenen Ruinen, die wie abgefaulte Zahnstümpfe inmitten der aufragenden Neubauten wirkten.

Es war kurz vor Weihnachten. Die Einkaufsstraßen der Altstadt – Hohe Straße, Schildergasse, Breite Straße, Ehrenstraße – waren durch Lichterketten illuminiert, auf dem Friesenplatz und vor dem Hahnentor am Rudolfsplatz standen riesige Tannen, das Geschäft blühte, die Weihnachtsgratifikationen wurden umgesetzt, von der altehrwürdigen hölzernen Kinderrassel bis zum Nerzmantel wanderte alles in Tüten und Kartons ... nur noch wenige Tage, und man würde aus vollem Herzen singen können: Stille Nacht, heilige Nacht ... denn die Kassen waren gefüllt wie in keinem Jahr zuvor. Der Wohlstand war wie eine Sintflut. Das Kind in der Krippe zu Bethlehem war zum Startschuß eines Rennens geworden: Wer erwischt an diesem Weihnachtsfest den saftigsten Brocken? Meyers von nebenan haben sich eine neue Sitzgarnitur bestellt. Ist schon geliefert worden. Grauer Velours, mit Volants. Eine viersitzige Couch sogar! Soll man sich lumpen und etwa die Vermutung aufkommen lassen, man hätte weniger Geld als die Meyers? Wozu die Schwarzarbeit während des ganzen Jahres? Männe, jetzt knall die Karten auf 'n Tisch! Einen südafrikanischen Persianer mit Saphirnerzkragen, und die Meyersche fällt um!

Süßer die Glocken nie klingen …

In diesen Tagen starb plötzlich, wie vom Blitz gefällt, Jim, das Kamel.

Er starb würdig, trotz seiner Eile. Er starb während des Trinkens, den Hals einer Wermutflasche zwischen den Lippen. Er lag auf dem Rücken, hatte die Beine angewinkelt, und erst, als der süßklebrige Wein nicht mehr in seinen Mund, sondern über seinen Hals lief, merkten die anderen, daß etwas nicht stimmen konnte. Sie rüttelten Jim, das Kamel, er rollte zur Seite, die Flasche kollerte gegen die Wand, seine großen, immer beleidigten Kinderaugen waren starr und gläsern.

Da wußte man, daß er tot war, ohne daß man noch lange an seiner behaarten Brust zu horchen brauchte. Man faßte ihn an Armen und Beinen und trug ihn in einen Nebenraum des Bunkers, legte ihn auf eine Pritsche und deckte über sein Gesicht einen alten Putzlappen. Dann sah man die Notwendigkeit ein, doch den Doktor zu holen und überhaupt die ganze Skala behördlicher Totenbeglaubigung ablaufen zu lassen, denn Jim, das Kamel, war schließlich ein Christenmensch gewesen, einer der wenigen, die sonntags ab und zu in die Kirche gingen und mit dem Sonntagssaufen erst nach der Messe begannen. Meist hatte er dann hinten unter der Orgelempore gestanden, an die Wand gelehnt, und jeder, der an ihm vorbeiging, rümpfte die Nase, denn er stank ja immer nach Fusel und Schweiß und Dreck. »So etwas müßte man aus der Kirche weisen!« sagte einmal eine Frau in Verkennung von Gottes Liebe. Jim hatte nicht geantwortet. Warum auch? Wenn man so weit außerhalb der Gesellschaft steht, verlieren alle Worte ihre Überzeugungskraft. Aber er tat etwas, worunter er den ganzen Sonntag zu leiden hatte: Das Geld für die nächste Flasche steckte er in den Opferstock. Bis zum

Abend mußte er sich durchbetteln bei den anderen, die ihn wieder das Kamel nannten und ihm einen Schluck aus ihrer Flasche gönnten.

Nun war er tot, lag unter dem Putzlappen auf einer Holzpritsche, und vier Kumpane schwärmten aus, um Dr. Lingen zu suchen.

Der Abstieg Lingens in diesen Wochen war wie der Fall eines Ikarus gewesen. Nach seiner Flucht von der Seite Brigittes aus dem Kaufhaus war er nicht zurückgelaufen in den Bunker, sondern hielt sich in einer Gasse am Rhein verborgen. Für zweihundert Mark erkaufte er sich das Recht, hinter einem Vorhang im Zimmer einer Dirne zu schlafen, mit der einzigen Verpflichtung, still zu sein und nicht zu stören.

Er versprach es, besorgte sich einige Flaschen, betrank sich und schlief wie ein Bleiklotz. In wenigen wachen Momenten hörte er nebenan, jenseits des Vorhangs, den Arbeitsrhythmus seiner Gastgeberin, einmal einen Streit um Geld, ein Kreischen und Ausdrücke, die bisher noch in keinem Wörterbuch gesammelt wurden, dann dämmerte er wieder weg und verschlief so drei Tage.

Am vierten Tag wähnte er sich sicher. Seine Gastgeberin war froh, das besoffene Luder loszuwerden und empfand doch ein wenig Mitleid mit diesem Menschen, der in seinen klaren Momenten so gebildet sprach und sich benahm wie ein besserer Herr. Den Personalausweis, den sie bei ihm fand, als sie seine Taschen untersuchte, nahm sie als gefälscht hin. Dr. Konrad Lingen, dachte sie. Unmöglich! Ein Doktor kommt zwar auch hierher in meine Bude, aber so tief rutscht kein Akademiker ab.

»Mach's gut«, sagte sie deshalb zum Abschied, als Dr. Lingen, diesmal nüchtern, auf der nächtlichen Gasse stand. »Kannst wiederkommen, wennste nicht weißt, wohin.«

»Danke.« Lingen nickte. Er steckte die Hände in die Manteltaschen, schlug den Kragen hoch und stapfte durch den Schneematsch davon. Zum Rhein. Die Dirne sah ihm nach, bis er um die Ecke verschwand. Wenn er sich jetzt im Rhein ersäuft – ich kann auch nichts dafür, dachte sie. Wer kümmert sich um mich? Wir müssen uns alle durch dieses verfluchte Leben fretten.

Brigitte Lingen hatte ihren Mann nach seiner Flucht aus dem Kaufhaus nicht wieder suchen lassen. Sie schämte sich nicht nur vor der Polizei, sondern sie sah ein, daß Konrad Lingen immer verschwinden würde, solange die geheimnisvolle Krankheit in ihm nicht gebrochen war. Sie hatte gerade von ihm schon so viel gehört über die Psychologie der Trinker, er hatte in den Gesellschaften und auf öffentlichen Vorträgen so eindringlich davon gesprochen, daß er nun, da er selbst einer der Tausende Trinker geworden war, für sie verloren war.

Es war ein großer Entschluß, aus Köln abzureisen und nach Essen zurückzukehren. Es war der Beginn eines neuen Lebensabschnitts, der von drei Aufgaben geprägt war: die Erhaltung des bisherigen Werkes Dr. Lingens – die Klinik –, die Bewahrung von Ehrfurcht und Liebe des Kindes zu seinem Vater und die Hoffnung, daß er doch wieder einmal zurückfand oder daß sie die Möglichkeit erhielt, ihn noch einmal aus seinem Elend zu reißen.

Sie war also, während sich Dr. Lingen im Zimmer der Dirne versteckt hielt, zurück nach Essen gefahren, so, als sei nichts geschehen. Die Leitung der Klinik übernahm der Erste Oberarzt, die Verwaltung ging in die Hand eines befreundeten Anwalts über, offiziell wurde bekanntgegeben, daß Dr. Konrad Lingen einen längeren Auslandsaufenthalt nehmen mußte, um irgendwo in Südostasien eine Klinik einzurichten.

Die Patienten glaubten es, die Kollegen zweifelten, Prof. Brosius lächelte darüber. Aber genaues wußte auch er nicht. Gewiß – die Patientin Karin von Putthausen war weggelaufen und später gestorben. So etwas ist unangenehm, aber immerhin nicht außergewöhnlich bei Patienten mit Hirnstörungen. Sie hatte keinerlei Unheil angerichtet, sondern war im elterlichen Haus gestorben. Eine gewisse Form war schon vorhanden. Das Rätsel allerdings blieb, ob Karin wirklich ein Kind bekommen hätte, wie sie behauptete, ob es nur eine hysterische Schwangerschaft gewesen war und – wenn es eine echte war – wer dann der Vater sein konnte. In diesem Fall war Brosius nach wie vor glücklich, daß mit Karins Tod dieser Komplex auch gestorben war. Man stelle sich das vor: In der Brosius-Klinik, in der Privatabteilung, im streng abgeschirmten Frauenhaus, gelingt eine Schwängerung!

Dieser schweißtreibende Gedanke veranlaßte Prof. Brosius, zur Gattin seines Widersachers zu fahren und ihr seine Hilfe anzubieten. Er tat damit gleichzeitig kund, daß er von der Version der Auslandsreise wenig, ja gar nichts hielt.

»Mein Mann wird in einigen Wochen zurückkommen«, sagte Brigitte Lingen höflich und vollendet ruhig. »Ich danke Ihnen herzlich, Herr Professor. Wenn es nötig sein sollte, komme ich auf Ihr Angebot zurück.« Brosius verbeugte sich, nahm die Hakken zusammen, küßte die Hand und entfernte sich, Bewunderung im Herzen für diese starke, schöne Frau.

Das alles, diese Welt der Etikette und der lebensnotwendigen Lüge, kümmerte Dr. Lingen herzlich wenig. Er hatte den Anzug der gesellschaftlichen Moral abgestreift. Er fühlte sich in seiner nackten Haut glatter und wohler, er war Natur wie der Regenwurm, der sich durch das feuchte Erdreich wühlt, wie die Schabe, die in der Dunkelheit aus den Kellerritzen kriecht. Gewiß, kein schöner Vergleich, vom Ästhetischen her, aber auch ein Wurm und eine Küchenschabe sind Geschöpfe Gottes. Er wanderte durch die kalte Nacht am Rhein entlang zum Hafenviertel. Am alten Zollturm lehnte er sich gegen die mit Eis überzogenen Eisenstangen des Geländers, starrte auf die schlafenden Rheinkähne im Winterquartier, sah hinter einem erleuchteten Fenster drei Männer in einer Kabine sitzen und Bier trinken, hörte einen Hund jaulen und eine einsame Stimme, irgendwo im Gewirr der alten Häuser, die »… aber der läßt mich nicht verkommen …!« grölte.

Wohin, dachte Lingen, wohin bloß? Wenn er an die »Gräfin« dachte, wurde ihm schlecht. Ihr faltiger, schlaffer, durch Alkohol und Morphium aufgeputschter Leib ekelte ihn an. Drei Wochen hatte sie geglaubt, die Jugend kehre zurück, die Natur mache bei ihr eine Ausnahme, sie war wie eine Flamme aus einer Asche, in der noch ein Stückchen brennen kann, wenn man kräftig hineinbläst – dann war auch dieses letzte morsche Hölzchen verglüht, sie brach zusammen und wurde eine torkelnde Greisin, bar aller Scham und Moral, bis auf ein oder zwei Tage, wo sie in einem alten, tief ausgeschnittenen Abendkleid im Bunker saß, thronend und ehrfürchtig wie die Irre von Chaillot, ein Denkmal menschlichen Verfalls. Als Dr. Lingen nach der Razzia nicht wiederkehrte, unternahm sie einen Selbstmordversuch eigener Prägung. Aus einem dunklen Versteck zauberte sie fünfhundert Mark und versprach sie als Erbe denjenigen, denen es in Arbeitsgemeinschaft gelänge, sie zu Tode zu lieben. Es fand sich niemand zu dieser Tötungsart bereit, auch nicht für fünfhundert Mark, und so blieb das Leben von Jutta, der Gräfin, erhalten.

Zwischen der nächtlichen Stunde Dr. Lingens am Kölner Hafen und Jims Begräbnis auf dem Kölner Friedhof Melaten, klafft eine Lücke. Man weiß nicht, wie Dr. Lingen zurück in den Bunker kam, ob man ihn am Rhein entdeckte, ob er selbst hinfand, ob er wie ein verlaufener Hund eine Spur aufnahm und ihr folgte, aus Instinkt, aus Urtrieb, und plötzlich die Kellertreppe hinabstolperte in den Bunkersaal, wo sie ihn mit Hallo begrüßten und Jutta, die Gräfin, sich die Kleider vom Leib riß und nackt herumtanzte wie ein Gespenst aus Knochen, Sehnen, Haut und Haaren ... er war jedenfalls wieder unter ihnen, und sie alle, die Trinker und Penner, die Berufsbettler und Asozialen, die Heimatlosen und Weltverächter waren sich einig, daß sie von jetzt ab auf ihren Doktor besser aufpassen müßten.

Nebenan lag Jim, das Kamel, und konnte sich nicht mehr freuen. Dr. Lingen untersuchte ihn, nachdem er den Putzlappen vom Gesicht geschleudert hatte. »Tot ist er«, sagte er. »Wollt ihr auch wissen, wodurch? Er hat sich totgesoffen! Er hat sein Herz einfach ertränkt ...«

»Ein wahrer Bruder ging dahin!« sagte René, der Kavalier, ehrfürchtig. »Er starb in den Sielen ...«

»Ich denke, in der Ecke nebenan?« entgegnete Emil, der Fisch. René maß ihn verächtlich. Die Gräfin kicherte dumm wie ein junges Mädchen, dem man den Oberschenkel kitzelt. Sie lehnte an Dr. Lingens Rücken und leckte ihm wie ein Hund über den Nakken. Er ließ es geschehen, er stand über den Toten gebeugt und sah in dessen gläserne Augen.

So werde auch ich einmal daliegen, dachte er. Auf einer Holzpritsche, einen dreckigen Putzlappen über dem Gesicht. Dr. Konrad Lingen, Hirnchirurg von Weltruf. Wie klein doch die Spanne zwischen Ruhm und Ruin ist ... daß beide mit einem R anfangen, sollte eigentlich eine Warnung sein. Aber niemand versteht sie. Das ist im Grund genommen das ganze Geheimnis von Aufstieg und Fall.

Da Dr. Lingen keine Praxis mehr hatte, mußte man einen Arzt aus der Nachbarschaft holen, der den Totenschein für Jim, das Kamel, ausstellte. Dabei erfuhr man zum erstenmal, daß er nur einundvierzig Jahre alt geworden war. Er sah aus wie ein guter Siebziger. Entgegen der Absicht des Ordnungsamtes, Jims Leiche auf Staatskosten zu beerdigen, zumal sich keine Hinterbliebenen feststellen ließen (was eine Überstellung in die Anatomie bedeutet hätte, denn frische Leichen zum Sezieren sind wie ein Hauptgewinn in der Lotterie), legten die Penn- und Wermutbrüder zusammen und erstanden einen Sarg aus Buche, auf Eiche geritzt, eine normale Grabstelle auf Melaten, einen Pfarrer und ein Begräbnis mit Benutzung der Friedhofskapelle. Mit anderen Worten: An einem Freitagmorgen, bei Schneetreiben und Wind, fand auf dem Friedhof Melaten in Köln eine ganz normale Grablegung statt. Mit Kränzen aus Tannengrün und Wachsblumen, mit einem fluchenden Totengräber, mit einem Karren auf Gummirädern, auf dem der Sarg von der Kapelle zum Grab gezogen wurde, mit einem Pfarrer, der erbärmlich fror und einer Trauergemeinde, die aus der Hölle herangezogen schien.

Vorweg ging Emil, der Fisch, und trug eine Fahne. Sie war eigens für diesen Zweck genäht worden. Ein weißes Nesselbettuch, darauf, in Rot, aus einem alten Unterrock der Gräfin ausgeschnitten, als Symbol eine Schnapsflasche. Stolz trug Emil, der Fisch, diese Fahne vor dem Sarg her. Sie flatterte im Schneewind an einer langen Latte. Die Piratenflagge der Verlorenen.

Hinter dem Sarg ging als Vertreter fehlender Verwandter neben dem Pfarrer René, der Kavalier, korrekt in Schwarz, mit Zylinder und Schirm, ernstem Blick und würdigem Schweigen. Auf der anderen Seite des Pfarrers schritt Dr. Lingen. Ihm war übel. Er wollte trinken, aber er durfte es nicht, bis Jim in die Erde gesenkt war. Wie alle hinter ihm im Trauerzug, trug er in beiden Rocktaschen Flaschen, sie beulten die Anzüge aus, es gluckerte bei jedem Schritt, leise, geheimnisvoll, lockend ... gluck ... gluck ... gluck ... als wenn ein Zwerglein trinkt ... aber es war unmöglich, jetzt zuzugreifen und die Flasche an den Mund zu reißen.

Das Grab. Rechts und links die gefrorene Erde, ein Hügelchen Sand mit einem Schippchen, ein paar Bretterbohlen am Rand, der Totengräber (städtischer Angestellter unterer Gehaltsgruppe, obwohl er ein wichtiger Mann im städtischen Betrieb ist und sogar Minister begraben kann. Wer kann das schon?), ein paar Neugierige, die es bei jeder Beerdigung gibt (das Versenken eines Sarges muß für manche lustvoll sein wie ein Catcherkampf), merkwürdigerweise drei uniformierte Polizisten, was Renés Falte über der Nasenwurzel vertiefte, und schließlich drei Herren unter zwei Regenschirmen, von denen zwei Lodenmäntel und einer einen Ledermantel trugen. Der dümmste Deutsche weiß sofort, daß dies Kriminalbeamte waren.

Der Pfarrer sprach schnell, denn er fror. Er schilderte Jim, das Kamel, als einen Menschen, der besonders Gottes Gnade bedürfe. Dann segnete er den Sarg, die Umstehenden, sprach ein Gebet, schaufelte dreimal Sand auf den Sargdeckel und entfernte sich, weil sich der Schnee in seinem steifen Kragen sammelte.

Anders war René, der Kavalier. Er sprach vom guten Kameraden, von gemeinsamen Jahren, von der Philosophie der Freien, von der Konsequenz, mit der Flasche am Mund zu sterben. Jutta, die Gräfin, schluchzte laut wie eine legale Witwe. Dr. Lingen stützte sie, als sie ihre drei Schippchen Sand auf den Sarg warf und Jim Lebewohl sagte.

Was dann geschah, machte die Zuschauenden sprachlos. Die torkelnden Unterweltsgestalten formierten sich, schwankten um das offene Grab, umringten es, griffen in die Tasche und zogen mit einem Ruck ihre Flaschen hervor. Als durchzucke sie ein lautloses Kommando, jenes »Hoch legt an – Feuer!« des Ehrensaluts, fuhren die Flaschen an die Münder, die Lippen schlossen sich um die Hälse, Emil, der Fisch, mit zuckendem Adamsapfel, senkte die Fahne über dem Grab (er durfte erst hinterher trinken, Fahnenträger sein, heißt Ehrendienst verrichten!), und dann tranken sie, schmatzend, mit selig verdrehten Augen, ein unwirkliches, makabres, bis auf die Knochen gehendes letztes Trompetensignal, lautlos bis auf das Schlucken von zweiundvierzig Gurgeln und Schmatzen von vierundachtzig Lippen. Auch René, der Kavalier, und Dr. Lingen standen am Grab und tranken aus der Flasche. Zwischen sich hatten sie die Gräfin genommen, die mit beiden Händen ihre Wermutflasche hochhielt wie eine überschwere Fanfare.

»Schluß jetzt!« sagte außerhalb des saufenden Trauerringes Kriminalkommissar Dr. Bergebracht vom Sittendezernat zu seinen Begleitern. »Stehen die Wagen bereit?«

»Jawohl. An Tor fünf, Herr Kommissar.«

»Dann los. Nicht lange fackeln. Alle mitnehmen! So schön vollzählig bekommen wir die nie wieder zusammen!«

Das Begräbnis von Jim, dem Kamel, endete mit einer Freifahrt in der »Grünen Minna« zum Polizeipräsidium.

Dr. Lingen wurde sofort abgesondert. In einem Nebenzimmer saß Brigitte Lingen und sprang auf, als ihr Mann durch die Tür torkelte. Sie war vor zwei Stunden aus Essen gekommen, nachdem die Polizei erfahren hatte, wie das Begräbnis stattfinden sollte. »Wenn wir eine Chance haben, Ihren Mann zu finden, dann hierbei!« hatte Dr. Bergebracht telefoniert. Und Brigitte war sofort nach Köln gefahren.

»Konrad …« sagte sie leise, als er sie erkannte und einen Schritt zurückwich. »Bitte, sag nicht … Ich zwinge dich nicht … Du mußt wissen, was du tust. Aber wenn du mitkommen willst … draußen steht unser Wagen. Wir können fahren …«

Dr. Konrad Lingen lehnte sich gegen die Wand. Sein Anzug war vom Schnee durchnäßt, die Haare hingen wirr um seine

Stirn. Der Alkohol in seinem Hirn zauberte Kreise und sphärisches Rauschen. Er sah Brigitte auf einer Wolke schweben, wie ein Engel, federleicht. Wie sie das nur kann, dachte er. Welch eine Übung gehört dazu, so zu schweben. Überwindung der Schwerkraft – Brigitte ist ein Genie!

»Sollen wir fahren, Konrad?« fragte Brigitte wieder.

Er nickte und stieß sich von der Wand ab.

»Ja. Fahren … laß uns nach Hause …« Er stolperte, hielt sich an Brigitte fest und legte das Gesicht auf ihre Schulter. »Nach Hause …« stammelte er mit schwerer Zunge. »In ein Bett! In ein weiches Bett! Ich friere … o Gott, ich friere ja so … Sieh mal, wie ich friere …« Er zitterte und klapperte mit den Zähnen.

Ganz langsam, Schritt für Schritt, führte Brigitte Lingen ihren Mann aus dem Haus zum Auto.

Im Nebenzimmer verhandelte René, der Kavalier, mit Kommissar Dr. Bergebracht.

»Ich hätte Ihnen mehr Pietät vor einem Begräbnis zugetraut!« sagte er. »Es ist schrecklich, wie schnell die Sitten heute verfallen.«

11

An einem dieser Wintertage geschah ein Unglück.

Beim Überschreiten einer Straße blieb der Pfarrer Hans Merckel plötzlich stehen, sah mit leeren Augen um sich und brach zusammen. Ein Wagen konnte noch ausweichen, die anderen bremsten kreischend. Da Pfarrer Merckel im Ornat war – er kam gerade von einem Gang der Letzten Ölung –, erzeugte dieser Zusammenbruch einen besonders großen Auflauf. Die beiden Meßdiener, die ihn begleiteten, Jungen von etwa vierzehn Jahren, standen in ihren Spitzengewändern entsetzt und wie gelähmt neben dem liegenden Bären und trotteten hinterdrein, als ein paar kräftige Männer die schwere Gestalt Merckels aufhoben und im ersten Geschäft, das sie erreichten, auf die Theke legten. Es war ein Korsettgeschäft, und so lag der wuchtige Körper des Pfarrers von St. Christophorus neben den Fotos Büstenhalter anpreisender Damen, als der Krankenwagen mit Sirene und Blaulicht eintraf.

Erst im Krankenhaus, auf dem Untersuchungstisch, erwachte Hans Merckel aus seiner Ohnmacht. Er blinzelte in den Scheinwerfer, der über ihm von der Decke hing, schloß schnell wieder die Augen und schob eine Hand weg, die über seinen Leib tastete.

»Ich sage Ihnen, was ich habe, Doktor!« sagte er mit klarer Stimme. Ich bin umgefallen wie ein Baum, dachte er dabei. Nun ist es soweit. Gott, wie wenig Zeit hast du mir gelassen?

»Ich habe eine Leberzirrhose, meine Herren«, sagte er mit seiner schönen, dunklen Stimme. »Machen Sie mir keine Hoffnungen … ich bin ein Trinker!«

Er hob den Kopf, und die tastende Hand an seinem Unterbauch, über Leber, Galle, Milz und Magen, zog sich zurück. Aus dem Lichtschimmer des in vielfachen Facetten geschliffenen Scheinwerfers – so erschien es ihm – schälte sich ein Gesicht, ein junger Männerkopf, der in einem weißen Kragen stak. Pfarrer Merckel lächelte schwach und sank nach der Kraftanstrengung, sich aufzusetzen, wieder zurück.

Ich liege in einem Untersuchungssaal, dachte er. In einem Krankenhaus. Über mir die Sonne der OP-Scheinwerfer. Und den jungen Mann kenne ich. Wie heißt er doch noch? Ach ja. Dr. Franz Büdrich. Jung verheiratet. Seit vier Monaten. Habe ihn selbst getraut. »So nimm denn meine Hände und führe mich …«

hat die Orgel gespielt. Die Braut wollte es so. Und ich habe von der Liebe gepredigt, dem schönsten Geschenk Gottes an die menschliche Seele. Nun liege ich vor diesem Dr. Franz Büdrich, er hat den Leib seines Pfarrherrn abgetastet und weiß, daß ich ein Trinker bin, ein Verlorener, ein Unheilbarer, ein Gezeichneter vom Alkohol, ein Versteckspieler, ein Komödiant der Kanzel.

»Bleiben Sie ganz ruhig liegen, Herr Pfarrer«, sagte eine weit entfernte Stimme. Warum geht er so weit weg, dachte Merckel? Warum ruft er es durch den ganzen Raum? »Sie brauchen zunächst völlige Ruhe ...«

Die Stimme kam näher, ganz nahe, an sein Ohr, explodierte fast. Er schrak zusammen, als blase die Trompete des Jüngsten Gerichtes an seinem Kopf. Mit großer Mühe riß er die Augen auf. Die Facettensonne war erloschen, es war ein trüber Tag, er lag auf einem schwenkbaren Tisch, auf einem rötlichgrauen Wachstuch. Dr. Büdrich stand neben ihm, an den Wänden huschten zwei Schwestern umher. Wallende weiße Hauben, raschelnde, rauschende Gewänder, gedämpfte Stimmen, eine Welt in Watte. Und dann nahm Merckel den Geruch auf ... Äther, Alkohol, Sagrotan, weiß der Teufel, was so roch ... aber es duftete nach Alkohol, es legte sich auf seine Schleimhäute, es reizte ihn, Durst zu haben, brennenden Durst. Sein Adamsapfel zuckte wild, mit einem Ruck und einem brummenden Ächzen stützte er sich auf den Ellenbogen hoch und sah sich um.

Dr. Büdrich wollte ihn zurücklegen, aber der Pfarrer Merckel drückte den Arm des Arztes zur Seite.

»Lassen Sie das, Doktor! Belügen Sie Ihre Kranken von Zimmer eins bis Zimmer hundert ... aber nicht mich! Ich lüge selbst so viel, daß es sinnlos wäre, mit mir einen Zweikampf zu beginnen, wer's am besten kann!« Er setzte sich, ließ die stämmigen Beine am Tisch herabbaumeln, legte die Hände in den Schoß und sah zu den umherhuschenden Schwestern hinüber. »Wie Gänse, denen man Pfeffer in den Hintern geblasen hat, sind sie, was, Doktor?« sagte er laut. Seine Stimme dröhnte wieder wie sonntags von der Kanzel. »Ihr Herr Pfarrer ist ein Säufer ... das bringt die lieben Schwestern durcheinander. Das fordert zum stillen Gebet heraus. Sehen Sie sich bloß Schwester Leonida an. Oder dort, die gute, alte, verschrumpelte Angelina. Sie sieht mich an wie die fleischliche Sünde, die Gute! Ihr Blut ist erstarrt. Die Hölle hat einen Hauch über ihr reines Herz gezogen.« Er ließ sich von dem hohen Untersuchungstisch herabrutschen, spürte, daß wieder Kraft genug in seinen Beinen war, um frei zu stehen, lachte und winkte den kalkgesichtigen Nonnen zu. »Leberzirrhose!« sagte Pfarrer Merckel laut. »Ein Todesurteil! Nicht wahr, Herr Doktor?«

»Zunächst gehen wir jetzt auf Ihr Zimmer und legen uns hin ...« sagte Dr. Büdrich vorsichtig. Er sah verstohlen auf die Uhr über den Waschbecken. Der Chef mußte jeden Augenblick kommen; es galt, den Herrn von St. Christophorus so lange hinzuhalten. Pfarrer Merckel schüttelte den mächtigen Bärenschädel.

»Hinlegen! Lieber Doktor Büdrich, wozu? Darf ein Mann wie ich nicht auch einmal umfallen? Gehen Sie an Ihre Arbeit – ich gehe an meine! Ich verspreche Ihnen, daß ich in Zukunft nur in meinen eigenen vier Wänden umfalle und kein Verkehrshindernis bilde.«

»Ich kann es nicht verantworten, Herr Pfarrer ...« Dr. Büdrich sah wieder auf die Uhr, verzweifelt, hoffend. Nur der Chef kann ihn festhalten, dachte er. Pfarrer Merckel lächelte breit.

»Jeder Mensch trägt für sich und vor Gott die Verantwortung. Ich verstehe mich ganz gut mit meinem Herrgott, Doktor, auch wenn wir uns nicht einig sind über einen Punkt. Aber dann frage ich: ›Lieber Vater, da alles in deinem Namen geschieht, ist also auch die Erkenntnis des Schnapsbrennens nach deinem Willen. Wie kannst du mich verfluchen, wenn ich eines deiner Werke zu mir nehme?‹ Und dann schweigt er. Ich nehme an, er wendet sich von mir ab mit Grausen – das werde ich sehen, wenn ich einmal vor ihm stehe und mit ihm richten kann wie Hiob. Wir alle sind wie Hiob, Doktor, bewußt oder unbewußt. Niemand ist mehr mit Gott zufrieden.« Merckel strich sich die wallenden weißen Haare aus der Stirn. Der penetrante Geruch nach Äther und Alkohol quälte ihn fürchterlich. »Und jetzt gehe ich! Auf eigene Gefahr, wenn es Ihr ärztliches Gewissen beruhigt. Kommen Sie am Sonntag in die Kirche, Doktor: Ich werde über ›Der Mensch ist schwach‹ predigen. Und ich werde gegen den Alkoholexzeß wettern, gegen die Wohlstandstrinker, gegen die Langeweilesäufer. Nach jeder Predigt wundere ich mich, daß Gott mich gesund von der Kanzel gehen läßt ... ich glaube, er liebt mich trotz allem ...«

Niemand konnte Pfarrer Merckel daran hindern, das Krankenhaus zu verlassen. Der Chefarzt kam zehn Minuten zu spät, hörte sich den Bericht Dr. Büdrichs an und zuckte mit den Schultern. »Wenn er nicht will, nützen keine Argumente mehr. So etwas stirbt wie die Saurier, aufrecht, der staunenden Nachwelt noch einen Schauer von Größe und Unbegreiflichkeit hinterlassend. Wie lange, meinen Sie nach der Untersuchung, wird es noch gehen mit ihm?«

Dr. Büdrich hob die Schultern. »Wochen ... Monate ... das kann man ja nie sagen. Zu retten ist jedenfalls nichts mehr.«

Am Sonntag saß Dr. Büdrich in der Kirche. Pfarrer Merckel sah ihn und die junge Frau an seiner Seite. Sie war schwanger und glücklich.

»Lasset uns Gott danken, daß wir leben ...« sagte er mit lauter Stimme. Sie dröhnte wie die Baßpfeifen der Orgel. »Lasset uns ihm danken, daß immer neues Leben entsteht. Leben voll Hoffnung, Leben eingebettet in Liebe. Wäre dem nicht so, wie elend wäre diese Welt mit dem, was sie trägt und was nicht mehr zu ändern ist ...«

Die wenigsten verstanden ihn, auch nicht die junge, glückliche, schwangere Frau. Aber Dr. Büdrich verstand ihn – er senkte den Blick und wußte, daß er einem vollendeten Schicksal gegenübersaß.

Die Rückkehr Dr. Lingens in seine Häuslichkeit war nur von kurzer Dauer. Zwei Tage schlief er ununterbrochen. Brigitte wusch und rasierte ihn, ein Freund des Hauses, ein Internist, untersuchte ihn, zweimal waren Beamte des Ordnungsamtes da und erkundigten sich, am dritten Tag machte der Kreismedizinalrat seinen Besuch und erklärte nach langem Zögern und vielen einleitenden und höflichen Worten, die von seiner Pflicht, der Volksgesundheit im allgemeinen und der Gesundheit des Kollegen Lingen im besonderen handelten, daß es nötig sei, Dr. Lingen in eine Kurbehandlung zu schicken. Er sagte vornehm »Kur«, aber Brigitte Lingen verstand ihn trotzdem.

»Es ist völlig ausgeschlossen, daß mein Mann in die Trinkerabteilung der LHA kommt«, sagte sie steif. »Nicht wegen Professor Brosius, aber wegen der anderen Kranken, über die mein Mann noch vor Monaten sein Gutachten abgegeben hat.«

»Die Gutachten!« Der Kreismedizinalrat wurde sehr ernst. »Es liegt in unser aller Interesse, die Krankheit Ihres Gatten anonym zu halten, wenn ich so sagen darf. Es wäre unangenehm, wenn man alle Gutachten anfechten würde. Rechtlich gäbe es da eine Handhabe ...«

»Mein Mann hat seine Gutachten immer im Vollbesitz seiner geistigen Kräfte gemacht. Seine Operationen waren berühmt ...

der ... der Zusammenbruch kam ja plötzlich, unerwartet, völlig rätselhaft.«

Der Kreisarzt nickte. Fromme Lügen sind die glaubhaftesten Wahrheiten, dachte er. Seine Informationen lauteten anders. Sie stammten zwar von Prof. Brosius, aber sie waren allem Anschein nach neutral. Danach hatte Dr. Lingen schon seit zwei Jahren merkwürdige Persönlichkeitsveränderungen gezeigt. Vor allem vor großen Operationen sollte er Stimulantia zu sich genommen haben. Was, das wußte damals niemand. Heute war es klar. Alkohol.

»Es kommt natürlich nur eine Privatklinik in Frage«, sagte der Kreisarzt und erhob sich. »Eine Kur in kleinem Kreis, ausgewählte Patienten aus den besten Schichten, eine Klinik fernab von allem Getriebe. Ein ehemaliger Herrensitz, mitten in weiten Feldern und Birkenwäldern, mit eigenen Teichen und eigener Landwirtschaft, Reitpferden, Tennisplätzen, Kleingolf. Sie kennen Schloß Bornfeld?«

»Nein ...« antwortete Brigitte Lingen gedehnt.

»Es ist eine sogenannte ›Offene Anstalt‹. Klingt fürchterlich, aber Sie wissen ja, die Amtssprache ist pietätlos. Das Haus steht unter Leitung des Diakons Hermann Weigel. Er ist Psychologe. Eine paradiesische Atmosphäre ist um Schloß Bornfeld. Neben der allgemeinen Geselligkeit wird vor allem die Arbeitstherapie groß geschrieben.« Der Kreisarzt knöpfte seinen Ulster zu. Einen schwarzen Ulster mit Samtkragen, wie ihn schon die Großväter trugen. Beamte sind nicht nur traditionsbewußt, sondern auch sparsam. Und es gibt Stoffe (wie dieser Ulster), die sind nicht kleinzukriegen.

»Natürlich ist der Aufenthalt nicht billig ... aber diese Frage scheidet ja Gott sei Dank bei dem Kollegen Lingen aus. Ich würde vorschlagen, daß wir uns gleich in den nächsten Tagen Schloß Bornfeld ansehen ...«

Entgegen allen Befürchtungen setzte Dr. Lingen keinen Widerstand entgegen, als drei Tage später der Kreisarzt und Brigitte ihn zu dem vor dem Haus wartenden Wagen begleiteten. Im Gegenteil ... er war charmant und plauderte in der nonchalanten Art, mit der er die Salons und die Herzen der Frauen erobert hatte. Er erzählte, als handle es sich um ein besonders fröhliches Reiseerlebnis, von seinen Kumpanen im Kölner Bunker, von Emil, dem Fisch, und René, dem Kavalier, und sagte: »Bester Kollege, man soll es nicht glauben, aber die Intelligenz der Gosse ist menschennaher als die Philosophie des Katheders. Was wissen wir vom Menschen? Es heißt immer, wir Ärzte hätten den tiefsten Einblick, denn zu uns kämen die Menschen in ihrer nackten Not. Das ist dumm, Kollege! Wir sehen in den Rachen oder in den Anus, horchen Herz und Lunge ab, drücken am Appendix und klopfen am Thorax, messen Blutdruck und Puls, kümmern uns um entzündete Eierstöcke oder um laufende Nasen. Aber der Mensch? Wo sehen wir ihn? Wo ergreifen wir ihn so nackt und so hilflos, daß man sagen kann: Das alles ist möglich! Das lernt man erst in der Gosse, lieber Kollege. Man muß selbst mit der Stirn im Rinnstein gelegen haben, um zu begreifen, was Leben ist.«

Der Kreisarzt nickte zustimmend und sah zu Brigitte Lingen. Sie nickte zurück. Ja, ich habe ihm heute morgen ein Glas gegeben. Nur ein Glas. Er saß auf der Bettkante und zitterte wie ein Malariakranker. Er konnte nicht mehr gehen. Er hat mich angesehen wie ein Aufgehängter, kurz bevor ihm die Luft abgewürgt wird. »Gitte«, hat er gesagt. »Gitte ... hilf mir ... Nicht mit Worten! Gib mir ein Glas, nur ein kleines Glas ... nur einen Schluck. Du wirst sehen, wie gut es mir tut. Ich brauche nicht viel, nur ein Gläschen ... es ist wie bei einer Maschine, Gitte ... ein paar Tröpfchen Öl, und es läuft und läuft, lautlos, gut und ohne Beanstandungen.«

Da war sie gegangen, hatte ein hohes Glas vollgegossen und es ihm gegeben. Mit unbewegtem Gesicht hatte er es ausgetrunken, mit beiden Händen mußte er es festhalten, weil er zu sehr zitterte, aber schon nach dem zweiten Schluck wurde er ruhig, der Atem ging gleichmäßiger, und als er das Glas geleert hatte, sprang er auf, mit glänzenden, jungenhaften Augen, küßte Brigitte auf die Stirn und rief: »Wie der Schnee leuchtet! Gitte, wir sollten Urlaub machen! Nach Cortina oder Davos. Ich habe richtig Lust, wieder eine Abfahrtspiste hinabzusausen.«

Die Fahrt zu Schloß Bornfeld verlief in angeregtem Gespräch. Erst als die Stallungen auftauchten, das im Schnee wie von Zuckerbäckerhand geformt aufragende Schloß, die schweigsamen Wälder, der zugefrorene Teich mit dem verwaisten Schwanenhaus, wurde Dr. Lingen schweigsam und lehnte sich in die Polster zurück.

»Sie glauben, daß es Sinn hat?« fragte er plötzlich. Der Kreisarzt zuckte zusammen.

»Sie müssen auch daran glauben, Herr Kollege.«

»Ich habe über zehn Jahre mit Trinkern zu tun gehabt. Ich habe sie einweisen lassen in Heilanstalten, ich habe ihnen herrliche Vorträge gehalten, ich habe ihnen in meiner eigenen Klinik Verekelungsmittel gegeben und habe dabei immer gedacht: Würdest du selbst das Trinken aufgeben? Sie kennen die Antwort, Herr Kollege?«

»Ja.« Der Kreisarzt legte die Hand auf den Arm Dr. Lingens. »Was zwingt Sie denn, zu trinken?«

»Es gab einmal einen äußeren Anlaß, der mich zum Exzeß trieb ... aber dieser ist nun ausgeräumt. Geblieben ist die Gewohnheit. Sie können einen Hund baden und schampunieren, mit Parfüm bespritzen und einsalben ... er wird immer wieder nach Hund riechen. So ist es mit uns. Eine Pflanze kann nur leben, wenn sie Stickstoff aufsaugt ... wir brauchen den Alkohol. So werden Süchte zu Lebensgrundlagen.«

Karin, dachte Dr. Lingen, nachdem sie schweigend durch das Tor in den Innenhof des Herrensitzes fuhren. Sie hat in mir das zweite Wesen aufgerissen. Sie mußte eines Tages kommen ... wenn es nicht Karin gewesen wäre, hätte sie vielleicht Lotte oder Walburga oder Elfriede geheißen. Einmal stolpert jeder in seinem Leben über sein Schicksal. Wir entgehen uns nicht, wir werden, was wir werden müssen. Eigentlich müßte ich ihr dankbar sein, der schmalhüftigen, geilen, blondmähnigen, heißhäutigen Karin. Sie hat mich innerlich befreit. Nun bin ich vogelfrei. Mein Wesen ist dem Käfig von Moral und Ethik entsprungen. Die Umwelt ist entsetzt. Ich aber kann sagen: Seht, das ist ein Mensch! Der enthemmte Mensch! Das gefährlichste Untier aus der Werkstatt Gottes.

Der Diakon Hermann Weigel war ein noch junger Mann mit weichen Gesichtszügen und einer ebenso weichen Stimme. Er trat unter dem Säulenvorbau des Herrenhauses hervor, als der Wagen hielt und Dr. Lingen als erster ausstieg. Es war um die Mittagszeit, der Innenhof war menschenleer, aus den Ställen hörte man Scharren, Kühe brummten.

»Ich heiße Sie auf Schloß Bornfeld willkommen!« sagte Diakon Weigel und reichte Dr. Lingen beide Hände hin. »Sie werden sich bei uns wohl fühlen.«

Dr. Lingen schwieg. Er sah sich um. Wälder und schneebedeckte Felder, Buschgruppen, der Teich, einige Gatter, die Privatstraße, ein Himmel, der grau auf die Erde stieß, Weite und Einsamkeit. Ein Gefängnis, dessen Gitter die Glocke des Himmels war.

»Die anderen Gäste sitzen schon bei Tisch. Wenn es den Herrschaften recht ist ...«

Dr. Lingen schüttelte den Kopf.

»Ich möchte allein sein. Zeigen Sie mir bitte mein Zimmer.«

Eine halbe Stunde später fuhren der Kreisarzt und Brigitte Lingen wieder von Schloß Bornfeld ab. Dr. Lingen saß am Fenster seines hellen, mit modernen Möbeln ausgestatteten Zimmers und sah hinaus auf den schneeträumenden Park. Er hatte sich von seiner Frau wie ein vollendeter Kavalier verabschiedet, mit einem Kuß und Liebesworten. Aber alles klang unecht, einstudiert, zu glatt, zu galant. Nur als sie schon in der offenen Tür stand, hatte er etwas Ehrliches gesagt: »Gitte – glaube mir, ich habe nicht gewußt, was in mir steckt ...« Dann hatte er sich abgewandt und die Verbindung zur Außenwelt damit abgebrochen.

Erst am Abend wurde Dr. Lingen den anderen Schloßgästen vorgestellt. Man saß in der dämmrigen Jagdhalle um den großen, mit Buchenkloben gespeisten Kamin, trank Fruchtsäfte und rauchte. Der Feuerschein überzuckte die Gesichter und ließ sie rot werden wie die zufriedener Bordeauxtrinker.

»Meine Herren«, sagte Diakon Weigel, als er mit Dr. Lingen die Halle betrat. »Darf ich Ihnen unseren neuen Gast vorstellen. Doktor Konrad Lingen, Hirnchirurg.«

Aus den ledernen Kaminsesseln erhoben sich vier Herren im Abendanzug. Auch die anderen Gäste standen auf. Wie Lemuren tauchten sie aus der Dämmerung des weiten Saales auf.

Markante Köpfe, faltig oder zerfurcht, gedunsen oder gegerbt, vergreist oder konserviert. Dr. Lingens Herz zuckte. Meine Freunde aus dem Bunker, nur im Abendanzug und noch im Korsett ihrer Erziehung.

»Von Hammerfels, Landgerichtsdirektor ...«

»Doktor Fritz Wiggert, Nationalökonom.«

»Professor Doktor Heitzner, Sinologe.«

»Ewald Hoppnatz, Brauereibesitzer.«

Ein rosiges Schweinchengesicht, flinke, lebendige Äuglein. An den Schläfen aufliegende Adern. Abgekaute Fingernägel, eine Glatze, poliert wie ein Marmorboden.

Dr. Lingen drückte Hände. Er hörte weitere Namen, neue Titel, fühlte andere Hände, harte und weiche, schwitzige und schwammige, dürre und fleischige.

»Ein Glas Tomatensaft?« fragte der Sinologe Prof. Heitzner. Dr. Lingen schüttelte den Kopf.

»Verbindlichsten Dank, Herr Professor. Ich begnüge mich mit dem Kaminfeuer. Ich empfinde es immer wieder als faszinierend, daß sich Körperliches in Nichts, in Rauch auflösen kann …«

O ihr Freunde im Bunker von Köln, dachte er, wie beneide ich euch. Ihr braucht nicht zu lügen, denn was verstehen Ratten schon von Wahrheit? Und er setzte sich ans Feuer.

Die Reise in die Schweiz, zur Clinica Santa Barbara, verzögerte sich etwas. Die Anstaltsleitung schrieb, daß im Augenblick kein Bett für eine Dauerbehandlung frei sei, aber man gäbe sofort Nachricht, wenn dies der Fall sein sollte. Pfarrer Merckel behielt den Brief bei sich und sagte bloß: »Es dauert noch ein paar Wochen. Aber wir haben die Zusage.« Den Brief schloß er weg. Wenn ein Bett frei wird … er wußte, was das bedeutete. Es war die nüchterne Sprache der Verwaltung, hinter der ein kleines, armseliges, unschuldiges Schicksal stand, ein Vegetieren und Atmen, ein Aufnehmen von Licht und Dunkelheit, Wärme und Kälte, vielleicht auch ein paar zaghafte Denkvorgänge, bis das alles zusammenbrach und ein kleines Herz einschlief.

Ein Bett war frei geworden …

Um so mehr Freude machte Peter Kaul seine neue Arbeit. Acht Stunden arbeitete er als Elektriker in der Landesheilanstalt, danach ging es auf den Bau von Judo-Fritze, wo er am Innenputz mithalf und die Kunststoffplatten in Badezimmer und Toiletten legte. Die einzige Gefahr, die ihm in diesen Wochen begegnete, war nicht der Alkohol, sondern Lucie Kellermann, Fritzes attraktive Frau aus der Bimbo-Bar. Ihr Interesse für den Neubau war groß, und während Fritze seinen Dienst tat und auf der Station III die renitenten Trinker beruhigte, indem er sie entweder ans Bett fesselte, ihnen eine Schlafinjektion gab oder – bei den Dauergästen – ihnen zwei beruhigende Ohrfeigen knallte, strich Lucie um Peter Kaul herum und berichtete von ihrem Schicksal, immer nur mit einem Gorilla im Bett liegen zu müssen.

»Er ist ja gut, der Fritz«, sagte sie. »Eine Seele von Mensch, aber seine Hände. Haben Sie schon seine Hände genau betrachtet? Wie ein Affe! Und wenn er damit über meinen weißen Körper streichelt – ich habe eine ganz weiße Haut, wissen Sie das? –, wird mir immer schlecht, und ich muß die Augen zumachen. Und dann schnauft er, wenn er soweit ist, schnauft wie ein Pferd, das die Rotze hat. Da geh'n doch alle Gefühle hops! Früher, als ich ihn heiratete, da war mir das egal. Da hatte ich 'ne

Tbc und dachte, ich käme nie wieder richtig auf die Beine. Versorgt sein ist alles, dachte ich. Und Fritze ist ja Beamter. Aber nun ...« Sie lehnte sich gegen die frische Kachelwand und betrachtete Peter Kaul aus gesenkten Augen, in denen man das aufgeschlagene Bett ahnte. »Ich wette, Sie schnaufen nicht! Und Ihre Hände sind so hart und doch so männlich. Bin ich eigentlich nicht Ihr Typ?«

»Sie sind die Frau meines Freundes, Lucie«, antwortete Kaul und schmierte Kleber an die Wand. »So was mache ich nicht.«

»Ich gebe Ihnen auch heimlich 'ne Pulle Wacholder.«

Kaul lächelte schwach. Eine Flasche. Er legte den Spachtel hin und wischte sich mit dem Unterarm über das Gesicht. Man lockt keine Maus mit dem Geruch der Katze, dachte er. Das ist vorbei. Es würde mir schlecht werden, wenn ich nur daran rieche.

»Sie sind fad!« stellte Lucie Kellermann fest und verließ das Badezimmer. »Mir scheint, Sie haben Ihre Männlichkeit in der Anstalt abgegeben.«

Von diesem Tag an ließ sie Peter Kaul in Ruhe. Ein Klempner wurde später ihr Geliebter. Für das Anbringen der Dachrinne brauchte er drei Wochen; meist packte er sein Werkzeug aus, stärkte sich durch einen tiefen Schluck und verschwand bis zum Mittag. Dann klopfte er ein paar Krampen ans Dach, war müde und gähnte, legte sich in den Keller und schlief.

Das Bauvorhaben Kellermann war eine harte Arbeit. Man sah's.

An einem Abend erhielten die Kauls Besuch. Im Fernsehen lief eine Musiksendung, und sie war besonders schön, denn am Freitag vorher hatte Kaul die letzte Rate bezahlt. Das Gerät gehörte ihnen. Nun standen nur noch die Nähmaschine aus, der Kühlschrank, die Couchgarnitur und der Heißwasserboiler – dann waren sie schuldenfrei. Zum erstenmal seit drei Jahren.

Hand in Hand, wie beschenkte Kinder, saßen sie vor der Mattscheibe, als es schellte. Zwei Herren standen im Treppenhaus, und Susanne durchjagte der eisige Schreck, es könnten wieder Angehörige einer Behörde sein. »Bitte?« fragte sie stockend. »Was wünschen Sie?«

»Wir wollten Ihrem Gatten einen Besuch abstatten«, sagte einer der Herren und lüftete seinen Hut.

Susanne atmete auf. Gatte und Hut abnehmen – das war niemand von der Behörde. Sie trat zur Seite und wies in den Flur.

»Bitte ...«

»Doktor Heinrich«, stellte sich der eine vor. Der andere machte sogar eine Verbeugung. »Direktor Bonnemann.«

»Ja. Bitte. Ich weiß nicht …« Susanne sah hilflos zur Zimmertür. Kaul erschien, in Pantoffeln, mit offenem Hemd, ein zufriedener Bürger, der Entspannung aus dem Fernsehen schlürft.

»Guten Abend, Herr Kaul!« sagten die Männer gemeinsam.

Kaul musterte den Besuch. Er war noch immer kritisch, wenn Unbekannte zu ihm kamen. Die Freiheit ist etwas Merkwürdiges, hatte er einmal gesagt. Wenn man sie einmal verloren hat und gewinnt sie wieder, kann man nicht mehr begreifen, daß sie immer bei einem bleibt. Ständig denkt man: Da muß doch bald einer kommen und sagen: Kaul, Klamotten packen! Marsch, marsch!

»Sie … Sie kenne ich doch …« sagte Kaul vorsichtig. »Nur weiß ich im Augenblick nicht, woher. Aber ich kenne Sie …«

»Wir kennen uns von der LHA.« Dr. Heinrich lächelte beruhigend. Er sah den flackernden Blick Kauls, als der Name LHA fiel. »Wir sind von den Anonymen Alkoholikern, Sie erinnern sich? Wir haben wie Sie uns wiedergefunden. Reden wir nicht lange um den Brei … wollen Sie unserer Gemeinschaft beitreten und mithelfen, andere Trinker zu heilen?« Es wurde ein langer Abend, ohne Fernsehen. Man sprach miteinander, wie es nur Menschen können, die das gleiche Schicksal durchgestanden haben. Dann hatte sich Peter Kaul bereit erklärt, als einer der Anonymen Alkoholiker einmal im Monat einen Vortrag vor Trinkern zu halten.

»Begleiten Sie uns nächsten Monat zu unserem Vortrag«, sagte Direktor Bonnemann. »Wir wollen einige Herren auf Schloß Bornfeld inspizieren.«

»Schloß Bornfeld? Wo ist das?« fragte Peter Kaul.

»Eine sogenannte ›Offene Anstalt‹.« Dr. Heinrichs Gesicht wurde ernst. »Es ist eine schwere Aufgabe. Niemand ist schwerer zu überzeugen als die trinkende Intelligenz. Darum sollen Sie, der Mann aus dem Volk, zu ihnen sprechen.«

Peter Kaul trank langsam ein Glas Mineralwasser. Es war fast, als schäme er sich vor den ehemaligen Alkoholikern, so etwas zu trinken. »Mein Schicksal ist doch so alltäglich …« wagte er einen Einwand.

»Eben darum!« Direktor Bonnemann klopfte ihm auf die Schulter.

»Nichts heilt besser als die Betrachtung eines Leidens, das man selbst nicht haben möchte …«

Jutta, die Gräfin, verfiel wie ein morsches Gemäuer im Herbstwind. Nach dem Begräbnis von Jim, dem Kamel, und der Razzia auf dem Friedhof Melaten, wurde sie nach drei Stunden wieder freigelassen, weil sie erstens eine feste Wohnung nachweisen konnte und zweitens ihr Existenzminimum durch die Wohlfahrt erhielt. So gab es keine rechtliche Handhabe, sie weiterhin festzuhalten. Auch René, der Kavalier, wurde freigelassen. Er hatte sogar einen Ausweis für ambulantes Gewerbe. Dagegen schaffte man Emil, den Fisch, in das Gefängnis Klingelpütz. Gegen ihn lag eine Anzeige wegen Erregung öffentlichen Ärgernisses vor: Er hatte am hellen Tag über das Geländer des Ufers in den Rhein uriniert. »Lebt wohl, Freunde!« sagte er traurig, als ein Polizeibeamter ihn aus dem Zimmer führte. »Das kostet bestimmt vier Monate Arbeitshaus! So kann man sich um seine Freiheit bringen ...«

Jutta, die Gräfin, bezog vor dem Präsidium Posten. Sie wartete auf Dr. Lingen. Man hatte ihn von dem Gros der Trinker abgesondert und in ein anderes Zimmer geführt. Aber das konnte nicht lange dauern. Niemand hatte ein Recht, ihn festzuhalten. Er störte nicht die öffentliche Ordnung, er fiel keinem zur Last, er hatte keinen Konflikt mit dem Gesetz. Er soff bloß. Das aber ist Entfaltung der persönlichen Freiheit! Und so wartete sie geduldig drei, vier Stunden, ging auf der gegenüberliegenden Straßenseite hin und her, lehnte sich dann in eine Haustür, sagte zu einem Mann, der sie ansprach: »Geh weiter, du Sau!« und musterte immer wieder das Portal, durch das Dr. Lingen herauskommen mußte.

Nach fünf Stunden verließ sie die Geduld. Sie wurde unruhig. René, der Kavalier, war schon längst gegangen, die anderen Saufbrüder waren mit der »Grünen Minna« abtransportiert worden, am Gitterfensterchen Emil, der Fisch, der bitterlich weinte und immer wieder schrie, er sei Vollinvalide und man verletze an ihm die primitivsten Menschenrechte – aber von Lingen war nichts zu sehen. Es war unheimlich.

Als die Gräfin erfuhr, daß ihr Geliebter längst durch einen Hintereingang das Präsidium verlassen habe, mit unbekanntem Ziel, in Begleitung seiner Frau, ging sie zurück in den Bunker, zog sich um, legte ein schwarzes Gewand an und betrank sich mit vier Flaschen Wermut.

An einem Sonntag gegen zehn Uhr vormittags ratterte ein Feuerwehrwagen zur Hohenzollernbrücke. Unten, auf dem schmalen Fußgängersteg, stand René, der Kavalier, in einem

Maßanzug und mit aufgespanntem Schirm, denn es schneite. Er blickte nach oben in das Eisengewirr der Brückenbögen und schrie ab und zu mit greller Stimme: »Jutta! Laß den Blödsinn! Komm runter!«

Das Bild, das sich den Feuerwehrleuten bot, war erschreckend und voll grausamer Komik.

Zwischen den Eisenträgern der Brücke hockte eine Frauengestalt. Sie trug ein schwarzes Kleid und einen Hut mit einem Witwenschleier. Sie saß auf einer Querstrebe, trank in kurzen Abständen aus einer Flasche, stierte dann hinunter in den Rhein, auf dessen schmutziggelben Wassern die Schneeflocken schmolzen und kümmerte sich nicht darum, daß René, der Kavalier, bettelte und flehte und die Feuerwehr begann, die Leiter auszuschwenken. Vom Dom und von Groß St. Martin läuteten die Sonntagsglocken zum Hochamt, die Züge donnerten unter den Streben hindurch, die Brücke schwankte und bebte, Menschen sammelten sich an und wurden von der Besatzung eines Streifenwagens zurückgedrängt.

»Sie kennen die Frau?« fragte der Polizeiwachtmeister. René, der Kavalier, nickte.

»Es ist die Gräfin ...«

»Eine was?«

»Eine echte Gräfin. Sie will in den Rhein springen.«

»Aber warum denn? Ist sie schwermütig?«

»Nein.« René blickte nach oben in die Eisenträger. Jutta, die Gräfin, trank wieder aus der Flasche. Der Rhein ist kalt – man friert, bis man tot ist. Das ist nicht schön. Von jeher hatte sie eine Abneigung gegen Kälte gehabt. Wärme war ihr Element gewesen. Sollte sie im Tod frieren? »Sie will einfach nicht mehr. Sie hat alles gehabt, was das Leben bieten konnte. Nun ist sie satt. Wenn Sie satt sind, Herr Wachtmeister, dann rülpsen Sie ... bei der Gräfin ist das anders – das ganze Leben kotzt sie an.«

Die Leiter der Feuerwehr knirschte an den Eisenträgern hoch. Der Motor der Winde brummte.

»Reden Sie ihr doch zu!« rief der Wachtmeister. »Das ist ja Wahnsinn, was sie vorhat.«

»Zureden?« René, der Kavalier, hielt seinen Schirm über sich. Es schneite wieder stärker. »Versuchen Sie einem Maulwurf einzureden, er soll keine Hügel werfen. Er wird es nicht verstehen, er muß nach seiner Natur leben. Hier können wir gar nichts machen ... wir werden erleben, wie eine Gräfin stirbt ...«

Auf dem Eisenträger hatte sich die Gräfin erhoben. Schwankend stand sie da, hielt sich fest im Schneewind und warf die leere Flasche in den Rhein. In einem schönen Bogen fiel sie hinunter, hüpfte etwas auf dem Wasser und schwamm unter der Brücke davon, getragen vom Strom.

»René!«

Der Angerufene klappte seinen Schirm zusammen und sah hinauf.

»Jutta!« schrie er zurück.

»Es lohnt sich alles nicht!« schrie sie. Wie eine schwarze Fahne, um den Mast gerollt, schwankte sie auf dem Träger. »Auch der Suff verrät uns!« Als ihr Körper durch die Luft schwebte, schrien die gaffenden Leute auf der Brücke auf, eine Frau fiel in Ohnmacht, ein Kind fragte seinen Vater: »Papa, kommt die Tante gleich sammeln?«, die Feuerwehrleute und Polizisten beugten sich über das Geländer, ein Mann sagte: »Sicher wieder ein Behördenopfer!« und ein junger Mann meinte: »Die war bestimmt bekloppt!«

Dann schlug Jutta, die Gräfin, auf dem Rhein auf, mit dem Rücken zuerst, und sie fror nicht mehr, denn der Aufprall aus dieser Höhe brach ihr sofort die Rücken- und Nackenwirbel. Nicht einmal versinken wollte sie … wie ein schwarzes Stück Holz trieb sie unter der Brücke durch, bis sich ihre Kleider vollsaugten und sie hinabzogen in den Rhein.

René, der Kavalier, spannte seinen Regenschirm wieder auf, klopfte sich den Schnee vom Mantel und ärgerte sich, daß seine Handschuhe dabei naß wurden.

Der Morgen war sonnig und kalt.

Im Frühstückszimmer von Schloß Bornfeld, einem kreisrunden kleinen Saal im Rokokostil, traf sich die abendliche Kaminrunde wieder, diesmal nicht geschützt durch Dämmerung und flackerndes Kaminfeuer, sondern mitleidlos der Morgensonne ausgesetzt.

Dr. Lingen hatte eine schlimme Nacht verbracht. Er wußte aus seiner Praxis zu gut, was es heißt, plötzlich den Alkohol entzogen zu bekommen. Auch die starke Beruhigungsinjektion, die ihm eine junge Schwester vor dem Zubettgehen gab, änderte nichts daran, daß seine Sehnsucht nach Alkohol übermächtig wurde. Gegen Morgen, schweißgebadet, in seiner Verzweiflung auf einem Holzspan kauend, den er von einem Tischbein gerissen hatte, war er bereit, auszubrechen, wegzulaufen, durch den Schnee, durch die unbekannte Weite, irgendwohin, nur weg. Er hatte das Fenster aufgerissen und sich hinausgelehnt in die eisige Nacht. Kein Gitter hinderte ihn, wegzulaufen. Es lag in seinem Ermessen, wie er handeln würde. Die Freiheit lag vor ihm wie ein gedeckter Tisch. Aber diese Freiheit bedeutete gleichzeitig auch das Ende.

Dr. Lingen flüchtete nicht. Er kletterte nicht aus dem Fenster – er blieb in der Kälte stehen, zitterte vor Frost und hoffte, daß er am Morgen eine Lungenentzündung haben würde. Aber der Morgen kam, er hustete nicht einmal, kein Schnupfen zeigte sich an, im Gegenteil, er fühlte sich trotz der durchwachten Nacht frischer als sonst und spürte einen lange unbekannten Morgenappetit.

Brauereibesitzer Ewald Hoppnatz und Nationalökonom Dr. Wiggert hatten ihm einen Platz an ihrem Dreiertisch freigehalten. Der Sinologe Prof. Dr. Heitzner fehlte am Kaffeetisch. Niemand sprach darüber, aber jeder wußte es: Der Professor hatte um eine Injektion gebeten. Die Aufregung des Neuzugangs hatte ihn umgeworfen. »Ich rieche es!« sagte Prof. Heitzner jedesmal, wenn ein Neuer in ihre Runde kam. »Sie atmen alle den Alkohol aus. Ihre Poren sind getränkt, gesättigt davon. Wenn sie schwitzen, duftet es nach Schnaps. Ihre Haut strömt den Geruch aus wie Blumen ihren Nektar. Ich habe ein wahnsinnig feines Empfinden dafür ...«

So war es auch bei Dr. Lingen. Prof. Heitzner hatte wieder den Geruch von Alkohol in der Nase. Er ließ sich Betäubungsspritzen geben, um allen Anfechtungen und aller Selbstqual zu entgehen.

»Machen wir nachher einen Spaziergang?« fragte Brauereibesitzer Hoppnatz. »Zum Teich und durch den Birkenwald. Unsere Gruppe hat heute keinen Stalldienst ...«

»Was haben wir nicht?« fragte Dr. Lingen verblüfft.

»Stalldienst. Das ist eine gute Sache, Doktor. Wir haben hier sechs Reitpferde und neun Kühe, zehn Schweine und siebenundvierzig Hühner. Dazu zwei Hähne. Das letztere betrachte ich als Tierquälerei, denn jede Potenz hat ihre Grenzen.«

»Gewiß«, antwortete Dr. Lingen verwirrt.

»Abwechselnd haben fünf Herren von uns Stalldienst. Unter Anleitung des Gutsverwalters und eines Knechts. Glauben Sie, das macht Freude! Ich habe vorher zum Beispiel nie gewußt, daß man einer Kuh vor dem Melken das Euter abwaschen muß. Und eine ferkelnde Sau! Die kann einen vielleicht in Atem halten!«

»Ich bin selbst viel geritten«, sagte Dr. Lingen still, in sich gekehrt. »Man darf hier also reiten?«

»Sie dürfen alles, bester Doktor, nur nicht saufen! Und keine Frauen mit aufs Zimmer nehmen. Dafür ist es ein geistlich geleitetes Haus! Aber was sonst Ihr Interesse weckt – genehmigt! Also, gehen wir spazieren?«

Nach dem Morgenkaffee bat Diakon Weigel um eine Unterredung mit Dr. Lingen. Sie saßen sich in Weigels Arbeitszimmer gegenüber, einem schlichten Raum, der kraß von der schloßgemäßen Einrichtung der anderen Räume abstach.

»Ich freue mich, daß Sie diese Nacht so tapfer überstanden haben, Herr Doktor Lingen«, sagte Diakon Weigel und reichte Lingen Zigaretten. »Dreimal ist bisher in sieben Jahren einer unserer Gäste aus dem Fenster gestiegen. Wir haben ihn nicht zurückgeholt … bei uns soll niemand gezwungen werden. Warum sind Sie nicht aus dem Fenster gesprungen?«

Dr. Lingen zündete sich eine Zigarette an, inhalierte den Rauch und lehnte sich zurück. Er gab sich Mühe, seine frühere Eleganz wieder anklingen zu lassen, seine Überlegenheit, die Ausstrahlung seines Genies. »Sie wissen von dieser Nacht, Herr Weigel?«

»Ich habe Sie beobachtet. Während Sie am offenen Fenster standen, saß ich gegenüber im Verwalterhaus hinter der Gardine im Dunkeln.«

»Man wird hier also doch kontrolliert?«

»Nur in dieser ersten Nacht. Ab heute beobachtet Sie niemand mehr. Aber Sie haben meine Frage noch nicht beantwortet, Herr Doktor Lingen. Warum sind Sie nicht gesprungen?«

»Vielleicht schämte ich mich. Ich wollte nicht weniger stark sein als die anderen Herren im Haus.«

Diakon Weigel nickte leicht. »Genau das war es«, sagte er mit einer plötzlich energischen Stimme. »Ich habe gehört, Sie reiten gern?«

»Ja.«

»Sie werden ab morgen die Pflege von ›Oberon‹ übernehmen. ›Oberon‹ ist ein Rappwallach, der oft störrisch ist. Ein kräftiges, wunderschönes Tier, aber keiner will ihn gern reiten, weil er eigenwillig ist. Ich glaube, Sie und ›Oberon‹ werden Freundschaft schließen … es wird ein Sichzusammenraufen sein!« Diakon Weigel erhob sich: »Wollen Sie, Herr Doktor Lingen?«

»Aber natürlich! Mich hat noch kein Pferd abgeworfen! ›Oberon‹ wäre das erste!«

»Dann auf in den Kampf! Im übrigen ...« Diakon Weigel senkte etwas den Kopf. »Ich bin immer für Sie da, Doktor. Ich bin nicht Ihr Arzt, sondern Ihr Mitbruder ... ich war selbst ein Trinker ...«

Zwei Wochen gingen so dahin. Mit Stalldienst, mit Heufahren, mit Ausmisten, mit Melken, Euterwaschen und Schweinefüttern. Die Abende gehörten der Unterhaltung. In der Jagdhalle spielte man Schach oder Billard, Bridge oder Mensch-ärgere-dich-nicht. Vor allem Ewald Hoppnatz, der Brauereibesitzer, ärgerte sich immer dabei, während Landgerichtsdirektor Dr. von Hammerfels in souveräner Ruhe seine Püppchen von Feld zu Feld schob und seine Sechserserie hinnahm wie eine Selbstverständlichkeit. Auch Vorträge wurden abends abgehalten. Dr. Wiggert referierte über die Wirtschaftsprobleme im Pantschab, Prof. Dr. Heitzner berichtete von den anthropologischen Eigenheiten der Lößbauern in Mittelchina. Alles war sehr geistvoll, sehr kultiviert, sehr distinguiert. Ein Tenor gab einen Lieder- und Arienabend, und es stellte sich heraus, daß der Sänger einen weltbekannten Namen hatte und hier unter einem Pseudonym lebte, oder richtiger, unter seinem bürgerlichen Namen. Auch ein Zauberer war zugegen ... er zog dem Landgerichtsdirektor Blumen aus den Ohren und dem Brauereibesitzer ein Kaninchen aus der Weste.

Niemand sprach über sein Leiden. Niemand erwähnte das Wort Alkohol. Niemand erzählte aus seinem Leben. Und doch waren ihre Gesichter gezeichnet, lag in ihrem Blick etwas von der Dumpfheit eines Tieres, das sich verkrochen hatte und auf das Ende wartet.

An einem Sonntag versammelten sich die Gäste von Schloß Bornfeld im großen Saal, um einen Vortrag zu hören. Drei Herren von den AA hatten sich angesagt.

»AA?« fragte Ewald Hoppnatz. »Was will denn das Auswärtige Amt von uns?«

»AA ist die Abkürzung der Anonymen Alkoholiker«, sagte Dr. Lingen. »Es wird ein interessanter Vortrag werden.«

Zum erstenmal war das Wort Alkohol gefallen. Prof. Dr. Heitzner ging schnell hinaus. Seine Assoziationen ließen ihn wieder Schnaps riechen. Er bat im Untersuchungszimmer um eine Injektion. Die anderen Herren umringten Dr. Lingen. Ihre Augen zeigten hektischen Glanz. Aber ihre äußere Haltung war vorbildlich.

»Worin besteht die Aufgabe dieser Herren?« fragte Landgerichtsdirektor von Hammerfels.

»Sie erzählen.« Dr. Lingen hob die Schultern. »Sie erzählen ohne Schminke, ohne Scham, ohne Reue, ohne Tünche einfach das, was sie waren, was sie wurden ... was *wir* sind, meine Herren: Trinker! Nur mit dem Unterschied, daß *sie* zurückgefunden haben.«

»Wir doch auch!« sagte Ewald Hoppnatz leise.

»Wirklich?« Dr. Lingen lächelte mokant. »Ich habe Sie beobachtet, Hoppnatz, wie Sie vorgestern an einer Salbe für ein entzündetes Pferdegelenk schnupperten. Die Salbe roch nach Alkohol. Und nur, weil sie schwarz und klebrig war, haben Sie nichts davon gegessen ...«

Zwei Stunden später standen sie sich gegenüber.

Sie erkannten sich sofort. Und sie traten aufeinander zu.

»Herr Kaul ...« sagte Dr. Lingen leise. »Hier sehe ich Sie wieder ...«

»Ja, Herr Doktor ... so sehen wir uns wieder.« Peter Kaul gab dem Arzt die Hand. Er spürte, wie sie zitterte, aber noch mehr bebten die Finger Dr. Lingens. »Ich freue mich, mit Ihnen zu sprechen ...«

Und Dr. Lingen antwortete, aus einer plötzlichen Auflehnung, aus einem unbändigen Stolz heraus: »Ich weiß nicht, ob ich Ihnen zuhören werde!«

Er wandte sich schroff ab und verließ den Saal. Peter Kaul zögerte einen Augenblick, dann eilte er Dr. Lingen nach und erreichte ihn auf dem Innenhof, auf dem Weg zum Pferdestall.

12

»Warum wollen Sie mir ausweichen, Herr Doktor Lingen?«
fragte Peter Kaul und ging an der Seite des mit gesenktem Kopf
verbissen dahineilenden Arztes. »Bitte, seien Sie nicht ungerecht
gegen sich selbst. Sie schämen sich …«

Dr. Lingen blieb ruckartig stehen. »Bitte, gehen Sie!« sagte er
laut und herrisch. »Ich brauche Ihre dummen Zusprüche nicht!«

»Ich will Ihnen nicht zusprechen, ich möchte mich mit Ihnen
über unser Schicksal unterhalten. Glauben Sie mir, ich wußte
nicht, daß ich Sie hier antreffe. Ich war wie vor den Kopf geschlagen, als Sie mir plötzlich gegenüberstanden. Ehrlich – ich kann es
auch jetzt kaum begreifen.«

Dr. Lingen ging weiter. Er stieß die Stalltür auf und betrat die
Pferdeboxen. Kaul folgte ihm, und als sich Lingen auf die große
Futterkiste schwang, setzte er sich daneben, ließ wie er die Beine
baumeln und sah zu den Pferden hinüber. Es war warm im Stall,
und der Ammoniakgeruch, der die warme Luft durchsetzte,
wirkte beruhigend.

»Was wollen Sie eigentlich?« fragte Dr. Lingen nach Minuten
völliger Schweigsamkeit. »Als ich Sie damals untersuchte – so
lange ist das noch gar nicht her –, waren Sie ein verhinderter
Selbstmörder. Ein Trinker. Und jetzt wollen Sie mir erzählen, daß
Sie geheilt sind! Sie glauben es selbst, was?«

»Ja, natürlich.«

»Wenn ich Ihnen jetzt eine Flasche hinhalte …«

»Ich würde sie Ihnen wegnehmen und dort ins Stroh schütten.«

»Sehr edel!« Dr. Lingen lachte heiser. »Sie erwarten doch
nicht, daß Ihnen ein Alkoholiker so etwas glaubt?«

»Sie täten es nicht?«

Dr. Lingen wandte den Kopf ab und sah aus dem vergitterten,
etwas blinden und ungeputzten Fenster. Über den Innenhof kamen Diakon Weigel, die beiden anderen Anonymen Alkoholiker
und Nationalökonom Dr. Wiggert. Sie standen im Schnee, disku-
tierten und benahmen sich wie Vorstandsmitglieder in einer Ver-
schnaufpause zwischen zwei Sitzungen des Aufsichtsrates. Niemand sah Dr. Wiggert an, daß er vier Wochen als Landstreicher
herumgezogen war, ehe man ihn in einer Scheune entdeckte, wo
er besinnungslos betrunken zwischen Runkelrüben und Heubal-
len lag.

Dr. Lingen blickte zurück zu den Pferden, zu dem Wallach »Oberon«, den er noch nicht geritten hatte, weil er sich bis heute noch zu schwach dazu vorkam. Aber morgen würde er ihn aufzäumen. Morgen würde er die Kraft haben, im Sattel zu bleiben. Morgen! Das große, das wichtigste Wort der Trinker. Das verzweifelte Betteln um nochmals vierundzwanzig Stunden. Das Vabanquespiel mit der Zukunft.

»Was wollen Sie mir denn erzählen, Herr Kaul?« fragte Dr. Lingen mit leichtem Spott in der Stimme. Es fiel ihm erstaunlicherweise schwer, spöttisch zu sein. Ein häßlicher Gedanke bedrückte ihn: Ich werde beschämt von einem Arbeiter. Ich, der Hirnchirurg Dr. Lingen, habe nicht die innere Kraft wie dieser kleine Mann aus der grauen Masse des Volkes. Ich besitze das, was man Intelligenz nennt ... aber innerlich bin ich morsch. Ich kann ihn mit meinem Wissen zuschütten wie mit einer Lawine, ich kann ihn mit Geist ersticken ... aber immer wird er über mir stehen. Der Geheilte über dem Kranken. Noch, mein lieber Kaul, noch! Aber nicht mehr lange. Ich werde »Oberon« reiten und beweisen, daß ich wieder gesund bin!

»Ich will Ihnen gar nichts erzählen, Herr Doktor Lingen«, sagte Peter Kaul und sprang von der Futterkiste. »Vielleicht wäre ich gar nicht mitgekommen, wenn ich gewußt hätte, daß ich Sie hier treffe.«

»Ach! Und warum?«

»Um nicht zu erleben, was ich jetzt sehen muß.«

»Und was sehen Sie?«

»Wie ein genialer Mensch gegen sich kämpft, weil er sich nicht schämen will.«

Dr. Lingen glitt ebenfalls von der Futterkiste und drehte Kaul ostentativ den Rücken zu. »Ihre Einbildung ist nicht gering, Herr Kaul. Ich habe es nicht nötig, mich mit Ihnen über solche moralischen Hirngespinste zu unterhalten. Guten Tag!«

»Guten Tag, Herr Doktor.«

Kaul verließ widerspruchslos den Pferdestall. Dr. Lingen wartete. Er lauschte nach hinten. Die Tür war zugeknarrt, niemand anderer kam herein. Da drehte er sich wieder um, trat ans Fenster und sah, wie Peter Kaul sich zu Diakon Weigel und Dr. Wiggert gesellte. Die beiden Anonymen Alkoholiker waren schon ins Haus gegangen. Jetzt drehten auch die anderen sich um und gingen langsam zum Schloß. Keiner sah zu dem Pferdestall hin, keiner kümmerte sich um ihn, nicht einmal der Diakon, der doch wußte, daß noch jemand im Stall war, blieb zurück und kam zu ihm, um mit ihm zu sprechen. Man ließ ihn allein, man stieß ihn aus, man ließ den Außenseiter unbeachtet zurück.

Dr. Lingen legte die Stirn gegen die blinde Fensterscheibe des Stallfensters und schloß die Augen. Er ballte die Fäuste und hieb mit ihnen gegen die weißgetünchte Wand.

»Ich bin ein Mensch!« schrie er gegen die Wand. »Ich bin ein Mensch wie ihr! Ich bin Doktor Konrad Lingen. Dozent Doktor Lingen. Klinikchef Doktor Lingen! Sachverständiger Doktor Lingen! Millionär Doktor Lingen! Der Mensch Doktor Lingen! Der Mensch!«

Erschöpft hielt er mit dem Schreien inne. An die Wand gelehnt, sah er zu »Oberon«. Das Pferd war unruhig geworden, die laute menschliche Stimme hatte es erschreckt. Es hatte die Ohren zurückgelegt, den Kopf gedreht und schaute Dr. Lingen aus großen, runden, dunklen Augen an. Die hohen Flanken zitterten.

Lingen stieß sich von der Wand ab und kam langsam näher.

»›Oberon‹«, sagte er leise. »Morgen reiten wir.«

Das Pferd drehte den Kopf zur Krippe und scharrte unruhig. Dr. Lingen klopfte ihm auf die Kruppe, und blitzschnell, ohne vorherige Anzeichen, trat »Oberon« nach hinten aus. Mit einem Sprung konnte sich Lingen gerade noch vor dem gegen die Boxenwand donnernden Huf retten.

»Du bist ein Aas, es stimmt!« sagte Dr. Lingen tief atmend und sah »Oberon« wieder in die dunklen, starren Augen. »Du bist ein Satan von einem Pferd! Aber ich werde dich reiten! Und wenn ich dich geritten habe, werde ich gesund sein! Du wirst mich heilen, du Teufel!«

Er ging in die Sattelkammer, suchte einen schönen hellen Sattel aus und schleppte ihn zurück zur Box »Oberons«. Mit einem Schwung warf er ihn neben dem Pferd in das zerstampfte Stroh. »Oberon« tänzelte etwas zur Seite und beschnüffelte das Sattelzeug. Dann hob er den Vorderhuf und trat darauf. Eine wütende, vernichtende Gebärde.

Dr. Lingen lachte rauh. »Ich habe von jeher den Widerstand geliebt«, sagte er. »Ich brauchte immer wieder eine Bestätigung meines Willens. Auch dich werde ich unter meinen Willen zwingen! Morgen, mein Lieber! Morgen! Ich lasse mir doch nicht sagen, daß ich mich schäme …«

In der Jagdhalle von Schloß Bornfeld hielt unterdessen Direktor Bonnemann von den AA seinen Vortrag über sein Schicksal als Trinker. Peter Kaul saß etwas abseits neben Brauereibesitzer Hoppnatz.

»Ich weiß eigentlich gar nicht, was ich hier soll«, sagte der fröhliche, dicke Mann leise und beugte sich zu Kaul. »Meine Söhne haben mich hierhergebracht. Ich habe zwei Bierbrauereien und drei Destillationen. Ich bitte Sie – jeder Beruf hat sein Berufsrisiko. Als Metzger esse ich Fleisch, als Bäcker Brötchen. Ich glaube auch nicht, daß ein Schreiner seine Fenster von einem Schuhmacher begutachten läßt! Und ich probiere eben meine eigenen Erzeugnisse. Ist es meine Schuld, daß ich nach vier Gläschen fröhlich werde?«

»Ihr Körper ist bereits so an Alkohol gewöhnt, daß schon eine geringe Menge genügt, um …«

»Ich weiß, ich weiß.« Hoppnatz winkte ab. »Der Bergarbeiter hat seine Staublunge, ich habe meine Schnapsleber. Jedem das seine!« Er beugte sich wieder zum Ohr Kauls. »Solange ich hier bin, stelle ich den reuigen Sünder dar. Eine schwierige Rolle, man wächst langsam hinein. Ich soll in zwei Monaten entlassen werden. Ich habe es gehört, als mein ältester Sohn mit Diakon Weigel sprach.« Hoppnatz blinzelte zufrieden. »So lange halte ich noch durch.«

»Und dann?« fragte Kaul erschüttert.

»Man wird vorsichtig sein müssen. Immer Haltung, mein Lieber! Ein paar Gläschen, bis man spürt: Jetzt hast du die Englein in dir – und dann Schluß. Kreuz hohl, Brust raus, Kopf gerade. Niemand merkt es. Wissen Sie, man braucht ja nicht viel, um innerlich glücklich zu sein …« Während des Vortrags kaum auch Dr. Lingen zurück. Er stellte sich ganz hinten in der Jagdhalle in die Dunkelheit. Niemand beachtete ihn. Auch Diakon Weigel, der wohl gesehen hatte, daß Lingen hereinkam, sah ihn nicht an.

Auf Schloß Bornfeld gab es keine Therapie mit Verekelungsmitteln. Nur die ganz Unruhigen bekamen eine Schlafinjektion. Alles andere mußte der Mensch aus sich heraus finden. Es wurde ihm überlassen, die eigene Stärke wiederzuentdecken. Wer sich selbst bezwingen konnte, war geheilt. Das Trinkerproblem ist ein seelisches Problem. Alles andere ist eine therapeutische Illusion.

Die Anonymen Alkoholiker waren abgereist. Es hatte sich gezeigt, was Direktor Bonnemann schon vorher zu Peter Kaul gesagt hatte: Es ist leichter, in einer Versammlung betrunkener Bettler zu sprechen als vor der trinkenden Intelligenz. Erzählungen aus dem Elend eines Trinkerlebens wurden angehört wie fromme Märchen. Hinter den Alkoholikern der vornehmen privaten Heilanstalten standen die Bankkonten ihres bisher erfolgreichen Lebens. Auch die Insassen von Schloß Bornfeld bildeten da keine Ausnahme. Was man ihnen aus der Tiefe des menschlichen Verfalls berichtete, berührte sie nicht. Sie konnten nie so tief fallen. Sie hatten Geld genug, um immer noch ein Bett zu finden, in dem man sich vollaufen lassen konnte. Die Ausnahme Dr. Lingen, der in Kellern, Bunkern und Hurenzimmern gewohnt hatte, wurde deshalb auch weidlich bestaunt und diskutiert. Landgerichtsdirektor Dr. von Hammerfels hatte dafür eine Erklärung: »Das Milieu stimmte nicht! Unser Freund Lingen hatte nicht die sogenannte Nestwärme. Er ist erfolgreich, er ist reich, er lebt mit genialer Unbekümmertheit ... aber ihm fehlt das Fundament. Er ist wie ein Luftballon, dem plötzlich das Gas entweicht. Er fällt und fällt und landet irgendwo. In der Gosse, bei Dirnen, im Bunker. Ein tragischer Fall, meine Herren. Wir sollten uns um ihn kümmern.«

Nach diesem Vortrag bekam Prof. Heitzner wieder eine Injektion, denn er roch wieder aus den Poren ausgeschwitzten Alkohol.

Nicht am nächsten Morgen, sondern einen Tag später machte Dr. Lingen sein Versprechen wahr. Er sattelte den Wallach »Oberon«.

Da der Stallmeister zugegen war, wehrte sich »Oberon« nicht gegen das Anlegen des Sattels. Nur seine Ohren spielten, die Nüstern bebten und zogen sich ab und zu hoch, gaben das starke Gebiß frei, krachende, malmende Zähne, die mit der Kandare kämpften.

Diakon Weigel kam in den Stall und klopfte »Oberon« den starken Hals. »Er ist heute besonders unruhig«, sagte er, ohne dabei Dr. Lingen anzusehen. »Seit vier Monaten ist er nicht mehr geritten worden. Zwar hat man ihn gesattelt, aber dann ist er an der Longe durch die Bahn getrabt, ohne Reiter. Der letzte, der auf ihm saß, war ein Herr Zoltitz, ein Bankdirektor. Vierzehnmal warf ›Oberon‹ ihn ab ... beim fünfzehntenmal siegte Zoltitz. Heute leitet Herr Zoltitz wieder seine Bank.«

Dr. Lingen schwieg. Aber er verstand den Diakon. Er bückte sich und schnallte die Sporen wieder ab. Diakon Weigel hob die Augenbrauen vor Verwunderung.

»Sie reiten heute nicht?«

»Doch. Aber ohne diese Dinger da.«

»›Oberon‹ ohne Sporen? Er wird Sie nie als seinen Herrn anerkennen.«

»Herr Zoltitz hatte Sporen?« fragte Lingen trocken.

»Natürlich.«

»Es gehört nicht viel eigener Wille dazu, durch Schmerzen Gehorsam zu erzwingen!« Lingen trat neben »Oberon« und faßte ihn an der Trense. »Komm, mein Liebling, Wir werden Freunde werden, nicht Sieger und Besiegter.«

»Was Sie machen, ist eine Übersteigerung Ihrer Möglichkeiten.« Diakon Weigel stellte sich Dr. Lingen in den Weg. »Ich bin für Sie verantwortlich, Doktor! Gut, unsere Therapie ist psychologisch, aber nur insoweit anwendbar, als sie keine körperlichen Schäden erzeugt. Was Sie vorhaben, Doktor, läuft aber auf eine Schädigung Ihres Körpers hinaus. ›Oberon‹ wird mit Ihnen umspringen wie mit einem Ball! Ich kann das nicht zulassen!«

»Sie haben mir das Reiten empfohlen, Herr Diakon.«

»Aber doch nicht ohne Sporen!«

»Die Methoden sind verschieden.« Dr. Lingen hielt den Kopf des Pferdes nieder. Er brauchte alle seine Kraft, um »Oberons« Willen zu bezwingen. Oh, wir werden prächtig miteinander auskommen, du starkes Pferd, dachte er. Wie Gladiatoren werden wir sein, uns gegenseitig belauern, auf die Sekunde der Schwäche warten und dann zuschlagen. Wie sagen die Araber? Aus der Sonne wurde ein Pferd geboren! Oder so ähnlich! Du bist nicht aus der Sonne geboren, mein starker Schwarzer. Du bist aus Höllenglut! Aber ich habe keine Angst!

»Bitte, gehen Sie aus dem Weg, Herr Diakon ...« sagte Dr. Lingen mild. »Es sind meine eigenen Knochen, die ich zu Markt trage. Ich entbinde Sie von aller Verantwortung.«

Diakon Weigel trat zur Seite und ließ Lingen und das Pferd an sich vorbei aus dem Stall. Der Stallmeister in der leeren Box hatte große, ängstliche Augen. Er scharrte mit den Stiefelspitzen im zermalmten Stroh und wischte sich mehrmals über die Stirn.

»Ich habe ihn auch gewarnt, Herr Diakon«, sagte er, als müsse er für sich eine Entschuldigung finden. »Und wissen Sie, was er gesagt hat? ›Entweder ›Oberon‹ – oder eine Flasche Schnaps! Was ist Ihnen lieber?‹ Da habe ich nichts mehr gesagt.«

»Es ist gut.« Diakon Weigel trat hinaus. Dr. Lingen führte »Oberon« am Halfter neben sich her aus dem Hof. Ruhig, wie ein braver, müder Gaul, ging das Pferd mit ihm. Der Schnee knirschte unter ihnen, feine, zerstäubende Atemwolken schwebten aus den Nüstern in die kalte Luft. Warum sitzt er nicht auf, dachte Weigel. Warum geht er mit »Oberon« spazieren?

Dr. Lingen ging über eine Viertelstunde neben dem Pferd her. Sie hatten den Schloßbereich verlassen und näherten sich dem Birkenwald und den verträumten Wacholderbüschen. Hinter ihnen lag der zugefrorene Teich, vor ihnen dehnte sich eine heideähnliche Landschaft. Der Himmel war wolkenlos.

Am Waldrand blieb Dr. Lingen stehen. Tier und Mensch blickten sich an. Die Gladiatoren standen sich gegenüber.

»Jetzt werde ich dich reiten!« sagte Dr. Lingen laut. Er löste die Steigbügel aus den Sattelhalterungen, hob das Bein, steckte einen Fuß in den Bügel und griff an den Sattelknauf. Aber er schwang sich nicht auf, er wartete, blinzelte zu »Oberon« und war bereit, sofort zurückzuspringen, wenn das Pferd sich aufbäumte oder zur Seite wich. Aber »Oberon« blieb stehen. Seine Ohren wedelten, die Nüstern schoben sich hoch, die Zähne blinkten.

Er lacht, dachte Dr. Lingen. Der Satan lacht.

Mit einem Satz war er im Sattel, preßte die Schenkel zusammen, fuhr mit dem anderen Fuß in den Steigbügel, saß fest und zog im gleichen Augenblick die Zügel an.

Es war verwunderlich, daß das Pferd sich nicht aufbäumte, keinen Buckel machte, nicht mit allen vieren in die Luft sprang, sich nicht so benahm, wie es jeder von ihm erwartet hätte. Es blieb stehen wie ein Standbild, unbeweglich, nur in den Flanken zitterte es, als wolle es beweisen, daß es noch lebte. Dann aber, plötzlich, setzte es zum Galopp an, aus dem Stand heraus schoß es vorwärts, auf den Wald zu, auf die dicken Birkenstämme, die eng zusammengerückt mit borkigen, vereisten Rinden wie eine riesige Reibe wirkten.

Dr. Lingen begriff sofort die Absicht »Oberons«. Er zog mit aller Kraft an den Zügeln, er zwang die Kandarenstange in das Maul, daß jedes andere Pferd zitternd den Widerstand aufgegeben hätte ... bei »Oberon« war es, als sei alle menschliche Kraft nur ein Popanz. Ein Ruck mit dem Kopf, in vollem Lauf, die Zügel wurden aus Lingens Händen gerissen, der Schädel des Pferdes hob sich, streckte sich, ein helles, triumphierendes Wiehern durchschnitt die eisige Luft ... und dann war schon der Waldrand da, die Bäume, die jetzt wie Zähne einer Säge wirkten, und das Pferd raste auf sie zu in ungehemmter Siegessicherheit.

Dr. Lingen zögerte nicht mehr. Er wußte, daß »Oberon« ihn an den Bäumen abstreifen wollte, daß seine Beine aufgerissen, daß die Knochen an den vereisten Stämmen zerspringen würden.

Als Krüppel würde man ihn nach Schloß Bornfeld zurücktragen, für immer gezeichnet.

Kurz vor dem Zusammenprall mit den Stämmen stieß sich Lingen ab und ließ sich nach hinten aus dem Sattel fallen. Er rollte in den Schnee, überschlug sich zweimal und blieb dann auf den Knien liegen.

Das Pferd raste zwischen zwei Stämmen hindurch. Der Zwischenraum war gerade breit genug, daß der schwarze Körper hindurchschießen konnte. Die Beine eines Reiters wären zu beiden Seiten zerschmettert worden, schon jetzt streifte die Rinde das Fell und riß das Oberleder von den Sattelseiten.

Dr. Lingen erhob sich und ging langsam in den Wald hinein. »Oberon« stand prustend und schwitzend zwischen den Birken, hatte den Kopf erhoben und stampfte wütend in den Schnee. Er stieß ein heiseres Wiehern aus, als er Lingen sah, tänzelte um einen dicken Stamm herum und senkte den Kopf wie ein angreifender Stier.

»Das ist der Vorteil der Intelligenz, mein Lieber«, sagte Lingen und blieb in zwei Meter Entfernung von »Oberon« stehen. »Du bist ein kluges Tier, und einer von uns beiden wird auf der Strecke bleiben, da gibt es gar keine billigen Illusionen. Versuchen wir's noch einmal?« Mit hartem Griff faßte er wieder die Zügel. Zitternd stand »Oberon« an einer Birke und rieb den Kopf an der eisigen Rinde. Wieder rührte er sich nicht, als Lingen sich in den Sattel schwang und ihm auf den Hals klopfte.

»Wollen wir noch einmal, Satansaas?« sagte er dabei. »Was denkst du dir jetzt wieder aus! Hinfallen lassen? Ist ein alter Trick, mein Lieber. Alles andere aber ist vergeudete Zeit. Ich bleibe auf dir. Wäre es nicht besser, wir verstünden uns?«

Das Duell zwischen Pferd und Mensch verlief nun in der Stille. Gehorsam ging »Oberon« aus dem Wald, wie es Dr. Lingen ihm durch Schenkeldruck befahl. Ebenso gehorsam trabte er an und lief auf die Heide zu. Aber dann zeigte es sich, daß dieser Gehorsam eine Falle sein sollte. Statt nach links, wie Lingen befahl, drehte sich »Oberon« nach rechts, statt zu halten, trabte er weiter. Schließlich galoppierte er im Kreis, in weiten Bögen, durch Büsche und über Gräben hinweg. Er gehorchte keinem Schenkeldruck, keinem Zügelzug, keinem Zuruf. Er tat, was er wollte, er demonstrierte seine Kraft.

Dr. Lingen lachte hell. Er beugte sich vor und tätschelte den schwitzenden Hals des Pferdes. »Nur zu!« rief er in die spielenden Ohren. »Lauf, mein Teufelchen, lauf! Du wirst müde, nicht ich! Rackere dich ab, wirf deine Kraft weg! Lauf nur! Lauf!«

Nach einer vollen Stunde blieb »Oberon« schnaufend stehen. Seine Beine zitterten. Wie schwankend versuchte er noch ein paar Schritte, senkte dann den Kopf und leckte Schnee vom Gras. Dr. Lingen sprang ab und dehnte sich. Auch seine Beine zitterten, die Innenseiten der Schenkel waren wund, bei jedem Schritt scheuerte der Hosenstoff gegen offenes Fleisch. Staksig ging er ein paar Meter hin und her, lehnte sich dann an den dampfenden Pferdekörper und drückte das Gesicht gegen den Sattel. »Machen wir weiter, du Höllengeburt«, sagte er keuchend. »Du oder ich! Entweder ich bleibe hier liegen oder ich reite auf dir in Schloß Bornfeld ein. Es gibt keinen Pardon!«

Ächzend zog er sich erneut in den Sattel, biß die Zähne zusammen, als seine brennenden Schenkel wieder mit dem harten Leder in Berührung kamen, riß die Zügel hoch und zog »Oberons« Kopf heran. Das Pferd gehorchte. In müdem Schritt ging es dahin, wohin sein Reiter wollte. Er schlurfte durch den hohen Schnee wie ein Betrunkener. Der schweißige Körper dampfte in der Kälte, wie eine wandelnde Nebelschwade sahen Roß und Reiter aus.

»So ist es gut, mein Liebling«, sagte Dr. Lingen glücklich und hielt sich müde am Sattelknauf fest. »So verstehen wir uns. Wir werden dicke Freunde sein ...«

Den Ausritt Dr. Lingens hatte Brauereibesitzer Hoppnatz zu einem Spaziergang benutzt. Während die anderen auf einer Art Terrasse lagen, eingewickelt in Decken, und die frische Schneeluft inhalierten, stapfte er in hohen Stiefeln durch den Park und fütterte Amseln und Stare. Allerdings tat er das nur, solange man ihn vom Schloß aus beobachten konnte. Außer Sichtweite schlug er einen Bogen wie ein Fuchs, der eine Witterung in die Nase bekommen hat, und wandte sich dem Birkenwald zu. Sichtlich beschwingt schritt er durch den hohen Schnee, und da Ewald Hoppnatz von jeher ein fröhlicher Mensch war, schwang er seinen Spazierstock durch die kalte Luft, pfiff vor sich hin und verbreitete um sich den milden Glanz wunschloser Zufriedenheit.

Aber das täuschte. Je näher er dem Birkenwald kam, um so schneller wurden seine Schritte. Nach Erreichung des Waldrandes begann er sogar zu rennen, anscheinend völlig grundlos, den Stock unter den Arm geklemmt, die Pelzmütze aus Karakulfell weit in den Nacken geschoben. Er sah nicht rechts noch links, er schien auch kein Gehör mehr zu haben, denn er vernahm weder

das Scheuen eines Pferdes noch das leise: »Ganz still, ›Oberon‹!«
einer menschlichen Stimme. In zwanzig Meter Entfernung rannte
Ewald Hoppnatz an Dr. Lingen vorbei, ein völlig fremdes Wesen
mit glänzenden Augen und hüpfenden, fast zuckenden Schritten.

Im Wald war eine Lichtung. Im Herbst hatte man hier Bäume
gefällt, die Stämme geschnitten und gestapelt. Ab und zu rückte
ein Kommando mit Pferd und Wagen von Schloß Bornfeld aus,
lud zwei der Stapel auf und fuhr zurück. Dann wurde im Hof flei-
ßig gehackt und gespalten. »Wer ein gemütlich knackendes Kaminfeuer haben will, muß auch Holz holen!« hatte Diakon Weigel gesagt. »Meine Herren, Sie wissen ja ... hier sind wir alle
Selbstversorger.« Und sie sägten und spalteten, trugen die Kloben
ins Haus, schichteten sie auf und schärften Äxte und Sägen ...
vom Landgerichtsdirektor bis zum Professor, vom Generaldirektor bis zum Konsul. Es bekam ihnen gut ... sie hatten wieder Appetit und Durst, sie aßen Huhn und tranken Tee.

Ewald Hoppnatz blieb vor einem der Holzstapel stehen und
ließ sich auf die Knie fallen. Mit beiden Händen scharrte er den
Schnee fort, kroch fast unter den Stapel und zog nach einigem Suchen eine helle Flasche unter dem Holz heraus. Wie ein glücklicher Bär, der Honig gefunden hat, setzte sich Hoppnatz in den
Schnee, lehnte sich gegen die Stämme und hob die Flasche an die
Lippen. Mit verzückten Augen trank er, seine Schuhspitzen wipp-
ten auf und ab, als durchzöge eine fröhliche Melodie den Körper.

Hinter einem Birkenbusch stand Lingen und sah zu. Er rührte
sich nicht, er unterbrach nicht den heimlichen Exzeß, er ließ den
Glücklichen unentdeckt in seiner Seligkeit und schlich zu
»Oberon« zurück, als Hoppnatz die Flasche wieder unter den
Stapel schob, Schnee davorscharrte und in einem Anfall ehrlicher
Dankbarkeit die Arme weit ausbreitete und hinauf in den wol-
kenlosen blauen Himmel blickte.

Zum Mittagessen trafen sie sich wieder im Speisesaal.

»Da kommt unser Reitersmann!« rief Ewald Hoppnatz und
klatschte in die Hände. »Breitbeinig, wie er geht, muß man annehmen,
daß er ›Oberon‹ bezwungen hat! Ein Hoch dem Helden!«

Dr. Lingen setzte sich vorsichtig auf die Stuhlkante und
lächelte sauer. Er sah Hoppnatz mit den Augen des Mediziners
an und wunderte sich. Nichts verriet, daß er vor zwei Stunden im
Birkenwald eine halbe Flasche ausgetrunken hatte. Ein bißchen
euphorisch ist er, dachte Lingen. Aber lustig ist er immer, so fällt
es nie auf.

»Ich habe ihn geritten!« sagte er laut in die erwartungsvoll schweigende Runde.

»Bravo!« Dr. Wiggert klopfte an seinen Teller. »Das bedeutet, daß unser Freund Lingen heute abend einen ausgeben muß.«

Lähmende Stille lag plötzlich im Saal. Die Köpfe senkten sich. Landgerichtsdirektor Dr. von Hammerfels schluckte krampfhaft. Prof. Dr. Heitzner baute aus Messern, Gabeln und Servietten ein barockes Gebilde.

»Tee mit Gebäck natürlich ...« sagte Dr. Wiggert heiser. Er setzte sich und starrte auf seinen Teller. Seine Finger zitterten neben dem Besteck. Auch Diakon Weigel schwieg.

Sie müssen hindurch, dachte er. Sie müssen durch ihre eigene Seele hindurch. Hier hilft ihnen nicht einmal Gott, der sonst für alles angerufen wird.

Ein Trinker ist einsamer als ein Schlachtopfer der Politik ... ihn segnet kein Priester, damit er töten und getötet werden kann.

Am nächsten Tag meldete sich zu aller Erstaunen Ewald Hoppnatz krank. Niemand wußte, was ihm fehlte, stundenlang saß Diakon Weigel an seinem Bett und redete auf ihn ein. Hoppnatz gab keine Antwort ... er lag im Bett, auf dem Rücken, die Hände gefaltet, und weinte laut wie ein Kind. Man einigte sich, daß Hoppnatz aus irgendeinem unbekannten Anlaß einen Nervenzusammenbruch bekommen habe.

Nur Dr. Lingen kannte die Ursache. Er hatte das Versteck Hoppnatz' ausgeräumt. Mit einem Schrei war Hoppnatz am nächsten Tag zusammengebrochen, als er den Holzstapel leer fand. Wimmernd war er durch den Schnee gekrochen, auf Händen und Füßen, heulend wie ein angeschossener Wolf. Seine schöne Welt war zerstört worden.

Pfarrer Merckel hatte einen Brief erhalten. Von der Clinica Santa Barbara. Ein Bett war frei geworden. Gundula Kaul konnte aufgenommen werden.

Mit Pfarrer Merckel war in diesen Wochen eine deutliche Veränderung vorgegangen. Er trank jetzt nicht mehr heimlich. Zuerst hatte es seine Haushälterin nicht begriffen. Eines Morgens, als sie das Arbeitszimmer putzen wollte und Pfarrer Merckel in der Kirche ein Jahrestotengebet las, war sie entsetzt zurückgeprallt. Auf dem Schreibtisch stand eine leere Flasche, und der schöne, heilige Betstuhl aus dem Kloster war dekoriert mit zwei italienischen Korbflaschen und einer Taschenflasche, im Volksmund »Flachmann« genannt.

Wie soll eine einfältige Seele begreifen, daß Himmel und Hölle eng beieinander wohnen? Er muß Besuch gehabt haben, dachte die Haushälterin. Sie hatte zwar nichts gehört, aber es kam öfter vor, daß sie Stimmen im Arbeitszimmer hörte und keinen hereinkommen oder hinausgehen sah. Daß Pfarrer Merckel mit sich selbst sprach oder vor dem Kruzifix stand und Gott seine Anklage vortrug – »Herr, ich klage den Hans Merckel an! Er ist ein haltloser Mensch, weil er zu schwach ist, einer haltlosen Welt Haltung zu predigen, ohne dabei betrunken zu sein ...« – daß der Herr von St. Christophorus dann auf dem Betstuhl kniete und betete und trank, konnte niemand ahnen. Die Haushälterin riß also das Fenster auf, ließ den Alkoholdunst durch frische Luft wegblasen, holte einen Korb herbei, legte die leeren Flaschen hinein und saugte den Teppich.

So traf Merckel sie an und zog den Stecker aus der Wand. Der Staubsauger verröchelte.

»Die Flaschen laß hier!« sagte Merckel und zeigte auf den Korb. »Dort in die Ecke mit ihnen. Ich brauche sie für statistische Zwecke. Es ist wertvoll, zu wissen, wieviel Liter Alkohol eine Schrumpfleber noch verträgt, ehe sie endgültig kapituliert.«

»Sie ... Sie haben das alles getrunken, Herr Pfarrer?«

Die Haushälterin setzte sich auf den Besucherstuhl vor dem Schreibtisch und schlug die Hände zusammen. Merckel nickte grimmig. »Wollen Sie einen Schluck zur Aufmunterung?«

»Herr Pfarrer ...«

»Ich trinke seit siebzehn Jahren! Oh, welches Erstaunen! Und ich lebe noch! Ich habe eine Bärenleber und ein Mammutherz! Nun sitzen Sie nicht 'rum und bieten Sie Entsetzen feil – putzen Sie weiter und stören Sie sich nicht daran, daß ich ein Morgenschöppchen halte.«

Mit wuchtigen Schritten ging er zu der alten Truhe, seinem bisherigen Versteck für Flaschen aller Art, holte eine volle Flasche zwischen den Papieren hervor, hob sie gegen das Licht, entkorkte sie und nickte der noch immer starr auf dem Stuhl sitzenden Haushälterin zu.

»Haben Sie gehört? Flupp! So ähnlich klingt es, wenn der Teufel die Seele aus dem Herzen holt!«

Mit fliegender Schürze verließ die Haushälterin das pfarrherrliche Arbeitszimmer, schloß sich in der Küche ein und weinte.

Später, beim Einkaufen, erzählte sie mit leidender Miene, daß der Herr Pfarrer sehr krank sei. Eine innere Sache. Eine Infektion. Er werde immer schwindlig. Auch auf der Kanzel. Man muß vorbeugen, dachte sie. O Gott, man muß lügen, um ihn zu schützen. Eines Sonntags wird es so weit sein, daß er betrunken vor dem Altar steht. Dann werden sie alle sagen: Er ist ja krank, unser armer Pfarrer.

Von diesem Tage an verbarg Merckel seinen Niedergang nicht mehr. Er hatte sein Todesurteil in der Tasche. Die Zeit war bemessen, bis er vor Gott stehen würde, um Rechenschaft zu geben. Und er würde sagen: »Vater im Himmel, ich trank, weil ich ein Gewissen hatte. Ich sollte von dir reden und sah, wie die Menschen dabei lächelten. Ich sprach von Liebe und Vergebung, und um mich herum schlugen sie sich tot. Mein Gott, ich trank wirklich nur, weil ich ein Gewissen hatte!«

Susanne und Peter Kaul lebten seit Kauls Entlassung aus der Heilanstalt wie in den ersten Ehetagen. Das Glück war ungetrübt. Oft lag Kaul abends mit dem Ohr auf Susannes Leib und lauschte auf die Regungen des Kindes. Dann überkam ihn eine fast heilige Feierlichkeit. Das Wunder einer Menschwerdung hatte er früher nie beachtet. Für ihn war es, wie für Millionen Väter, etwas Selbstverständliches, daß eine Frau ein Kind bekam.

Wie völlig anders war es jetzt. Man lag nebeneinander, er hatte die Hände auf Susannes Leib gelegt und spürte die Bewegungen des Kindes. Eine nie gekannte Zufriedenheit überkam ihn. Aus mir wird ein neuer Mensch, dachte er, ich bin noch nicht zu morsch, um neues Leben zu zeugen.

Die Nachricht, daß Gundula in die Schweiz könne, empfanden sie deshalb als plötzlichen Schock, auch wenn sie schon immer darauf gewartet hatten. Im stillen hatten sie gehofft, daß nie ein Bett frei würde, daß Gundula sich plötzlich ändern würde, daß ein Wunder geschähe, irgendein Wunder ... daß Gundula gehen konnte, daß sie sprechen lernte, daß sie nicht mehr unmotiviert in die Gegend lachte. Irgendein Zeichen der Besserung, das berechtigte zu sagen: Nein, wir lassen Gundi bei uns. Sehen Sie doch, Herr Pfarrer, sie ist ganz anders geworden ...

Aber diese Besserung kam nicht. Gundi wuchs zwar, aber nur körperlich. Sie bekam einen runden Kopf, der in der Proportion nicht mehr zu dem schmächtig bleibenden Körper paßte. Susanne und Peter Kaul sahen es nicht, weil Eltern ihre Kinder anders sehen als Außenstehende, die Nachbarn sagten es ihnen nicht, und auch Pfarrer Merckel schwieg. Aber er drängte auf schnelle Abreise.

Fünf Tage nach der Nachricht war es dann soweit. Kaul hatte drei Tage Urlaub bekommen, Judo-Fritze hatte zu ihm gesagt: »Fahr am Sonntagmorgen nach Canobbio auf 'n Markt. Da war ich auch mal. Da kannste alles kaufen, vor allem Stricksachen.« Pfarrer Merckel hatte zwei Koffer geliehen, die Nachbarn brachten Schokolade und gute Ratschläge, Heinz und Petra weinten, weil sie Gundi nicht hergeben wollten, und wurden für die drei Tage zu einem Arbeitskollegen von Kaul in Pflege gegeben, Susanne packte die Koffer viermal aus und ein, und als endlich die Taxe vor dem Haus hielt, die Nachbarn aus den Fenstern hingen und winken wollten, Pfarrer Merckels Bärengestalt aus dem Auto wuchtete, bekam Susanne einen Schwächeanfall und mußte sich hinlegen.

»Ich kann nicht, Peter«, sagte sie mühsam. »Ich kann Gundi nicht weggeben. Ich habe solche Angst …«

Vor dem Haus hupte die Taxe. Züge warten nicht auf eine Familie Kaul. Pfarrer Merckel rannte die Treppen hinauf und schellte Sturm.

Es wurde ein Aufbruch wie eine Flucht. Als sie endlich im Abteil saßen und der erste Ruck des anfahrenden Zuges sie durchschüttelte, umklammerte Susanne die kleine Gundi und drückte sie an sich. Pfarrer Merckel war dreimal hinausgegangen zur Toilette. Dort nahm er einen tiefen Schluck aus der Flasche, spülte dann den Mund mit Pfefferminzextrakt, den er in einer besonderen kleinen Plastikflasche mit sich führte, und kam beschwingt ins Abteil zurück.

»Wenn es mir in der Klinik nicht gefällt«, sagte Susanne leise, weil Gundi eingeschlafen war, »wenn es mir nicht gefällt, reise ich sofort wieder ab.«

»Es wird Ihnen gefallen, Susanne.« Merckel sah aus dem Fenster. Sie fuhren an Zechen und Kokereien vorbei, an Wohnkolonien und Schrebergärten mit verrußten Bäumen und Sträuchern. »Denken Sie nicht an sich … denken Sie an das Kind! *Ihm* soll geholfen werden.«

Die Clinica Santa Barbara lag auf einem Hügel, der zur Seeseite steil abfiel, felsig, wild bewachsen mit Buschwerk, Kakteen und Agaven. Es waren einige langgestreckte weiße Gebäude mit Terrassen und Hallen, einer Spielwiese und einem Schwimmbecken.

Nach ihrer Ankunft in Locarno und der Wagenfahrt zur Klinik hatten die Kauls erst Zeit, sich um die Schönheit der Landschaft zu kümmern. Von Zürich an hatte Susanne geschlafen. Peter Kaul hatte die kleine Gundi übernommen, neben sich auf ein Kissen gelegt und das Köpfchen auf seinen Schoß gebettet. Pfarrer Merckel erklärte ab und zu die Landschaft, aber Kaul sah kaum aus dem Fenster. Er dachte an Dr. Lingen, und er dachte an sich. Oft hatte er versucht, sich selbst zu verstehen. Er kam bis zu einer ziemlich eng gespannten Grenze des Verständnisses, dann versagte er.

Ich muß damals irr gewesen sein, dachte er. Ich habe die Kinder geschlagen, ich habe Susanne gequält, ich habe den Haushalt verkommen lassen, ich lebte wie ein Schwein, ich soff und soff und verkroch mich in den Träumen, die ich dann sah.

Wie war das alles möglich? Heute war es nicht mehr begreiflich. Es war nicht einmal mehr glaubhaft, wenn man es erzählt bekäme.

Der Chefarzt der Clinica Santa Barbara hatte den fröhlichen Namen Dr. Hütli. Er war ein dicker, gemütlicher Mann mit einer Tonsurglatze, sprach ein breites Schwyzerdütsch, tätschelte Gundi die Wangen und sagte: »Das Mädli wird sich wohl fühlen.«

Dann besichtigte man die Klinik, und je mehr Zeit verstrich, um so stiller wurde Susanne. Sie sah Kinder, deren Gesichter wie abgeschabt waren, Gliedmaßen wie wurstähnliche Körperauswüchse, kriechende, stammelnde, lallende Wesen, stämmige Mädchen mit dem Gesicht eines Säuglings oder schmächtige Körperchen, die auf einem Stengelhals einen übergroßen Kopf balancierten. Sie sah menschenähnliche Wesen in Laufmaschinen, Gesichter, die nur aus Mündern bestanden, schreienden Höhlen ohne Zähne, Beine, verbogen wie moderne Plastiken, Menschen, wie sie Hieronymus Bosch in seinen phantastisch-schaurigen Bildern gestaltet hatte. Hier lebten sie, krochen sie umher, saßen auf Stühlen und an Tischen.

»Sie sehen«, sagte Dr. Hütli gemütlich, »daß Ihre Gundi zu den ganz leichten Fällen gehört. Ich habe Ihnen das alles gezeigt, um Ihnen zu beweisen, daß Ihr Kind bei der richtigen Leitung und Überwachung seiner Entwicklung alle Chancen hat, lebenstüchtig zu werden ...«

Susanne nickte. Ihre Beine zitterten. Das alles sind Menschen, dachte sie. Mütter haben sie geboren, gestillt und geküßt, Hoffnungen haben sie umgeben, während sie im Leib wuchsen, Pläne wurden gemacht, Freude und Glück umgaben sie vor ihrem Eintritt ins Leben … und dann kamen sie in die Welt und wurden Menschen genannt, weil sie aus einem menschlichen Leib geboren wurden, aber sie sahen aus wie neue Wesen eines fernen, unbekannten Sterns.

Erschrocken legte Susanne ihre Hände über den gewölbten Leib. Du nicht, dachte sie. Nein, du wirst ein schöner Mensch. Ich weiß es. Du wirst deinem Vater ähnlich sehen, dem einzigen Mann, den ich liebe. Gundi wurde weggetragen. Sie weinte nicht, sie empfand es anscheinend gar nicht. Sie hatte ihre bunten Klötzchen, und somit war ihre Welt vollkommen.

»Sie können sie jederzeit besuchen«, sagte Dr. Hütli beim Abschied. »Aber bitte, rufen Sie vorher an.«

Susanne nickte, ihre Kehle war wie zugeschnürt. Kaul hatte den Arm um sie gelegt, und es tat ihr wohl, zu wissen, daß sie nicht mehr allein stand wie in den vergangenen Jahren.

Bis zur Rückfahrt wohnten sie in Ascona, in einem Hotel über dem See. Von ihrem Zimmerfenster konnte sie Ronco sehen, Brissago, die Grenze, die Isola di Brissago, den Monte Tamaro, die im Sonnendunst dahingleitenden weißen Schiffe.

Am Abend saßen sie am Fenster, sahen über den See und zu den tausenden glitzernden Lichtern der Häuser, die sich die Berge hinaufzogen wie eine Sternenstraße. Auf dem leicht gekräuselten Wasser schwamm ein silberner Streifen Mondschein.

»Wie schön ist es hier …« sagte Peter Kaul leise.

»Ob Gundi das jemals begreifen wird?« antwortete Susanne. Ihr Kopf lag an seiner Schulter, und sie hielten sich die Hände wie ein verliebtes Paar in der Dunkelheit eines Kinosaals.

»Wir müssen Pfarrer Merckel ewig dafür dankbar sein«, sagte Peter Kaul. »Ich glaube bestimmt, daß Gundi hier in besten Händen ist.«

»Wie sollen wir ihm danken? Sollen wir ihn zum Mittagessen einladen? Kartoffelklöße mit Sauerbraten. Und ein Bier bekommt er dazu. Aber nur er! Ob ihn das erfreuen wird, was meinst du, Peter? Wir können ihm doch sonst nichts schenken …«

Peter Kaul nickte. Er ist wirklich ein verdammt guter Kerl, dachte er. Wenn man an nichts glauben würde – er könnte einen bekehren! Was wäre ich heute ohne ihn …

Sie schwiegen. Durch den Mondstreifen glitt ein Boot. Der Duft der Platanen am Ufer wehte ins Zimmer.

»Komm«, sagte Kaul leise. »Bist du nicht müde?«

»Doch, ich bin müde.« Sie lächelte und drückte sich an ihn. »Aber laß das Fenster auf ... es ist so schön, das Plätschern der Wellen zu hören ...«

In einer Ecke des Hotels saß Pfarrer Merckel vor einer Zweiliter-Flasche Barbera und trank und trank. Gegen Mitternacht wurde er von einem Kellner aufs Zimmer gebracht und auf sein Bett gelegt.

»Grazie tante, mein Sohn ...« stammelte er und streckte sich aus. »Gott ließ den Wein wachsen ... vergiß das nicht, mein Sohn!«

Er faltete die Hände über dem mächtigen Bauch und schlief ein.

Ein Tag war vorbei, und ein gutes Werk war getan.

An einem kalten, nebligen Morgen, noch vor dem Frühstück, und bevor Diakon Weigel aufgestanden war und durch ein Läuten der alten Bronzeglocke im Türmchen des Schlosses Bornfeld den neuen tag beginnen ließ, gingen Dr. Wiggert und Prof. Dr. Heitzner in den Park. Sie hatten sich in dicke pelzgefütterte Mäntel vermummt und trugen beide unter dem Arm einen der alten Säbel aus der Waffensammlung, die an einer Wandseite der großen Jagdhalle aufgehängt war.

Hinter dem zugefrorenen Teich, zwischen einer Baumgruppe und einem Schuppen, in dem die Gartengeräte aufbewahrt wurden, blieben sie stehen, faßten die Säbel am Knauf und senkten die Klingen.

»Herr Professor«, sagte Dr. Wiggert mit energischer Stimme, »wir waren uns einig, daß eine Privatklage wenig Erfolg hat bei dem Leumund, den man uns vor Gericht ausstellen wird. Andererseits bestehe ich darauf, daß eine Ehrenrettung meiner Person notwendig ist!«

»Ich wiederhole: Ich nehme kein Wort zurück!« Prof. Heitzner wirbelte mit seiner Säbelklinge verharschen Schnee vom Boden auf. »Ich habe gesagt: Sie haben gestern nacht in der Tischlerwerkstatt ein Glas Holzspiritus mit Wasser verdünnt und gesoffen!«

»Lüge!« Dr. Wiggert lief rot an. »Ich habe mein Bett nicht verlassen! Ich schlafe jede Nacht wie ein Murmeltier.«

»In dieser Nacht haben Sie ins Glas gemurmelt!« sagte Prof. Heitzner hoheitsvoll.

»Lüge! Wie wollen Sie mich überhaupt in der Dunkelheit erkannt haben?«

»Herr Doktor Wiggert – ich kenne doch Ihr Nachthemd!«

»Hier tragen mehrere Herren Nachthemden.«

»Aber keins mit einem blauen Saum! Sie *haben* Holzspiritus gesoffen!« Dr. Wiggert umklammerte den Säbelknauf. »Also gut!« sagte er gepreßt. »Duellieren wir uns! Kehren wir zur alten akademischen Form der Ehrbereinigung zurück. Sie beherrschen noch die Paukregeln?«

»Bin ich ein Fossil?« Prof. Heitzner hieb eine Terz durch die eisige Luft. »Ich habe zwanzig Partien durchgestanden. Ich bin Saxo-Borusse! Fangen wir also an!«

Sie schabten mit den Schuhen den Schnee weg, weil er sie behinderte, stellten sich dann auf, hoben die Säbel und kreuzten die Klingen. Aber sie kamen nicht dazu, den ersten Durchgang zu beginnen. Eine Stimme aus der Baumgruppe sagte mit sarkastischem Unterton:

»Meine Herren, ich bin nur im Besitz von Heftpflaster. Seien Sie einsichtig und ritzen Sie sich nur an. Auf eine Mensurverletzung bin ich nicht eingerichtet.«

Die erhobenen, gekreuzten Säbel sanken herab. Dr. Wiggert und Prof. Heitzner fuhren herum. Aus der Baumgruppe hervor kam Dr. Lingen, die Hände in den Taschen seines Paletots. Um seine Lippen lag ein spöttisch-überlegener Zug. Er nahm zuerst Dr. Wiggert, dann Prof. Heitzner die Waffe aus der Hand und klemmte sie unter seine Achsel.

»Zunächst möchte ich eines feststellen«, sagte er mit fast dozierender Stimme. »Es handelte sich nicht um Holzspiritus, sondern tatsächlich um reinen Alkohol. Das ist ein Skandal, meine Herren! Jemand aus unserem Kreis muß ihn eingeschmuggelt haben! Ich beobachte das schon seit Tagen.«

Über den Park, durch die eisige Luft tönte das dünne Bimmeln der alten Glocke vom Schloßtürmchen. Diakon Weigel war aufgewacht. Vom Bett aus konnte er an einer Strippe ziehen und so den Tag einläuten.

»Wir treffen uns nachher im Stall, meine Herren«, sagte Dr. Lingen steif. »Nicht, daß ich Ihnen den heimlichen Alkoholgenuß mißgönne ... aber wenn wir schon Kameraden im Leid sind, sollten wir auch Freunde der heimlichen Freuden sein. Ich halte es für wenig kameradschaftlich, mich dabei auszuschließen ...«

Prof. Heitzner schluckte mehrmals. Er war sprachlos vor Empörung.

13

»Seit sieben Wochen trinke ich keinen Tropfen mehr!« sagte er gepreßt. »Darf ich um eine Aufklärung bitten?«

»Später!« Dr. Lingen zeigte zum Haus. »Die anderen Herren klettern aus den Betten.« Er gab jedem der beiden Duellanten seine Waffe zurück und schlug die Hände dann gegeneinander. Ein eisiger Wind wehte über das flache Land. »Es wird Ihre Aufgabe sein, zunächst die Waffen wieder an den alten Platz zu hängen.«

»Woher wußten Sie, daß wir uns duellieren wollten?« fragte Dr. Wiggert. Er verbarg seinen Säbel unter dem Mantel. Auch Prof. Heitzner schlug seinen Paletot um die Waffe.

»Ich war die ganze Nacht wach, meine Herren! Ich bin jede Nacht wach!« Dr. Lingen lächelte, und es war ein schmerzliches Lächeln. »Ich finde keinen Schlaf ohne Alkohol, meine Herren. Seit Jahren bin ich daran gewöhnt, abends vor dem Zubettgehen ein paar Gläschen zu trinken. Humorvoll sagte man: Die nötige Bettschwere muß erreicht werden. Aber es war mehr – es war einfach notwendig, um die Nerven zu beruhigen. Aber wem erzähle ich das? Ich nehme nicht an, meine Herren, daß Sie nur Trinker geworden sind, weil es so gut schmeckt ...«

Ohne Antwort stampften Dr. Wiggert und Prof. Heitzner zum Schloß zurück. Lingen blieb im Park. Er ging um den zugefrorenen Teich herum, entdeckte zwischen den Birken eine Bank, schob den Schnee von der Sitzfläche, setzte sich und schlug den Mantel eng um sich.

Seit der Begegnung mit Peter Kaul hatte er begonnen, wieder über sich nachzudenken. Er hatte sich alles aufgezählt, was er in seinem Leben bisher erreicht hatte, und es war eine lange Liste. Sie begann bei seiner Klinik und endete bei der »Gräfin« Jutta. Dazwischen lag ein Leben, reich an Ehrungen und materiellen Werten, aber arm an seelischen Qualitäten. Der Zwiespalt seiner Natur wurde offenbar. Er hatte immer Theater gespielt, jeden Tag eine Rolle, mal als großer Chirurg, dann als Gesellschaftslöwe, ab und zu als liebender Ehemann, öfter als Geliebter jugendlicher Schwärmerinnen oder vernachlässigter Ehefrauen, erlebnishungriger Jagdherrinnen oder Reiterinnen. Jeder, der dem Dr. Lingen gegenübertrat und ihn bewunderte oder beneidete, kannte nur einen kleinen Teil der Rollen, die er zu spielen ständig bereit war und von denen er nachts, wenn er allein in seinem Zimmer saß, sich erholte, indem er soff.

Auch Brigitte, seine Frau, kannte ihn nicht, auch sie hatte nur einige seiner Darstellungen geheiratet: den erfolgreichen Arzt, den zärtlichen Ehepartner, den treusorgenden Vater seiner Tochter. Masken, die er stündlich wechselte, so wie sie gebraucht wurden, Kostüme, in die er schlüpfte, wenn man verlangte: Nun sei ein Genie! Nun sei ein Liebhaber! Nun sei ein Vater! Nun sei ein charmanter Plauderer!

Was war nun geblieben? Ein schlaffer Mensch auf einer verschneiten, vereisten Bank in einem Schloßpark, der als Auslauf diente für betrunkene Mumien und zerfallene Gespenster, die sich noch umgaben mit Titeln und Würde, mit Ehrbegriffen und einstudierter Gesellschaftsmoral und doch zu morsch waren, um außerhalb des Schloßparkes von Bornfeld einige selbständige Schritte zu tun. Auch er? Gab es nur noch den Schatten Dr. Lingens?

Er senkte den Kopf und tastete mit den Fingerspitzen über die Holzbohlen der Bank. Er spürte die Kälte des Eises in seinen Fingerspitzen, aber keine Erhebung, keine Unebenheit, keine plastische Veränderung der Fläche.

Dr. Lingen biß die Zähne zusammen. Dort ist ein kleiner Eisbuckel auf dem Sitz, dachte er. Und dort steht die Kuppe eines Nagels eine Winzigkeit aus dem Holz. Jeder tastende Finger muß das erfühlen. Es sind Grobheiten für die Hand eines Chirurgen.

Ganz leicht, dann fester, schließlich mit großem Druck ließ er seine Hand über die Eisbuckel und den Nagelkopf gleiten.

Nichts. Gar nichts! Nur die Kälte.

Mit einem Ruck sprang Dr. Lingen auf. Ich bin tot, durchfuhr es ihn. Natürlich, ich atme – was ist das aber? Ist Atmen das ganze Leben? Ist Blutkreislauf alles? Ich bin ein Mensch, der in den Fingerspitzen gestorben ist! Und ich werde eine gefühllose Hülle bleiben, solange ich keinen Alkohol mehr trinke. Trinke ich aber, werde ich zum Tier. O Gott – ist das kein Grund, sein Leben einfach wegzuwerfen?

Durch den Park sah er eine Gestalt kommen. Es war der Brauereibesitzer Hoppnatz. Mit hektisch flackernden Augen und merkwürdig ruckartigen Bewegungen, als seien seine Gelenke eine Federmechanik, stapfte er durch den Schnee. Er war nicht im geringsten erstaunt, Dr. Lingen in dieser kalten Einsamkeit zu treffen. Im Gegenteil, er tippte mit dem Zeigefinger seiner rechten Hand an den Hutrand und vergrub dann wieder die Hände in die Taschen des Mantels.

»Ein schöner Tag, nicht wahr?« sagte er. Seine Stimme klang rauh und zitterte.

»Wie man's nimmt.« Dr. Lingen empfand keinerlei Lust, sich mit Hoppnatz zu unterhalten. Jetzt nicht, dachte er. Gerade jetzt nicht, wo ich mir im klaren bin, welch ein erbärmlicher Mensch in der Hülle meines Körpers sitzt. »Man wird Sie beim Frühstück vermissen, Herr Hoppnatz ...«

»Bis dahin hat es noch eine halbe Stunde Zeit.«

»Sie geht schnell herum.«

»Unser ganzes Leben geht schnell herum, finden Sie nicht auch?«

»Nein!« antwortete Dr. Lingen abweisend.

»Ich werde Ihnen einen Gegenbeweis liefern.« Hoppnatz setzte sich auf die Bank und ließ die Beine baumeln. »Sehen Sie mich an! Ich bin jetzt fünfundfünfzig Jahre alt. Ist das alt? Ich meine, in der heutigen Zeit? Im Mittelalter wäre ich ein Greis gewesen, aber wir leben ja nicht mehr im Mittelalter. Ich bin rüstig, frisch, unternehmungsfroh, ich habe noch Saft in den Knochen und spüre das gewisse Kribbeln beim Anblick eines strammen Mädchens. Ich habe im Leben etwas erreicht. Meine Brauereien, meine Bankkonten, meine Kinder – ist das nichts? Aber jetzt kommt's! Meine Kinder haben mich bisher in vier Heilanstalten gesteckt, meine Frau hat den Antrag gestellt, mich entmündigen zu lassen, meine Brauereien darf ich nicht mehr betreten, über meine Konten verfügen fremde Anwälte. Ich habe fünfundfünfzig Jahre gelebt ... aber was ist daraus geworden? Sagen Sie nicht: Dann lassen Sie das Saufen sein! Das wäre ungerecht. Wenn sich jemand zehn Geliebte hält, gilt er als Teufelskerl, auch wenn sie zehnmal mehr kosten als meine Sauferei. Seien Sie ehrlich, Doktor: Wenn man im Leben etwas erreicht hat, wie ich, oder wie Sie, oder wie die anderen Herren hier im Schloß, dann soll man ihnen die kleinen Freuden lassen. Dem einen eine Modelleisenbahn, dem anderen ein lebendes Püppchen, mir meine Schöppchen und kurzen Klaren.« Hoppnatz schüttelte den Kopf. »Die Welt ist verbohrt, Doktor! Es geschieht nur zu deinem Besten, haben sie mir bei der Einlieferung gesagt. Wer sagt, daß es mir zum Besten ist, wenn ich nicht mehr trinken darf? Die anderen! Du sollst ruhiger leben! Himmel noch mal – ich lebe am ruhigsten mit 'nem Affen! Du untergräbst deine Gesundheit!

Welche dämliche Rede! Ich bin krank, wenn ich keinen Alkohol habe! Nehmen wir an, ich lebe noch zwanzig Jahre! Fünfundsiebzig Jahre – das ist kein Alter. Vierzig Jahre habe ich gearbeitet, um Millionen zu sammeln. Mit vierzehn Jahren habe ich Maische gerührt, mit Zwanzig war ich schon Braumeister! Ich habe aus meiner Familie, die abends einen Mainzer Käse aß und Milchkaffee trank, die in der Gesellschaft angesehenen Hoppnatz' gemacht. Steht mir nicht das Recht zu, den Rest meines Lebens so zu leben, wie ich will?«

»Sie jammern hier die uralte Philosophie der Trinker in die kalte Luft!« sagte Dr. Lingen abweisend. »Es gibt eine moralische Ordnung!«

»Wo ist die denn? Nennen Sie mir einen Menschen, der immer nach dieser moralischen Ordnung gelebt hat! Nein, Doktor, das sind dumme Phrasen! Das echte Leben ist die Ausschweifung!« Hoppnatz sah starr in die schneenebeltrübe Weite der Landschaft. »Man will mich jetzt entmündigen, Doktor!« sagte er plötzlich ganz ernst.

»Verwundert Sie das?«

»Meine Frau will es! Meine Frau, die ich wirklich geliebt habe. Vier Kinder habe ich mit ihr gezeugt. Wenn ich sie im Arm hielt, war es nicht meine eheliche Pflicht, sondern ich schwamm im Glück ...«

»Bitte, keine Einzelheiten«, sagte Dr. Lingen steif.

»Ich habe immer gedacht: Das ist ein herrliches Leben: eine Frau, vier Kinder, ein eigenes Heim, Geld und Ansehen – was kann Gott noch mehr schenken?«

»Schnaps!« warf Lingen sarkastisch ein.

Hoppnatz schüttelte wild den Kopf. »Nein! Es ist alles ganz anders.«

»Wieso denn?«

»Meine Frau liebt Windhunde, mein ältester Sohn hält sich einen Park von drei Sportwagen, mein jüngster Sohn ist aus der Bahn geraten, der zweite Sohn hat nur Interesse für Briefmarken, und meine Tochter – eine Schönheit, müssen Sie wissen – hat bisher fünf Männer ruiniert. Jeder hat sein Hobby ... meines ist der Alkohol! Ich verbiete ihnen nicht die Windhunde und Männer ... warum kann man mir die Flasche verbieten? Ich sehe das nicht ein! Ist das Gerechtigkeit? Doch das nebenbei ... also: Ich soll entmündigt werden.«

»Traurig, aber das Schicksal der meisten Trinker.«

»Ja!« Hoppnatz sprang auf. Plötzlich schrie er. »Gestern, mit der Post kam der Gerichtsbeschluß. Ich *bin* entmündigt! Nichts gehört mehr mir – keine Brauerei, kein Bankkonto, kein Haus … ich bin nackt! Völlig nackt! Ich bin von allem, was Leben heißt, ausgeschlossen worden! Was würden Sie an meiner Stelle tun?«

»Mich aufhängen!« antwortete Lingen grob.

»Ich werde mir Ihren Rat zu Herzen nehmen, Doktor.« Hoppnatz starrte den Arzt aus leeren Augen an. »Wie lange dauert solch ein Tod?«

»Wenn Sie sich fallen lassen, eine Sekunde, dann bricht der Nackenwirbel. Strangulieren ist langwieriger, bis zu fünfzehn Minuten …«

»Danke, Doktor.« Hoppnatz schlug den Mantelkragen hoch. »Ich lasse mich fallen. Ich bin kitzlig am Hals …«

Er verbeugte sich vor Dr. Lingen, drehte sich dann um und ging zum Birkenwald. Lingen sah ihm eine Weile nach, hob dann die Schultern und wandte sich ab. Er wird sich eine schöne Erkältung holen, dachte er, als er zurück zum Schloß stapfte. Entmündigt. Ob Brigitte mich auch entmündigen lassen würde? Nein! Sie könnte es nie tun. Sie wäre zu anständig dazu. Gute, dumme Gitte … du liebst noch immer eine meiner Rollen …

Brauereibesitzer Hoppnatz blieb im Birkenwald stehen und suchte sich einen Ast aus. Sinnigerweise überragte ein dicker Baumarm den Holzstapel, unter dem er bisher sein heimliches Alkohollager verborgen hatte. Er kletterte auf den Stapel, holte aus der Manteltasche ein Seil, warf es über den Ast und knüpfte eine Schlinge.

Er entledigte sich des Mantels, öffnete den Kragen und zog die Krawatte herunter, legte die Schlinge um seinen dicken Hals und sah dann hinauf in den kalten, eisgrauen Himmel.

In diesem Augenblick überkam ihn aller Jammer dieser Erde. Er weinte laut, die Tränen rannen über seine schlaffen Wangen, zitternd stand er auf den runden Stämmen, die Schlinge um den Hals, und die letzten Minuten seines Lebens verbrachte er damit, zu weinen, nicht weil er starb, sondern weil er sterben sollte ohne einen Schluck Alkohol.

»Es ist eine Schande«, schluchzte er. »Es ist wirklich eine Schande. Wie kann man da noch leben …« Bei diesem Gedanken ließ er sich vornüber fallen.

Ein Ruck ging durch seinen Körper.

Irgendwo im Nacken knackte es.

Wie morsches Holz, dachte Brauereibesitzer Hoppnatz noch. Und nicht mal weh tut's! Immer wird man betrogen, überall, sogar im Tod ...

Dann sah, hörte und dachte er nichts mehr.

Man fand Hoppnatz erst nach dem Mittagessen. Er war steifgefroren wie ein Brett. Als man ihn wegtrug zum Schloß, war es, als sei er in strammer Haltung gestorben, mit einer Ehrenbezeigung vor dem erlösenden Tod.

Frau Hoppnatz und die vier Kinder, die am nächsten Tag nach Schloß Bornfeld kamen, verzichteten darauf, »Väterchen«, wie Frau Hoppnatz den Toten unter Tränen nannte, noch einmal zu sehen.

Er wurde in einen Zinksarg gelegt, der wie eine tropenfeste Exportkiste aussah, und weggeschafft.

Prof. Heitzner, Dr. Wiggert und alle anderen Herren von Schloß Bornfeld kondolierten mit ergriffenen Mienen. Auch Dr. Lingen. Er sagte zu der weinenden Witwe:

»Er tat es aus Liebe, gnädige Frau. Er wollte, daß sein Vermögen in Ihrer Hand bleibt ...«

Frau Hoppnatz starrte Dr. Lingen an und wandte sich dann abrupt ab.

Die ganze Trauerfeier hatte eine Stunde gedauert. Was ist ein Mensch wert, wenn er trinkt ...?

Drei Tage später kam unverhofft Brigitte Lingen zu Besuch. Sie brachte eine frohe Nachricht mit. Oberarzt Dr. Krüger aus Lingens Klinik war Dozent geworden und hatte sich angeboten, die Klinik zu übernehmen. Schon jetzt kamen viele Patienten, um sich von Dr. Krüger operieren zu lassen. Er ist ein Schüler von Lingen, hieß es überall. Das war Empfehlung genug. So konnten Ruhm und Leistung der Klinik erhalten bleiben, für immer verbunden mit dem Namen Lingens. Prof. Brosius, der auch diese neue Entwicklung verfolgte, versuchte einen Querschuß. Er gab dem Innenministerium seine Bedenken weiter, daß trotz Dr. Krüger nicht auszuschließen sei, daß auch Dr. Lingen später wieder am OP-Tisch stehen konnte. »Man denke an Sauerbruch«, sagte Prof. Brosius mit warnender Stimme. »Auch ihm mußte man mit Gewalt das Messer aus der Hand nehmen. Und er war nur ein alter skierotischer Mann und kein Alkoholiker!«

Diakon Weigel, seit dem Tod Hoppnatz' stiller und in sich gekehrter geworden, hatte schlimme Tage hinter sich und noch ärgere Wochen vor sich. Schloß Bornfeld war eine Stiftung, die unter kirchlicher Leitung stand. Daß jemand Selbstmord beging, war deshalb ungeheuerlich, zumal es das erstemal seit Bestehen der Entziehungsanstalt war. Eine Kommission hatte sich angesagt, die Kriminalpolizei war schon dagewesen, der zuständige Superintendent hatte den »Tatort« besichtigt und immer wieder gerufen: »Bruder Weigel, wie ist so etwas möglich? Wie ist so etwas möglich!«, und die Landeskirchenleitung verlangte einen genauen Bericht, ob man psychologisch nicht alles getan hätte, Herrn Hoppnatz aus der seelischen Krise zu lösen. Vor allem aber fragte man an, ob es nicht ratsam sei, Schloß Bornfeld von einer »Freien« Anstalt in eine ärztlich geleitete Klinik umzuwandeln.

»Ihr Gatte ist ausgeritten!« sagte Diakon Weigel, als er Brigitte Lingen begrüßt hatte. »Es geht ihm gut. Besser, als ich gedacht hätte. Er hat sich in der kurzen Zeit wirklich gefangen und findet zu seinem Ehrgeiz zurück. Das ist der entscheidende Moment im Heilungsvorgang: die Entdeckung des Selbstvertrauens. Nachdem er ›Oberon‹ besiegt hat – und es war ein harter Sieg! –, hat er von allen Insassen die beste Chance, bald entlassen zu werden.«

»Sie wissen gar nicht, wie froh mich das macht«, sagte Brigitte Lingen. Sie hatte in diesen Wochen ein strengeres Gesicht bekommen. Zwei Falten zogen sich von der Nasenwurzel bis zu den Lippen. Was für Dr. Lingen nur der Endpunkt einer langen Entwicklung gewesen war, hatte sie als eine plötzliche Explosion überrascht. Sie hatte in der Blindheit der Liebenden gelebt. Nun sah sie die Wahrheit, und ihr ganzes Leben an der Seite Lingens erwies sich als eine Illusion. Was nutzte da alle Tapferkeit? Sie war nur ein Schild gegenüber den anderen Menschen. Die Nächte gehörten ihr, und in ihnen zerstörte sie mit Grübeln und Selbstvorwürfen ihre Nerven. Warum hatte sie nie etwas bemerkt? Hatte sie auch Schuld an dieser Entwicklung? War ihr das sorglose Leben zu selbstverständlich erschienen?

Diakon Weigel legte die Hände nebeneinander auf den Tisch. Seit einigen Tagen zitterten sie etwas. »Ihr Gatte wird geheilt werden, das ist sicher. Nur darf er in den nächsten Monaten keinen Tropfen Alkohol trinken! Nicht ein Glas! Nicht einen kleinen Schluck. Der Körper, die Nerven liegen – sagen wir es mit der militärisch-plastischen Sprache – in Bereitschaft. Ein Schluck wäre wie ein Trompetensignal. Auf, auf, es geht wieder los! Und nichts ist schlimmer als Rückfälle.«

Brigitte Lingen nickte. »Ich werde mich nie von seiner Seite entfernen, wenn er wieder zu Hause ist. Ich werde aufpassen wie ein Blindenhund.« Sie sah auf ihre kleine goldene Armbanduhr. Auch sie war ein Geschenk, eine Erinnerung. Mitgebracht von einem Kongreß in Genf. Damals ahnte niemand, daß der Chirurg Lingen seine Operationsdemonstration vor den Fernsehkameras in einem unsichtbaren Stadium der Trunkenheit ausführte. Man feierte und beneidete ihn, wie immer, wo er auftrat. »Wann kommt er zurück?«

»Meistens gegen vier Uhr. Wir haben also noch eine halbe Stunde Zeit. Gehen wir im Park spazieren?«

»Aber gern, Herr Weigel.«

Während die anderen Gäste von Schloß Bornfeld ihren Mittagsschlaf hielten und Diakon Weigel mit Brigitte Lingen langsam durch den Park wanderte, ritt Dr. Lingen auf seinem »Oberon« zu einem einsamen Bauernhof, einem Heidehof, dessen Haupterwerb die Schafzucht war. Es waren arme Bauern, deren Vorfahren bereits seit dem 16. Jahrhundert in dieser Einsamkeit ansässig waren. Auch die kommende Generation wollte dem Zug in die Stadt nicht nachgeben und deshalb den Einödhof weiter verwalten.

Dreimal hatte Lingen diese strohgedeckte Kate besucht und sich mit dem Bauern und der Bäuerin unterhalten. Standhaft hatte er einen Kornschnaps abgelehnt und eine Tasse Tee getrunken, hatte sich am Kachelofen aufgewärmt und war dann zurückgeritten zum Schloß. Auch heute ritt er wieder bis vor die Tür, ließ »Oberon« laut schnaufen und rief: »Hallo! Setzt das Wasser aufs Feuer!« Und da niemand an der Tür oder am Fenster erschien, wie es sonst üblich war, blieb Dr. Lingen im Sattel und klopfte mit der Reitgerte gegen eines der niedrigen Fenster. »Hallo! Ist niemand da?«

»Herr Doktor! Herr Doktor!« Die Stimme der Bäuerin im Inneren kam näher. »Herr Doktor, helfen Sie mir ...«

Dr. Lingen sprang vom Pferd. Gleichzeitig wurde von innen die Tür aufgerissen. Die Bäuerin stürzte heraus, mit aufgelösten, wehenden grauen Haaren, das runzlige Gesicht verzerrt wie auf der Folter. Sie umklammerte Dr. Lingen und riß in wilder Verzweiflung an seiner gefütterten Reitjacke.

»Helfen Sie mir! Bitte, bitte! Er stirbt ... er stirbt mir einfach weg ...«

»Wer stirbt?« fragte Dr. Lingen betroffen.

»Mein Mann. Der Bauer. Im Zimmer liegt er. Er schreit vor Schmerzen. Mein Bauch, schreit er. Mein Bauch.«

Dr. Lingen schob die heulende Bäuerin zur Seite und rannte ins Haus. Er brauchte das Schlafzimmer nicht zu suchen, schon in der Diele hörte er das Stöhnen und dazwischen ein gotterbärmliches Fluchen.

Der Bauer lag mit entblößtem Bauch auf dem hohen, breiten Bett, hatte die Hände auf die Bauchdecke gedrückt, stierte an die Decke und brüllte abwechselnd: »Oh! Ich verbrenne! Der Teufel soll mich holen! Mein Bauch! Und kein Aas ist da! Ich krepiere ja!«

Als er Dr. Lingen bemerkte, wollte er sich aufrichten, aber in seinem Bauch mußte in diesem Augenblick ein heißer Stich über alle erträglichen Maßen durch seine Därme gehen. Mit einem hellen Schrei, der gar nicht zu seiner Stimme paßte, sank der Bauer zurück. Die Bäuerin an der Tür faltete die Hände und betete. Ihr faltiger Mund bewegte sich unaufhörlich in stummer Zwiesprache mit Gott.

»Ganz ruhig, Bauer«, sagte Dr. Lingen. »Nun bin ich ja da.« Er setzte sich neben dem Kranken auf die Bettkante und schob die Hände des Bauern vom Leib.

Die Diagnose war nicht schwer. Der Leib war aufgetrieben, die Bauchdecke gespannt. Fieberschauer durchjagten den stämmigen Körper, abwechselnd mit höllisch-heißen Stichen. Dr. Lingen beugte sich zu dem Heidebauern vor.

»Seit wann haben Sie das?«

»Seit heute nacht.« Der Bauer keuchte und klapperte mit den Zähnen. »Es ging plötzlich los, und da habe ich eine Wärmflasche draufgelegt und dann massiert ...«

»Ja, sind Sie denn wahnsinnig?« Dr. Lingen schob die wieder zum Leib tastenden Hände fast grob zurück auf die Matratze. Dann wandte er sich zu der Bäuerin.

»Er muß sofort ins Krankenhaus!«

»Aber wie?« Die Bäuerin faltete wieder die Hände. »Wir haben kein Telefon.«

»Wo ist Jobst?«

Jobst war der Sohn, der letzte einer langen Ahnenreihe von Heidebauern. »Er ist in der Stadt. Seit gestern schon. Er verkauft Wolle.«

»Und der nächste Arzt?«

»Ist in der Stadt. Aber das sind zwei Stunden hin ... und wer weiß, ob er da ist, jetzt am Nachmittag.« Die Bäuerin ließ sich auf einen Schemel fallen und starrte Dr. Lingen an. »Muß er sterben?«

»Ja!« antwortete Dr. Lingen ehrlich. »Bis man den nächsten Arzt geholt hat oder der Krankenwagen hier ist, kann er tot sein!« Er sah auf die kleine, verarbeitete Frau, auf ihre gefalteten Hände, auf ihre alten, trüben Augen und war erschüttert von der Ergebenheit, mit der sie jetzt ein Schicksal trug, das unabwendbar schien. Das gab ihm einen Stich ins Herz, das riß etwas in ihm auf, was er zugeschüttet, begraben, abgetötet hatte.

»Stellen Sie alle verfügbaren Töpfe mit Wasser auf den Herd!« rief er. »Lassen Sie das Wasser kochen. Scheuern Sie den großen Tisch in der Stube mit Schmierseife! Holen Sie Ihre saubersten Bettlaken aus dem Schrank. In zwanzig Minuten bin ich wieder da!«

Er rannte aus dem Haus. »Herr Doktor!« hörte er hinter sich die Stimme der Bäuerin. »Der Himmel hat mich erhört!

Lingen sprang auf »Oberon« und gab ihm, zum erstenmal, seit er ihn ritt, die Sporen. Das Pferd schnellte die Ohren nach vorn und warf den Kopf mit einem Ruck zurück. »Lauf, du Satan!« schrie Lingen ihm zu. »Jetzt hast du Grund zu toben!« Und wieder hieb er ihm die Sporen in die Flanken, beugte sich vor und klammerte sich fest.

»Oberon« stieß ein Wiehern aus, streckte den Hals und galoppierte hinaus in die verschneite Heide, als habe er die Tobsucht. Wie ein Geisterreiter jagten sie durch den kalten Tag, durchfegten den Birkenwald, übersprangen Hindernisse, wie Stämme oder gestapelte Scheite oder Bodenfalten, der Hut wehte Lingen vom Kopf, seine Schenkel zitterten von der Anstrengung, sich im Sattel halten zu müssen, die eisige Luft schlug wie mit Peitschen in sein Gesicht, und das Pferd unter ihm dampfte und keuchte und jagte über das Land, schneller als Wolken im Sturm.

So raste er in den Park des Schlosses und sah am zugefrorenen Teich den Diakon und eine Dame stehen.

»Mein Gott!« stammelte Weigel, als er Dr. Lingen wie einen angreifenden Kosaken aus dem Wald preschen sah. »Das hat er ja noch nie getan! Was ist denn nun schon wieder los ...«

»Konrad!« rief Brigitte und schwenkte beide Arme. »Konrad!« Ihre Kehle war wie zugeschnürt, ihr letzter Ruf erstickte fast. So reitet ein Irrer, dachte sie mit eisigem Schrecken. So reitet auch ein Betrunkener. Soll alle Hoffnung sinnlos gewesen sein?

Lingen warf sich vom Pferd, noch bevor »Oberon« zitternd und dampfend vor Diakon Weigel hielt und die Beine in den Schnee stemmte. Mit schwankenden Knien ging Lingen die letzten Schritte auf die starr im Schnee Verharrenden zu.

»Ich brauche Ihren Wagen, Diakon!« schrie er mit keuchender Stimme.

»Ich habe gesehen, Sie haben im Revierzimmer ein chirurgisches Besteck. Ich brauche das alles! Und Äther und Kreislaufmittel. Haben Sie Zephirol im Haus? Können Sie assistieren? Schnell – es geht um Minuten!«

Er umfaßte Brigitte, gab ihr einen eiligen Kuß, rannte zum Schloß, blieb stehen, kam zurück und sagte leise: »Es ist schön, daß du hier bist, Gitte –« Als er wieder wegrennen wollte, hielt ihn Weigel am Rockschoß fest.

»Darf ich wissen, was das alles bedeutet, Doktor?«

»Himmel noch mal, fragen Sie nicht so lange! Der Heidebauer liegt im Sterben! Er hat sich heute nacht seinen entzündeten Blinddarm mit einer Wärmflasche behandelt und mit den Händen durchmassiert. Nun ist er perforiert, und der ganze Dreck hat die Bauchhöhle entzündet! Ich muß sofort operieren –«

»Sie?« stammelte Diakon Weigel.

»Bis der Krankenwagen kommt, ist es zu spät. Der nächste Arzt ist auch nicht erreichbar. Der Sohn Jobst ist in der Stadt. Wenn ich nicht operiere, muß der Bauer krepieren! Verstehen Sie jetzt?«

»Ja. Aber –«

»An den dämlichen ›Abers‹ geht noch einmal die Welt zugrunde!« brüllte Dr. Lingen. »Holen Sie Ihren Wagen! Ich verschaffe mir aus Ihrem Krankenzimmer alles, was ich brauche ...«

»Ich komme auch mit, Konrad«, sagte Brigitte laut.

»Natürlich! Du mußt die Lampe halten! Die haben in der Stube eine trübselige Beleuchtung. Los, los ... mit Reden ist noch keiner geheilt worden!«

Der Chefarztton. Brigitte sah Diakon Weigel an. Ihre Augen glänzten. Er ist wieder da, hieß dieser Blick. Es gibt wieder den Dr. Lingen. Der Mensch aus dem Bunker von Köln ist vergangen. Wir haben ihn wieder ... unseren Arzt, unseren Mann, unseren Papi.

Zwanzig Minuten später stand Dr. Lingen wieder vor dem Bett des Heidebauern. Das Fieber war gestiegen, der Kopf war glühend rot, aber der Körper zitterte wie im Schüttelfrost. Im Nebenzimmer war alles hergerichtet, wie es Lingen befohlen hatte ... der Tisch mit der dicken Eichenbohlenplatte war gescheuert, die Bettlaken lagen darauf, in der Küche brodelte in fünf Kesseln das kochende Wasser.

Zu viert trugen sie den Bauern vom Bett auf den Tisch, zogen ihn aus und bedeckten den bebenden, heißen Körper mit den Tüchern, bis auf die Stelle am Leib, wo Dr. Lingen schneiden wollte. Er hatte die Instrumente bereits in einen der Töpfe mit sprudelndem Wasser geworfen und baute nun auf den Stühlen seine Flaschen und Spritzen auf.

»Haben Sie schon einmal assistiert?« fragte er dabei Diakon Weigel.

»Nein.« Weigel wusch sich in einer Blechschüssel die Hände in einer Zephirollösung. »Ich bin zwar ausgebildet in Erster Hilfe und Krankenpflege und in der sogenannten Unfallhilfe, aber bei Operationen habe ich noch nicht geholfen.«

»Sie brauchen nur zu tun, was ich Ihnen sage, und das sofort und ohne zu fragen. Und fallen Sie mir nicht um! Blut und Eiter stinken.«

»Keine Sorge, Doktor.« Weigel lächelte schwach. »Ich halte durch.«

Auf dem Tisch stöhnte der Bauer. Er sah seine Frau an, die neben seinem Kopf stand und wieder betete.

»Nun schneidet er mir den Bauch auf, Jule«, sagte er zwischen zwei Schmerzensschreien. »Auf meinem Zimmertisch! Wenn ich sterbe, sag Jobst, unter der Diele im Schlafzimmer liegen in einem Kuvert tausend Mark ...«

»Hier stirbt keiner!« sagte Dr. Lingen und reinigte den Leib des Bauern mit Alkohol. Schon als er das Schild auf der Flasche las, krampfte ihm ein Würgen die Kehle zusammen. Nun roch er den Alkohol, rieb ihn mit seinen Fingern und einem Wattebausch über die Haut des Bauern, spürte die Flüssigkeit und atmete tief die Verdunstung ein. Tiefer als notwendig beugte er sich über die Operationsstelle und schnupperte wie ein Hund an einer Baumwurzel. Brigitte berührte ihn leicht an der Schulter. Da zuckte er hoch und reinigte den Bauch weiter.

»Ist es zu dunkel?« fragte sie. »Soll ich die Lampe näher halten?« Sie hielt einen Handscheinwerfer hoch und beleuchtete die Operationsstelle. »Besser so, Konrad?«

Er nickte. Sprechen war unmöglich. Seine Stimme hätte ihn verraten. Er warf den Wattebausch unter den Tisch, zog eine

Evipanspritze auf und injizierte sie in die dicke Armvene des Bauern. Schon nach wenigen Sekunden fiel der Kopf zur Seite, die Augen verdrehten sich. Die Bäuerin legte den Kopf gegen die Tischkante. Er stirbt, dachte sie. Er stirbt.

»Wir können anfangen«, sagte Dr. Lingen. »Ich habe in Rußland unter ganz anderen Umständen operiert. Ohne die geringste Desinfektion, mit stumpfen Instrumenten. Dagegen haben wir es hier noch luxuriös.« Er sagte es, weil er sah, wie Diakon Weigel zögernd mit den ausgekochten Instrumenten aus der Küche kam und sie auf eines der Bettlaken ausbreitete. »Stellen Sie sich mir gegenüber, Diakon. Ich schneide gleich, und Sie werden abtupfen und dann die Gefäßklammern anbringen, wo ich es Ihnen zeige. Und noch einmal – nicht umfallen. Es stinkt für einen Laien bestialisch!«

Diakon Weigel nickte. Brigitte stand am Kopf des Bauern und hielt die Lampe über den Körper.

Mit energischem Griff nahm Dr. Lingen das Skalpell, prüfte mit dem Daumen die Schärfe, und ließ es dann sinken.

Er empfand nichts. Die Daumenkuppe war gefühllos. Mit zusammengepreßten Lippen legte Lingen das Skalpell zurück, spreizte alle zehn Finger und ließ sie mit den Kuppen über den Leib gleiten.

Nichts. Gar nichts. Kein Gefühl. Kein Tastsinn. Es war unmöglich, zu schneiden, den Leib zu öffnen, die feinen Gefäße zu erfassen, den Appendix zu lösen, das Bauchfell zu säubern. Er spürte nichts in seinen Fingern, er tastete auf Watte. Die größte und wichtigste Gabe des Chirurgen, an der das Leben der Kranken hängt, fehlte ihm: das Fingerspitzengefühl.

Das Todesurteil über den Heidebauern war gesprochen. Er konnte nicht operieren. Nicht so. Es gab nur eine Möglichkeit, das Gefühl in den Fingern wiederzuerlangen. Der Rückfall in das alte Leben. Der Griff zum Glas.

Dr. Lingen wandte sich ab und starrte aus dem Fenster in den trüben, eisigen Wintertag. Diakon Weigel sah Brigitte an, sie waren beide bleich wie die Laken unter ihnen.

»Was ... was haben Sie, Doktor?« fragte Weigel, als Lingen begann, seine Gummischürze abzustreifen.

»Ich kann nicht operieren ...«

»Und warum, Doktor?«

»Ich ... ich ...« Dr. Lingen atmetete tief auf. »Tragen Sie den Bauern wieder ins Bett. Ich werde ihm mit einigen Injektionen das Sterben schmerzlos machen.«

»Aber warum können Sie denn nicht operieren, Doktor?« rief Diakon Weigel. »Ich denke, wir haben alles da, was wir brauchen! Wir können doch den Bauern nicht ...« Er schwieg, das Entsetzen lähmte ihn fast.

»*Ich* bin nicht da, Diakon!« Dr. Lingen drehte sich um. Tiefe Schatten lagen unter seinen Augen. Er war ein alter Mann geworden, in drei Minuten. »Ich habe kein Gefühl mehr in den Fingerspitzen. Seit Jahren nicht mehr! Seit einem Autounfall. Ich bekomme das Gefühl nur wieder, wenn ich – trinke ...«

Die Lähmung war vollkommen. Diakon Weigel stand wie versteinert neben dem Tisch und dem in der Narkose röchelnden Bauern. Die Bäuerin betete leise. »Jesus, hab' Erbarmen! Jesus, hab' Erbarmen! Jesus, hab' Erbarmen ...« Immer und immer wieder. Brigitte hielt noch immer den Handscheinwerfer über die nackte, mit Jod eingepinselte Operationsstelle.

»Versuchen Sie es, Doktor ...« stammelte Diakon Weigel.

»Dann können Sie auch ein Kind dranstellen. Es macht genauso viele Fehler wie ich ...«

»Bitte, bitte, versuchen Sie es!«

»Der Bauer wird sterben. Aber ich halte es für besser, er stirbt an der Keritonitits als durch mein Skalpell. Ich habe eine Abneigung gegen Mord.«

Diakon Weigel lehnte sich gegen die Wand. Schweiß troff ihm über die Augen und das Gesicht. »Dann ... dann trinken Sie, Doktor. In Gottes Namen und mit Gottes Willen trinken Sie! Es geht um ein Menschenleben! Trinken Sie ... und operieren Sie ...«

Dr. Lingen zögerte. Er starrte auf die Flasche mit dem reinen Alkohol. Diakon Weigel verfolgte den Blick, machte ein paar Schritte, nahm die Flasche, riß ein Glas aus dem Wandschrank und schüttete es zu einem Viertel voll.

»Wie ... wie soll ich verdünnen?« fragte er heiser.

»Voll das Glas. Früher genügten schon vier Gläser Cognac. Aber das ist lange her.«

Weigel rannte in die Küche, der Wasserhahn rauschte, dann kam er zurück, das volle Glas in den Händen und reichte es Lingen hin wie einen Kelch.

Lingen sah seine Frau an. »Verzeih mir, Gitte«, sagte er und senkte den Kopf. »Aber ich kann nicht anders. Soll ein Mensch deswegen sterben? Wir sind in einem Teufelskreis, aus dem es keinen Ausweg gibt.«

Er setzte das Glas an die Lippen und nahm den ersten Schluck. Und plötzlich empfand er, daß es ekelhaft schmeckte. Das war etwas ganz Neues. Er würgte den nächsten Schluck hinunter, er hatte das Gefühl, sich erbrechen zu müssen, er empfand das früher so herrliche Brennen des Alkohols in der Kehle und der Speiseröhre und später im Magen wie einen Krampf. Aber er trank das Glas leer, er zwang sich den Alkohol auf, er kämpfte gegen den Ekel und schluckte und schluckte. Als er das Glas absetzte, durchlief seinen Körper ein Schütteln.

In dem düsteren Zimmer war vollkommene Stille. Diakon Weigel und Brigitte warteten am Tisch, Dr. Lingen lehnte an der Wand und starrte vor sich hin. Er spürte, wie der Alkohol sein Hirn erreichte, wie die Erdenschwere sich auflöste, wie er den eigenen Kopf nicht mehr auf den Schultern spürte. Er hob die Hand und ließ sie über die Wand gleiten, über das Fenster, über die Scheibe. Er schloß dabei die Augen, um nicht zu sehen, was er ertastete.

Eine Unebenheit ... ein Nagelkopf.

Eine Beule ... ein verhärteter Farbtropfen.

Eine feine Rillenspur im Holz ... hier hatte der Hobel des Tischlers eine kaum sichtbare Narbe gezogen.

Die Fingerspitzen gehorchten wieder. Der Tastsinn war zurückgekommen. So fein, so unendlich subtil, daß sich Lingen erboten hätte, selbst eine Staubflocke zu ertasten.

»Beginnen wir!« sagte er in die Stille des Zimmers hinein. Er stieß sich von der Wand ab, tauchte die Hände wieder in die Sterillösung, ließ sie abtropfen und griff zum Skalpell.

Der erste Hautschnitt war noch zögernd, abwartend.

Der zweite Faszienschnitt erfolgte sicher und schnell.

Die Durchtrennung der Muskulatur und die Eröffnung des Peritoneums demonstrierten wieder die Eleganz der Lingenschen Operationskunst. Über das Gesicht des Diakons Weigel rann erneut kalter Schweiß. Er kämpfte gegen die Übelkeit. Mit zitternden Fingern klammerte er die Adern ab, tupfte das Blut weg, hob den Eiter aus der Bauchhöhle.

»Eine schöne Schweinerei!« sagte Dr. Lingen sachlich. Es war kein Unterschied mehr zwischen dem chromblinkenden OP-Saal seiner Klinik und der halbdunklen, altersschwarzen Katenstube. »Massiert sich der Kerl den ganzen Dreck in die Bauchhöhle! Die Lampe tiefer, Gitte! So, näher heran. Halt dir die Nase zu, wenn du's nicht riechen kannst – aber leuchte! Herr Diakon kümmern

Sie sich mal um den Puls! Und injizieren Sie 1,7 ccm Coramin iv. Können Sie intravenös spritzen?«

»Ja, das kann ich«, antwortete Weigel mühsam. Jedes Wort war ein Anstoß zum Erbrechen.

»Gut! Dann weiter.«

In mühsamer Kleinarbeit reinigte Dr. Lingen die Bauchhöhle vom Eiter, löste Darmverklebungen und entfernte Blutklumpen. Es war wie ein Rausch über ihn gekommen.

Ich operiere wieder, dachte er. Ich habe das feinste Gefühl in meinen Fingerspitzen. Ich habe den Weg zurückgefunden.

Dann sah er, ganz zufällig, auf das leergetrunkene Glas. Und dann in die Augen Brigittes. Während sie die Lampe über den offenen Bauch des Heidebauern hielt, rannen ihr die Tränen lautlos übers Gesicht.

»Es wird eines Tages auch ohne das gehen, Gitte …« sagte Lingen leise. »Ich verspreche es dir bei allem, was uns heilig ist. Ich will nicht mehr in den Sumpf zurück …«

Der Bauer Jons Briddeck wurde gerettet. Er durfte weiterleben, durch ein Glas Alkohol.

Auf Schloß Bornfeld wurde Lingen wie ein Held empfangen. Der Abend am flammenden Kamin in der Jagdhalle war wie eine nationale Feier. Man brachte Toaste aus (mit Tee), man hielt Reden über die Kunst der Ärzte. Nur Landgerichtsdirektor von Hammerfels schloß sich aus. Er hatte sich in sein Bett zurückgezogen und grollte. Sein Rechtsempfinden war gestört.

»Er darf trinken, um zu operieren!« sagte er bitter. »Begründung: Es geht um ein Menschenleben! Ich darf nicht trinken, und man verweigert mir die Richtertätigkeit! Dabei denke ich als Richter gerade am logischsten, wenn ich getrunken habe. Geht es hierbei etwa nicht um den Menschen?« Er zog sich die Decke über den Kopf, als man unten in der Halle Studentenlieder sang. »Lindenwirtin, du junge …«

Das roch nach Alkohol, nach Stiefelrunden, Salamanderreiben, Kneipen und Ex.

Um Mitternacht schellte von Hammerfels nach seiner Injektion. Vergeblich war er in die Werkstätten geschlichen, um noch Reste von Alkohol zu suchen.

Wie ein Geist war er durch die Keller gehuscht. In einem langen weißen Nachthemd mit blauem Saum, wie es auch Dr. Wiggert trug. Aber alle Verstecke waren leer, selbst die raffiniertesten des seligen Hoppnatz.

Auf dem Rückweg, einer riesigen Fledermaus gleich, traf er auf dem dunklen Gang einen der feiernden Gäste, der zu seinem Zimmer ging, um eine Mundharmonika zu holen. Von Hammerfels drückte sich in eine Türnische, die Tür gab nach, und er stolperte in ein fremdes, völlig finsteres Zimmer. Ein paar Sekunden zögerte er, dann suchte er den Lichtschalter und knipste die Deckenleuchte an.

Das Zimmer war leer. Unbewohnt. Die Matratzen standen hochkant im Bett, die Bettvorleger waren aufgerollt, die Schubläden der Kommode standen offen und gähnten.

Landgerichtsdirektor von Hammerfels wischte sich zitternd über die Augen. Das Zimmer von Hoppnatz, dachte er. Es ist das einzige leere Zimmer im Schloß. Dort hat er gelegen. In diesem Bett, in dem jetzt die Matratzen hochkant stehen. Symbol des Vergänglichen ... man lüftet aus!

Er wartete ein paar Minuten im Dunkeln, denn er hatte das Licht sofort wieder ausgedreht, rannte dann zu seinem Zimmer, legte sich ins Bett und schellte nach seiner Spritze.

Wie hatte er in seinem letzten Prozeß gesagt: »Angeklagter, Sie haben die Tat im Trunk begangen?« Und zu den Beisitzern: »Meine Herren, ich kann mir nicht helfen. Der Mann ist mir sympathisch.« Am nächsten Tag brauchte er nicht mehr ins Gericht zu kommen. Man hatte ihn auf unbestimmte Zeit wegen Kreislaufstörung beurlaubt. Sein Sohn ließ ihn nach Schloß Bornfeld bringen, seine Frau zog zu der jüngsten Tochter, um »dem Spießrutenlaufen in der Stadt« zu entgehen. Einmal im Monat bekam er Besuch. Von der Zweitältesten Tochter. Marga. Sie war Lehrerin. Sie hielt ihm einen Vortrag über Alkohol, bis er sagte: »Hör auf, du dummes Ding!«

Marga kam trotzdem immer wieder. Sie war Pädagogin. Jedes Samenkorn geht einmal auf. Auch auf dem gröbsten Stein wächst eines Tages Moos. Ab und zu brachte sie einen Brief der Mutter mit. »Uns geht es gut. Wir hoffen, dir auch.« Ungeheuer kluge Sätze voll innerer Teilnahme! Von Hammerfels zerriß diese Briefe und spülte sie im Lokus weg.

Wie leer kann ein Leben sein, dachte er. Wäre alles so gekommen, wenn ich nicht diese Frau, sondern eine andere geheiratet hätte? Vielleicht die lustige Käthe aus Bonn? Oder die braungelockte Sophie aus Würzburg, die so gern wanderte? Aber nein, ich mußte Eugenie heiraten. Eine Aristokratin, die in der Hochzeitsnacht Rilke zitierte, worauf ich ihr mit Villon antwortete, was sie unanständig fand. Daß wir drei Kinder haben, ist ein rein biologischer Vorgang, weiter nichts. Jeder Teil des Körpers hat seine Funktion, die ausgenutzt werden muß. Aber ein Herz? Wo habe ich ein Herz gespürt? »Meine Spritze!« rief von Hammerfels, als die Nachtschwester endlich ins Zimmer kam. »Für siebzig Mark pro Tag kann ich verlangen, daß man meine Gesundung so unkompliziert wie möglich gestaltet!«

Gesundung, dachte er, während die Schwester die Spritze aufzog. Ob er trank oder nicht mehr trank ... das Leben blieb trostlos und leer. Und dagegen gab es keine Spritze.

Nichts spricht sich schneller herum als begonnener Wohlstand. Armut ist uninteressant, sie riecht nach Kohl und ungelüfteten Betten, aber Aufstieg aus der grauen Masse des Alltags, Hinaufklettern aus dem Steinhaufen menschlicher Termitenbauten in eine freiere Luft, das erweckt Neid und Mißgunst.

Susanne Kaul bekam es aus der Nachbarschaft zu spüren. Beim Einkaufen im Lebensmittelladen begann es. »Wieder eine neue Frisur, Frau Kaul?« hieß es da etwa. »Schon recht! Man muß sich hübsch machen, wenn der Mann mehr verdient. Es gibt ja auch andere nette Frauen, was?« Oder der Fleischer sagte: »Heute haben wir Kalbsbrust hier! Zu teuer? Aber Frau Kaul! Wo Ihr Mann doch jetzt so gut verdient! Stimmt das, daß er für den Direktor der Irrenanstalt so etwas wie den Diener macht? Muß doch interessant sein, was?«

Eine Woge von Vertretern und bunten Werbeprospekten ergoß sich über die Familie Kaul. Man bot Luftverbesserer an, Dunsthauben, vollautomatische Küchen und Autos, alles in langen Ratenzahlungen.

»Laß uns wegziehen, Peter«, sagte Susanne eines Abends. »Irgendwohin. Von mir aus in die Heilanstalt! Nur hier möchte ich nicht mehr wohnen. Hier bleiben die Schatten kleben wie Ölflecke. Sie lachen über dich, die anderen. Sie schließen schon Wetten ab, wann du zum erstenmal wieder betrunken nach Hause kommst. Neulich sagte eine Frau zu mir: ›Ach, Sie sind schon im siebten Monat? Was machen Sie, wenn das Kind so wird wie Ihre nette, arme Gundi?‹« Susanne schüttelte den Kopf und legte ihn auf Peter Kauls Schulter. »Ich halte es nicht mehr lange aus, Peter. Ich bin eines Tages so weit, daß ich jeden, der so etwas sagt, ins Gesicht schlage!«

Am nächsten Tag sprach Kaul mit Judo-Fritze. »Det is keen Problem«, sagte der Oberpfleger. »Wenn unser Neubau fertig is, kannste meine alte Wohnung haben. Ick spreche mit dem Verwaltungsheini darüber. Ist ja 'ne Dienstwohnung. Und du bist ja nun Mitarbeiter unserer Klapsmühle!«

Peter Kaul bedankte sich glücklich. Der Neubau ging dem Ende zu. Noch der Fußboden und die Tapeten, dann konnte man einziehen. Beim Tapezieren wollte Kaul ebenfalls helfen. Er hatte bisher immer selbst die Wände seiner Wohnung beklebt.

An einem Abend – er machte Überstunden im Neubau und Fritze hatte Nachtdienst in der LHA – erschien wieder Lucie Kellermann, Fritzes Frau, und sah Kaul zu, wie er die Tapetenbahnen mit dem Leimquast bestrich.

»Sie können das aber gut!« sagte Lucie herausfordernd. »Ich habe das gar nicht gewußt.« Und plötzlich ergriff sie Kaul an den Schultern, drehte ihn herum und preßte sich an ihn. »Küß mich!« sagte sie herrisch. »Sofort küßt du mich! Das gibt es ja gar nicht, daß mich ein Mann abweist! Jeden, den ich wollte, habe ich bekommen. Los, faß mich an.« Und als sich Peter Kaul steif machte und den Kopf zurückbog, lachte sie leise und gefährlich und flüsterte: »Ob du es tust oder nicht ... ich werde Fritz sagen, du wolltest mich nehmen! Nur wenn du es wirklich tust, hast du alle Chancen, kein zerbrochenes Nasenbein zu bekommen! Du weißt, wie Fritz zuschlagen kann! Und mich liebt er! Also?« Sie bog sich zurück und legte die Hände um Kauls steifen Nacken. »Küßt du mich, du Heiliger? Ich bin verrückt danach. Du bist der erste Mann, der nicht sofort tut, was ich will! Aber ich habe davon gehört – gerade die sollen nachher die schlimmsten sein!«

Sie drängte Kaul gegen die Wand, ein üppiges, hellblondes Tier mit flackernden Augen und jagendem Atem. Als er sich freimachen wollte und dabei mit der Hand über ihre Brust fuhr, stöhnte sie auf, als schmerze es unerträglich. Sie warf sich gegen ihn und biß ihm in den Hals.

Peter Kaul senkte den Kopf, stieß ihn vor und schleuderte mit diesem Stoß Lucie gegen den Tapetentisch. Er kippte um, und Lucie fiel mit ihm und rollte sich in die beklebte Tapete ein. Sie schlug mit dem Kopf auf, es war ein dumpfer Schlag, und dann lag sie still, regungslos zwischen dem Kleistereimer und den Tapetenbahnen.

Streublümchen auf gelbem Grund. Mit Seidenstreifeneffekt.

Die Rolle zu vier Mark fünfzig.

Tapeten für die Diele. Fröhlich, ein Willkommensgruß gewissermaßen. Grüß Gott, tritt ein, bring Glück herein.

Laßt Blumen sprechen ...

»Lucie ...« stotterte Peter Kaul und blieb an der Wand stehen. »Lucie, stehen Sie doch auf! Ich habe nicht gewollt, daß Sie hinfallen. Bitte, verzeihen Sie mir ...«

Lucie Kellermann rührte sich nicht. Ein Streifen Blümchentapete klebte quer über ihrem Gesicht.

14

Kaul wagte nicht, sich von der Wand zu lösen, die zwei Schritte bis zu dem umgestürzten Tapetentisch zu gehen, sich niederzubeugen und nachzusehen, was mit Lucie geschehen war. Langgestreckt, wie eine umgefallene Schaufensterpuppe, lag sie zwischen den rosa Streublümchen, dem grünen Rankenwerk und den Silberstreifeneffekten, mit hochgeschobenem Rock, spitzenbesetztem schwarzem Schlüpfer und am linken Bein etwas verdrehtem nahtlosem Strumpf.

»Lucie ...« stotterte Kaul wieder. Er spürte, wie seine Handflächen klebrig wurden. Beim Sprechen zuckte sein Adamsapfel. »Machen Sie doch keine Dummheiten. Lucie ... stehen Sie doch auf. Es war doch nur ein leichter Stoß. Ich bitte Sie um Verzeihung.«

Lucie Kellermann blieb stumm und unbeweglich.

Es blieb Kaul keine andere Wahl. Er mußte sich niederbeugen, er mußte die Tapete von Lucies Gesicht ziehen, er mußte sich um sie kümmern.

Als er die Tapete wegnahm, sah er, daß ein dünner Blutfaden aus Lucies Nase rann. Ihre Augen waren eingesunken, die sinnlichen Lippen blutleer, wächsern fast. Daß sie noch atmete, stellte Kaul nicht mehr fest. Er taumelte zurück an die Wand, kauerte sich wie ein getretener Hund nieder und war bereit, auch wie ein Hund zu heulen.

Ich habe sie getötet, dachte er. Es gibt gar keinen Zweifel ... Blut läuft ihr aus der Nase. Sie hat einen Schädelbruch. Ob sie jetzt noch atmet oder nicht, was macht das aus? Ob sie stirbt oder weiterlebt, wen kümmert das außer Judo-Fritze?

Durch seine Hand lag sie da zwischen Tapetenrollen und Kleister. Wer fragte da noch: Warum? Die Tat allein war sichtbar. Sie reichte aus, um unter den Fäusten Fritzes erst verkrüppelt und dann erschlagen zu werden.

Peter Kaul blieb an der Wand hocken, unfähig, das nächste zu tun, was nötig gewesen wäre: einen Arzt zu holen. Wozu einen Arzt? dachte er sogar. Sie stirbt, ich werde sterben ... damals, als ich glaubte, am Tod des Johann Milbach schuld zu sein, wurde ich das Opfer einer moralischen Wahnidee. Heute ist es anders ... ich *habe* einen Menschen erschlagen, in Notwehr gewissermaßen, aber ich habe es getan! Notwehr! Man wird darüber lachen.

Dieser Peter Kaul, schlägt eine Frau tot, weil sie ihn verführen will! Tötet einen Menschen, der um Liebe bettelt! Ist das nicht Beweis genug, daß er verrückt ist? Total bekloppt? Welcher normale Mann tötet eine Frau, die sich ihm an den Hals wirft? Und nicht einmal leid tut es ihm, diesem Kaul! Los, nehmt ihn fest. Nein, nicht in eine Zelle. Zellen sind für normale Mörder. Da kommen die Kinderschänder hinein, die Lustmörder, die Sexualbestien, die menschlichen Geier ... dieser Kaul aber, dieser verrückte Hund, dieses vom Saufen leere Hirn, gebt ihm wieder seinen Schlafanzug mit dem schönen Monogramm auf der Brust. LHA. Und dann auf Zimmer siebzig ... zu den lallenden Deliriumskranken, zu den nackten Oppositionellen der menschlichen Gesellschaft, zu den versoffenen warmen Brüdern. Da gehört er hin, der Vollidiot Peter Kaul, der eine Frau erschlägt, weil sie sich an ihn drängte. Soll man's für möglich halten? So etwas gibt es!

Kaul schloß die Augen und ließ sich auf den Boden gleiten. Er lehnte den Kopf zurück an die Wand und nagte mit den Zähnen seine Lippen auf. Als er den Blutgeschmack merkte, war es ihm, als durchzitterte seinen Körper das Gefühl höchster Lust. Das ist es, dachte er. Das hat mir gefehlt. Die ganze Zeit. Ich war in einem Tunnel, weiter nichts. Dunkel war's um mich und ab und zu gab es ein Licht ... Susanne ... die Kinder ... Pfarrer Merckel ... die Fahrt nach Schloß Bornfeld ... Judo-Fritze ... die neue Wohnung ... Schweiz, Locarno, Ascona, die Clinica Santa Barbara ... der fröhliche Dr. Hütli ... Nur Lichter, die aufzuckten in der Dunkelheit des Tunnels, durch den er tappte. Aber jetzt fand er sich wieder. Er trat hinaus in die Sonne, und da lag ein Mensch zwischen Kleister und Tapetenrollen, lange Beine, ein bleiches, etwas aufgedunsenes Gesicht, nicht hübsch, aber auch nicht häßlich, das Alltagsgesicht der Sinnlichkeit, blonde, gebleichte Haare, und dieser körperlich saubere, aber innerlich verfaulte Mensch mit dem Namen Lucie war tot oder starb und hatte den Tunnel weggerissen und den Trinker Peter Kaul zurückgeführt, wohin er gehörte.

Kaul rappelte sich vom Boden hoch und stieg über die liegende Gestalt hinweg, taumelte zum Ausgang und breitete die Arme aus, als er ins Freie trat.

Der Weg war nicht weit. Gleich um die Straßenecke. Ein Lebensmittelgeschäft. Selbstbedienung zu Discount-Preisen. Sonderangebot der Woche: 1 Flasche Korn nur vier Mark fünfzig. Rote Schrift auf gelbem Karton. Die Preissensation. Echter Jamaika-Rum. Elf Mark fünfundsiebzig. Vergleichen Sie … das finden Sie nirgendwo.

Peter Kaul verglich nicht. Er kaufte zwei Flaschen Rum. Er zahlte mit der Wochenrate für die Nähmaschine. Wie ein Schatz trug er die beiden Flaschen zum Neubau Kellermanns, betrat wieder das Zimmer, sah Lucie noch immer zwischen Tapeten und Kleister liegen, nur der Blutfaden aus den Nasenlöchern war geronnen und die Hautfarbe war fahlgelb geworden.

Sie ist tot, dachte Peter Kaul völlig ruhig. Das Aas ist tot. Es wird nie mehr brave Ehemänner belästigen. Aus ist es, vorbei, Puppe Lucie! Es gibt noch Männer, die um der Ehre willen töten! Haha!

Peter Kaul setzte sich auf eine Kiste, zog den Kronenkorken von der Flasche und schnupperte am Flaschenhals. Rum, dachte er. Ich habe nie in meinem Leben Rum getrunken. Aber da steht auf dem Etikett 73 Prozent. Herrgott, 73prozentiger Alkohol! Vier tiefe Schlucke, und die ganze Welt ist dir egal, du schwebst wieder auf einem rosa Wölkchen und noch vier Schlucke – tief atmen, Peter, dann Luft anhalten und runter mit dem Zeug –, und du spürst nicht einmal mehr, wenn Judo-Fritze dir die Hirnschale einhämmert.

Der erste Schluck war die Hölle. Stöhnend setzte Kaul die Flasche ab und umklammerte sie mit beiden Händen. Ich werde zerfressen, dachte er und preßte die Knie zusammen. Das ist wie Schwefelsäure. Meine Mundhöhle, meine Speiseröhre, mein Magen … sie brennen, sie rauchen, sie verdampfen, sie lösen sich auf wie ein Kupferpfennig in ungelöschtem Kalk. O Himmel, man hat auf den Flaschen die Etiketten verwechselt.

Der zweite Schluck war mäßiger. Er brannte noch, aber er schmeckte bereits. Die Zunge ist heil, dachte Kaul. Komisch, wie wichtig doch eine Zunge ist. Was man alles machen kann mit einer Zunge! Peter Kaul setzte die Flasche wieder ab. Er spürte, wie in seinem Kopf ein Riesenkreisel zu brummen begann. Das sind die Nerven, dachte Kaul. Das sind die Hirnwindungen. Sie jubeln dem zurückgekehrten Alkohol zu. Ist das eine Freude!

Und dann dachte er an Susanne. An das Abendessen, das im Wärmfach des Herdes stand und auf ihn wartete. An Petra und Heinz, die noch wach im Bett lagen, weil sie darauf warteten, daß der Vater ihnen eine Mark gab. Sonntagsgeld. Und Gundula, das arme, kraftlose, dümmliche, ewig Kind bleibende Wesen mit dem Namen Mensch. Lag jetzt in seinem Bettchen hoch oben auf dem

Hügel über dem Lago Maggiore, dessen Schönheit es nicht begriff, in dem es nie den Sonnenglast über dem Wasser sehen würde, nie die Lichterkette von Tennero bis St. Nazaro, von Minusio bis Cannero. Und Dr. Hütli sagte gerade: »Schwester Umberta, morgen fangen wir an mit leichten elektrischen Reizen ...«

Ist das eine Welt, dachte Peter Kaul weiter. Wird man geboren, um so zu leben. Susanne, Petra, Heinz, Gundula, und du, du ungeborenes, aber schon im Leib strampelndes Kindchen ... euer Papi hat eine Frau getötet! Aus Moral! Dämlich, nicht wahr? Aber sagt mir, was nicht im Leben dämlich ist!

Gegen 23 Uhr fand man Lucie Kellermann zwischen den Blümchentapeten mit dem Silberstreifeneffekt und dem mittlerweile angetrockneten Kleister. Neben ihr, auf der Erde, hockte Peter Kaul wie ein Affe, eine leere Rumflasche neben sich, und sang mit zitternder, tremolierender, aber durchaus nicht klangloser Stimme das schöne Lied vom Wasser des Rheins, das Wein sein müßte.

Judo-Fritze selbst war es, der dieses grausig-komische Bild entdeckte. Er kam nur deshalb in den Neubau, weil er in seinem Zimmer in der Landesheilanstalt vergeblich auf seine Lucie gewartet hatte, die sonst, wenn Fritze Nachtdienst hatte, für eine Stunde erschien und durch den Vollzug der ehelichen Gemeinschaft ihm den Gedanken an die lange Nachtwache verschönte. Zuerst war Judo-Fritze zu Susanne Kaul gegangen, um von Peter zu erfahren, ob es Lucie etwa wieder schlecht gehe und sie Migräne wie öfter in den letzten Wochen habe. Aber auch Peter Kaul war noch nicht zu Hause, Susanne saß unruhig in der Küche und legte eine Patience, die Kinder schliefen schon, im Radio spielte leise ein Orchester Walzermelodien von Strauß, Vater und Sohn.

»Alles, was recht ist«, hatte Fritz gesagt. »Aber überarbeiten soll sich der Peter auch nicht. Der braucht ja nicht an einem Abend die ganze Diele zu kleben! Ich nehme an, daß Lucie bei ihm ist und ihm 'ne große Kanne Kaffee gebracht hat. Gucken wir mal nach. Kommen Sie mit, Susanne?«

»Ja, Herr Kellermann. Ich bin schon ganz unruhig ... so lange blieb er sonst nie aus.«

Judo-Fritze hatte seine Station für eine Stunde der Schwester von Station I anvertraut und war mit Susanne zum Neubau gefahren.

Während Susanne aufschrie, neben ihrem Mann niederkniete und seinen pendelnden Kopf an sich zog, legte Judo-Fritze ohne sichtbare Erregung sein riesiges Ohr auf Lucies Brust und lauschte. Dann nickte er, umfing mit einem Blick noch einmal die Lage und schnaufte laut auf.

»Das bleibt unter uns, Susanne«, sagte er mit unbekannter, leiser und heiserer Stimme. »Wir bringen Peter gleich weg. Ich rufe für Lucie nur schnell den Krankenwagen. Sie lebt sogar noch!«

»Was ist denn hier los?« stammelte Susanne. Sie schüttelte den lallenden Kaul, klopfte gegen seine Wangen und zwang ihn, sie anzusehen, indem sie seinen Kopf mit beiden Händen festhielt. »Peter! Was ist denn geschehen? Was soll das alles? Was hast du mit Lucie gemacht? Warum denn? Warum denn?«

»Fragen Sie ihn nicht, Susanne.« Judo-Fritze sah wie ein stumpfsinniger Riesenaffe auf seine im Tapetenkleister liegende Frau. »Nehmen Sie ihn mit. Er soll sich ausschlafen. Ich entschuldige ihn morgen beim Elektromeister. Und wenn er wach ist, sagen Sie ihm, ich danke ihm …«

»Sie …« Susanne ließ Peters Kopf los. Entsetzen machte sie völlig tatenlos. »Was auch immer vorgefallen ist … Peter hat es nicht mit Willen getan …«

Lucie Kellermann überlebte die Nacht in der neurochirurgischen Klinik. Man hatte sofort den Schädel geöffnet und einen Bluterguß entfernt, der wichtige Hirnfunktionen abzudrücken drohte. Judo-Fritze erzählte den Ärzten bei der Einlieferung etwas von einem Unglücksfall. »Auf dem Kleister ist sie ausgerutscht!« sagte er. »Und mit der Birne auf 'ne Kante geschlagen. Dusselig, aber wahr.« Und die Ärzte lächelten, versicherten, daß man alles tun werde und waren sich hinterher einig, daß alles, was aus der Klapsmühle kam, nicht ganz klar im Kopf war. Vom Chef angefangen bis zum letzten Pfleger. So was färbt ab, hieß es.

Aber Lucie Kellermann wurde gerettet. Als Andenken an Peter Kaul behielt sie eine aufgemeißelte Hirnschale.

Am nächsten Morgen stand Judo-Fritze an Kauls Bett und starrte mißmutig in das bleiche, unrasierte, zuckende, würgende Gesicht des noch halb Betrunkenen.

»Erschlag mich doch, du Feigling!« schrie Peter Kaul. »Warum stehst du herum wie ein kastrierter Elefant? Schlag zu. Heb die Faust und 'rauf auf den Kopf. Er zerspringt wie Glas, ich verspreche es dir … du hast keine Mühe, er zerspringt. Und ich bin still, ganz still … Nun schlag doch schon zu, du Gorilla!«

Judo-Fritze schob die dicke Unterlippe vor.

»Du hättest die Pulle weglassen sollen, Junge«, sagte er dumpf. »Das war das einzig Falsche an der ganzen Sache. Warum denn saufen, Peter? Ist das denn immer der letzte Ausweg? Was haste denn bei den Anonymen Alkoholikern gelernt? Darüber sprechen, mit sich, mit andern, ist wichtiger als sich zu betäuben. Und was tust du? Du säufst. Du Rindvieh!«

»Ich habe Lucie –«

Judo-Fritze hob die Riesenhand und wischte die Worte von Kauls Lippen. »Erzähl mir nichts, Junge.« Sein Kopf sank herab. »Ich habe sie geliebt, und ich liebe sie noch immer. Ich komme nicht von ihr los. Sie ist ein Aas … immer und überall ein Aas, aber vor allem nachts, im Bett. Da ist sie ein Luder … aber ich brauche diese Frau. Sie war die einzige, die mich ertragen konnte.« Er setzte sich auf die Bettkante und weinte plötzlich.

Peter Kaul hielt den Atem an und schloß die Augen.

Das ist nicht möglich, dachte er. Ich bin nicht mehr auf dieser Welt. Ich bin in einem Zauberland, wo selbst die Träume unwahr und phantastisch sind.

Er weint …

Können Felsen weinen? Kann ein Monstrum schluchzen?

Er preßte die Hände gegen die Ohren, um es nicht zu hören. Fritz Kellermann weint! Die Welt ist wahrlich noch voller Wunder und Unbegreiflichkeiten.

In einem bisher leerstehenden Kellergewölbe von Schloß Bornfeld, einem Kreuzgewölbe mit dicken Säulen und mächtigen Dekkenbögen, kleinen Fenstern und meterbreiten Mauern und behaftet mit dem Modergeruch der Jahrhunderte richtete Diakon Weigel mit Hilfe Brigitte Lingens und Oberarzt Dr. Krügers so etwas wie eine Anatomie ein.

Ein Tisch mit dicker Marmorplatte und Blutauffangrinne wurde ausgeladen, was Prof. Heitzner zum Anlaß nahm, einen Vortrag über die Menschenopfer der Azteken auf der Tempelpyramide von Tenochtitlan zu halten. Dann folgten weiß emaillierte Instrumentenschränke und eine Reihe von Käfigen, teils mit Drahtgittern, teils aber auch mit festen Eisengittern.

Dr. Lingen bemerkte das alles nicht. Er lag im Bett und hatte darum gebeten, ihn unter Narkose zu halten. Diakon Weigel hatte diesem Wunsch entsprochen. Die Krise war wieder akut geworden. Die Rettung des Heidebauern Jons Briddeck sollte nicht zum erneuten Zusammenbruch Dr. Lingens führen. Der Weg dazu war durch das eine Glas Alkohol wieder aufgerissen worden, die mühsam aufgebauten Mauern aus Selbsterkenntnis und eigener Kraftentfaltung lagen zerstört darnieder, der »Heilfaktor Oberon« stand wieder im Stall und kaute Hafer und Rüben. Dr. Lingen aber hatte nach der Operation, als ein Krankenwagen den Bauern in die Stadt fuhr, sich noch drei Gläser eingegossen und getrunken. Niemand, weder Diakon Weigel noch Brigitte, wagte es, ihn daran zu hindern. Sie sahen, daß er es brauchte. Sie beobachteten zwischen Hilflosigkeit und Erschütterung, wie die Müdigkeit nach der Operation aus Lingens Körper gespült wurde und er mit glänzenden Augen, ohne die geringste Erschöpfungserscheinung, zurück nach Schloß Bornfeld fuhr und dort die »Siegesfeier« überstand. Er plauderte, er verströmte Charme und Witz, er faszinierte und riß mit. Er war wieder der große Dr. Lingen. Nur in seinen weiten, starren Pupillen erkannte man seine tragische Besessenheit.

Am nächsten Morgen, an der Seite Brigittes liegend, folgte der Zusammenbruch. Zwangsläufig und erwartet. Er bettelte um ein neues Glas, er erbrach sich, als man es ihm verweigerte, er krümmte sich in Magenkrämpfen und wimmerte wie ein Verurteilter um sein Leben. Erst gegen Mittag beruhigte er sich, lag in Schweiß gebadet auf dem Bett und sagte tonlos:

»Gitte … wenn du mich liebst … wenn du mich wirklich liebst … besorge zehn Amphiolen Morphin … injizieren will ich sie mir selbst, wenn du es nicht kannst …« Er drehte den Kopf zur Wand und würgte wieder. »Ich will nicht mehr! Ich will einfach nicht mehr! Ich darf nicht weiterleben. Ich bin eine Gefahr für euch alle!«

So ging es vier Tage lang. Vier Tage, in denen Brigitte kaum von seinem Bett wich. Meist lag sie neben ihm, und das Gefühl, nicht allein zu sein, einen Menschen um sich zu haben, wirkte auf ihn ungemein beruhigend. Wie damals bei der »Gräfin« Jutta genoß er die Gegenwart eines Körpers, der ganz ihm gehörte, aber es war wie das Trinken eines Verdurstenden, der nach wenigen Schlucken umsinkt und den plötzlichen Überfluß an Wasser nicht verträgt.

In diesen vier Tagen wurde das Kellergewölbe eingerichtet. Landgerichtsdirektor von Hammerfels beschwerte sich bei Diakon Weigel, nachdem er den Keller besichtigt hatte.

»Alles sieht sehr nach Vivisektionen aus!« rief er empört. »Ich mache darauf aufmerksam, daß ich Experimente an lebenden Wesen verurteile und mich nicht scheuen werde, gegen Doktor

Lingen und Sie, ja auch gegen Sie, Herr Diakon, Anzeige wegen Tierquälerei zu erstatten! Es ist unerhört, daß die so wohltuende Ruhe von Bornfeld durch die Schmerzensschreie unschuldiger Tiere zerstört werden soll. Ich protestiere!«

Anschließend sammelte er Unterschriften; beim Morgenkaffee ging er von Tisch zu Tisch und legte seine Denkschrift vor. Nur vier Patienten unterschrieben. Die anderen wichen aus. Abwarten, sagten sie. Trotz Stall- und Gartenarbeit ist es im Grund stinklangweilig auf Bornfeld. Dieser Dr. Lingen bringt eine neue Note in das alte Gebälk. Das Leben wird wieder interessant und bunt. Resigniert steckte Dr. von Hammerfels seine Petition ein. Für ihn war das alles symptomatisch: Es gab keine geistige Einheit mehr! Der Mensch verflachte.

Am fünften Tage hatte Dr. Lingen die Krise überwunden. Er erhob sich aus dem Bett, er zog sich an, rasierte sich sauber, suchte einen bunten Schlips aus und pfiff, während er den Windsorknoten schlang.

Seit zwei Tagen war draußen der Schnee geschmolzen. Das weite Heideland sah wie überflutet aus, die Felder waren Sümpfe, die Birkengruppen und Wacholderbüsche schwammen wie Inseln in der Nässe. Der Gutsverwalter hatte gerade »Oberon« auf den Hof geführt und ging mit ihm im Kreis herum. Er hatte ihn an der Trense gepackt und redete beruhigend auf das nervös tänzelnde Tier ein.

»Was wäre ich ohne dich, Gitte?« sagte Dr. Lingen leise. Er drehte sich um und sah seine Frau an. Sie lag noch im Bett. »Woher nimmst du eigentlich die Kraft, mit mir zu leben?«

»Ich liebe dich«, sagte sie ruhig. »Das ist alles.«

»Und wenn ich dir sage, warum ich damals weggelaufen bin?«

»Ich weiß es.«

»Du hast nie darüber gesprochen.«

»Wozu? Es ist doch vorbei, Konrad. Man sollte sich nur an schöne Stunden erinnern. Und davon gibt es genug zwischen uns. Das Dunkle in der Vergangenheit ... warum es immer wieder heraufbeschwören? Jeden Tag scheint die Sonne von neuem, und wir freuen uns daran.«

»Du bist eine kluge Frau.« Dr. Lingen lächelte schwach. »Verzeih ... aber ich habe es noch nie bemerkt.« Er wandte sich wieder um, sah über das tropfnasse Land und den mit den Hufen klappernden »Oberon«. »Als ich Karin von Putthausen zum erstenmal sah ...«

»Sie ist tot!« Brigitte richtete sich auf. »Sie starb wie eine vergiftete Katze, irgendwo in einer Ecke. Und so wurde sie auch begraben. Ihr Vater fuhr am selben Tag zur Jagd, als sei nichts geschehen. Nicht einmal einen Trauerflor trug er am grünen Rock, nicht ein schwarzes Bändchen im Knopfloch. Um einen Bastard trauerte man mehr als um dieses arme Mädchen.«

»Sie war unheilbar …« sagte Dr. Lingen leise.

»Aber du bist heilbar, Konrad. Du bist schon geheilt …«

»Ich danke dir, Gitte.« Er trat zu ihr ans Bett, beugte sich hinab und küßte ihre Stirn. »Laß uns Deutschland verlassen«, sagte er plötzlich. »Wir können überall leben.«

»Warum willst du dich verkriechen, Konrad?« Brigitte warf die Bettdecke von sich und stand auf. »Deine Klinik wartet auf dich.«

»Meine Klinik!« Es klang bitter, wie ein blechernes Echo. Er hob die Hände und hielt sie gegen das einfallende Licht. »Mit diesen Fingern wird eine Klinik zum Schlachthaus!«

An diesen letzten Satz mußte Dr. Lingen denken, als er eine Stunde später in dem frisch gekalkten Kellergewölbe stand und auf den Seziertisch starrte, auf die Marmorplatte, auf die Instrumentenschränke, auf die Sterilisatoren, auf die noch leeren Käfige im Nebenkeller, auf die große Kühltruhe, auf die Wannen mit Formalinlösung.

»Was soll das, Herr Diakon?« fragte er wie abweisend.

Diakon Weigel machte eine alles umfassende Handbewegung.

»Es soll Ihr Reich werden, Doktor Lingen.«

»Wozu?«

»Muß ich Ihnen das sagen? Sie sollen üben.«

»Ich soll Körper zerschnippeln? Wie andere oben in der Halle Mensch-ärgere-dich-nicht spielen, soll es meine Freizeitbeschäftigung werden, einen Meerschweinchenbauch aufzuschneiden …«

»Sie sollen so lange üben, bis Ihr Fingerspitzengefühl wiederkommt.«

Dr. Lingen lächelte mokant. »Lieber Diakon, ich bin Neurochirurg. Ich weiß, was in meinem Kopf los ist. Eine Kuh hat eine breite Stirn, aber sie wird trotzdem nie jonglieren lernen.«

»Haben Sie denn schon einmal intensiv geübt?«

»Nein! Wozu? Ich hatte mein Gläschen … und dann ging es wie bei einer Lochkartenmaschine. Oben hinein, ein Rütteln in der Mechanik, und alles verlief programmgemäß.«

Diakon Weigel klopfte gegen die Marmorplatte des Seziertisches. »Ihre Impulse werden in Zukunft wieder ohne Ihre Gläschen kommen. Es mag dumm klingen wie in einem Groschenroman: Aber Sie haben ›Oberon‹ bezwungen ... nun bezwingen Sie sich selbst ...!«

Dr. Lingen schwieg. Er ging zu den Instrumentenschränken, nahm eine Knochenschere heraus, einen scharfen Löffel, das Amputationsmesser, eine Cooperschere, eine Kocherklemme, die Rippenschere, die Krallenzange, den Collinschen Bauchdeckenhalter. Säuberlich nebeneinander legte er alles auf ein steriles Tuch, trat dann einen Schritt zurück und verschränkte die Arme vor der Brust.

»Es sieht geheimnisvoll und genial aus, nicht wahr, Diakon? Blitzende, verchromte Instrumente. Ein Lyriker würde sagen: In ihnen liegt der himmlische Glanz geretteten Lebens. Der Laie schaudert bei diesem Anblick wie früher der Delinquent vor den Spanischen Stiefeln der Folterkammer. Bitte, Diakon – unterlassen Sie es, jetzt zu singen: Fanget an!«

Dr. Lingen wandte sich ab. »Ich habe eben die Kornzange berührt. Nicht einmal die grobe Querriffelung an ihrer Greiffläche habe ich ertastet. Ich bin eine chirurgische Null!«

»Heute noch! In drei oder vier oder sechs Wochen nicht mehr.« Diakon Weigel umfaßte wieder mit einer weiten Handbewegung den Kellerraum. »Üben Sie!«

»Sie könnten auch sagen: Morden Sie!«

»Sie werden keine lebenden Objekte bekommen. Noch nicht!«

»Gut denn!« Dr. Lingen lachte bitter. »Dann legen Sie mir eine tote Ratte auf den Tisch. Ich werde sie enthaupten!«

»Nebenan im Tierkeller liegt ein Hund. Er wurde gestern überfahren.« Diakon Weigel wandte sich ab und ging zur Tür. Bevor er sie öffnete, wandte er sich noch einmal um. Dr. Lingen lehnte unbeweglich an der Marmorplatte des Seziertisches. »Ich möchte gerne wissen, woran das arme Tier gestorben ist. Es wurde nicht im landläufigen Sinn ›überfahren‹, sondern lief gegen das Auto, wurde weggeschleudert und blieb tot liegen. Gibt es bei Hunden auch so etwas wie einen Schocktod? Es wäre interessant, das einmal zu untersuchen ...«

Ohne eine Antwort abzuwarten, verließ Diakon Weigel das Kellergewölbe. Dr. Lingen sah auf die zuschlagende Tür und legte die flache Hand über die ausgebreiteten Instrumente. Plötzlich schloß er die Augen und begann, die blinkenden Metallteile abzutasten.

Was ist das? fragte er sich. Ist es die Kocherklemme oder die Kornzange? Ist es die Cooperschere oder die Rippenschere? Welches von allen Instrumenten ist die Krallenzange?

Er tastete und ließ die Finger über die Instrumente gleiten. Immer und immer wieder. Dann faßte er zu.

»Cooperschere!« sagte er laut.

Es war eine Halstedtsche Moskitoklemme.

»Noch einmal!« sagte Dr. Lingen. Seine Stimme wurde von dem Kreuzgewölbe zurückgeworfen wie dumpfe Schreie. »Rom entstand auch nicht an einem Tag!«

Augen zu. Getastet. Glattes Metall. Kalt, feindlich.

»Harte Magenklemme!« sagte Dr. Lingen.

Augen auf. Irrtum. Es war die Appendixquetsche.

Beim neunten Versuch riet er richtig. Er entdeckte unter seinen Fingern den Bauchdeckenhaken. Glücklich, wie ein beschenktes Kind, hielt er ihn hoch gegen das Licht. »Ich könnte dich küssen.« Seine Stimme zitterte dabei. »Auch wenn ich dich nur geraten habe …«

Eine halbe Stunde darauf lag der tote Hund, ein schwarz-weißer Terrier, auf der Marmorplatte. Mit zusammengepreßten Lippen eröffnete Lingen die Bauch- und Brusthöhle des Tieres. Die groben Schnitte gelangen ihm noch … als er in die Tiefe kam, rutschte er öfter aus, zerschnitt Arterien, verletzte wichtige Nerven und Sehnenstränge und dachte immer wieder dabei: Wenn er noch lebte, jetzt wäre er tot! Gestorben unter dem Messer! Ich zerteile ihn mit der gleichen mörderischen Kunst wie früher Jack the Ripper seine Opfer im Dirnenviertel von Whitechapel.

Brigitte Lingen traf den Diakon Weigel im großen Jagdsaal. Er schichtete mit Prof. Heitzner Kaminholz auf.

»Haben Sie meinen Mann gesehen?« fragte sie unruhig. »Ich suche ihn seit einer halben Stunde. Auch im Stall ist er nicht – und dahin wollte er, wie er mir sagte.«

»Wir dürfen ihn jetzt nicht stören.« Diakon Weigel nahm Brigitte am Arm und führte sie zur Seite. »Er stellt gerade die Todesursache bei einem kleinen, schwarz-weißen Terrier fest.«

»O Gott! Wenn ihm das gelingt …« stammelte Brigitte.

Diakon Weigel nickte mehrmals. »Es wird gelingen. Sein Ehrgeiz ist ungeheuerlich.«

»Der Tod trat ein durch eine Quetschung des Cerebellums. Der Hund hat also einen Schlag gegen den Kopf bekommen, der eine sofortige Lähmung der quergestreiften Muskulatur zur

Folge hatte. Der Tod wurde beschleunigt durch eine Hirnblutung.« Dr. Lingen setzte sich erschöpft Diakon Weigel und Brigitte gegenüber, die im Wintergarten des Schlosses auf ihn gewartet hatten. »Kann ich jetzt eine Tasse Kaffee haben?«

»Aber selbstverständlich, Doktor.« Weigel sprang auf. »Ich bestelle sie sofort.«

»Stark, Diakon! Mokka orientalisch.«

»Der Löffel wird drin stehen ...«

Weigel verließ den Wintergarten. Dr. Lingen wartete ab, bis er außer Hörweite war, und beugte sich dann vor.

»Ich habe den Hund nicht obduziert, Gitte«, sagte er tiefatmend. »Ich habe ihn zerfetzt!«

»In einigen Wochen wirst du wieder Nerven herauspräparieren, glaub es mir.« Sie nahm seinen Kopf zwischen ihre Hände und küßte ihn auf die müden Augen. »Wie war es denn?«

»Schrecklich, Gitte. Ich habe den Ductus choledochus nicht gesehen und durchgeschnitten. Ich habe ihn einfach nicht gefühlt.«

»In drei Wochen kannst du ihn mit geschlossenen Augen finden.«

»Woher nehmt ihr nur alle den Mut, auf das Unmögliche zu warten?« fragte er leise.

»Weil wir dich alle lieben, Konrad.« Sie streichelte über seine schwarzen Haare. »Sagt man nicht, daß das Berge versetzt?«

»Ich bin aber ein Gebirge, Gitte.«

Diakon Weigel kam mit dem Kaffee zurück. Er dampfte und war schwarz wie ein Kohlenaufguß.

In den folgenden Tagen sprach es sich herum, daß Schloß Bornfeld Großabnehmer für tote Tiere geworden war. Die Bauern schüttelten die derben, wettergegerbten Köpfe. Im einzigen Wirtshaus an der Kreuzung der Provinzstraße und der Heidechaussee, in der Kate »Bienenkrug«, saß man abends zusammen, rauchte Pfeife oder priemte, trank seinen Klaren und aß den Schinken, schwarz geräuchert und mit Wacholderbeerenrauch gewürzt, in kleinen Würfeln, aufs Messer gespießt, wie es seit Hunderten von Jahren üblich war, und unterhielt sich darüber, daß der Herr Diakon hatte verbreiten lassen: Alle toten Tiere können zum Schloß gebracht werden. Von der Katze bis zum Kalb, vom Ferkel bis zum Schaf. Und für jedes Stück gibt's noch zehn Mark extra.

Die Bauern, die schon ein Stück Kadaver abgeliefert hatten, wußten zu berichten, daß der Diakon und ein Gast des Schlosses eigenhändig das tote Tier in den Keller schleppten. Zuletzt eine an Rotlauf krepierte Sau. Auf die Frage, was nun mit dem Tier geschehe, hatte der Gast geantwortet: »Daraus machen wir eine ganz besondere Seife! Vor allem Ihr Rotlaufschwein – das wird eine rot-weiß gesprenkelte Seife!«

Beleidigt zog der Bauer ab. Und die zehn Mark versoff er im »Bienenkrug«. Mit Faustschlägen und Flüchen. Der Teufel hole die aufgeblasenen Städter!

Das änderte sich auch nicht, als der Tierarzt einen Besuch auf Schloß Bornfeld machte und durchblicken ließ, daß das Kreisveterinäramt von den merkwürdigen Kadaveraufkäufen gehört habe und in Kürze nachsehen wolle, was hier los sei. Wegen Seuchenverhinderung. Diakon Weigel führte darauf den Tierarzt in den Keller und nahm ihm vor der Tür das Ehrenwort ab, zu schweigen.

Leise öffnete er die Tür und ließ den Tierarzt einen Blick in das Gewölbe werfen.

An einem Seziertisch sah er einen Mann stehen, in Gummischürze, OP-Kittel, mit Leinenkappe und Mundschutz. Er trennte gerade einige Muskelstränge aus einem Kalbsbein und präparierte die Sehnen frei. Weigel schloß schnell wieder die Tür, als der Tierarzt einen Laut der höchsten Verblüffung von sich gab.

»Üben Sie hier Gruselstücke à la Poe ein, Herr Diakon?« stotterte der Tierarzt und tappte die Treppe hinauf in die frische Luft. »Wer war denn das?«

»Das war Doktor Konrad Lingen. Dozent und internationaler Neurochirurg. Er übt. Er übt, die primitivsten Schnitte auszuführen ohne Alkoholbeeinflussung.« Weigel nickte dem noch immer sprachlosen Tierarzt zu. »Es ist eine Therapie. Arbeitstherapie. Sie können uns also ruhig weiter und mit gutem Gewissen die toten Tiere überlassen ...«

»Ich werde das dem Kreistierarzt melden müssen, Diakon.«

»Tun Sie es. Und sagen Sie noch, daß wir die Körperteile nach der Sektion in Gruben vergraben, nachdem wir sie mit Chlorkalk abgedeckt haben. Es geht alles hygienisch und nach dem Gesetz vor sich.«

Die Bauern rund um Schloß Bornfeld sprachen weiter über die Tieraufkäufe, denn auch der Tierarzt sagte ihnen nicht, was man im Keller des Schlosses mit den toten Säuen und Hunden machte. Nach vier Wochen hatte es sich so eingebürgert, daß die Bauern auf dem Weg in die Stadt am Schloß vorbeifuhren und die Kadaver ablieferten. Pro Stück zehn Mark. Davon konnte man sich Tabak kaufen, oder eine neue Mütze, einen Schal, vier Paar Sokken, einen neuen Spaten, einen Schleifstein, einen Reservekanister für den Traktor, zwei Thermosflaschen.

In der fünften Woche blühten die Forsythien und Narzissen, dufteten die Hyazinthen und öffneten sich die Tulpenkelche ... und Dr. Lingen brachte in einer flachen Schale aus Glas einen haarfeinen Strang in das Zimmer von Diakon Weigel.

»Nanu«, sagte Weigel, »wo haben Sie denn diesen Zwirnsfaden gefunden?«

»Das ist ein Hirnnerv, Diakon«, sagte Dr. Lingen mit mühsam fester Stimme. »Von einem Hund. Im menschlichen Kopf wäre er gleichzusetzen mit dem Nervus glossopharyngicus. Er geht durch die vordere Abteilung des Foramen jugulare.« Dr. Lingen atmete schwer und setzte die Glasschale wie ein wertvolles Geschenk auf den Schreibtisch Weigels. »Ich habe ihn eben freipräpariert. Mit diesen Fingern, Diakon ...« Er hob die Hände und spreizte sie. »Ich habe ihn ertastet ... ich habe ihn mit meinen Fingerspitzen gefühlt ...«

Diakon Weigel schwieg. Ergriffenheit bemächtigte sich seiner. Er brauchte lange Zeit, um die Festigkeit seiner Stimme wiederzugewinnen.

»Ab morgen versuchen wir es am lebenden Objekt«, sagte er leise und drückte Dr. Lingen beide Hände. »Wie fühlen Sie sich, Doktor?«

»Wie ein Bergsteiger, der auf dem Gipfel steht, über den Wolken, und plötzlich entdeckt, daß er schwindlig ist ...«

»Aber er fällt nicht wieder den Berg hinab!«

»Nein!« Dr. Lingen schüttelte langsam den Kopf. »Er hat nur Angst, wieder hinunterzusteigen ...«

Niemand erfuhr die Zusammenhänge zwischen Lucie Kellermanns Unfall und Peter Kauls erneutem Zusammenbruch. Judo-Fritze erfand eine »hundsgemeine Grippe«, die Kaul ans Bett fesselte, entschuldigte ihn beim Betriebsleiter in der Anstaltsverwaltung und erzählte auch Prof. Brosius nach der Morgenvisite davon.

Brosius war guter Laune. Er hatte erfahren, daß Dr. Lingen seine Klinik an seinen ehemaligen Oberarzt Dr. Krüger verpachten wollte und sich zurückziehen würde. Krüger war ein unbeschriebenes Blatt, hatte keinerlei Beziehungen zu hohen Beamten, gehörte keiner Verbindung an, schien mehr ein Einzelgänger zu sein und zu wenig klug, einzusehen, daß dies ein grober Fehler war bei einem Arzt mit einer Privatklinik, wo es nur auf Empfehlungen und die nötigen Freundschaften ankam. Vor allem würde die Besetzungsliste der amtlich bestellten Gutachter neu aufgestellt werden, nachdem Dr. Lingen ausgetreten war. Man hatte durchblicken lassen, daß Prof. Brosius diesmal nicht wieder brüskiert werden würde.

»Es ist ja schön, Fritze«, sagte Brosius deshalb jovial, »daß Ihre Frau nach dem dummen Unfall gerettet wurde. Immerhin können Sie jetzt sagen, daß Sie ein gefallenes Mädchen haben!« Er lachte selbst laut über diesen uralten Witz, während Judo-Fritze nur schwach grinste. »Wie geht es Kaul?«

»Grippe, Herr Professor.«

»Soll 'n Wickel machen, Fritze. Bei uns würde ich sagen: ein steifer Grog und dann ins Bett! Aber bloß nicht bei Kaul, Fritze! Sie wissen, geheilte Trinker fallen um wie Jungfrauen im Maiwind, wenn sie auch nur am Alkohol nippen.«

Petra und Heinz ahnten nichts von der im letzten Augenblick abgefangenen Katastrophe, die zum endgültigen Schicksal der Familie Kaul geworden wäre. Sie sahen ihren Papi im Bett, apathisch und stumm an die Decke starrend und glaubten an die schwere Grippe. Sie kannten es von sich ... die Glieder taten weh, man hatte einen heißen Kopf, und alles ärgerte einen, ja, man war sich selbst lästig.

Im Haus Kaul spielte sich das gleiche ab wie auf Schloß Bornfeld: Nicht eine Stunde lang ließ Susanne ihren Mann allein und ohne Aufsicht. Sie verlegte alle Arbeit ins Schlafzimmer, schälte dort Kartoffeln, putzte das Gemüse, stopfte und nähte und bügelte die Wäsche. Peter Kaul war das alles gleichgültig. Er sah immer noch, wie Lucie strauchelte, mit dem Tapetentisch umfiel, in den Kleister und die Tapetenbahnen rollte und dann liegenblieb wie eine umgefallene Puppe. Und das Blut rann ihr aus der Nase.

Die Flasche Rum, die er ganz ausgetrunken hatte, war der letzte Riegel gewesen, den er zwischen sich und den Alkohol geschoben hatte. Das sah er ein, und er war froh darum. Die beiden Tage nach der neuen Trunkenheit waren die Hölle gewesen. »Ich kotze mir die Leber, die Lunge und die Galle aus!« hatte er gestöhnt, als nichts mehr aus dem Magen herauskam als gelber Schleim und faulige Luft. »O Susanne ... es ist furchtbar ... furchtbar ...«

Judo-Fritze half ihm mit Medikamenten aus der Anstaltsapotheke, mit Magenberuhigungsmitteln, mit Opiaten. Sie warfen Peter Kaul völlig um und zwangen ihn, im Bett zu liegen.

An einem dieser Tage kam Pfarrer Merckel zu Besuch.

»Ich habe eine Karte aus der Clinica Santa Barbara!« sagte er und schwenkte einen Buntdruck von Ascona. »Dr. Hütli hat sie geschrieben. Sie erinnern sich ... der lustige Doktor.«

»Ja«, antwortete Kaul schwach. »Ja. Ja.«

Merckel setzte sich. Seine Bärengestalt war geblieben, sie sah aus, als sprenge sie Rock, Hose und römischen Kragen. Auch seine Stimme war tief und orgeldröhnend wie immer. Nur das Gesicht war klein geworden, auffallend schmal und faltig, wie das Gesicht eines runzligen Äffchens, gelblich die Haut, von innerer Starrheit wie Leder.

»Er schreibt«, sagte Pfarrer Merckel, »daß Gundula zum Liebling der Station geworden ist. Man hat sie einer Spezialbehandlung unterzogen, und – nun nehmen Sie Haltung an, Kaul, vor der Wissenschaft! – Gundula kann jetzt schon für einige Minuten frei stehen! Sie hat gelernt, wozu ihre Beine da sind.«

»Das ist schön«, sagte Kaul gleichgültig. »Nur immer weiter so. In zehn Jahren läuft sie Jugendrekord über hundert Meter!«

Pfarrer Merckel stand auf und ging hinaus. »Was hat er?« fragte er im Flur Susanne, und als sie statt einer Antwort sich abwandte und weinte, fragte Pfarrer Merckel: »Hat er wieder gesoffen? Ehrlich, Susanne! Belügen Sie Ihren alten Pfarrer nicht!«

In knappen Worten erzählte sie von Lucie Kellermann. Pfarrer Merckel hörte ohne Unterbrechung zu.

»Es sollte die letzte Versuchung sein«, sagte er dann und streichelte Susanne über das blonde, gewellte Haar. »Unsere Prüfungen auf Erden sind hart. Ich glaube – ich habe es so im Gefühl –, daß Ihr Mann nie mehr trinken wird.«

»Wenn Worte Wahrheit werden, Herr Pfarrer ...«

»Bei Peter Kaul werden sie es ... bei anderen ist es zu spät dazu.« Pfarrer Merckel hob die Nase und schnupperte. »Sie bakken?«

»Ja. Eine Torte. Schwarzwälder Kirsch. Petra hat morgen Geburtstag.«

»In Schwarzwälder Kirsch gehört ein Schuß Kirschwasser«, sagte Pfarrer Merckel fast fröhlich.

»Ja. Ich habe eine kleine Flasche hier. Peter weiß nichts davon ... und wenn der Kuchen gebacken ist, geht der Alkohol in der Sahne unter. Und außerdem mag Peter keine Sahnetorte. Er ißt doch nichts davon.«

Pfarrer Merckel nickte. »Ein weiser Entschluß.« Mit drei langen Schritten war er an der Küchentür, stieß sie auf und sah auf dem Küchentisch die kleine Flasche Kirsch stehen. Seine trüb gewordenen Augen leuchteten auf. »Geben Sie mir ein Gläschen Kirsch, meine Tochter?« fragte er würdevoll.

»Aber ja, Herr Pfarrer. Ein kleines oder ein großes?«

»Ein großes, meine Tochter! Sehe ich aus wie ein Fingerhutschlecker?«

Susanne goß ihm ein kleines Wasserglas halb voll, was Merckel ungern sah, denn ein volles Glas wäre ihm lieber gewesen. Dann gab sie es ihm, und der Pfarrer von St. Christophorus setzte es an die dicken Lippen, öffnete den Mund und kippte den scharfen Brand hinein. Er setzte das Glas ab, holte einen Küchenstuhl heran, wuchtete sich darauf, faltete die Hände über dem Bauch, las liebevoll das Etikett auf der Flasche und war versucht zu sagen: »Noch eines, meine Tochter. Ein Einbeiner wäre ein biologisches Wunder.«

Aber er kam nicht dazu.

Von der Unterbauchgegend her durchzuckte ihn ein wahnsinniger, stechender Schmerz. Die gefalteten Hände glitten nach unten, drückten auf die Leber, ein röhrendes Stöhnen entwich seinem Mund ... er sah Susanne an mit den bettelnden Augen eines Mopses, senkte darauf den Kopf und fiel mit der Stirn auf den Küchentisch. »O Jesus!« sagte er merkwürdig deutlich. »Wenn es sein muß ... ich wehre mich nicht mehr ...«

Dann seufzte er – es klang wie ein absterbender Blasebalg –, die Hände fielen an den Seiten herab, und er wurde besinnungslos.

15

Peter Kaul lag so, wie ihn Pfarrer Merckel verlassen hatte, auf dem Rücken im Bett und sah an die Zimmerdecke. Er dachte an Gundula. Er dachte an so vieles, was in der letzten Zeit geschehen war. Zum Beispiel an Dr. Lingen, den er durch schöne Reden aufrichten wollte und der sich dagegen wehrte, durch Moral geheilt zu werden. An die Männer auf Zimmer siebzig der Station von Judo-Fritze in der LHA. Aus Protest saßen sie nackt am Tisch.

Peter Kaul wälzte sich auf die Seite und sah auf die Tür, die hinaus zum Flur führte. Dumpf hörte er die Stimme Pfarrer Merckels und die Antwort Susannes. Dann war es plötzlich still, er hörte einen Aufschrei und schob die Beine aus dem Bett auf den Fußboden. Gerade als er aufstehen wollte, wurde die Tür aufgerissen und Susanne lehnte mit weiten, erschreckten Augen im Rahmen.

»Der Herr Pfarrer ...« keuchte sie. »Peter ... er liegt in der Küche ... Er ... er sagt nichts mehr ...«

Es war nicht schwer, zu erkennen, was geschehen war. Kaul beugte sich über Merckel, roch das Kirschwasser, sah die Flasche auf dem Tisch stehen und starrte seine Frau an. Susanne hob wie flehend die Hände.

»Nur für den Kuchen, Peter ... ein kleiner Schuß in den Kirschensud ... und du ißt ja doch keinen Kuchen, Peter ...«

Kaul nahm die Flasche, ging zum Fenster und warf sie aus der Wohnung. Er sah ihr nach, wie sie fiel ... sie fiel kerzengerade hinunter, in strammer Haltung gewissermaßen, und unten auf dem Hof zerschellte sie, und das Kirschwasser bespritzte zwei abgestellte Mülleimer.

Dann lief Kaul eine Treppe höher zu Louis Babbetz. Er hatte das einzige Telefon im Haus. Er war Transportunternehmer. Mit einem Kleinlieferwagen zuckelte er durch die Stadt und fuhr alles, was gefahren werden wollte. Von einer Ladung Schweine bis zum Ausflug des Kegelklubs »Runde Klötze« am Himmelfahrtstag, den man allgemein nur noch Vatertag nannte und der ein Freifahrtschein fürs Saufen war. Babbetz' Slogan war bekannt: »Fährste mir, fährste ihr – Babbetz haste stets bei dir!« Es war klar, daß ein solches Unternehmen ein Telefon haben mußte.

Zehn Minuten später hielt der Krankenwagen vor dem Haus. Die Nachbarn bezogen Posten an den Fenstern, die Geschäfte leerten sich, am Rinnstein stand ein Spalier von Frauen mit Einkaufstaschen. Nun war es also wieder soweit! Peter Kaul kam wieder weg! Was man geflüstert hatte, konnte man jetzt laut sagen: Wer einmal 'n Säufer ist, der bleibt auch einer! Die arme Frau Kaul. Und nun kommt das vierte Kind! Frau Meyer, sind Sie nicht auch der Ansicht: Solche Männer sollte man ... na, Sie wissen ja. Wenn das vierte nun auch wieder blöd wird? Und mit 'n Krankenwagen holen sie den jetzt? Muß ja ganz schön geladen haben! So was säuft sich um Verstand und Gesundheit!

Die Bahre wurde ins Haus getragen. Sogar ein Arzt war dabei, was sonst nicht üblich ist bei einem Krankenwagen. Ein Wispern und Flüstern, vom Rinnstein bis hinter die Theke des Lebensmittelladens.

Ah! Die arme Frau Kaul. Da ist sie! Sieht ganz gefaßt aus. Na, man gewöhnt sich an alles. Nach dem Krieg haben wir sechsmal in der Woche Kohlrüben gegessen. Ging auch! Alles nur Gewohnheitssache.

Da kommt die Bahre! Die Sanitäter schleppen ganz schön. Und der Arzt geht nebenher und hat ein ganz ernstes Gesicht.

Lotte, der ist hinüber, der Kaul! Der himmelt ab! Und wie stur die Susanne neben der Wagentür steht und zusieht, wie ihr Mann hineingeschoben wird. Keine Träne! Keine Regung! Die ist ausgebrannt, völlig fertig, die kann nicht mehr weinen. So ein Lump, dieser Kaul! Aber nun geht er ab, das Saufloch. Man sieht's ja von weitem. Der Arzt weiß es schon! Man sollte mal den Pfarrer fragen, ob der Kaul in den Himmel kommt. Wäre ja interessant zu wissen, wen man da oben alles wiedertrifft.

Ach ja! So geht ein Mensch dahin ...

Als Peter Kaul aus der Haustür trat, lag eisiges, entsetztes Schweigen auf den Gesichtern der Umstehenden. Er sah sich um. Die Mienen an den Bordsteinen und an den Fenstern waren feindlich. Sie schrien nach Mord. Du bist es also nicht? brüllten ihn stumm die Augen an. Du liegst nicht auf der Bahre als vollgesoffener Schlauch? Wer ist es dann? Ein Saufkumpan?

Kaul stieg vorn zu den Fahrern in den Wagen, der Arzt blieb hinten neben der Bahre sitzen. Dann zuckte das Blaulicht auf dem Dach auf, die Sirene heulte, der Wagen machte einen Satz wie ein hungriges Raubtier und schoß davon. Susanne Kaul blieb allein in der Haustür zurück und sah dem gelben Wagen mit dem roten Kreuz nach, bis er um die Straßenecke heulte.

»Wer war denn das?« fragte Frau Siegfried. Sie war als erste bei Susanne und wurde von den anderen Frauen beneidet.

»Unser Pfarrer …« sagte Susanne Kaul leise. »Pfarrer Merckel. Es ist sehr schlimm mit ihm …«

»Der Pfarrer …« wiederholte Frau Siegfried laut. Es war ein Ruf, der sich fortpflanzte, von Geschäft zu Geschäft, von Haus zu Haus.

»Es trifft immer die Falschen«, sagte Frau Wilhelmine Kappuska im Gemüseladen und befühlte die Wirsingköpfe auf Dichte und Frische. »Der gute Herr Pfarrer hat sich sicherlich bei dem Kaul so aufgeregt, daß er einen Schlag bekommen hat. Oder der Kaul – huch, das fällt mir jetzt erst ein – hat ihn vielleicht sogar niedergeschlagen! Alles traue ich dem zu! Mein erster Mann war genauso. Wenn er besoffen nach Hause kam, zog er den Leibriemen aus der Hose und drosch auf uns los. Abendgymnastik nannte er das! Es ist ein Skandal mit diesem Kaul!«

Für die letzte Sensation sorgte Fuhrunternehmer Babbetz. Von seinem Apparat aus hatte der Arzt schnell mit der Klinik telefoniert, und Babbetz hatte hinter der Tür gehorcht. Wer macht das nicht in solchen Fällen? Und er hatte gehört, wie der Arzt sagte: »Lassen Sie alles zur Operation vorbereiten und verständigen Sie den Herrn Oberarzt, Schwester. Pfarrer Merckel hat eine Ösophagusvarizenblutung bekommen. Sieht böse aus. Danke.«

Fuhrunternehmer Babbetz gab dieses Gespräch kund. Den Begriff Ösophagusvarizenblutung hatte er natürlich nicht behalten. Er sagte allen: »Der Herr Pfarrer hat eine Zitzenblutung bekommen!«

Man staunte darüber, stellte sich einiges bildlich vor und verharrte in Verblüffung. Der Herr Pfarrer! Und so eine seltene Krankheit. Ausgerechnet bei einem geistlichen Herrn!

Am Ende glaubte man es nicht mehr. Im Gegenteil, man nannte den Fuhrunternehmer Babbetz ein Schwein und ging ihm einen Tag lang aus dem Weg. Er begriff nicht, warum. Es ist so vieles im Leben nicht begreiflich.

Die Bauern in der Umgebung von Schloß Bornfeld kamen wieder zusammen. Sie fühlten sich geschädigt. Man brauchte keine Kadaver mehr, von heute auf morgen. Schluß, hatte der Diakon

Weigel verkündet. Vergrabt eure toten Viecher wieder oder liefert sie dem Abdecker ab. Wir haben genug.

Grund der Aufregung war der Fehlschlag einer bäuerlichen Geschäftstüchtigkeit. Nach dem ersten kritischen Abwarten war man dazu übergegangen, tote Haustiere zu sammeln. Da im Dorf nicht genügend Hunde und Schweine starben, strich man die nähere und weitere Umgebung ab, kaufte für eine Mark Hundekadaver und bekam zehn Mark von dem Diakon dafür, ein reelles Geschäft, das ohne Risiko blühte. Um sich nicht Konkurrenz zu machen, hatte man anhand einer großen Gebietskarte sogar generalstabsmäßig die umliegenden Dörfer und Kleinstädte verteilt und jedem Bauern ein Gebiet zugewiesen, das er nach toten Haustieren abgrasen konnte. Nun war es so, daß nach der letzten Sammelaktion in den Scheunen die Tierkörper lagen und der Abnehmer die Tür dichtmachte.

»Das geht nicht!« sagte der Heidebauer Pönges und hieb auf den Wirtshaustisch. »Wir können verlangen, daß unser Fleiß bezahlt wird! Ob sie die Viecher brauchen können oder nicht – zumindest das Vergraben müssen sie bezahlen.«

Am Ende riet der Tierarzt ab. Er sprach von mangelnder rechtlicher Grundlage und von der Ohrfeige, die man für alle Geldgier bekommen hätte. Die Bauern zogen saure Gesichter und kehrten in ihre Katen zurück. Die Geldquelle war ausgetrocknet. Für zehn Mark in bar mußte jetzt wieder hart gearbeitet werden.

Im Keller schloß Dr. Lingen seine erste Operation an einem lebenden Körper ab. Diakon Weigel und Brigitte standen neben ihm, als er einem Hund, der einen spitzen, verrosteten Nagel verschluckt hatte, den Magen aufschnitt und den Nagel herausholte. Vom ersten Schnitt bis zur letzten Hautnaht operierte Dr. Lingen allein. Seine Finger bewiesen eine Sicherheit, die nicht einen Augenblick lang den Gedanken aufkommen ließ, irgend etwas könne fehlerhaft sein. Es waren Hände, die Vertrauen ausstrahlten. Hände, die geniales Wissen in sichtbare Taten umsetzten.

Als der vor einem qualvollen Tod der inneren Verblutung gerettete Hund vom Marmortisch gehoben und weggebracht wurde, zog Dr. Lingen seine Gummihandschuhe aus, steckte die Hände in die Sterillösung aus Zephirol und trocknete sich ab. Er war müde, man sah es an seinen umränderten Augen, aber er war ebenso glücklich und atmete tief auf, als Brigitte ihn wortlos küßte.

»Eine Zigarette, Gitte ...« sagte er. Seine Stimme war rauh und erschöpft zugleich.

Diakon Weigel kam zurück in das Kreuzgewölbe des Kellers. Er hielt in der Hand eine Flasche und ein Glas. Ein höllischer Versuch kam auf Dr. Lingen zu. Noch ahnte er es nicht. Er rauchte die Zigarette in tiefen, langen Zügen und lehnte sich gegen die Marmorplatte. Um ihn roch es nach Blut, warmem Hundefleisch und gegorenem Mageninhalt.

»Und morgen reite ich wieder ›Oberon‹!« rief er Diakon Weigel entgegen.

»Sie glauben nicht, wie stark ich mich fühle! Ich habe noch nie einen solchen Lebenswillen gehabt wie jetzt!«

»Das ist schön.« Weigel stellte Flasche und Glas auf den Tisch. Dr. Lingen starrte entgeistert auf das Etikett, die Zigarette entglitt seinen Fingern.

»Sind Sie verrückt, Diakon?« fragte er leise.

»Schnaps. Sie sehen recht, Doktor.« Diakon Weigel goß ein und schraubte den Korken wieder auf die Flasche. »Wohl bekomm's, Doktor.«

Dr. Lingen rührte sich nicht. Bleich lehnte Brigitte an der dicken Kellerwand. Sie begriff nichts mehr. Sie wußte nur, daß sie Angst hatte. Unerträgliche Angst. Sie wollte schreien, aber das sie anschleichende Grauen war zu groß. Es lähmte sie.

»Was soll das?« fragte Dr. Lingen.

»Ein Schluck auf den Erfolg, Doktor.«

»Damit?«

»Sie haben heute Ihren größten Triumph errungen! Sie sind wieder Doktor Lingen geworden! Das ist eine Wiedergeburt. Ist sie nicht wert, begossen zu werden?«

»Gestehen Sie, Diakon: Sie sind beim Satan in die Lehre gegangen!«

»Der Satan ist überall, Doktor. Doch was kümmert uns das? Sie sind zurückgekehrt zu Ihrem Ich … kehren wir also auch zurück zu dem Leben, das Sie verlassen haben. Ein Hoch auf den Erfolg! Darauf trinkt man ex, nicht wahr?«

Diakon Weigel legte die Hand auf die Flasche. Das Glas stand in Griffnähe Dr. Lingens. Aus den Augenwinkeln beobachtete er den Arzt, während er so tat, als sähe er aus dem Kellerfenster in den Hof.

Dr. Lingen griff zu. Er nahm das Glas, trug es zu einem Eimer und schüttete den Alkohol hinein. Dann ließ er das Glas fallen und klappte den Deckel wieder über den Eimer. Diakon Weigel wandte sich zu ihm um.

»Sie können in zwei Tagen nach Hause fahren, Doktor.«

Lingen schüttelte den Kopf. »Das will ich gar nicht.«

»Sie sind gesund, Doktor.«

»Glauben Sie?« Lingen lächelte mokant. »Geste gegen Geste, mein Lieber. Sie stellen mir das Glas mit Schnaps hin, um zu sehen, wie ich reagiere. Ich tue Ihnen den Gefallen und reagiere so, wie Sie wünschen. Weiter nichts. Ist das Heilung?«

»Vor einigen Wochen hätten Sie ohne Zögern das Glas leergetrunken.«

»Allein, ja. Aber nicht in Gegenwart meiner Frau.« Dr. Lingen setzte sich auf einen Schemel. Warum sage ich das alles, dachte er. Ich habe aus Angst nicht getrunken. Ist Angst ein Beweis der Heilung? Soll die Heimlichkeit des Trinkers jetzt abgelöst werden von der offenen Angst des Süchtigen?

Er hob seine Hände und sah seine Fingerkuppen an. Sie haben wieder Gefühl, dachte er. Eigentlich wäre damit der Grund des Saufens erledigt. Aber wieso habe ich wieder Gefühl in den Fingern ohne Alkohol? Das ist anatomisch unmöglich! In meinem Hirn hat seit dem Autounfall eine Fehlschaltung stattgefunden. Sie kann nicht behoben werden durch Training. Nur ein neuer Schock wäre vielleicht in der Lage, mich zurückzuverwandeln. Eine neue Gehirnerschütterung. Man sollte also mit dem Kopf gegen die Wand rennen. Oder sich von »Oberon« fallen lassen, im vollsten Galopp. Oder sich aus dem Fenster stürzen. Alles kann man machen – nur eines nicht: sich selbst betrügen! Und Angst haben! Ein ganzes weiteres Leben lang Angst vor sich selbst.

»Komm, Konrad ...« sagte Brigitte leise und faßte seine Hände. Sie zog ihn vom Schemel hoch, zwang seinen Arm, sich bei ihr einzuhaken und führte ihn aus dem Keller. Diakon Weigel folgte ihnen stumm und bog dann in der Eingangshalle ab zu seinem Zimmer. Die Flasche mit dem Schnaps schloß er in einen dickwandigen Tresor ein, den er durch drei Kombinationsschlösser sicherte.

In ihrem Zimmer zog sich Brigitte wortlos aus und legte sich auf das Bett. Lingen starrte sie an, Schweiß sammelte sich in den Falten seiner Stirn, er schluckte und nagte nervös an der Unterlippe.

»Komm ...« sagte Brigitte leise. »Komm doch ...«

»Du bist so schön wie immer«, sagte er dumpf. »Aber ich bin ein Wrack.«

»Du bist groß und stark. Du hast es nur vergessen. Erinnere dich ... komm zu mir ...«

Er ging langsam auf das Bett zu und setzte sich.

»Willst du auch, daß ich wieder nach Hause komme?« fragte er.

»Ja.«

»Ich brauche viel Geduld und Liebe, Gitte.«

»Ich habe beides in mir.«

»Ich werde unerträglich sein.«

»Es gibt nichts an dir, was ich nicht ertragen könnte.«

Er nickte. »Es ist gut«, sagte er rauh. »Fahren wir nach Hause. Vielleicht soll es so sein ...«

»Was soll so sein?«

»Man ist in diese Welt gesetzt und muß sie durchleben. Was wird in ein paar Tagen passieren? Sie werden zu mir kommen und mir Blumen bringen, mich beglückwünschen und anstarren wie ein gezähmtes Raubtier. Und ich werde lächeln und jovial tun, geistvoll und jugendfrisch. Ich werde galant sein und überlegen spöttisch, und selbst Professor Brosius wird kommen, um zu sehen, ob der Doktor Lingen wirklich wieder da ist und praktizieren kann. Mein Januskopf wird lachen und plaudern, wird strahlen und genial sein ... aber die andere Seite ist müde, Gitte, unendlich müde und haßt den glänzenden Doktor Lingen.«

Zwei Tage später wurde Dr. Lingen aus dem Schloß Bornfeld entlassen. Die zurückbleibenden Insassen verfielen in ehrliche Trauer, vor allem Prof. Dr. Heitzner, der in Lingen seinen Intimus gefunden hatte. Schloß Bornfeld versank wieder in einen Dornröschenschlaf. Die Gäste arbeiteten weiter im Stall und in den Wäldern, saßen abends in der Jagdhalle und spielten Skat oder Mensch-ärgere-dich-nicht oder hörten sich Vorträge an wie »Der Maisanbau bei den Azteken«. Der Tenor sang ab und zu, Dr. von Hammerfels erhielt seinen monatlichen Brief: »Uns geht es gut« und spülte ihn in den Lokus, Diakon Weigel läutete morgens seine Glocke vom Bett aus und betete vor dem Frühstück. »Herr, mein Gott, hebe deine Augen auf uns, damit wir wohlgefällig leben in deinem Sinne ...«

In der Zeitung stand eines Tages eine Notiz.

»Der bekannte Neurochirurg Dr. K. Lingen hat eine Einladung nach Amerika bekommen. Er wird in der berühmten Mayoklinik in Rochester einige seiner aufsehenerregenden Operationen demonstrieren.«

»Nächstes Jahr ist er wieder bei uns«, sagte Dr. von Hammerfels überzeugt. »Amerika, Whisky und Gin, schöne Frauen und freie Sitten ... meine Herren, wir leben in einem grandiosen Kreislauf. Bemerken Sie ihn jetzt auch?«

Mit den Teetassen stießen sie an auf das baldige Wiedersehen.

Die Rückkehr Dr. Lingens an seinen Platz als Chef seiner Privatklinik erzeugte bei Prof. Dr. Brosius eine bemerkenswerte kollegiale Aktivität.

Zunächst rief er beim Gesundheitsamt an, ob es zulässig sei, daß ein Trinker weiterhin praktizieren dürfe. Als man das mit dem Hinweis einer Heilung bejahte, sagte Brosius einen verfänglichen Satz: »Ich habe noch keinen hundertprozentig geheilten Trinker gesehen und bin jetzt dreißig Jahre Chef der Landesheilanstalt!« Dann feuerte er den Hörer zurück auf die Gabel und sann darüber nach, wie man die so elegant entfernte Konkurrenz zum zweitenmal ausschalten könnte.

Prof. Brosius, verhinderter Kavallerist und mit Leib und Seele Akademiker, warf ein paar Knüppelchen zwischen die Beine Dr. Lingens. Bei Ärzten ist das einfach und einleuchtend: Man verwirft die Diagnose des Kollegen und wartet mit einer eigenen Diagnose auf. Sie muß völlig anders sein und ebenso unbeweisbar wie die des Kollegen. Die Psychiatrie bietet dafür mannigfaltige Möglichkeiten, denn auf keinem Sektor der Medizin ist man bis heute so unsicher und sich uneins wie auf dem Gebiet des Gehirns.

Prof. Brosius wartete ab, bis Dr. Lingen wieder ein Gutachten abgab. Das geschah schon drei Tage nach seiner Rückkehr. Brosius jubelte, empfing den Patienten wie einen Weihnachtsmann und untersuchte ihn selbst mit Testkarten, Testbogen, Testspielen und sinnreichen Fragen. Dann schrieb er seinen Bericht.

»Vorgestellter Patient Ernst-Ludwig Mayhaller, hierselbst, geboren am 10. Juni 1917, durch eine Voruntersuchung durch Dr. Konrad Lingen in die LHA eingewiesen zur stationären Beobachtung, ist nicht im Sinn der Psychiatrie nervenkrank. Die Diagnose Dr. Lingens auf schizophrene Wahnideen und Paranoid kann nicht bestätigt werden. M. E. ist eine Einweisung in eine geschlossene Anstalt nicht erforderlich. E. L. Mayhaller leidet an einer geringen Form manisch-depressiver Psychose, die zu keinerlei Besorgnis oder Umweltsstörungen Anlaß gibt.«

Ernst-Ludwig Mayhaller wurde daraufhin aus der LHA entlassen. Einen Tag später schon ermordete er an der Ruhr einen ihm völlig unbekannten Mann. »Er hat mich angesprochen und gesagt, er sei Hannibal und ich müßte sein Elefant werden!« beteuerte Mayhaller beim ersten Verhör. »Aber ich bin kein Elefant, Herr Kommissar. Ich schwöre es Ihnen, ich kann es Ihnen beweisen, daß ich kein Elefant bin. Ich bin ein Maulesel. Ein harmloser Maulesel. Aber Hannibal wollte unbedingt einen Elefanten haben!«

Prof. Brosius war schockiert und sprach von einer nicht sichtbaren schleichenden Schizophrenie, die einen plötzlichen Wahnschub bekomme haben müßte. Dann fuhr er zu Dr. Lingen und suchte Rückendeckung.

Er kam fast gleichzeitig mit einem Krankenwagen an, der an der Aufnahme hielt. Eine Bahre wurde herausgehoben, aus dem Fahrerhaus kletterte ein Mann in zerknitterter Hose und Hausschuhen.

»Kaul!« sagte Prof. Brosius erstaunt. »Was machen Sie denn hier? Wen begleiten Sie denn da?«

»Pfarrer Merckel, Herr Professor.«

»Aber wieso denn? Der Pfarrer? Hierher? Hat er einen Unfall gehabt?«

»Ja. Seine Leber hat den Alkohol nicht mehr ausgehalten.«

»Lassen Sie die dummen Reden, Kaul! Sie brauchen nicht immer Ihre Zugehörigkeit zu den Anonymen Alkoholikern zu demonstrieren ...« Brosius lief der Bahre nach und sah tatsächlich Pfarrer Merckel unter den Decken und Lederschnüren liegen, die seinen massigen Körper auf der schmalen Segeltuchunterlage festhielten.

Merckel erkannte Brosius und nickte ihm zu.

»Guten Tag, Herr Professor ...« sagte er mit dünner Stimme. Es war erschütternd, wie ein Bär zum Wurm wurde.

»Herr Pfarrer, was haben wir denn?« fragte Brosius jovial und beugte sich über den weißhaarigen Schädel. Er sah die getrockneten Blutflocken in den Mundwinkeln und konnte nicht glauben, was er bei diesem Anblick dachte.

»Es ist Schluß, Professor.« Pfarrer Merckel spuckte einen Blutklumpen aus und seufzte. »Gott ist nicht so gnädig, mich einfach umfallen zu lassen. Jetzt hält er Gericht über mich. Kann man es ihm übelnehmen, wenn man ihn über zwanzig Jahre lang betrogen hat? Tag für Tag, Nacht für Nacht? Seit Jahren sündige ich ...«

»Aber Herr Pfarrer ...« sagte Brosius entsetzt.

»Nicht mit einem Weib, Professor! Nein, ich schlafe mit einer Flasche! Seit vielen Jahren, Professor. Im linken Arm liegt sie, meine feurige Geliebte. Und wenn sie mich in der Nacht unterm

Arm kitzelt, entkorke ich sie und sauge ihr Leben aus. Eine moderne Form des Vampirismus. Und das alles unter Gottes Augen, dem ich diene. Am Sonntag singe ich Halleluja, und während die Orgel braust, gehe ich hinter den Altar und nehme einen tiefen Schluck. Das Bild der Muttergottes ist hoch genug, ich kann mich dahinter verstecken. Einmal erwischte mich ein Ministrant dabei. ›Es ist Eukalyptus, mein Sohn‹, log ich. ›Eukalyptus ist gut gegen einen rauhen Hals‹. Aber nun ist's vorbei ... die Leber ist hin, und nun blute ich innerlich aus.«

Im OP-Vorraum wartete Dr. Lingen bereits in Operationskleidung. »Nanu«, sagte er, als er Brosius neben der Bahre hereinkommen sah. »Falls Sie schon eine Diagnose bereit haben, Herr Professor, eins ist sicher: Der Herr Pfarrer wird sich nicht als Elefant fühlen.«

Brosius schwieg verbissen. Er trat zur Seite und hörte zu, was Dr. Lingen und Pfarrer Merckel sprachen.

»Jetzt komme *ich* zu Ihnen«, sagte Merckel schwach. »Wäre ich ein guter Priester, müßte ich darauf bestehen, nur von einem gläubigen Christen operiert zu werden. Aber ich pfeife darauf ... zu Ihnen habe ich Vertrauen, Doktor Lingen. Als ich im Krankenhaus hörte, daß Sie wieder hier sind, habe ich mich sofort wieder einladen und zu Ihnen bringen lassen. Nicht allein aus Liebe zu Ihnen.« Man hatte ihn in der Zwischenzeit losgeschnallt und auf ein Bett gehoben. Vier Männer, die beiden Sanitäter und zwei Krankenpfleger, hatten ächzend zu tun, den massigen Körper hochzuheben. Nun lag Merckel auf dem Bett und hob den Kopf etwas an. »Sie werden mich aufschneiden, Doktor Lingen. Ich werde für Sie ein Demonstrationsobjekt sein. Natürlich kennen Sie einen menschlichen Leib von innen so gut wie von außen, aber es wird auch für Sie etwas Ergreifendes sein, an meinem Körper zu sehen, was das Saufen alles zerstören kann. Darum habe ich mich zu Ihnen bringen lassen, Doktor Lingen ... so wie es in mir aussieht, wird es auch in anderen Körpern aussehen.«

Dr. Lingen nickte. Sie verstanden sich. Auch Prof. Brosius begriff die Tragik, die sich hier vor seinen Augen vollendete. Er wischte sich über die Augen und schätzte sich innerlich glücklich, Pfarrer Merckel nicht als Privatpatient bei sich zu haben. Es gibt ruhige, ergebene Sterbende, und es gibt Sterbende, die vor dem letzten Seufzer noch auf den Tisch schlagen. Merckel gehörte dazu. Er war ein unbequemer Sterbender. Während man Merckel mit dem Bett in den Waschraum rollte und dort auszog, trat Brosius an Dr. Lingen heran. »Wollen Sie wirklich operieren?« fragte er. »Das ist doch eine ganz gesalzene Ösophagusvarizenblutung.«

»Ihre Diagnose stimmt. Gratuliere, Herr Professor.«

Brosius schluckte verbittert. »Lingen, lassen wir jetzt alle internen Spannungen beiseite. Über diesen Fall Mayhaller müssen wir noch reden. Jetzt geht es um Pfarrer Merckel. Sie wollen doch keine Ösophagotomie machen?«

»Das hatte ich vor.«

»Aber das ist doch sinnlos! Merckel ist durch und durch kaputt! Er muß eine Leber haben, höckrig wie ein Dromedar.«

»Hat er.«

»Und trotzdem?«

»Trotzdem!«

»Ich verstehe Sie nicht, Lingen. Es ist doch nichts mehr zu retten! Er bleibt Ihnen auf dem Tisch liegen!«

»Das will er ja, Herr Professor.«

»Das … das will er?« Brosius stotterte hilflos. »Und Sie … Sie machen das mit?«

»Es ist mein letzter Liebesdienst für ihn. Sie wissen nicht, was Merckel und mich innerlich miteinander verbindet. Wäre ich – heute oder morgen oder in einem Jahr – in einem der Bunker oder Trümmerkeller Kölns verkommen und doch noch bei Verstand geblieben, ich hätte Merckel zu mir bringen lassen, damit er mir aus der Bibel vorliest. Nicht, weil es gottgefällig ist, sondern weil ich leichter gestorben wäre in dem Bewußtsein, nicht viel aufzugeben mit dem irdischen Leben. Nun ist es umgekehrt. Merckel kommt zu mir, damit ich ihm zu dem Paukenschlag verhelfe, mit dem er von dieser Welt gehen will. Sie wissen, wie elend ein Mensch mit Leberzirrhose stirbt. Seine Varizenblutung macht es ihm leichter – er stirbt anständig in der Narkose.«

Brosius hob hilflos die Arme und ließ sie an den Körper zurückfallen. »Ich komme da nicht mehr mit«, sagte er bedrückt. »Es muß die Philosophie der Trinker sein.«

Oberarzt Dr. Krüger kam aus dem Waschraum. Er nickte Dr. Lingen zu. »Alles bereit, Chef. Aber eine Intubationsnarkose ist nicht möglich.«

»Lingen, was Sie machen, ist Wahnsinn«, sagte Brosius leise. »Ich sollte mich an Sie klammern und Sie festhalten.«

»Dann operiert Doktor Krüger.«

»Sie bringen sich um die Approbation!«

»Wenn ich nichts tue, ist Pfarrer Merckel in zwei Stunden im Koma, in drei Stunden tot. Er hat für mich gebetet mit dem Rosenkranz ... ich werde jetzt für ihn beten mit dem Messer.«

»Sie sind irr!« schrie Brosius.

Dr. Lingen verbeugte sich leicht. »Sie entschuldigen mich, Herr Professor. Ich lasse Sie jetzt leider mit der normalen Welt allein.«

Mit schnellen Schritten ging er Dr. Krüger nach. Lautlos rollten hinter ihm die Türen zu.

Jetzt einen Cognac, dachte Brosius und spürte, wie seine Nerven flimmerten. Jetzt einen doppelten Cognac.

Aber er blieb im OP-Vorraum, setzte sich auf einen Drehstuhl und wartete geduldig, was hinter den schalldichten Türen geschah.

»Sie sind ein wahrer Freund, Doktor! Kommen Sie, rennen Sie nicht so geschäftig herum ... bleiben Sie bei mir.« Pfarrer Merckel lag entkleidet auf dem OP-Tisch, abgedeckt mit warmen grünen Tüchern, noch nicht festgeschnallt, bei klarem Bewußtsein. Die Schwestern und Ärzte standen an den Wänden herum. Ebensowenig wie Oberarzt Dr. Krüger wußten sie, was nun geschehen sollte. So etwas hatte es in der Lingen-Klinik noch nicht gegeben.

Dr. Lingen beugte sich über Merckel und lächelte ihm in das faltige gelbliche Gesicht. »Sie sollten nicht so leichtsinnig mit dem Begriff Freund umgehen, Pfarrer. Sie wissen doch – es gibt keine Freunde. Es gibt nur Annäherungen auf Zeit, weiter nichts.«

»Und meine Zeit ist abgelaufen, nicht wahr?«

»Ja!«

»Ich danke Ihnen, Doktor, daß Sie so ehrlich sind. Wie lange noch?«

»Vielleicht zwei Stunden. Dann verlieren Sie das Bewußtsein.«

»Zwei Stunden.« Pfarrer Merckel sah an die weiße Saaldecke und auf den noch nicht eingeschalteten riesigen Operationsscheinwerfer. »Das ist lang, Doktor. Zwei Stunden warten auf Gott und sein Gericht ... das sind zweitausend Jahre! Früher haben wir die Stunden weggeschmissen. Da sah man auf die Uhr und sagte sich: Endlich wieder Abend. Der Tag ist 'rum! Hinein in die Filzpantoffeln, sich gemütlich zurechtgesetzt in den Armsessel, eine Pulle neben sich, die Tageszeitung – so läßt sich's leben!« Merckel atmete auf. Danach mußte er schlucken, hustete und spuckte Blut. Lingen tupfte ihm den Auswurf von Kinn und Brust und legte seine kühle Hand beruhigend auf die schweißnasse Stirn des Pfarrers.

»Zwei Stunden«, keuchte Merckel mühsam. »Ich war immer ein mutiger Mensch, Lingen! Aber vor diesen zwei Stunden habe ich Angst.«

»Sie sollten weniger sprechen, Pfarrer. Sie wissen, daß an Ihrer Speiseröhre Venenknoten geplatzt sind und Sie nach innen bluten?«

»Ja. Mein Magen ist voll, als hätte ich zehn Liter Bier gesoffen.« Merckels Stimme wurde wieder klarer. Er faßte Lingens Hand und hielt sie wie in einer Klammer fest. »Ich habe nie gewußt, daß Ungläubige so gottesnah sein können. Manchmal irrt sich auch Gott. Zum Beispiel an Ihnen hat er sich geirrt. Sie glauben doch nicht an Gott, Lingen?«

»Doch!«

»Doch? Sie haben es immer geleugnet!«

»Ich glaube an einen Gott, der sich manifestiert in allem, was wir sehen. In einem Baum, in einem Grashalm, im Sternenhimmel, im Wind und im Meer. Daß aus einer unansehnlichen Knolle einmal herrliche Dahlien werden können – das ist Gott! Daß aus einer winzigen Eizelle und einem kaum sichtbaren Spermafaden Sie und ich geworden sind – das ist Gott! Wir sind von Wundern umgeben, tagtäglich, nur sehen wir sie nicht, weil sie zu simpel sind und zur Gewohnheit wurden. Eine keimende Kartoffel im dunklen Keller ... Man reißt die Keime ab und schält sie. Und doch – welches Wunder vollzog sich da, welch ungeheure Lebenskraft brach auf. Für mich ist überall Gott ... nur in einem nicht: In der von frommen Märchen und lapidaren Hymnen durchsetzten Predigt in der Kirche. Ich habe Sie nie auf der Kanzel gehört, Pfarrer, aber ich weiß, daß auch Sie nie die Blüte einer Blume hochgehoben haben und zu Ihren Gläubigen sagten: Seht sie euch an – jetzt blickt ihr in ein Auge Gottes!«

»Sie sind ein Ketzer, Lingen. Ein gefährlicher Ketzer. Aber ich weiß: Gott wird Sie lieben!« Merckel reckte sich unter den grünen Abdecktüchern. »Wieder eine Viertelstunde herum. So geht es besser, Doktor! Unterhalten wir uns.« Sein Gesicht verzog sich etwas, er lachte unter der Qual beginnender Schmerzen. »Ich bin ein Priester, was? Ich verstecke mich jetzt sogar vor der Reue!« Er drehte den Kopf etwas zur Seite und betrachtete die operationsbereiten Ärzte und das Schwesternteam. »Sie stehen da, als wollten Sie mir ans Leder, Lingen.«

»Sie werden auch gleich narkotisiert.«

»Und dann?«

»Dann schneide ich Ihnen den Hals auf, und wenn es sein muß, mache ich sogar eine Thorakotomie!«

»Wozu denn? Ich bin nicht mehr zu retten.« Merckel ergriff wieder die Hand Lingens. »Ich bin kein Arzt. Ich habe immer nur die Seelen beharkt. Ich gleiche da mehr einem Gärtner, der in einem Mistbeet zarte Pflänzchen zieht. Aber meine Leber kann ich fühlen, ich weiß, wo sie sitzt. Und da ist keine Leber mehr, sondern ein Stein. Sie sind ein Genie, Lingen. Wissen Sie, daß Sie ein Genie sind? Ich sage es Ihnen jetzt offen ins Gesicht, gewissermaßen als Abschied. Genial sein ist etwas Fürchterliches. Man steht außerhalb der menschlichen Vorstellungskraft. Man ist ein Wundertier, ein Heiliger oder ein Verrückter. Was man auch tut, es wird immer unter diesen Aspekten betrachtet. Selbst wenn Sie normal leben, normaler als jeder biedere Bürger, wird es heißen: Sieh dir den an! Er lebt wie wir! Ist das nicht verrückt? Ein Genie ist eine Träne Gottes. Ich bedaure Sie, Doktor Lingen.«

Dr. Lingen sah kurz hinüber zu Dr. Krüger. Die OP-Schwester rollte den Instrumentenwagen heran, aus einer anderen Ecke fuhr ein Bluttransfusionsgerät. Im Labor war die Blutgruppe Merckels bestimmt worden, während er sich mit Lingen unterhielt. Die Oberschwester zog eine Spritze mit dem Anästhesiemittel auf. Da bei Leberkranken und bei Operationen im Halsbereich eine intravenöse Narkose nicht gegeben wird, hatte sich Lingen für eine Sauerstoffgasanästhesie entschieden. Während die Schwester ein Curaremittel zur Herabsetzung des Moskeltonus injizierte, rollten zwei Assistenzärzte den großen Apparat des Kreislauf-Narkosegerätes heran, der mit einer automatischen Beatmungsanlage ausgerüstet war. Die OP-Schwester hielt den Luftröhrenkatheter bereit, durch den Merckel das Sauerstoff-Lachgas-Gemisch einatmen sollte.

Pfarrer Merckel sah mit hochgezogenen Brauen auf das Narkosegerät.

»Solche Mühe mit einem alten, müden, versoffenen Mann!« sagte er laut. »Schicken Sie Ihre Mannschaft weg, Lingen. Sie soll auf meine Kosten einen trinken!«

Dr. Lingen lachte und klopfte Merckel auf die nackte Schulter. »So einfach geht das nicht, Pfarrer! Vor einigen Monaten, da haben Sie mich in Ihren eisernen Händen gehabt, so wie Sie den anderen in unserem Bund, den Peter Kaul, zurückzerrten auf den normalen Weg. Sie haben nicht lockergelassen, und selbst im Bunker, in Köln, habe ich oft an Ihre Worte denken müssen. Sie saßen in mir wie ein Dorn. Ich war ein schlechter Clochard, und das war Ihr Werk, Pfarrer. In einer Welt voller irrer Superlative saß ich wie ein Kind und begriff sie nicht. Das war meine Rettung! Nun bin ich am Zug, Pfarrer! Nun rette ich Sie!«

»Sie Phantast!«

Lingen winkte. Die Narkoseärzte traten in Aktion. Sie beugten sich mit dem Luftröhrenkatheter über Merckel. Der Pfarrer sah sie verbissen an. »Mund auf!« kommandierte Lingen laut.

Merckel nickte zu einem der jungen Ärzte. »Diesen Jüngling kenne ich. Nicht wahr ... du hast bei mir die Heilige Kommunion bekommen?«

»Ja, Herr Pfarrer.« Der Narkosearzt benutzte das Sprechen Merckels und schob ihm schnell einen Spreizer zwischen die Zähne. Mit einem langen Blick sah Merckel noch einmal Dr. Lingen an. Es war der stumme Abschied. Gleichzeitig schnallten Schwestern ihn fest. Handgelenke, Unterarme und Beine. Merckel ballte die Fäuste. Mit starrem Blick zur Decke betete er jetzt.

»... vergib mir meine Schuld ...«

Zehn Minuten später öffnete Dr. Lingen mit einem langen Schnitt den Hals Pfarrer Merckels.

Es war seit Monaten seine erste Operation an einem Menschen.

Eine Stunde wartete Prof. Brosius im Vorzimmer, saß auf seinem Kunststoffhocker und war sich bewußt, jetzt als Zaungast entweder die Wiedergeburt des großen Lingen zu erleben oder den völligen Zusammenbruch.

So sehr er sich anstrengte, das letztere zu wünschen, fand er dazu doch nicht die rechte Einstellung. Der andere Gedanke, Lingen möge aus diesem Kampf gegen Gott und Teufel als Sieger hervorgehen, war stärker. Ein Krankenpfleger hatte ihm eine Flasche Cognac gebracht. Aus einem mit einem großen goldenen N verzierten Schwenker trank Brosius in kleinen Schlucken und spürte, wie gut ihm dies tat.

Wieviel Unwahres wird über den Alkohol geschrieben, dachte er dabei. Er hatte die Mehrzahl seiner bisherigen Lebensjahre nur in Gesellschaft von Trinkern, Delirium-tremens-Kranken und Halluzinations-Psychopathen zugebracht, er hatte erlebt, wie der Alkohol einen Körper völlig zerstören konnte, wie aus einem Menschen ein reißendes Tier wurde, und immer hatte er mit einem leisen Schaudern die engen Grenzen betrachtet, die zwischen glückhafter Erholung und entnervender Rauschfülle lagen.

Es gibt nichts Erholsameres als ein Glas Alkohol, dachte Brosius. Man sieht es jetzt an mir ... ich beruhige mich durch einen Cognac. Und heute abend werde ich Sekt trinken und fröhlich sein und – na ja – einen Schwips bekommen und neue Jugendlichkeit in mir entdecken. Eine frohe Stunde ohne ein gefülltes Glas – gibt es etwas Faderes? Was wäre der Abschluß eines arbeitsreichen Tages ohne eine Flasche Bier zum Abendessen, zum Fernsehen, zur Lektüre der Zeitung? Und ein sonntäglicher Frühschoppen? Ist er nicht zu gönnen? Spiegelt sich nicht Lebensfreude in einem lauten »Prost«?

Ich sollte einen großen Artikel schreiben, dachte Brosius und goß sich in sein N-Glas nach. Man schüttet, wie so oft, auch hier das Kind mit dem Bade aus. Ein Trinker ist etwas ganz anderes. Er ist ein Kranker, ein Außenstehender, ein Geisteskranker, wie man heute überzeugt ist. Trinker werden geboren, so wie Krüppel geboren werden. Zum Trinker muß man innerlich veranlagt sein, es muß eine seelische und psychische Bereitschaft bestehen. Die wenigsten werden zum Trinker erzogen, auch die früheren Armutssäufer und die heutigen Wohlstandstrinker sind keine bloßen Opfer ihrer Zeit, sondern Opfer ihrer bisher schlafenden Krankheit, die einmal ausbricht, rätselhaft und uneindämmbar wie die Schizophrenie oder eine Psychose.

War Lingen ein Trinker?

Brosius schüttelte den Kopf. Nein, gab er sich die Antwort. Er steht wieder dort hinter den dicken schalldichten Türen und operiert wie früher. Verzweiflungstrunk ist heilbar – er ist nur eine Flucht vor der Wirklichkeit in eine Scheinwelt. Eine Verirrung in die Illusion. Ein Betäuben der eigenen Schwäche. Auch Peter Kaul war kein Trinker. Auch er war immer nur auf der Flucht vor einem scheinbar Unabwendbaren.

Und Pfarrer Merckel?

Brosius trank noch ein Glas. Er genoß es in diesen langen Minuten des Wartens.

Pfarrer Merckel ist ein Grenzfall, dachte er. Er ist der tragische Beweis, daß es kein Zurück mehr gibt. Er hat sich selbst erkannt und diese Erkenntnis in Alkohol konserviert. Er zelebrierte die Tragik der Schwäche und sah selbst aus wie ein Bär aus der Urzeit.

Nach einer Stunde öffneten sich die Türen zum OP. Auf einem fahrbaren Bett wurde eine Gestalt herausgerollt. Sie war mit weißen Decken zugedeckt, über dem Kopf lag ein weißes Laken. Brosius sprang auf.

»Er ... er ist tot ...« sagte Brosius leise.

»Nein, er lebt!« antwortete die Schwester, die neben dem Bett herging.

»Das ist doch unmöglich!« rief Brosius.

»Aber es ist so. Ich kann nichts dafür ...« Es war eine giftige Antwort, aber Brosius überhörte sie. Er stürzte auf Dr. Lingen zu, der allein aus dem Waschraum trat.

»Er lebt wirklich?« rief Brosius. »Lingen, wie haben Sie das gemacht?«

»Ich weiß es nicht.« Dr. Lingen sah an Brosius vorbei auf das zugedeckte Bett, das in dem großen Lastenaufzug verschwand und wegglitt zur Wachstation der Frischoperiertenabteilung. »Ich weiß es wirklich nicht. Meine Hände haben gearbeitet, weiter nichts.«

»Aber Sie haben ihn doch nicht retten können! Das gibt's ja gar nicht.«

»Nein. Pfarrer Merckel wird noch einige Wochen leben, dann bricht die Leber sowieso zusammen.«

»Lingen.« Prof. Brosius faßte den erschöpften Kollegen an den Kittelaufschlägen. »Sie wollten doch Merckel das Sterben erleichtern ... abkürzen ... durch die Narkose ...«

»Ja.« Lingen nickte. »Aber dann konnte ich es nicht. Nach dem ersten Schnitt, nach dem Erreichen der perforierten Varizen ... ich habe immer gekämpft, und es war mir unmöglich, Merckel kampflos untergehen zu lassen! Ich habe mein Versprechen nicht eingehalten ... ich bin doch, verdammt noch mal, Arzt und kein Saufkumpan!«

Prof. Brosius umarmte Lingen wortlos, riß sich dann los und lief aus dem Vorzimmer. Er schämte sich. Und er flüchtete vor der Wahrheit, einem Größeren gegenübergestanden zu haben.

Unten in der Eingangshalle wartete mit verzweifeltem Gesicht ein junger Krankenpfleger aus der LHA. Er lief hin und her, und als er seinen Chef die Treppe herunterkommen sah, vergaß er allen Respekt und alle Distanz und rannte auf ihn zu.

»Herr Professor!« rief er. »Kommen Sie sofort mit mir. Seit einer Stunde versuche ich Sie zu erreichen, aber alle haben sich hier zugemauert. Es durfte weder in den OP telefoniert werden noch wollte man einen Boten hineinschicken. Sie müssen sofort kommen!«

»Ja, um Himmels willen, was ist denn los?« Brosius sah sich um. Sie waren allein. »Petersen, was soll diese Aufregung?«

»In Block drei ist ein Aufstand ausgebrochen. Von Zimmer siebzig ausgehend. Sie haben sich verbarrikadiert, mit Betten und Spinden, haben Pfleger Heimann als Geisel im Zimmer und verlangen für ihn zehn Flaschen Schnaps, sonst ... sonst wollen sie ihn entmannen ...«

»Polizei anrufen!« Brosius war hochrot geworden. Ein Aufstand in der Trinkerabteilung der Landesheilanstalt. Seit vierzig Jahren hatte es so etwas nicht gegeben. Der letzte offene Widerstand war eine Schlägerei von vier Trinkern mit einem Arzt gewesen. Vor vierzig Jahren.

»Polizei?« Pfleger Petersen zögerte. »Sie haben Heimann als Geisel, Herr Professor. Und sie machen ihre Drohung wahr. Sie kennen doch diese Bestien!«

»Ich kann ihnen doch keinen Schnaps geben!« schrie Brosius.

»Deshalb müssen Sie sofort kommen, Herr Professor.«

»Und was macht Kellermann?«

»Judo-Fritze sitzt vor der verrammelten Tür und verhandelt. Er hat ihnen fünf Flaschen versprochen.«

»Und?« fragte Brosius gepreßt.

»Sie wollen zehn! Sie drohen damit, bei fünf Flaschen dem Heimann *einen* Hoden wegzuschneiden. Heimann hat selbst mit Fritze gesprochen. Die Schweine haben ihn ausgezogen und ihm zwei Messer gezeigt. Aus Blechlöffeln haben sie die Messer selbst geschliffen! Dann haben sie ihn mit zerrissenen Handtüchern auf dem Tisch festgebunden.«

»Gehen wir«, sagte Prof. Brosius heiser. »Wie schwer wird es uns gemacht, den Menschen noch zu lieben ...«

Als sie in der Landesheilanstalt ankamen, waren bereits zwei Bereitschaftswagen der Polizei vorgefahren. Die Polizisten saßen noch auf den Bänken und warteten. Oben, im dritten Stock des Blockes III, klebten drei verzerrte Gesichter an den vergitterten Fenstern und spuckten und keiften und brüllten auf die Polizisten herab. Hinter ihnen schien die Hölle los zu sein. Schreien und Johlen gellten weit über den Vorplatz und durch das enge Haus.

Vier Ärzte erwarteten Prof. Brosius am Eingang. Ihre ganze Hilflosigkeit drückte sich in der Zusammenballung aus, mit der sie gemeinsam wie vor einem Gewitter flüchtende Kühe auf Brosius zustürzten.

»Sie haben alles zerschlagen!« sagte einer der Ärzte. »Sogar die Waschbecken haben sie von der Wand gerissen. Nun spritzt das Wasser aus den Leitungen und kommt schon durch die Decken in die untere Etage. Ich schlage vor, die Polizei wirft Tränengasbomben.«

»Blödsinn!« Prof. Brosius sah zum dritten Stockwerk hinauf. Einer der Trinker streckte ihm die Zunge heraus und kletterte auf die Fensterbank. »Huhu!« schrie er. Seine Stimme überschlug sich dabei. »Huhu, mein Süßer!«

Gebrüll antwortete von innen. Hände griffen zu, zogen ihn weg, rissen ihn von der Fensterbank.

Ein Wagen rollte vor das Haus. Ihm entstieg Dr. Lingen in seinem weißen Arztkittel.

»Was machen Sie denn hier?« fragte Brosius verwirrt.

»Ich habe telefonisch von dem Aufstand Ihrer Saufbrüder gehört. Eine fatale Sache. Aber wenn Sie mir erlauben, mit ihnen zu sprechen, bevor Sie die Polizei einsetzen …«

»Sprechen? Mit diesen Tieren?«

»Ja. Von Trinker zu Trinker.« Dr. Lingen lächelte etwas schmerzlich.

»Ich kenne mich da aus …«

»Bitte!« Brosius wies steif zum Eingang. »Sie werden erreichen, daß man Sie auslacht und zusammenbrüllt!«

16

Vor der von innen verrammelten Tür des Zimmers siebzig im
dritten Stockwerk saß auf einem Stuhl massig und seelenru-
hig Judo-Fritze und rauchte eine Zigarette. Um ihn herum lagen
Betteile, Matratzen, zerrissene Kopfkissen, zerbeulte Blecheßge-
schirre, die Hälfte eines der abgerissenen Waschbecken. Unter
der Tür lief das Wasser in den Flur, gegenwärtig noch ein dünner
Bach, aber wenn das Geheul und Gebrüll im Innern des Zimmers
etwas leiser wurde, hörte man das Rauschen des Wassers, das aus
den Wasserleitungen schoß. Füße patschten durch Wasserpfüt-
zen, Johlen und Lachen, wenn einer den anderen mit Wasser bespritzte.

Prof. Brosius und Dr. Lingen hörten sich nicht an, was Judo-
Fritze ihnen erklären wollte. Brosius raufte sich die Haare, während Lingen an die Tür trat und mit den Fäusten gegen die Füllung hämmerte.

»Ruhe!« schrie jemand von innen. »Wenn du die Tür ein-
schlägst … wir rupfen dem Heimann die Dingerchen weg!«

»Wer ist der Anführer?« fragte Dr. Lingen und sah sich um.
Brosius saß nun auf dem Stuhl, während Judo-Fritze bedächtig
rauchte.

»Das wissen wir nicht. Aber seit vorgestern ist ein Neuer da.
Wurde aufgegriffen an der Ruhr. Lag da im Gras und sang
schweinische Lieder. Total besoffen! Keinen festen Wohnsitz.
Landstreicher. Der muß der Boß sein! Und dabei ist er nicht mehr
der Jüngste. Hat schon weiße Haare, der Kerl!«

Dr. Lingen nickte und wandte sich wieder der Tür zu. Im Zimmer siebzig war es jetzt still, nur das Wasser rauschte und plät-
scherte aus der abgerissenen Leitung. Höflich, als bitte er um Ein-
laß, klopfte Lingen an die Tür. Von innen antwortete eine
dumpfe Stimme.

»Wer sind Sie? Polente?«

»Nein, bestimmt nicht.«

»Die Stimme kommt mir bekannt vor.«

»Dann machen Sie mal auf, und wir sehen uns an.«

Hinter der Tür wurde geflüstert. Man beriet. Dann vernahm
man einige undeutliche Kommandos. »Hören Sie mal«, sagte die
Stimme wieder. »Ich mache jetzt die Tür einen Spalt auf und sehe
Sie mir an. Wenn Sie versuchen, einzudringen, wird im gleichen

Augenblick der Heimann entmannt. Drei Mann stehen mit dem Messer bei ihm. Überlegen Sie sich also, was Sie tun. Verstehen wir uns?«

»Ganz deutlich.« Dr. Lingen winkte Judo-Fritze, an die Rückwand des Flurs zurückzutreten. »Ich habe gar keine Lust, in euren Schweinestall einzudringen. Wenn euch das Wasser bis zum Hintern steht, werdet ihr sowieso frieren und aufmachen.«

Hinter der Tür begann eine laute Geschäftigkeit. Betten und Schränke wurden weggerückt. Jemand fluchte gottserbärmlich. Dann schob sich die Tür einen Spaltweit auf, Wasser schoß aus der Ritze, ergoß sich über den Flur und umspülte die Schuhe des Professors, der seine Füße sofort hochzog.

In der Tür erschien ein Gesicht, oder vielmehr der Alptraum eines Gesichts. Ein Kopf, an den Seiten wie in eine Presse geraten und zusammengedrückt, wulstige, breite Lippen, hervorquellende Basedow-Augen und darüber, wie gebleichtes Moos, weiße kurze Haare. Das Gesicht eines Riesenkarpfens.

Die Augen starrten rollend auf Dr. Lingen, der Fischmund klappte weit auf.

»Unser Doktor ...« stotterte der Mann.

»Emil, der Fisch.« Dr. Lingens Stimme war völlig ruhig. Er gab sich alle Mühe, seine Verblüffung nicht zu zeigen. »Guten Tag, Emil. Sag mal, was machst du hier für einen dämlichen Rummel? Hast du deine ganze gute Erziehung vergessen?«

»Wer ist Emil?« fragte aus dem Hintergrund Prof. Brosius.

»Ein guter, lieber Freund von mir, Herr Professor.« Dr. Lingen sah sich kurz um. Emil, der Fisch, hatte die Tür weiter geöffnet. Judo-Fritze konnte in das völlig demolierte Zimmer sehen. Auf einem Tisch lag gefesselt der Pfleger Heimann. Nackt, aber noch gesund. Drei Männer standen hinter ihm, in der Hand die aus Blech geschliffenen Messer.

»Ein Freund?« stotterte Brosius und sah den Riesenkarpfen an. »So etwas?«

»Eine liebe, gute Seele, solange man ihn nicht reizt.«

»Das sieht man!«

»Wir haben zusammen im Bunker gelegen, auf dem feuchten Betonfußboden, nur eine dünne Decke unterm Hintern, und haben Wermut gesoffen. Was, Emil? Und die Gräfin saß daneben und spritzte sich viermal am Tag Saft in die Schenkel. Und dann kam die Polente und nahm uns mit in der ›Grünen Minna‹. Und das Begräbnis von dem armen Jim, dem Kamel. War das feierlich, was?«

Emil, der Fisch, nickte. »Die Gräfin ist tot …« sagte er mit bedeckter Stimme.

»Tot?«

»Ist von der Hohenzollernbrücke in den Rhein gehüpft. Sie hat dich heiß geliebt, Doktor. Und als du abgehauen bist … also, schön war das nicht!«

»Wer ist denn die Gräfin?« stammelte Brosius auf seinem von Wasser umflossenen Stuhl.

»Meine Geliebte in der Unterwelt.« Dr. Lingen schüttelte den Kopf, als er in Brosius' entsetzte Augen sah. »Nein, Sie werden das nie verstehen, Herr Professor. Sie haben zwar seit dreißig Jahren mit Trinkern zu tun, aber immer nur hier, in Ihrer sauberen Anstalt, in der strengen Ordnung einer Klinik. Trinker in der Uniform der LHA. Trinker, die wie Lämmchen herumhüpfen. Trinker, die brav sind wie holzgeschnitzte Madonnen. Aber was da draußen los ist … in den Kellern und Gossen, in den Bunkern und unter Brücken, in den Absteigen und Asylen, in alten Barakken oder abgelegenen Scheunen, das kennen Sie nicht. Aber ich! Ich habe unter ihnen gelebt, mit ihnen gesoffen. Nun sehen Sie mich nicht an wie den leibhaftigen Satan, Herr Profesor! Ich habe zu allem auch noch gelernt, ehrlich zu sein. Bis zum Erbrechen ehrlich. Da …« er zeigte auf das Fischgesicht Emils. »… wo diese Männer ihre Heimat haben, gilt nur die Ehrlichkeit! Wenn jemand den anderen betrügen würde, man würde ihn totschlagen! Im Elend, im Sumpf sind die Menschen wie die Ratten. Sie halten zusammen wie Pech und Schwefel.« Er wandte sich wieder zu Emil und trat näher an die Tür.

»Jutta ist also tot?« fragte er. »Und René, der Kavalier?«

»Der ist auch weg von uns. Der hat einen neuen Job. Dem geht es so blendend, daß er jetzt einen eigenen Wagen fährt. Kreuz und quer durch Deutschland, und ab und zu auch in die Schweiz oder nach Belgien und Holland … überall, wo Saison ist oder eine Ausstellung. Er ist Imker geworden.«

»Imker?« fragte Dr. Lingen erstaunt. »René ein Imker?«

»Ja.« Emil, der Fisch, grinste. »Er hat drei Bienen laufen …«

An der Flurwand lachte Judo-Fritze dröhnend. Brosius sah ihn strafend an, aber das überging er. Dr. Lingen reichte durch den Türspalt Emil, dem Fisch, die Hand.

»Darf ich nicht 'reinkommen, Emil?« fragte er dabei.

»Sie, ja, Doktor! Aber die anderen nicht.«

»Die haben auch gar kein Verlangen danach.«

Emil trat zurück. »Laßt den Heimann los«, sagte er zu den drei Männern neben dem nackten Pfleger. »Das hier ist mein Freund.«

»Einer von den weißen Hunden ist er!« schrie einer aus der Ecke.

»Schnauze!« Emil angelte einen Stuhl aus dem Gewirr der zerschlagenen Möbel, putzte ihn mit dem Jackenärmel ab und stellte ihn in das handhohe Wasser. »Bitte, Doktor.«

»Danke, Emil.« Dr. Lingen setzte sich. Das Wasser lief in seine Schuhe, das Leder quoll auf. Um später keine Schwierigkeiten zu haben, zog er die Schuhe und Strümpfe aus und ließ die nackten Füße wieder im Wasser baumeln. Die Schuhe warf er an die Wand. Die zwanzig Männer um ihn herum staunten und starrten ihn an wie ein Wundertier. Emil, der Fisch, atmete pfeifend. Er war Asthmatiker.

»Was soll der Blödsinn, Emil?« fragte Lingen. »Becken von der Wand, sich benehmen wie die wilden Säue, den Pfleger entmannen wollen … wo ist deine Erziehung geblieben? Wenn du dich so im Bunker benommen hättest … Junge, hätte man dir das Fell vollgehauen!«

»Ich will hier raus, Doktor.« Emil setzte sich auf eine Tischkante. »Du kannst das am besten verstehen. Warum bin ich hier? Ist es verboten, auf 'ner Wiese zu liegen und zu singen? Und warum soll ich nicht saufen? Wem schade ich damit, außer mir selbst? Ich habe mich immer anständig benommen, Doktor, das weißt du. So 'n bißchen Singen, mein Gott, ist denn keine Freude mehr unter den Menschen? Ich habe mich immer wie ein Mensch benommen, das mußt du zugeben, Doktor! Und nun lochen sie mich ein, in die Klapsmühle! Also, was zuviel ist, ist zuviel. Da drehe ich durch. Da zeige ich denen mal, was ein Säufer alles anstellen kann! Mich regt nichts mehr auf als Ungerechtigkeit!«

»Da hast du recht, Emil.«

»Ich habe recht, sagt mein Freund, der Doktor!« rief Emil, der Fisch. Die anderen Trinker klatschten laut Beifall. Einer schrie:

»Alles Lüge! Ist nur 'n Trick von dem Weißen! Besoffen mit Worten will er uns machen! Aber wir wollen alle 'ne Pulle! Ich habe Durst, Gott verflucht noch mal!«

»So etwas hätten wir bei uns im Bunker nie geduldet, Emil«, sagte Lingen ruhig. Emil, der Fisch, schob die wulstige Unterlippe vor. Ein nachdenklicher Karpfen – ein Naturphänomen. Dann nickte er stumm, tappte durch das Wasser zu dem Schreier und fegte ihn mit einer ungeheuren Ohrfeige in die Ecke. Mit einem Laut, wie das Piepsen von hundert Mäusen, sank er ins Wasser und blieb dort auf den Knien hocken. Blut lief ihm aus der Nase, und plötzlich weinte er und rief kläglich: »Mutter! Mutter! O Mutti, wo bin ich?«

Emil, der Fisch, kehrte zu Lingen zurück. »Jetzt ist Ruhe, Doktor.« Das Rauschen aus der Wasserleitung verstummte ebenfalls. Im Keller hatte man die Hauptrohre zugedreht. Nun war das ganze Haus der Alkoholiker ohne Wasser. Auch in der Küche standen die Spülmaschinen still. »Können wir nun verhandeln?«

»Natürlich, Emil. Aber über was?«

»Über meine Freilassung.«

»Das bestimme nicht ich.« Lingen zog die nackten Füße aus dem Wasser. Er fror. »Du bist ein Rindvieh, weißt du das? Hättest du dich still verhalten, wärst du in zwei Monaten entlassen worden. Jetzt kannst du erst mal wegen Widerstand und Sachbeschädigung brummen!« Lingen schüttelte den Kopf. »Wie kann man sich bloß so gehenlassen, Emil?«

Emil, der Fisch, senkte den Kopf. Der ganze Jammer seiner Lage brach über ihm zusammen. Er schielte zu dem noch immer gefesselten und nackt auf dem Tisch liegenden Pfleger Heimann und wagte gar nicht daran zu denken, was geschehen wäre, wenn er ihn hätte wirklich entmannen lassen. Heimann wäre vielleicht verblutet, und das wäre Mord gewesen. Emil und ein Mord! Er hob die Schultern und schauerte zusammen. Es war, als sei er aus einer anderen, fürchterlichen Welt zurückgekehrt zu seinem eigenen Wesen. Und das war von Natur aus sanft, geduldig, leutselig und primitiv. Ein Leben der Einfalt, in dem der Gedanke an Mord nie Platz hatte.

»Was nun, Doktor?« fragte er kläglich.

»Du hast dich ganz schön in den Dreck gesetzt, Emil.« Dr. Lingen klopfte ihm auf die zuckenden Schultern. »Das wird noch lange an dir stinken.«

»Ich weiß, Doktor.« Emil, der Fisch, hatte Tränen in den hervorquellenden, rotunterlaufenen Augen. Die anderen Insassen von Zimmer siebzig standen unbeweglich wie die Statuen an den Wänden. Ihre Ernüchterung war schon längst gekommen. Das eiskalte Wasser, in dem sie standen, trug dazu bei. Auch sie hatten den gleichen Gedanken, den Emil nun angstvoll aussprach.

»Lieferst du uns dem Riesenaffen aus?«

»Welchem Riesenaffen?«

»Judo-Fritze ...«

»Er ist euer Oberpfleger, Emil.«

»Er schlägt uns zum Krüppel, wenn er wieder herein darf. Du weißt nicht, was hier los ist, Doktor. Jeden Tag fliegen ein paar von uns durch die Luft, und wenn Fritze seinen guten Tag hat, läßt er uns im Zimmer herummarschieren und singen: Das Wandern ist des Müllers Lust ... Der Kerl macht uns fertig!«

»Ich verspreche euch, daß Judo-Fritze an euch keine Rache nehmen wird. Aber ebenso verspreche ich euch, daß ihr arbeiten müßt!«

»Arbeiten?«

»Wer soll denn euren Blödsinn bezahlen? Die zerfetzten Kissen, die abgerissenen Becken, die Betten, die ihr zu Kleinholz gemacht habt, die neuen Decken unter euch, die ihr mit dem Wasser versaut habt? Nein, Jungs – was ihr euch eingebrockt habt, müßt ihr auch ausfressen! Das kann ein Jahr dauern oder länger! So was muß man sich früher überlegen.«

»Und wenn ... wenn wir den Heimann wirklich ...?« fragte jemand von der Wand her. Dr. Lingen lächelte breit.

»Na und? Was hättet ihr damit erreicht? Ich hätte fünf Typen wie Judo-Fritze herangeholt und euch völlig auseinandergenommen.«

»Das hätte er wirklich.« Emil, der Fisch, nickte. »Kameraden, ich kenne meinen Doktor!« Er winkte zum Tisch, auf dem noch der nackte Heimann lag. »Bindet ihn los! Wir haben uns in die eigene Hose gemacht, Kameraden. Wollen froh sein, daß Fritze nicht so darf, wie er will. Mein Doktor gibt mir sein Wort darauf.«

»Das gebe ich, Emil.«

Sie banden den Pfleger Heimann los und schoben ihn durch die Tür hinaus in den Flur. Dort fiel er ohnmächtig in die Arme Fritzes. Die Reaktion auf das überstandene Entsetzen war zu groß für ihn. Prof. Brosius trat an die Tür und blickte auf das Schlachtfeld.

»Was ist, Doktor Lingen?«

»Kommen Sie ruhig 'rein, Herr Professor.« Lingen legte den Arm um Emil, den Fisch. Der weinte wieder und schluchzte laut. Ein Jahr, dachte er. Ein ganzes Jahr in der Klapsmühle? Das überlebe ich nicht. Ich lasse mich von Judo-Fritze totschlagen, dann habe ich Ruhe. Die Jutta, die Gräfin, die hatte den richtigen

Drall. Von der Brücke in 'n Rhein und ab damit. O Gott, ist das Leben beschissen ...

Prof. Brosius sah sich im Zimmer um. Sein Gesicht zuckte. Dr. Lingen hob die Hand. »Keine Strafpredigten, Herr Professor. Die Männer von Zimmer siebzig werden im Gemüt ab jetzt wie Lämmchen sein und in der Arbeit wie Roboter. Der Dampf ist abgelassen, das Ventil wieder zu. Aber wem sage ich das. Sie als Psychiater ...«

Brosius nickte mehrmals. »Ich danke Ihnen, Doktor Lingen«, sagte er leise. »Ich bin fast versucht, zu sagen: Was wäre hier geworden, wenn Sie nicht selbst ein Trinker gewesen wären.«

»Er ist keiner mehr?« fragte Emil, der Fisch, dazwischen.

»Nein, Emil.« Dr. Lingen klopfte ihm auf die Schulter. »Ich bin geheilt. Guck mich nicht so dämlich an ... so etwas gibt es!«

»Und ich?« Emils Augen flackerten. »Wer heilt mich?«

»Keiner.« Dr. Lingen strich ihm über die kurzen, moosartigen weißen Haare. »Du bist nicht mehr heilbar, Emil. Du stirbst einmal in der Gosse oder in einem Keller. So wie unser Freund Jim, das Kamel.«

»Jim ist schön gestorben, was? Fällt um, bum, und ist tot!« Er wischte sich über die Augen und seufzte laut. »Ich bin also ein hoffnungsloser Fall?«

»Ja, Emil. Kannst du dir überhaupt vorstellen, wie ein normales Leben ist?«

»Ich kenne das doch gar nicht. Ich war 'ne Zangengeburt und bin danach aufgewachsen in 'nem Heim für Schwachbegabte Kinder. Dann kniff ich aus, und nun bin ich fünfzig und ...« Emil riß die Augen auf und legte zitternd beide Hände auf die Schulter Lingens. »Doktor, der Wievielte ist denn heute?«

»Der neunte Juli.«

Emils Kopf sank an Lingens Schulter. »Doktor ...« stotterte er. »Ich habe heute Geburtstag ... Ich werde fünfzig Jahre.«

»Wirklich, den hast du mit allem Feuerwerk gefeiert, Emil! Gratuliere, Junge.« Lingen legte den Arm um den schluchzenden Mann und führte ihn aus dem schwimmenden Zimmer. Im Flur stand Judo-Fritze mit gespreizten Händen.

»Finger weg!« herrschte ihn Dr. Lingen an. »Und von den anderen auch! Wenn ich eine Klage höre, eine einzige, Kellermann ... Sie kennen mich noch nicht!«

»Das ist hier die Landesheilanstalt und kein Privatsanatorium«, antwortete Fritze grollend.

»Und das hier sind Menschen wie Sie und ich! Wenn Sie das nicht begreifen können, werde ich es Ihnen beibringen lassen!«

Brosius kam aus dem Zimmer. Ihm folgten in Zweierreihen, wie eine brave Schulklasse, die zwanzig Insassen von Zimmer siebzig.

»Wir räumen auf …« sagte Brosius zu dem sprachlosen Judo-Fritze. »Ziehen Sie sich die Schuhe aus, Kellermann, wir helfen mit.«

Und er setzte sich auf den Stuhl, hob das Bein und streifte Schuh und Strumpf ab.

Prof. Dr. Brosius, Chef der LHA, Herrenreiter und Offizier der kaiserlichen Infanterie, Herrscher über neunhundert Betten mit neunhundert Geisteskranken, rollte seine Hosenbeine hoch und watete in das zerstörte Zimmer zurück.

»Hau ruck!« rief er und schleppte mit zwei Trinkern ein zertrümmertes Bett hinaus.

Man muß ein Beispiel geben, dachte er. Verdammt, dieser Dr. Lingen ist wirklich ein Genie. Ob im Krieg oder überall im Leben … das Beispiel reißt mit. Hier ist die Front der Trinker – erobern wir sie! Voranmarschieren ist eine gute Sache.

Und plötzlich, während er einen zerbrochenen Stuhl durch das Wasser trug, begriff er die Wirkung der Anonymen Alkoholiker.

Mitreißen, dachte er. Vorbild sein! Hineinreißen in das Leben, das sie glaubten, für immer verloren zu haben. Das ist eine bessere Therapie als eine Apomorphinkur oder eine Antabusbehandlung.

»Anpacken, Männer!« rief Prof. Brosius fast heiter. »Heute abend müßt ihr hier wieder schlafen. Und eine feuchte Bude gibt Rheuma!«

Vor dem Haus heulten schwere Motoren auf.

Die Polizei verließ die Landesheilanstalt.

Am Einfahrtstor stand ein harmloser Irrer, den man zum Hoffegen eingeteilt hatte, und präsentierte seinen Besen, als die Polizeiautos vorbeiratterten.

»Befehl ausgeführt, Regenwurm vernichtet!« brüllte er den Polizisten zu. Dann schloß sich das automatische Tor, und der Irre fegte weiter. Von links nach rechts, von rechts nach links, wie eine Maschine. Er war glücklich dabei, man sah es. Sein Gesicht strahlte.

Drei Wochen später starb in Zimmer dreiundzwanzig der Lingen-Klinik Pfarrer Hans Merckel.

Er war bis zuletzt bei vollem Bewußtsein, bei einer rätselhaften Kraft. Peter Kaul und Susanne standen an seinem Bett, Dr. Krüger und eine Schwester warteten hinter seinem Kopf am Fenster auf das nicht mehr aufschiebbare Ende.

Trotz Transfusionen wurde der Körper Merckels hoffnungslos vergiftet. Die Leberfunktionen waren zusammengebrochen.

Das breite Gesicht, dieser Bärenschädel voll Geist und Hiobscher Auflehnung, war gelb wie eine vertrocknete Zitrone. Die weißen Augäpfel lagen wie stumpfer Ocker in den Höhlen. Selbst die Lippen waren braunrot. Sprechen konnte er nicht mehr, aber in seinen Händen war noch Kraft genug, und so schrieb er etwas mit Kreide auf eine große Schulschiefertafel und zeigte dann das Geschriebene.

»Wo ist Lingen?« schrieb er. »Er soll bei mir sein.«

»Doktor Lingen ist in der LHA, Herr Pfarrer.« Kaul beugte sich zu dem Sterbenden vor. »Er hat Gutachten zu erstellen und hilft auch Professor Brosius.«

»Du nicht?« schrieb Merckel auf die Schiefertafel.

»Ich will bei Ihnen bleiben«, sagte Kaul. »Ich habe das Beten verlernt, Herr Pfarrer, aber jetzt möchte ich mit Ihnen beten.«

Merckel nahm die Tafel, wischte mit dem Hemdsärmel die Schrift aus und schrieb neu mit Kreide.

»Unser ganzes Leben ist ein Gebet, wir wissen es nur nicht. Auch wenn wir glauben, uns von Gott entfernt zu haben – es ist eine Illusion. Gott ist immer neben uns. Amen.«

»Amen«, sagte Peter Kaul leise. Susanne kniete neben dem Bett, sie hatte die Hände gefaltet. Merckel sah sie lange an. Wie unendlich ist die Liebe Gottes, dachte er, wenn er den Menschen solche Frauen schenkt. Dann blickte er weg, schob die Unterlippe vor und kam sich sentimental vor.

Er erinnerte sich plötzlich an einen Soldaten, sogar den Namen wußte er jetzt wieder. Felix Blattner. Ein Junge aus dem Allgäu, ein Bergbauernbub wie aus dem Bilderbuch, groß, stämmig, ungeschlacht, mit riesigen Pratzen und noch riesigeren Haxen. Er lag in Gumrak auf einem stinkenden, verfaulten Strohsack, in einem Viehwaggon, inmitten von heulenden und wimmernden Sterbenden, und immer mehr kamen aus der Hölle Stalingrad. Tausende Leiber, aufgerissen und fiebernd, überschwemmten die Lazarettzelte, krochen in die Waggons, warfen die Toten oder wehrlosen Sterbenden hinaus in den Schnee und krochen selbst auf die blutverkrustete Unterlage, bis andere kamen und sie in den Eissturm hinauswarfen. Ein höllischer Kreislauf, in dem kein Platz mehr war für ein christliches Wort.

Und der große, starke Felix Blattner lag mitten drin. Ihn warf niemand in den Schnee – er hatte noch gesunde Arme und Beine, er trat und boxte um sich, wenn Finger wie Krallen nach ihm hackten, aber er hatte die Nase weggerissen, ein Ohr und ein Auge. Ein kleiner, glühender Granatsplitter hatte ihn gestreift, der Krieg hatte ihn bloß gestreichelt, aber es blieb eine Spur zurück, die den Felix Blattner nicht mehr wie den Jungen vom Allgäu aussehen ließ und die ihn jetzt in Gumrak in einen Viehwaggon verschlug, wo er liegen bleiben und verfaulen würde.

»Herr Pfarrer …« hatte dieser Felix Blattner mühsam gesagt, als Hans Merckel von Waggon zu Waggon ging und auch zu ihm zwischen den Sterbenden und Toten hindurchkroch. »Wollen Sie mit mir beten?«

Und Merckel hatte geantwortet: »Wenn du es willst, mein Junge.«

»Nein, Herr Pfarrer.« Felix Blattner hatte ihn aus seinem übriggebliebenen einen Auge bittend angesehen. »Aber wenn Sie einen Schnaps hätten … nur einen Schluck, Herr Pfarrer.«

Hans Merckel hatte ihn. Er schraubte seine Feldflasche auf und hielt sie an den zuckenden Mund des Jungen. Drei tiefe Schlucke nahm er, unter Blut und Kruste ahnte Merckel ein glückliches Lächeln. Dann starb Felix Blattner und er nahm mit hinüber in die ihm immer versprochene schönere Welt das Glück, drei Schluck Schnaps getrunken zu haben.

Pfarrer Merckel zog die Schiefertafel wieder an sich, wischte die Schrift aus und schrieb in großen herrischen Buchstaben:

»Ein Glas Schnaps!«

Dr. Krüger las es, als Peter Kaul die Tafel so hielt, daß alle die Bitte sahen. Er schüttelte den Kopf.

»Es geht nicht, Herr Pfarrer«, sagte Kaul stockend. »Außerdem haben wir gar keinen hier.«

Und Merckel schrieb: »Warum lügt ihr alle noch im Angesicht des Todes? Wer unter euch ist ohne Sünde, der werfe den ersten Stein … Selbst ein Mörder hat einen letzten Wunsch frei. Bin ich geringer als ein Mörder?«

Wortlos verließ Peter Kaul das Zimmer. Nach zehn Minuten trat er wieder ein, in der Hand eine kleine Taschenflasche mit Doppelkorn. Die trüben Augen Merckels begannen wie von innen zu strahlen, seine Hände fuhren hoch. Dr. Krüger trat an das Bett, aber dann senkte er den Kopf und zog sich wieder zum Fenster zurück.

Langsam schraubte Kaul den als kleinen Trinkbecher ausgebildeten Verschluß von der Flasche, goß den Becher voll und gab die Flasche an Susanne weiter, die sie auf den Tisch stellte.

Wie gut ich dich verstehen kann, Felix Blattner, dachte Pfarrer Merckel. Ich liege zwar nicht in Gumrak, in einem Viehwagen, in 30 Grad Kälte und verfaule bei lebendigem Leib, aber ich habe, wie damals du, eine hündische Angst vor dem Sterben und eine noch größere Angst vor Gott. Ein Priester sollte so etwas nicht kennen, für ihn sollte der Tod die höchste Erfüllung seiner irdischen Laufbahn sein – aber ich bin anders, ich bin jetzt nur noch ein erbärmlicher, armseliger Mensch, der nichts vorzuweisen hat, was Gott milde stimmen könnte. Ich habe Angst, weiter nichts.

Er hob den Kopf. Peter Kaul schob das Kissen unter seinen Nacken, stützte den Kopf Merckels und setzte ihm den Kunststoffbecher an die Lippen.

Gierig trank Merckel, der Alkohol brannte in ihm hinunter, erreichte die Operationsstelle im Ösophagus, riß eine Hölle auf und verwandelte sein Hirn in einen feuerspeienden Berg.

»Oh!« stöhnte er. Ganz klar und deutlich: »Oh!« Dann fiel er in den Armen Kauls zurück, es war ihm, als würde sein Herz mit dem Gehirn aus ihm herausgeschleudert, alles in ihm brannte, Fegefeuer, durchjagte es ihn, Fegefeuer, es gibt das Fegefeuer ... Oh, mein Gott, verzeih deinem Sünder ...

Dr. Krüger beugte sich über den Toten und drückte ihm die Augen zu. Am Fenster betete die Schwester, Susanne nahm die Hände Merckels und fügte die Finger zusammen. Langsam, wie er sie aufgeschraubt hatte, schraubte Peter Kaul die Flasche wieder zu.

Über den mächtigen Bärenschädel des Toten zog Dr. Krüger ein Leinentuch. Der Pfarrherr von St. Christophorus hatte endlich Ruhe, vor den Menschen und vor seinen Fragen an Gott.

Ihn umwehte noch immer ein Geruch von Destille, als Dr. Lingen an das Bett trat, das Tuch von dem gewaltigen Schädel zog und in das friedlich schlafende gelbe Antlitz sah.

»So stirbt ein Held«, sagte Dr. Lingen laut und sah die das Bett Umstehenden einzeln an. »Man braucht dafür nicht immer ein Schlachtfeld ...«

Aus der Schweiz, aus der Clinica Santa Barbara, von dem stets fröhlichen Dr. Hütli war ein neuer Brief gekommen.

Er traf an dem Tag ein, an dem Susanne Kaul im Kreißsaal der Frauenklinik lag und ihr viertes Kind gebar. In der Nacht hatten die Wehen begonnen, aber sie hatte Peter schlafen lassen, bis sich ihr Körper in Abständen von fünf Minuten aufbäumte und es unmöglich war, ihm weiter den Schlaf zu gönnen. Der Krankenwagen brachte Susanne und Peter dann in die Frauenklinik, während die Nachbarin herüber kam, sich in die Ehebetten legte und auf die Kinder aufpaßte.

»Es kann noch etwas dauern«, hatte der Arzt in der Klinik nach der ersten Untersuchung gesagt. »Das vierte, sagen Sie? Na, dann kennen Sie das ja. Ihre Frau hat ein ziemlich enges Becken, aber wo drei gekommen sind, bleibt das vierte nicht stecken.«

Der übliche Medizinerwitz. Peter Kaul bedankte sich höflich und fuhr wieder nach Hause. Da sein Bett von der Nachbarin besetzt war, legte er sich in der Küche auf das alte Sofa und verbrachte die paar Stunden bis zum Morgen in einem unruhigen Halbschlaf.

Mit der Post kam dann der Brief von Dr. Hütli. Er schrieb:

»Es macht uns Freude, zu berichten, daß Gundi sich sehr wohl fühlt, vier Pfund zugenommen hat und ein liebes, freundliches Kind ist. Der erste große Erfolg unserer Behandlung ist gestern eingetreten. Gundi konnte bereits für einige Minuten frei stehen und jetzt ist sie in der Laufmaschine drei Schritte gelaufen. Täglich üben wir, und es macht ihr viel Spaß …«

Sie läuft, dachte Peter Kaul und las immer wieder die wenigen Zeilen des Dr. Hütli. Sie wird nicht für alle Zeiten ein kriechendes Tier bleiben, sie wird ein Mensch sein wie wir alle. Mein Gott, mag sie dumm bleiben, einfältig oder kindisch … aber sie wird an meiner Hand gehen können, sie wird ihre Umwelt erkennen, die Vögel singen hören, die Blumen blühen sehen. Sie wird tatsächlich ein Mensch sein!

Er faltete den Brief zusammen, holte aus dem Keller sein altes Fahrrad und radelte zur Frauenklinik. Auf dem Weg dorthin kam er an dem verwaisten Pfarrhaus von St. Christophorus vorbei. Ein junger Vikar versah bis zum Eintreffen eines neuen Pfarrherrn den Dienst im Sprengel. Die Fenster von Merckels Arbeitszimmer standen weit offen. Die Haushälterin, in tiefem Schwarz wie eine Witwe, putzte die Scheiben.

Peter Kaul machte einen Umweg zur Klinik. Er fuhr erst zum Friedhof und suchte das Grab Merckels. Ein frischer Hügel mit den kaum verwelkten Kränzen und Buketts. Er hatte ein Begräbnis gehabt wie ein Staatsmann. Nicht nur seine ganze Gemeinde zog hinter seinem Sarg her, sondern auch ein Block berühmter Namen, von Prof. Brosius bis zum Oberstadtdirektor, von Dr. Lingen bis zum Regierungspräsidenten. Auch der Bischof war gekommen und segnete den Toten ein. Er wußte – wie die wenigen Eingeweihten –, welches Schicksal dort in die schmale, mit Tannengrün ausgeschlagene Grube gesenkt wurde. Der Kirchenchor sang am Grab – es wurde ein kläglicher Gesang, denn den meisten war die Kehle wie zugeschnürt und gab nur gequetschte, unschöne Töne frei.

»Ich danke Ihnen, Herr Pfarrer«, sagte Peter Kaul leise am Grab und faltete die Hände. »Gundi wird laufen können. Das verdankt sie nur Ihnen. Warum konnten Sie das nicht mehr erleben ...«

In der Klinik empfing Peter Kaul die Kreißsaalschwester mit ausgestreckten Händen.

»Gratuliere!« sagte sie, ehe Kaul fragen konnte. »Ein Junge! Sieben Pfund schwer, gesund und kräftig. Vor zehn Minuten ist er gekommen!«

Aus einem Zimmer tönte ein helles, noch zittriges Schreien. Susanne war noch im Kreißsaal, sie wurde genäht.

»Ist er das?« fragte Kaul leise.

»Ja! Der hat eine Stimme, nicht wahr?«

Kaul nickte stumm.

Er ist gesund, das war alles, was ihn in diesem Augenblick ergriff. Er schluckte ein paarmal und sah die lächelnde junge Schwester an.

»Ganz gesund?« fragte er heiser. »Sie irren sich auch nicht? Kein Bein verkrüppelt, kein Arm, kein Mongolengesicht?«

»Aber nein, warum denn? Es ist ein ausgesprochen schönes Kind ...«

»Warum denn? O Schwester, welche Frage.« Peter Kaul lehnte sich an die Wand. Mit dem Handrücken wischte er sich kalten Schweiß aus dem Gesicht. »Wenn man neun Monate lang auf eine Strafe wartet ... das zermürbt, das macht einen fertig, da büßt man sein ganzes früheres Leben ab ...«

»Sie können Ihren Sohn in einer halben Stunde sehen, Herr Kaul.«

»O danke. Und meine Frau?«

»Vielleicht etwas früher. Bitte, warten Sie im Zimmer auf Ihre Familie.« Die kleine Schwester lächelte ihn madonnenhaft an. Wie alle jungen Väter, dachte sie. Hilfloser als das Baby, das sie bekommen haben. »Zimmer hundertachtundsechzig, zweiter Stock. Sie können dort den Aufzug benutzen.«

Kaul nickte und tappte aus der Entbindungsstation.

Nun ist alles vorbei, dachte er glücklich. Nun sind wir wieder eine frohe, große, alltägliche Familie. Acht Stunden Arbeit, abends ein paar Überstunden, dann die Zeitung, Fernsehen, belegte Brote, eine Flasche Bier. Ja, auch das wieder. Das ist kein Rückfall. Wir werden uns einmal einen kleinen Wagen kaufen und sonntags hinaus ins Grüne fahren. Durch die Wälder, durch die Auen ... Luft tanken, Fröhlichkeit, Zufriedenheit, das Bewußtsein, wie schön das Leben sein kann. Auf einer Waldwiese zum Beispiel, umgeben von Fichten und Kiefern. Decke 'raus, Petra, Heinz, anfassen ... und nun kommt Mutti mit dem Kartoffelsalat und den heißen Würstchen im Thermoskesselchen. Wie die Bienen summen! Dort schwebt eine Wolke, wie ein weißes Schiff mit weit gespannten Segeln. Hörst du den Kuckuck? Man soll sich etwas wünschen, wenn er ruft. Was wünschen wir uns? Glück? Viel Geld? Gesundheit? Ein eigenes Häuschen? Ein langes Leben? Brave Kinder?

Peter Kaul blieb stehen und sah gegen die Drahtglasscheibe der Fahrstuhltür. Ein Schatten glitt hinter ihr hinunter lautlos in die Tiefe.

Oben bleiben, dachte Kaul. Das ist es. Das wünschen wir uns. Nie wieder hinab, nie mehr in das Dunkel. In der Sonne bleiben und spüren, wie sie wärmt.

Eine Schwester ging an ihm vorbei, blieb stehen, sah sich um und kam zurück.

»Wollen Sie mit dem Aufzug fahren?«

»Ja, Schwester.«

»Dann müssen Sie da auf den roten Knopf drücken, sonst fährt er an Ihnen vorbei.«

»Danke, Schwester.«

Er lächelte, hob die Hand, steckte den Zeigefinger weit vor und legte ihn auf den roten Knopf neben der Tür. Die Schwester ging eilig weiter.

Das Leben sollte auch einen roten Knopf haben, auf den man drückt, damit es nicht an einem vorbeifährt, dachte er. Aber so etwas gibt es nicht, so einfach ist das Leben nicht eingerichtet. Es gehorcht nicht auf einen Impuls – man muß ihm nachlaufen. Immer, immerfort.

Vor ihm hielt der zurückgekehrte Fahrstuhl. Die elektrische Tür glitt zur Seite.

Einsteigen, Peter Kaul.

Zweites Stockwerk.

Zimmer einhundertachtundsechzig.

Eine Frau und ein Kind warten. Die Liebe wartet. Der Beweis des herrlichen Lebens.

Kaul stieg ein. Die Tür glitt zu.

Als er emporfuhr, war es ihm, als schwebe er dem Himmel entgegen.

So kann nur ein Mensch empfinden, der wirklich glücklich ist.

Und er war glücklich.